3/7/90
Delivery note
1426

£15.65

Stendhal : l'écrivain, la société et le pouvoir

Publié avec le concours de l'Université de Grenoble III

PRESSES UNIVERSITAIRES DE GRENOBLE

B.P. 47 X 38040 Grenoble Cedex

ISBN 2 - 7061 - 0229 - 2

Michel Arrous - Simone Balayé - Jacques Birnberg - Ellen Constans - Béatrice Didier - Jan O. Fischer - Jean-Jacques Hamm - Hermann Hofer - François Landry - Raymond Mahieu - Pierre Michel - Geneviève Mouillaud Fraisse - Nicole Mozet - Michaël Nerlich - Keith A. Reader - René Rémond - Kurt Ringger - Maria Angels Santa d'Usall - Jacques Seebacher - Jean Tulard - John West Sooby.

Stendhal :

l'écrivain, la société, le pouvoir

Colloque du Bicentenaire

(Grenoble, 24-27 janvier 1983)

Textes recueillis et publiés par Philippe Berthier

Presses Universitaires de Grenoble

1984

Le Centre d'Etudes Stendhaliennes de l'Université des Langues et Lettres, l'Université des Sciences Sociales et la Ville de Grenoble ont associé leurs efforts pour offrir à Stendhal un hommage digne de lui à l'occasion du bicentenaire de sa naissance.

S'agissait-il d'une réparation ? Peut-être. Les Grenoblois ont pu, dans le passé, se sentir piqués de voir l'un des leurs se revendiquer « Milanese » et accumuler les griefs contre une ville natale constamment prise pour repoussoir. Ce n'est pas ici le lieu d'éclaircir le malentendu. Que Grenoble ait profondément, indélébilement, marqué Stendhal, et pas seulement en négatif, c'est l'évidence même. Nulle « récupération » dans cette constatation. Grenoble reste à l'origine de tout et n'a pas à pardonner à un fils ingrat. Malgré des apparences contraires, Stendhal y est chez lui et n'a jamais cessé d'y être. L'honorer sur place allait donc de soi. Tant mieux si, par la même occasion, on pouvait, pour la première fois avec tant d'ardente unanimité, lui montrer qu'on n'avait au fond jamais douté de lui.

Le thème retenu pour le Colloque, éminemment actuel et problématique, nous a paru au coeur du sens stendhalien, et susceptible de nourrir des études nouvelles. Nous n'avons d'ailleurs pas voulu nous limiter à Stendhal, souhaitant rayonner autour de lui et ne pas le séparer de son contexte. Des contraintes d'ordre matériel nous ont empêchés de donner les rapports de synthèse, préparés par René Bourgeois, Jacques Chocheyras, Michel Gilot, Gérard Luciani et Jean Sgard. On ne trouvera donc ici, mais in extenso, que les contributions des communicants, exceptées, pour des raisons indépendantes de notre volonté, celles de Pierre Barbéris et de Claude Duchet.

Le social et le politique dans la littérature, « coup de pistolet au milieu d'un concert » ? Au lieu de casser la partition, ils peuvent aussi l'enrichir. Qu'on en juge.

Philippe BERTHIER

Directeur du Centre
d'Etudes Stendhaliennes.

LA « SOCIÉTÉ » D'HENRI BEYLE SOUS LA RESTAURATION
(1822-1830)

Geneviève Mouillaud-Fraisse

Dans les années soixante, je me demandais à quelle classe sociale appartenait Henri Beyle. Monsieur de La Palisse me répondait : « la bourgeoisie », et, si j'insistais, il ajoutait : « moyenne ». Si j'insistais encore, il me clignotait : « Reformulez votre question ». C'est pour en savoir plus que j'ai entrepris la recherche dont je vais parler ici.

Quand elle a été terminée, la problématique dont elle faisait partie, et qui avait rendu si urgente la question de l'appartenance de classe, avait perdu sa pertinence à mes propres yeux. Il s'agissait, dans la perspective marxiste de Lucien Goldmann, de chercher une origine sociologique, un groupe inspirateur, à ce que j'appelais la problématique de Stendhal, plus précisément du roman stendhalien. La question posée supposait une conception unitaire de la causalité et une ambition totalisante : le groupe inspirateur devait être étudié dans ses rapports à l'ensemble social et à l'évolution historique. Or, tout ce que je trouvais de précis était partiel, fragmentaire ; comme une certaine honnêteté (et le groupe de référence des sociologues du CNRS...) me retenaient de faire des raccords trop arbitraires (les fameuses « médiations »), cela produisait comme symptôme un programme de travail infini, qui aurait mobilisé autour du cas Stendhal une gigantesque équipe pluridisciplinaire. Finalement, j'ai rangé tous mes papiers dans un placard, et ainsi conclu pratiquement, non à l'impossibilité d'études sociologiques sur tel ou tel aspect de la littérature, mais à l'impossibilité de cette étude-ci. En fait, elle jouait sur deux tableaux : 1) une vue « hégélienne » à long terme, celle de la *Théorie du roman*, de Lukacs[1], marxisée par Goldmann[2], dans laquelle pouvait assez bien s'insérer Stendhal ; cette vue reposait sur un parallèle entre l'histoire européenne et l'histoire du roman, et fonctionnait d'autant mieux qu'elle se passait de toute étude sociologique concrète ; 2) une tentative de monographie sociologique tendant à vérifier sur un cas particulier, le rapport entre oeuvre littéraire et configuration sociale. Or, bien entendu, cela ne se vérifiait pas ; le contraire non plus. C'était de l'ordre de l'invérifiable.

Ce qui m'a incitée à rouvrir mon placard, c'est la deuxième question de ce colloque : les écrivains, la société et le pouvoir à l'époque de Stendhal. Il me semble en effet qu'à travers ce travail, j'avais appris deux ou trois choses à ce sujet. Mais je dois d'abord l'exposer, dans ses grandes lignes, tel qu'il était : une tentative de reconstitution de la position sociale d'Henri Beyle sous la Restauration.

Il y avait à résoudre une difficulté préalable. Un paradoxe, familier à l'équipe de Goldmann, consistait en ce que l'appartenance de classe n'est jamais si facile à situer que dans la société d'Ancien Régime, où précisément les classes n'en sont pas, mais se présentent comme « ordres » ou « états ». Alors, pour un individu, l'origine, la place dans la production ou la pratique sociale, la conscience d'appartenance, sont généralement convergents. Le moment où apparaît précisément la notion de classe, au début du XIXe siècle, suit la dissolution de ces cadres qui englobaient l'individu de la naissance à la mort. Les indicateurs d'appartenance ne fonctionnent plus ensemble, il y a toutes sortes de distorsions, entre l'origine, la situation et la conscience, et, si une attribution de classe peut se faire à première vue, c'est l'attribution grossière que j'attribuais tout à l'heure à M. de La Palisse. Naturellement, je donne ici une cohérence excessive aux ordres et états d'un « ancien régime » bien vague, et je condense provisoirement la notion marxienne de classe avec le sens du mot vers 1830 en France ; je veux seulement indiquer comment la question se posait à moi. Il me semblait, par exemple, que le travail de Goldmann[3] sur les rapports entre Pascal, le jansénisme et la noblesse de robe, ne pouvait pas, même avec les mêmes présupposés méthodologiques, être transposé après 89, sans devenir caricatural. L'ouverture relative qui oppose la classe aux différentes formes de castes, ordres ou états, la multiplicité des groupes avec lesquels un individu se trouve en rapport au cours de sa vie, donne dans chaque cas une configuration originale, qui se présente comme produit du hasard ou du libre choix. Comme précisément le hasard et le libre choix sont la forme (statistique) que revêt dans ce type de société la détermination sociale, il n'était pas impossible de l'étudier sociologiquement, mais les données immédiates n'y suffisaient pas.

Une difficulté supplémentaire surgissait quand la biographie se situait précisément des deux côtés de la Révolution et de l'Empire, dans cette période de formidable mobilité sociale où non seulement la place d'un individu mais les cadres mêmes par rapport auxquels il se déplace ont connu en vingt-cinq ans plusieurs bouleversements. On pouvait résoudre cette dernière difficulté en traitant chaque période historique comme une synchronie, et en posant pour chacune la question de l'appartenance sociale et de ses cadres. J'ai choisi la Restauration, pour des raisons internes à l'écriture de Stendhal : c'était le moment, selon moi décisif, du passage au roman ; 1826 : *Armance* ; 1830 : *Le Rouge et le Noir* ; le rapport que je cherchais à instaurer entre l'étude des textes et l'étude sociologique devait trouver là son intérêt maximum.

Or, à cette époque, Henri Beyle n'a pas de position sociale facilement repérable : ancien fonctionnaire en demi-solde, journaliste anonyme aux revenus instables[4], écrivain occasionnel, résidant en Italie, puis à l'hôtel, célibataire... On aligne une série de non-définitions. Ou de déplacements : la vie à Milan, la vie à l'hôtel, le non-mariage (vu sous son angle sociologique : Henri Beyle ne s'est jamais marié, mais il l'a envisagé avant 1814 et après 1830, alors qu'il l'exclut sous la Restauration) sont des façons de ne pas correspondre à une définition de classe, qui serait peut-être un déclassement, mais par rapport à quoi ? à un passé récent de fonctionnaire impérial ? à un destin familial de propriétaire ou de rentier manqué par la faute de son père ? aux fortunes littéraires de l'époque ? Il y a des indications dans ces différents sens, mais il y en a trop, on hésite entre l'éparpillement et l'arbitraire.

Or, pour cette période de la vie d'Henri Beyle, exactement pour la période de son séjour à Paris, entre 1822 et 1830, il y avait au moins un aspect de son appartenance sociale sur lequel la documentation était riche et précise, c'était l'ensemble des personnes qu'il fréquentait. Les *Souvenirs d'Egotisme*, la correspondance, les témoignages de ses amis et connaissances, et le travail déjà fait à partir de tout cela par les érudits, et d'abord par Martineau, permettaient de s'en faire une idée assez exacte.

J'ai bricolé à partir de là le processus suivant : prendre comme point de départ l'ensemble des personnes qui avaient été en relations suivies avec Henri Beyle pendant la période considérée. Chercher lesquelles étaient en relations suivies avec quelles autres, à l'intérieur de ce premier ensemble. On obtenait pour chaque individu une liste d'interrelations et une première constatation : sur 63 personnes retenues, 30 ont entre elles plus de dix interrelations, 53 en ont plus de cinq et il ne reste que quelques unités marginales (10 : amis d'enfance, relations de table d'hôte, objets d'amour). La structure de ce milieu n'est pas, malgré le point de départ nécessairement concentrique, celle d'un cercle dont Henri Beyle serait le centre ; il se trouve plutôt à l'intersection de plusieurs lieux : salons de Tracy, de La Fayette, d'Aubernon, de Cuvier, de Gérard, de Mme Ancelot, hôtel de la Pasta, « grenier » de Delécluze, etc..., qui sont tous des lieux de conversation, la lettre ou l'article relayant l'échange de paroles. Entre ces lieux, des individus, qui s'y retrouvent avec toutes sortes de choix personnels, donc de combinaisons diverses, tissent un réseau social. Il n'y a pas de « lieu de travail » (les rédactions de journaux, et, en premier lieu, du *Globe*, seraient la seule exception, et précisément Henri Beyle n'y va pas ; le journal réunit, à l'écart de lui, plusieurs de ses amis, qu'il rencontre ailleurs). Cet espace de conversation, défini par des conventions précises, avec des degrés (la présentation ; la fréquentation : « il va beaucoup chez Mme X... », « il voit beaucoup X... ») correspond assez exactement à l'un des usages du mot « société » à l'époque, celui qu'indique mon titre . J'ai utilisé celui de « milieu » pour éviter les interférences avec le sens moderne de *société*, et j'ai pris pour base d'étude l'ensemble défini par cinq interrelations au moins, de façon à tracer des bords. J'ai parcouru cet ensemble avec un certain nombre de questions, et je reproduis ici le bilan chiffré établi à partir de mes « questionnaires » ou résumés biographiques (les variations du nombre total de personnes d'une question à l'autre tiennent entre autres à l'intéressant désordre que les femmes introduisent dans mon corpus).

*   *

*

1. Caractéristiques professionnelles

*Celles que j'ai retenues peuvent se cumuler (journalisme + adminis-
tration, etc...). Elles ne sont d'ailleurs pas toutes situées sur la même
dimension. La fonction de député, par exemple, n'est pas une profession
à l'époque ; elle est gratuite. Mais elle a son importance comme activité
touchant d'un côté à l'administration (plusieurs de nos députés deviendront ministres après 1830) et de l'autre au métier d'homme de lettres
(l'éloquence parlementaire est à cette époque un art autonome, qui
tient de la littérature et du théâtre).*

— Journalistes (occasionnels ou professionnels) ou hommes de lettres (au moins 1 ouvrage publié)	*36*
— Artistes (6 peintres, 2 cantatrices, 1 sculpteur)	*9*
— Savants (naturalistes)	*4*
— Médecin en exercice[5]	*1*
— Avocats en exercice (non compris 4 juristes qui n'exercent pas)	*2*
— Professeurs (Université et muséum : 6, lycée : 2, professeurs libres, exerçant à l'Athénée, dans des écoles d'art ou donnant des leçons particulières : 9)	*17*
— Administration (haute administration et grands corps de l'Etat : 1, moyenne : 5)	*6*
— Fonctionnaires subalternes	*3*
— Députés	*6*
— Propriétaires fonciers dirigeant l'exploitation de leur terre	*4*

— Divers :

*. 1 libraire-éditeur, par ailleurs ancien avocat et journaliste, candidat
malheureux (parce que libéral) à un poste administratif : Sautelet
. 1 agent de change, par ailleurs ancien préfet et homme de lettres :
Aubernon
. le neveu de Ternaux, sans profession à l'époque (trop jeune), plus
tard homme politique et historien.*

Professions non représentées :
— Industriels
— Commerçants (sauf Sautelet)
— Ingénieurs

– *Banquiers (sauf Aubernon)*
– *Officiers en exercice*
– *Magistrats*
– *Clergé*
– *Travailleurs manuels et paysans, évidemment.*

Pour les professions qui se trouvaient peu accessibles à des libéraux pendant la période considérée, un décompte a été fait avant 1821 (à partir de la naissance de l'intéressé) :

– *Officiers*	7
– *Haute et moyenne administration (5 et 7 respectivement)*	12

Même décompte après 1830 (jusqu'à la mort des intéressés)

– *Officiers*	4
– *Haute et moyenne administration (respectivement 5 et 12)*	17
– *Professeurs d'Université*	7
– *Parlementaires (députés, pairs, sénateurs)*	12

Il ne s'agit généralement pas des mêmes individus, pour des raisons d'âge. On voit que l'absence de l'armée en 1821-1830 n'est due qu'à la conjoncture politique, de même que la sous-représentation des carrières administratives. Signalons, par contre, l'absence persistante de l'industrie[6] et du commerce, ainsi que de la magistrature.

Dernier décompte :

a) tous ceux qui ont été à un moment quelconque de leur vie dans l'appareil parlementaire, bureaucratique, universitaire ou militaire de l'Etat : 42 sur 53.

b) ceux qui ont eu à un moment quelconque des activités intellectuelles (littéraires, scientifiques, juridiques) ou artistiques : 46 sur 53.

c) ceux qui possèdent au moins l'une des caractéristiques a) et b) : 53 sur 53.

Le milieu est donc totalement compris dans la réunion de deux ensembles sociaux : le personnel de l'Etat et les hommes politiques d'une part ; les intellectuels[7] et artistes d'autre part. Il est par contre totalement exclu de l'appareil de production et de distribution (sauf celui de la chose imprimée, bien entendu).

2. Origine sociale

Le mot recouvre d'abord l'opposition nobles-roturiers, qui est à la fois très marquée sous la Restauration, et en remaniement :

— Noblesse ancienne (avant 1789)[8]	*6*
— Noblesse ancienne ayant renoncé au titre	*3*
— Noblesse d'Empire	*2*
— Noblesse de la Restauration	*2*
— Roturiers (y compris ceux qui ornent leur nom d'une particule)	*40*

Parmi les roturiers, il est difficile d'opérer un classement précis ; le critère de la profession des parents pose des problèmes d'interprétation. La variété est en effet très grande pour ceux qui sont nés avant le bouleversement révolutionnaire. Mais ceux-là, en 1821, sont très loin de leur origine, non seulement par l'âge, mais par la distance sociale. Qui se souvient des débuts difficiles (père domestique) de Gérard, baron et peintre des rois ? L'origine petite-bourgeoise et provinciale de l'ancien ministre Beugnot est également oubliée, etc... La profession du père ne devient significative qu'à partir de la stabilisation impériale ; elle est encore assez diverse, comme en témoigne le tableau suivant (individus nés après 1795) :

— Noble, sans doute propriétaire foncier	*1*
— Haute et moyenne administration	*7*
— Industriels riches	*3*
— Savants	*2*
— Artistes	*3*
— Docteurs	*2*
— Divers petits bourgeois	*4*
— Artisan	*1*
— Fermier	*1*

Parmi les six nobles d'origine qui ont gardé leur titre, l'un est député libéral, quatre autres sont d'opinions libérales, le dernier est un ancien fonctionnaire d'Empire. Tous se sont écartés d'une façon ou d'une autre de leur classe d'origine. Cela accentue la dominance de l'origine roturière.

3. Niveau d'instruction

Cette caractéristique soulève des difficultés du même genre que la précédente pour les générations les plus anciennes. Sous l'ancien régime les modes d'éducation sont disparates (précepteurs, collèges religieux) ; par ailleurs, la période révolutionnaire a si profondément remodelé les individus que les traces de leur première éducation ne sont plus sensibles en 1820 chez les hommes de 50 ans. Pour ceux dont l'adolescence a coïncidé avec le Directoire, il y a eu les écoles centrales, mais elles étaient rares et marquées politiquement. L'hétérogénéité est trop grande pour permettre des comparaisons. Relevons pourtant les seuls vrais autodidactes du milieu : Béranger, qui a suivi un moment une école révolutionnaire, mais destinée aux enfants du peuple, et David d'Angers, qui travaillait comme ouvrier sur un chantier pour payer ses leçons de dessin. Ce sont aussi les seuls qui restent marqués par une origine populaire.

Pour la génération des lycées, celle qui est née après 1795, l'inventaire est parfaitement clair : 22 sur 22 ont reçu l'équivalent d'une éducation secondaire. C'est très significatif à une époque où l'enseignement secondaire ne touche en France que 50 000 adolescents. Plusieurs sont boursiers, alors que le nombre total des bourses n'est que de 3 000 en 1830 pour toute la France. Cette homogénéité d'instruction corrige l'hétérogénéité relative de l'origine sociale. Elle caractérise un milieu dans lequel l'ascension ne prend pas la voie directe de l'enrichissement, mais passe par « l'école des notables ».

L'enseignement supérieur est plus disparate sous la Restauration que l'enseignement secondaire. Il comprend la « jeunesse des écoles » de droit et de médecine, dont le niveau social moyen est un peu au-dessous de celui du milieu considéré. On trouve pourtant parmi nos jeunes gens 5 étudiants en droit, 2 en médecine. L'Ecole Normale, de recrutement analogue mais d'un haut niveau intellectuel et dans tout l'éclat de sa jeunesse, a 4 représentants. Un seul polytechnicien, et d'une autre génération, celle des débuts de l'école, Victor de Tracy.

Mais les jeunes gens « du monde » qui veulent se donner une culture le font plutôt de manière informelle, par les cours publics des facultés de Lettres et de Science (qui n'ont pas encore d'étudiants au sens moderne du mot), par des « conférences » entre eux et leurs lectures personnelles. Ce type d'études supérieures qu'aucun diplôme ne sanc-

tionne est majoritaire. Dans l'ensemble, si on abandonne la distinction des générations et les tentatives de bilan chiffré, le haut niveau d'instruction, acquis d'une manière ou d'une autre, est très largement dominant.

4. Niveau économique

J'ai renoncé à trouver 53 chiffres de fortune ou de revenus ; les documents ont des lacunes, et un travail sur les archives demanderait un temps disproportionné aux résultats ; en particulier les inventaires d'héritage ne serviraient à rien quand les intéressés sont morts vingt ou trente ans après la période qui nous occupe.

Par contre, de nombreux indices (logement, voiture, projets de carrière ou de mariage, etc.) permettent de fixer une « fourchette » des revenus annuels vers 1830 : sa limite inférieure est de 3 000 F par an, sa limite supérieure de 20 000, avec des groupements plus forts autour de 5-6 000 pour les célibataires et de 10-12 000 pour les couples.

La frontière supérieure comporte quelques exceptions : on trouve au-dessus l'agent de change Aubernon, le jeune neveu de Ternaux, les députés libéraux d'origine noble qui ont retrouvé leur propriété foncière ou bénéficié malgré eux de l'indemnité Villèle, les grands administrateurs comme Cuvier et Beugnot. Mareste est à la limite.

Ces exceptions sont ressenties comme telles ; Henri Beyle indique lui-même qu'il a cessé de fréquenter ses relations du temps de l'Empire à cause du décalage de fortune qui l'en sépare depuis 1814. Les plus riches de ses amis sous la Restauration font oublier leur richesse, soit par leurs qualités intellectuelles (Cuvier, Destutt de Tracy) soit par la modestie de leur train de vie (Lafayette, ou Victor de Tracy qui n'a pas de voiture), soit par la simplicité et l'ouverture de leur accueil aux « jeunes gens sans fortune » (Gérard). Beugnot ne figure dans le milieu que grâce aux relations de son fils, jeune avocat libéral et journaliste au Globe.

La limite inférieure ne souffre pas d'exception ; c'est celle qui sépare la « lutte avec les vrais besoins » du minimum d'aisance qui permet à un jeune homme sans fortune de se présenter convenablement dans un salon.

Les très jeunes gens la traversent rapidement (Thiers) ou plus péniblement (Sainte-Beuve) mais ne figurent dans le milieu qu'après cette traversée. Béranger, malgré sa maigre place de gratte-papier, est franchement au-dessus grâce à ses chansons. Les artistes en difficulté (Scheffer avant 1824, Delacroix vers 1827) ne tombent pas dans la misère et la bohème.

A l'intérieur de ces limites, on trouve, vers le haut, les députés les moins riches, au bord de l'égibilité, comme le général Foy et Benjamin Constant ; vers le bas, les journalistes pas encore arrivés, les professeurs de lycée. Entre 6 000 et 10 000 la plupart des autres.

La nature des revenus se réduit à des catégories peu nombreuses. La rente foncière est présente dans une dizaine de cas ; les rentes publiques pour une majorité ; les pensions et demi-soldes pour les fonctionnaires et militaires évincés en 1814 ; le reste est fourni par les traitements publics d'une part, le produit des livres, des articles de journaux d'autre part. Rares sont les cas où une seule de ces sources fournit tout le revenu. En général une rente ou un traitement, même s'il est insuffisant, permet aux hommes de lettres d'échapper à l'exploitation intensive par les libraires, celle qu'a vécue Balzac, et de garder une marge de sécurité. Mais le besoin même d'écrire pour « vivre » selon les normes minimales du milieu, est considéré comme un « malheur de fortune » (Delécluze, à propos d'Henri Beyle).

Cette zone moyenne est aussi une zone de stabilité. Comme il n'y a pas de spéculations industrielles ou commerciales il n'y a pas non plus de catastrophes (unique exception : le libraire Sautelet, qui est ruiné en 1830 et se suicide). La baisse des fonds publics à partir de 1825 affecte sérieusement les revenus, mais lentement et sans drame. Inversement, les ascensions sont lentes. La plus rapide est celle du jeune Thiers, parti de rien et arrivé à 10 000 F de revenu, sans spéculer encore sur autre chose que les actions des journaux.

En somme : absence des gains liés à l'industrie et au commerce ; présence minoritaire des ressources traditionnelles, celles de la propriété foncière ; présence massive des ressources fondées sur l'Etat (traitements et rentes) et sur la production intellectuelle et artistique.

5. Opinions politiques

— *Libéraux*   45
— *Ministériels*   6
— *Non-marqués*   2

L'écrasante majorité libérale comprend toutes les nuances du parti. La distinction entre elles est incertaine et instable. Par contre, les frontières du libéralisme sont bien tracées, au moins dans les périodes où l'affrontement droite-gauche atteint son maximum. Le ministérialisme n'est à l'état « pur » que chez Lingay, d'ailleurs assez méprisé et presque en marge du milieu (seulement 5 interrelations ; témoignages de Delécluze et de Mme Ancelot). Les autres ne franchissent pas certaines bornes. Cuvier refuse un poste de censeur sous Villèle ; Mirbel n'a été secrétaire général de la police que sous le ministère modéré de Decazes ; Mareste « hait les Bourbons comme maladroits ». Les non-marqués sont des artistes : Gérard peint les portraits de Charles X et du général Foy, Delphine Gay répartit aussi éclectiquement ses éloges poétiques.

La dominance du libéralisme est encore renforcée par l'absence de la vraie droite, celle des ultras[9].

6. Religion

Les nuances sont infinies : idéologues athées (Tracy) ; idéologues penchant vers le spiritualisme (Fauriel) ; hégéliens spiritualistes (Cousin) ; hégéliens a-religieux (Thiers) ; spiritualistes protestants (Constant, Stapfer), spiritualistes sceptiques (Sainte-Beuve), etc...

Par contre une absence est très significative, celle des catholiques convaincus. Deux ou trois exceptions apparentes ne résistent pas à l'examen. Beugnot est pratiquant par conformisme sous la Restauration, mais il s'était entendu traiter d'idéologue par Napoléon pour avoir parlé du « préjugé chrétien » à propos des Juifs ; un écrivain officiellement défenseur de l'autel comme Ancelot, ne respecte guère la religion en privé, et, ce qui est plus rare, ne l'exige pas de sa femme. L'anticléricalisme et l'antijésuitisme sont la règle, surtout sous Villèle et Polignac ; il y a, par contre, chez certains rédacteurs du Globe, du respect pour le catholi-

cisme intransigeant du premier Lamennais ; mais aucun d'eux ne partage sa croyance. Même parmi les femmes, aucune dévote notoire.

* *
*

Que tirer de ce bilan par rapport à la question du colloque ? Une constatation amusée : cette question qui n'était pas du tout la mienne au départ s'y révèle centrale. Ainsi, le présent interroge, lisant dans les vieux documents des évidences variables. Situés nettement, par leur origine, leur choix politique et religieux (les trois étant homogènes pour l'essentiel) à l'écart du pouvoir, de côté, de ce côté qu'on commençait à appeler le côté gauche, ils sont aussi, en puissance, ou des acteurs politiques ou des agents de l'Etat. Par ailleurs, ils écrivent, et la seule industrie avec laquelle ils aient partie liée est celle de « l'homme de Mayence », comme dit Courier : un moment particulier dans l'expansion de la galaxie Gutenberg.

Comment pensaient-ils cette situation ? Les documents là-dessus sont riches, car presque tous écrivaient, et même ceux (celles) qui n'étaient pas écrivains professionnels ont souvent laissé des correspondances publiées par la suite. A ces lectures, je prends aujourd'hui un intérêt qu'il faudrait peut-être appeler philologique[10]. Entre le présent de 1983 et le texte stendhalien, ces écrits formeraient un troisième terme, pas du tout une médiation, plutôt le troisième sommet d'un triangle mobile. Ils redonneraient à Stendhal une étrangeté que nous risquons d'oublier à la lecture directe : les mots, par exemple, « société », « classe », « utilité », nous sont trop lisibles, lisibles par malentendu, alors qu'ils désignent une socialité en partie disparue et mal concevable pour nous. En un autre sens, ces écrits parlent d'une histoire qui est encore la nôtre : c'est la première génération qui ait essayé de penser la Révolution française et la société qui en est sortie ; nous n'avons pas fini, ou nous recommençons. Sans essayer d'unifier ces diverses durées, et ce sentiment alterné de proche et de lointain, j'énumèrerai, sous une forme fragmentaire, quelques-unes des questions telles qu'elles se formulaient dans ce milieu et à cette période.

Première constatation : ils ont conscience d'une modification extraordinaire du statut des écrivains[11]. La fin du mécénat, le développement rapide d'une industrie et d'un marché de l'imprimé, est une évidence, plus pour les contemporains que pour nous, à qui le bond suivant, celui de 1834, cache souvent le premier. Les statistiques de Dupin sont commentées dans tous les journaux libéraux : en 12 ans (1814-1826) l'accroissement moyen du nombre de feuilles imprimées en France a été le double de l'accroissement obtenu pour les 375 ans précédents, c'est-à-dire depuis les débuts de l'imprimerie. Et cela, dit Dupin, malgré « tous les efforts rétrogrades » qui entravent « l'activité de l'esprit humain »[12]. Dans un autre style que Dupin, mais dans la même logique libérale, le *Globe* souligne que cet accroissement est du côté du progrès, des lumières, et du présent, et que tout écrivain qui imprime, tout journaliste surtout, se place implicitement de ce côté : « D'où vient que Messieurs du *Mémorial catholique* écrivent un journal ? D'où vient que M. de La Mennais et tant d'autres partisans de l'autorité raisonnent avec le public et attestent le sens commun ? » (T.J., 15 janvier 1825). Paul-Louis Courier déplore par antiphrase la nouvelle presse rapide du Dr Kirkhausen, perfectionnement technique à « l'invention damnable » de Gutenberg, qui a « bouleversé le monde » et « ébranlé les vieilles monarchies »[13]. Et les attaques du pouvoir contre la presse (sous Villèle et Polignac) non seulement font contre elles l'unanimité du milieu, mais élargissent, à sa grande joie, l'opposition à une partie des écrivains et des journaux de droite (Chateaubriand et le *Journal des Débats*). En somme, l'industrie de l'imprimé va du côté gauche et y pousse l'écrivain.

Mais c'est une industrie et un commerce ; rien de mieux pour la pensée libérale, et, dans notre milieu, pour un Dunoyer ; rien de moins évident pour la plupart de nos écrivains. La Restauration voit apparaître les placards publicitaires avant la lettre (les « annonces ») et la publicité rédactionnelle avant la lettre (le « puff » de Stendhal). Pratique universelle : voir les lettres de Thiers et de Latouche pour obtenir des articles, Sautelet utilisant ses relations pour le succès de sa librairie ou « puffant » Delécluze, et Delécluze lui-même s'y prêtant, mais pas fier de s'y prêter, se sentant « marchand de livres » dès qu'il quitte sa table de travail[14]. Car la critique de l'« industrialisme littéraire » est dans notre milieu aussi universelle que sa pratique. Seuls les plus lucides la reconnaissent pour eux-mêmes, et toujours en privé. L'expression vient peut-être du *Nouveau Complot* de Stendhal, car je ne la trouve pas avant 1825 ; mais elle a fait fortune (Rémusat dans ses mémoires ou le *Globe* sur Ancelot), en perdant son contexte paradoxal, le « Moi aussi je suis un industriel... ». Ces pratiques sont clairement désignées par les intéressés comme une tare moderne. On voit ainsi le *Globe* évoquer une hypothétique pureté de l'imprimerie à sa naissance, au temps des Alde, quand elle « n'était pas, comme aujourd'hui, une honorable spéculation manufacturière ». Il ne s'agissait pas alors de « courir en char élégant après le manuscrit d'un romancier ou les élégies d'une muse à la mode ; de *composer* le titre d'une brochure nouvelle, c'est-à-dire de le *disposer* d'une manière bizarre, et de pousser ensuite à la vente » (10 mai 1827). Là encore, le tournant est souvent situé en 1834 par les historiens de la presse, et par nos écrivains eux-mêmes après cette date (Latouche dans *Léo*) mais la période 1825-1829 est aussi décisive.

A l'exception de Thiers, actionnaire de journaux et intermédiaire du baron Cotta pour ce genre d'affaires, et de Sautelet, libraire-éditeur, notre milieu ne participe pas directement au commerce du livre et à ses profits ; il n'est pas non plus directement dépendant des éditeurs pour sa survie. C'est peut-être ce qui permet à nos écrivains une certaine distance par rapport à la question d'argent. Même s'ils se défendent de leur mieux pour les contrats (souvent en faisant appel à leurs amis plutôt que de conclure directement), ils refusent de considérer la production littéraire sous le seul angle de l'économie politique, comme n'importe quelle autre production. Qu'il s'agisse du droit de reproduction (Latouche) ou du droit d'héritage (le *Globe*), la priorité est donnée à la circulation de l'oeuvre sur le profit de l'auteur ; le « puff » lui-même n'est pratiqué, avec mauvaise conscience, qu'au nom de cette circulation, comme le seul moyen d'avoir des lecteurs. L'« utilité » au sens de valeur d'usage, l'emporte pour eux sur la valeur d'échange, et la « possession » sur la « propriété » (Le *Globe*, décembre 1825). Attitude remarquable chez ces lecteurs d'Adam Smith, et dans un temps où le libéralisme politique est inséparable du libéralisme économique.

Cette « utilité » de la littérature ne se confond pas avec ce qui sera après 1830 « la littérature de l'utile » (et qui suscitera son contraire, l'art pour l'art). La visée éducative, morale ou politique, n'est admise que pour la littérature d'idées, et plutôt comme un sous-produit de la « vérité ». L'essai, le pamphlet (et la chanson, qui est alors de plein droit un genre politique) peuvent prendre parti. Mais en ce qui concerne la littérature de fiction (théâtre, roman), le « but moral », la « tendance », la volonté de prouver, sont rejetées (sauf par le *Producteur* saint-simonien de Cerclet). Il est vrai que ce sont souvent à l'époque des expressions de droite, et des arguments de la censure officielle ; mais on les trouve aussi, très symétriquement, du côté libéral représenté par le *Constitutionnel*. Or, nos libéraux n'en veulent pas, ce que manifeste entre autres la référence à Shakespeare. Naturellement cette position est, alors comme aujourd'hui, insoutenable à la limite. Il y a partout des tendances, et une discussion tendancieuse de ces tendances. Dans le théâtre de Vitet, les ligueurs sont odieux, les fanatiques huguenots n'ont pas raison, les « politiques », patriotes et tolérants, représentent le bon côté. Le théâtre de Mérimée est écrit en grande partie contre le « cant », et le *Globe* lui reproche de ne montrer que les « laideurs morales ». Le *Fragoletta* de Latouche est sympathique aux révolutionnaires napolitains, etc... Il reste que la « tendance » n'est jamais revendiquée comme telle par l'auteur. C'est toujours celle de l'autre. En ce sens le refus, dans *Racine et Shakespeare*, de la politique au théâtre, comme « coup de pistolet dans un concert » n'a rien d'exceptionnel. Ce qui est exceptionnel, c'est d'intégrer à un roman, comme le fait Stendhal dans le *Rouge et le Noir*, une discussion contradictoire sur sa propre tendance. Cette discussion est elle-même un coup de pistolet. Elle dérange un pacte silencieux sur l'implicite, aussi essentiel que le silence au concert.

Quand « l'utilité » de la littérature est revendiquée, elle l'est souvent sur le mode paradoxal. Elle consiste à donner du plaisir, écrit Jacquemont, qui oppose les « plaisirs peu chers », « penser, sentir, rêver » au luxe ostentatoire[15]. L'« étude de l'homme » constitue la seule « oisiveté » défendable, pour Destutt de Tracy ; et le vieil idéologue, tout étonné d'avoir énoncé un paradoxe, ajoute une note en 1823 : c'était « une plaisanterie »[16]. En parcourant les textes, il me semble déceler, implicitement chez la plupart, mais explicitement, par exemple chez un Benjamin Constant et un Paul-Louis Courier, l'espèce de tautologie que Sartre[17] attribue aux auteurs du XVIIIe siècle : ce qui serait « utile », c'est l'existence même de la chose imprimée, sa circulation, les « lumières » qu'elle répand, en créant autour d'elle un espace de discussion où se forme l'opinion publique.

23

Mais, précisément, cet « espace public », pour reprendre l'expression des traducteurs de J. Habermas[18], se trouve alors à un point tournant de son évolution, et nos écrits en témoignent. Par rapport à l'espace public pré-révolutionnaire, fait de relations privées et de discussion autour des écrits, celui de la Restauration est en continuité : la « société » que nous avons rencontrée, le salon, le « grenier », gardent quelque chose du siècle précédent. Mais il y a aussi mutation : l'espace public a son expression directement politique au Parlement, avec pour conséquence la division de la « société » par les partis ; et l'écrit qui circule n'est plus le même, c'est essentiellement le journal, par lequel passe désormais la diffusion du livre. Ce dernier point est essentiel ; là s'amorce un autre rapport du public aux écrits ; la discussion autour d'eux cesse d'être réciproque, circulaire, pour se polariser entre émetteurs actifs (les journalistes) et récepteurs passifs qui, « prennent leur opinion dans le journal ». Ce n'est pas encore la « masse », mais le phénomène est là qui définira la masse, et le terme stendhalien de « gros public », l'interrogation stendhalienne sur « l'opinion », le désignent précisément. Or, dans nos écrits, la critique de cette évolution est partout présente. Où se place pour eux la coupure ? Dans les écrits contemporains de notre période, 1822-1830, ce qui domine, c'est l'impression de changement : la « société » se perd, et avec elle « l'esprit » français. Par contre, dans la mémoire rétrospective, la Restauration devient l'âge d'or d'une socialité perdue. Mme Ancelot décrit ainsi, dans sa vieillesse, « les salons de Paris, foyers éteints »[19] : « Un des plaisirs d'un monde qui se retrouve chaque soir dans une maison ou une autre est une foule d'idées, d'anecdotes et de conversations en commun... Nous avions alors une vraie société, diverse et une à la fois » (p. 116). Mme Ancelot date de 1830 la fin de cet échange heureux. On pourrait la soupçonner de quelque nostalgie de droite[20], mais Rémusat exprime à la fin de sa vie la même nostalgie, lui qui avait sous la Restauration participé activement au triomphe du journal et adhéré sans réserve à la révolution de 1830. Ce n'est plus exactement la question de « l'industrialisme littéraire », c'est celle de la littérature dans ses rapports à la conversation, à l'échange proche et réciproque. Mais là aussi l'axe du temps fonctionne à double sens : le progrès continu, unanimement souhaité par nos libéraux, de la chose imprimée, est en même temps la désagrégation continue d'un type de socialité auquel ils sont profondément attachés.

Si nous avons trouvé autour de la « société » des problèmes et des paradoxes, la question du pouvoir dans ses rapports avec les écrivains se présente dès l'abord comme plus simple : le pouvoir est « rétrograde » (à part la brève éclaircie du ministère modéré de Martignac) et toute compromission avec lui dans le domaine littéraire est condamnée. Cela s'appelle « se vendre » : « vendre un article, bien que sincère, à des bureaux », c'est ce que refuse en 1825 à Villèle le jeune Thiers, moins vertueux dans d'autres domaines[21]. Latouche, lui, se fait acheter par le fameux Sosthène de la Rochefoucauld, directeur des arts... et publie le marché ! Inversement, la répression par ce pouvoir est un titre de gloire : Victor Cousin suspendu, Paul Louis Courier poursuivi, et surtout Béranger en prison, deviennent des symboles. Ces sanctions frappent surtout la littérature d'idées. La censure des théâtres ne porte que sur l'interdiction de représenter, non de publier : le roman semble peu surveillé, comme genre mineur ; la poésie écrite ne semble pas avoir été persécutée (au moins, je n'en vois pas de trace dans mes textes) mais, pour les contemporains, Béranger est un poète. A l'horizon mythique, on trouve une référence insistante au Tasse, poète persécuté. Ainsi arrangée, la chose n'est pas trop compliquée ; elle est simplifiée à l'excès par le fait que le pouvoir, c'est ce pouvoir-ci. Elle se compliquera en 1830, avec la venue d'un pouvoir proche ; au point que certains de nos jeunes gens (Rémusat) regretteront, à la fin de leur vie, le bon temps de l'opposition sans problème.

Déjà, à notre date, des questions se posent, à propos de ceux qui précisément ne sont pas atteints par la répression, et qui ont gardé leur place dans l'administration. Ils ne sont pas frappés d'ostracisme : Lingay est méprisé moins comme fonctionnaire de la préfecture de police que pour sa collaboration au *Journal de Paris*, notoirement « payé » ; son collègue Mareste est bien reçu partout où il va. Il est vrai qu'il ne va pas chez Lafayette, que, par prudence autant que par savoir-vivre, il n'est pas libéral, et qu'il n'écrit pas. Mais le travail qu'il fait à son bureau n'est pas si différent de ce qu'il faisait sous l'Empire, et de ce que faisaient Aubernon ou Henri Beyle. Il y a une continuité de l'Etat à travers les régimes. Dans notre milieu, certains critiquent l'Etat actuel, non seulement comme de droite, mais comme Etat, au nom d'une conception minimale du pouvoir par rapport à la société civile (Constant, Dunoyer[22], et le côté de La Fayette). Mais c'est loin d'être la majorité. Malgré le tabou qui pèse à cette date sur les Jacobins, et sur certains aspects de l'Empire (la censure, précisément, et la persécution des écrivains, plus virulente que sous la Restauration) la création d'un Etat fortement administré est en général portée à leur crédit ; on critique l'intolérance de l'Etat actuel au nom d'un hypothétique idéal de neutralité, mais il incarne provisoirement la « réalité », indiscernable, à la limite, du pouvoir. Ce n'est pas un problème d'écrivains, mais c'est un problème latent chez plusieurs de nos écrivains à cause de leur proximité en puissance avec le pouvoir. *Le Rouge et le Noir* est « atroce » parce qu'il le fait éclater brutalement et prématurément.

Peut-être le seul domaine dans lequel la question du pouvoir est abordée dans sa complexité serait l'Histoire récente, celle de la Révolution et de l'Empire. Il faut ici distinguer entre les générations. Dans la plus ancienne, les individus restent souvent attachés à un modèle et à un moment du passé : La Fayette à la Constituante, Destutt de Tracy au Directoire. La Terreur et l'Empire n'ont pas d'apologistes directs (même pas Béranger pour l'Empire ; le mythe circule dans ses chansons, mais comme mythe). Pour les plus jeunes, historiens et globistes (et pour Benjamin Constant, exception parmi les plus vieux), les formes de gouvernement sont relatives et provisoires ; l'essentiel est de penser le principe de leur évolution, et surtout le paradoxe que représentent pour nos libéraux les crimes contre la liberté commis au nom de la liberté. Plusieurs d'entre eux ont recours à la philosophie qui s'est précisément constituée à partir de ces questions, celle de Hegel, introduite par Cousin (dans les « dîners fatalistes », puis le cours de 1828) laïcisée et traduite en termes de lutte des classes par les jeunes historiens. Des *classes* au sens d'alors : toute espèce de catégorie, les divisions d'une société officiellement indivise, les actants successifs du drame historique[23]. Ce qui est en discussion : le sens de l'Histoire et ses ruses, c'est-à-dire le décalage entre les intentions et les effets ; le rôle de l'« individu historique » et la métaphore de l'ouragan, qui court du *Wallenstein* de Schiller à Hegel, à Cousin, à Thiers , et au chapitre II, 9, du *Rouge* ; la sympathie pour les vaincus (Augustin Thierry) s'opposant à l'apologie hégélienne du succès (Thiers, Mignet). Et l'écrivain dans tout cela ? Peut-être l'écrivain est-il alors essentiellement l'historien, même au théâtre et dans le roman, et même au présent, puisque personne n'ignore plus que le présent est un moment de l'Histoire. « Un jour ce roman peindra les temps antiques, comme ceux de Walter Scott ». La phrase de Stendhal dans son projet d'article-puff sur le *Rouge* aurait été sans doute plus lisible autour de lui que le roman lui-même.

Ici, Monsieur de La Palisse me rappelle que je n'ai rien dit de Stendhal, sauf quelques allusions, le contexte de quelques passages. C'est que je ne sais plus penser à la fois la « société » d'Henri Beyle et l'écriture de Stendhal. Ce serait plutôt un double foyer, une vision alternative, et cette fois l'écriture de Stendhal n'était pas mon propos. Sur les rapports de l'une et de l'autre, je dirai seulement deux choses :

L'effet de contexte m'intéressse en soi : citations et polémiques implicites, « idées intermédiaires » qui surgissent entre deux fragments pour nous juxtaposés de façon énigmatique, en évoquant autour du texte un espace de conversation, amènent à lire le texte stendhalien lui-même comme un espace de conversation, où chaque mot suppose le mot de l'autre. Cette lecture « bakhtinienne » de Stendhal, j'y ai longtemps résisté, à cause de l'intense et constante présence de l'« auteur » dans le texte. Il me semble aujourd'hui que Stendhal a une forme très particulière d'écriture dialogique : toujours un dialogue avec « soi », mais la capacité d'occuper subjectivement plusieurs positions à la fois, ou avec une alternance si rapide qu'elle produit un effet simultané. En revenant de mes documents aux pamphlets et aux Voyages de Stendhal, je retrouve les questions qui circulaient le soir sur les lèvres. Les réponses aussi ; mais ce ne sont plus des réponses, les réponses chacune cohérente et limitée, que je rencontrais ailleurs ; chacune se heurte à son contraire, ou à un autre niveau de la question, incompatible avec le premier. Ainsi, le paradoxe, qui est pratiqué à l'occasion par toute une partie de notre milieu, de Benjamin Constant à Jacquemont et à Duvergier de Hauranne, l'est par Stendhal avec une particulière tension, comme le choc d'exigences opposées, choc intensifié, en un sens, par le désir d'unité. D'autres présentent, de façon plus représentative, le résultat des discussions : une opinion. L'écriture de Stendhal rend présente la discussion même.

La deuxième remarque concerne la différence entre les autres textes et les romans. A plusieurs niveaux, ceux-ci me paraissent donner sur le lointain. Le héros est toujours choisi dans une classe étrangère à la « société » d'Henri Beyle, et à partir d'un texte étranger ; les références du genre pour Stendhal sont la série des grands romans atypiques depuis Don Quichotte (à peu près le corpus du jeune Lukacs, c'est peut-être pourquoi sa théorie « marchait » si bien pour *Le Rouge et le Noir*) ; enfin, ses romans ont été beaucoup moins reconnus dans son propre milieu que le reste de l'oeuvre, peut-être parce qu'ils découvraient indiscrètement quelques questions couvertes par le pacte de l'implicite, parce qu'ils étaient écrits sur le non-dit autant ou plus que sur le dit. La reconnaissance est venue d'ailleurs : Janin, le jeune Balzac, les saint-simoniens. Et je crois que Goethe est le seul contemporain à avoir vu dans *Le Rouge et le Noir* « le meilleur ouvrage de Stendhal »[24]. Peut-être faut-il considérer que le contexte, dans l'espace et le temps, varie d'un ouvrage ou d'un genre à un autre pour le même écrivain, et que dessiner le contexte proche sert aussi à désigner, par différence, le lointain.

ANNEXES

I - LISTE DES NOMS RETENUS

Ampère	Jacquemont
Ancelot + Mme A.	Jussieu Ad. de
Artaud	Koreff Dr
Aubernon + Mme A.	Lafayette + G. de L.
Mme Belloc	Latouche
Béranger	Lingay
Comte Beugnot + Arthur B. + Cl. Curial	Mareste
Buchon	Mérimée
Cerclet	Comtesse Merlin
Constant	Mignet

Corcelles F. de	Mme de Mirbel + M. de M.
Cousin	La Pasta
Courier	Rémusat
Cuvier + Sophie Duvaucel	Sainte Beuve
David d'Angers	Sautelet
Delacroix	Scheffer Ary + Arnold
Delécluze	Sharpe
Mme Dubignon	Stapfer
Dunoyer	de Syon
Duvergier de Hauranne	Ternaux Louis Mortimer
Fauriel	Thierry Aug. + Am.
Fiore	Thiers
Général Foy	Tracy + Victor et Sarah de T.
Gay Sophie + Delphine	Viollet-le-Duc
Gérard	Vitet

Noms retenus au départ mais présentant moins de 5 interrelations attestées : Argout, Barral, Dr Edwards, Mlles Garnett, Mme Gaulthier, Lolot, Pastoret, Giulia Rinieri, Mme de Rubempré, Stritch.

II - Ch. DUPIN
Situation progressive des forces de la France depuis 1814
(Bachelier, 1827)

De 1814 à 1820, les productions de la presse non-périodique ont augmenté de 774 pour mille. De 1820 à 1826, les productions de la presse ont augmenté de 787 pour mille. Ce progrès est plus rapide que celui de la production du fer et des tissus, plus rapide que l'accroissement des patentes, plus rapide que l'accroissement des revenus publics tirés du commerce à l'extérieur, et des consommations à l'intérieur ; on en jugera par le tableau suivant :

Accroissements annuels	*pour cent*
De la population humaine	3/4
Du nombre des chevaux	1
Du nombre de moutons	1 1/4
Des consommations indiquées par les droits indirects	3
Des consommations indiquées par les octrois	3 1/3
Des transactions indiquées par le revenu du timbre	3 1/2
Des opérations industrielles indiquées par le revenu des patentes	3 2/3
De la circulation indiquée par le revenu de la poste	3 3/4
Du commerce indiqué par les droits de douane	4
Des productions industrielles indiquées par l'extraction de la houille	4
Des productions industrielles indiquées par la fabrication du fer	4 1/2
Des publications de la presse périodique et non-périodique	9 1/4

Ainsi, par un contraste bien digne de remarque, l'accroissement numérique de la population est moindre que celui de toutes les forces matérielles, que celui de tous les produits du travail ; et l'accroissement des publications qui représente l'activité progressive des esprits est le *plus grand* de tous.

Depuis l'invention de l'imprimerie jusqu'en 1814, dans l'espace d'environ 375 ans, l'ancienne France n'était parvenue à produire par an que 45 675 039 feuilles imprimées. Depuis 1814 jusqu'en 1826, l'accroissement pour douze années est de 98 886 055 feuilles, c'est-à-dire, est devenu plus que double, en *douze* années, de l'accroissement obtenu pour les *trois cent soixante et quinze* années précédentes.

Afin de rendre cette idée plus sensible encore, il faut dire : en douze années du XIXème siècle, au milieu de toutes les prétentions, de tous les efforts rétrogrades, l'imprimerie a multiplié ses travaux autant qu'elle aurait pu le faire en *huit* siècles, dont chacun serait comparable, pour l'activité des efforts de l'esprit humain, aux trois siècles derniers, qu'on surnomme, à juste titre, les trois siècles littéraires de la France.

Si nous représentons par *un* , l'accroissement moyen des publications annuelles durant ces trois siècles célèbres, une proportion rigoureuse représentera par *soixante et sept* l'accroissement moyen des publications de la France, durant douze années de libertés constitutionnelles.

NOTES

1. Et non ce que Lukacs a écrit plus tard sur Stendhal dans *Balzac et le réalisme français*, Maspéro.

2. *Pour une sociologie du roman*, Gallimard.

3. *Le Dieu caché*, Gallimard.

4. Les revenus d'Henri Beyle à cette époque ont été depuis étudiés par L.R. Felberg (*Stendhal et la question d'argent*, Grand Chêne.)

5. C'est le Dr Koreff, allemand, par ailleurs conseiller du prince de Hardenberg et professeur à l'Université de Berlin. La médecine est encore peu considérée (témoignage de V. Jacquemont) et le tout-venant des médecins n'a pas le niveau social et le degré d'instruction qui caractérise le milieu.

6. Un seul individu, Arnold Scheffer, deviendra maître de forge en 1840.

7. Avant la lettre ; mais il y a une relative continuité, à travers les « capacités », entre notre milieu et les « intellectuels » de la fin du siècle.

8. Le seul cas douteux est celui de Jussieu. Ses ascendants portaient la particule avant 1789 ; ils avaient par ailleurs un château de famille et étaient naturalistes de père en fils, ce qui était compatible avec la noblesse. Je l'ai finalement rangé dans cette catégorie.

9. Ancelot a été un écrivain ultra vers 1819, mais à la date qui nous occupe, il est plutôt ministériel.

10. Au sens allemand du terme, du moins j'aime à l'imaginer.

11. En donnant au mot son sens le plus large : journaliste, parlementaire publiant son discours, professeur publiant son cours, aussi bien que pamphlétaire, poète et (rarement) romancier. Aujourd'hui, *écrivain* évoque d'abord *romancier* ; mais ceci est une autre histoire.

12. *Situation progressive des forces de la France depuis 1814*, Bachelier, pp. 16-19.

13. *Oeuvres*, Pléiade, p. 34.

14. *Journal*, Grasset, pp. 340 et 494.

15. *Lettres à Chaper*, American Philosophical Society, p. 184.

16. *Traité d'économie politique*, Douguet et Lévy, p. 265.

17. Dans *Qu'est-ce que la littérature ?* (Gallimard).

18. *L'espace public*, Payot.

19. C'est le titre de son livre de souvenirs (Tardieu ed., 1858).

20. ou simplement mondaine : le « topos » décrit par Proust, sur les salons qui ne sont plus ce qu'ils étaient. Mais justement, le salon proustien est l'un des résultats de cette évolution, ce qui reste du salon quand il a perdu son rapport à des enjeux collectifs, son rôle d'échangeur entre le privé et le public.

21. H. Malo, *Thiers*, Payot, p. 24.

22. Dont Jacquemont rira bien quand il sera préfet en 1830. *Correspondance inédite*, Lévy, II, p. 29.

23. Certains éléments de la généalogie du marxisme se retrouvent ainsi dans notre milieu ; ce n'est sans doute pas étranger à l'intérêt que j'y prenais, ni aux malentendus que produisait cette relative proximité.

24. *Conversations avec Eckermann*, 17 janvier 1831.

STENDHAL ET LE PUBLIC IMPOSSIBLE

Ellen Constans

Lorsque H. Beyle revient à Paris en 1821, il découvre une société profondément différente de celle qu'il avait quittée en 1814. Pendant près de dix ans, il va en devenir un observateur curieux, lucide, critique, particulièrement intéressé par la vie littéraire, à laquelle il est mêlé en raison de ses goûts, de ses préoccupations d'homme de lettres et aussi par la nécessité de s'assurer des ressources pécuniaires.

Le regard de Stendhal, tel qu'on le découvre au fil des chroniques du *Courrier Anglais*, des pamphlets et des autres écrits des années 1820 est autant celui d'un sociologue que d'un écrivain. L'analyse qu'il produit des conditions nouvelles de la production et de la « consommation » des oeuvres littéraires l'amène à poser une problématique des relations de l'écrivain et du destinataire de son oeuvre qu'il nous semble intéressant de suivre de près. Les mutations intervenues dans la société française depuis 1789 font sentir leurs effets dans le domaine de la littérature comme dans tous les autres. Autre société, littérature autre. Mais quelle littérature ? Comment est-elle produite ? Comment est-elle reçue ? Et par quel public ?

Ce ne sont pas seulement des questions que se pose l'homme de lettres qui, en 1821, caresse toujours le projet de devenir un grand auteur comique et ne se doute pas encore qu'il va un jour écrire des romans ; pas seulement des questions personnelles donc, dans le droit fil de celles qu'il formulait dans le *Journal* des années 1800. C'est aussi une réflexion plus générale qu'il mène en tentant de dessiner pour ses lecteurs anglais le paysage de la société et de la vie culturelle françaises, en polémiquant contre les partisans d'un classicisme suranné ou contre les tenants de l'« industrialisme ». A partir de 1826, de son premier roman, ces ques-

33

tions prendront des orientations nouvelles, plus précises : quel roman écrire et pour qui ? Pour les « happy few » répondra-t-on, après Stendhal lui-même. Bien entendu. Mais la réponse vient dans un contexte politique et social, un contexte culturel aussi, qu'il convient d'examiner à l'aide des textes stendhaliens eux-mêmes, pour suivre la démarche qui l'y a conduit.

L'examen de la problématique des relations entre l'écrivain, l'oeuvre et le récepteur va faire apparaître des lignes directrices, certes, mais, en même temps, des hésitations, voire des contradictions dans la pensée de Stendhal. Il ne faut pas s'en étonner. Dans la société en mouvement de la France post-révolutionnaire, dans cette société bourgeoise en structuration où l'ancien et le nouveau coexistent et s'opposent, les repérages, les directions du mouvement ne sont pas toujours faciles à déceler pour qui y est plongé. La réflexion et les prises de position de H. Beyle ne peuvent pas ne pas se ressentir de ces vagues agitées par des vents tournants ; Stendhal est un observateur, un écrivain en quête aussi. A la recherche des lieux où situer l'écrivain, l'oeuvre et le destinataire.

« Jamais, à aucune époque de la civilisation, dans aucune ville au monde, écrit-il en 1828, on n'a publié autant de livres qu'à Paris depuis 1817[1]. »

Affirmation corroborée par les statistiques. Le nombre de feuilles imprimées pour la Librairie, qui était de 72 millions en 1812, tombe à 45 millions en 1814, puis connaît une progression régulière jusqu'en 1818 (79 millions) ; après une légère chute en 1819 (73 millions), la courbe remonte rapidement pour atteindre 128 millions en 1825[2]. L'étude des titres recensés dans les livraisons de la *Bibliographie de la France* (avec les précautions nécessaires) confirme cette progression du nombre des volumes édités entre 1820 et 1828 ; au-delà, de 1829 à 1832, une crise secoue la librairie qui se traduit par une baisse ; puis la remontée se poursuit jusqu'en 1845. Une *Statistique littéraire et intellectuelle de la France* pour 1828, établie par Philarète Chasles, donne une idée plus précise des catégories d'ouvrages édités : sur 5 719 titres, l'Histoire vient en tête avec 736 titres, puis la Religion avec 708 ; pour les genres proprement littéraires, on trouve dans l'ordre : la poésie (463), le théâtre (308), le roman (277)[3]. Ce classement fait clairement apparaître que *l'utile* pour la terre et le ciel, la tête et l'âme, précède, et de loin, les genres qui ont pour seule fin le plaisir du lecteur ; déjà s'annonce le règne du Positif bourgeois que dénonceront Stendhal lui-même, et aussi, plus tard, Baudelaire et Flaubert.

La demande est relativement forte : plus de 8 titres nouveaux par semaine en poésie, plus de 6 pour le théâtre, 5 pour le roman. Encore faut-il préciser que Ph. Chasles a éliminé les rééditions et qu'il n'a pu inclure dans sa *Statistique* ni les livres de colportage ni les contrefaçons imprimées à l'étranger ; le nombre des ouvrages mis en circulation, des romans en particulier, doit donc être nettement plus élevé. Il conviendrait, bien entendu, de prendre en compte le volume des tirages pour cerner les réalités de plus près ; en règle générale, il est assez faible autour de 1830, (sauf pour les auteurs reconnus comme W. Scott). On a pu estimer que l'on éditait ou rééditait 300 000 à 400 000 volumes romanesques par an entre 1830 et 1848[4].

La tendance est donc à la progression. Mais qui sont les lecteurs, les lecteurs de romans en particulier ? Nous allons trouver des informations chez Stendhal.

Du *Courrier Anglais* à la *Comédie est impossible en 1836* H. Beyle souligne les mutations sociologiques qui se sont produites dans le public français depuis 1789 et se poursuivent ; à ses yeux, elles sont un des signes qui disent que la Révolution n'est pas achevée. Moeurs et mentalités, idéologies, démarches réflexives et cognitives, paysages sentimentaux nouveaux se révèlent, que Stendhal tente de cerner dans ses chroniques pour l'Angleterre dès le début des années 1820. A société nouvelle, public nouveau et littérature nouvelle. Dans le *Racine de Shakespeare* de 1823, les articulations sont clairement indiquées :

> « De mémoire d'historien, jamais peuple n'a éprouvé, dans ses moeurs et dans ses plaisirs, de changement plus rapide et plus total que celui de 1780 à 1823 ; et l'on veut nous donner toujours la même littérature[5]. »

Sous l'Ancien Régime, le public constituait un ensemble socio-culturel homogène. Il s'identifiait à « la bonne compagnie », c'est-à-dire essentiellement à l'aristocratie de la capitale, à laquelle sont venus s'adjoindre des bourgeois de robe enrichis au XVIIème et surtout au XVIIIème siècles. Ce public avait reçu la même éducation, il avait le même « goût », le même « esprit », des références et des modèles culturels identiques. A l'homogénéité du public correspondait une homogénéité relative mais réelle de la littérature. Les écrivains avaient *un* public ; ils connaissaient la cible de leurs oeuvres.

Les bouleversements révolutionnaires ont détruit cette unité socio-culturelle. Le public s'est désagrégé ; mais les restructurations sociologiques de la France bourgeoise n'ont pas conduit en 1820 et 1830 à un nouveau public. Il y a désormais, affirme Stendhal, « deux publics, le grossier et le fin[6] ». Ce dernier est composé des survivants et des héritiers de « la bonne compagnie » de l'Ancien Régime chez qui se perpétuent les anciennes références culturelles. Le premier a une constitution sociologique beaucoup plus composite, mais présente la caractéristique commune d'être dépourvu de traditions et de racines. Stendhal le souligne dès 1825 :

> « Lorsque Napoléon suspendit la révolution et crut, comme nous, qu'elle était finie, il se trouva toute une génération qui manquait entièrement d'éducation littéraire. Au retour de l'ordre, chacun songea d'abord à avoir un état, l'ambition fut une fièvre. Aucun de nous n'eut l'idée que du nouvel ordre de choses lui-même dans lequel nous entrions il pût naître une littérature nouvelle[7]. »

Notons au passage l'articulation nette entre les changements politiques et sociaux et les mutations de la littérature.

Public composite, avons-nous dit ; il ne s'agit pas d'un nouveau public, d'un public bourgeois, mais, en réalité, de catégories qui se différencient par leur position sociale et par leur attitude en face des faits culturels.

Stendhal en extrait d'abord (au sens mathématique du terme) ce qu'il nomme « la précieuse classe moyenne, née du partage égal des héritages (...). Cette classe, composée d'hommes possédant environ 6 000 francs par an (...) lit tous les bons livres nouveaux[8] ». C'est « la classe pensante » d'*Un nouveau complot contre les industriels* : les intellectuels, comme l'on dirait aujourd'hui. Ils sont une minorité, socialement inclassables, car, comme le fait remarquer Geneviève Mouillaud dans son commentaire à *D'un nouveau complot...*, « ils sont définis par deux critères de nature différente : leur niveau de revenu et leur rôle intellectuel[9] ». Stendhal, lui, les situe « entre l'aristrocratie qui veut envahir toutes les places et l'industrialisme qui veut envahir toute l'estime[10] » ; l'incertitude même de la formulation est révélatrice. Quoi qu'il en soit « la classe pensante » est souvent juge et partie en littérature, à la fois productrice et consommatrice. Elle est une couche marginale.

Situation complexe encore à l'intérieur même du « public » bourgeois. L'aile marchante de la bourgeoisie, celle des affaires, songe d'abord, certes, à asseoir sa fortune ou à la faire ; en même temps, elle cherche à reprendre les modèles de vie de l'aristocratie déchue qui garde à ses yeux son prestige social et culturel ; elle veut ainsi confirmer sa présence et sa « surface » dans la société. Une petite minorité de ces nouveaux riches a intériorisé ces modèles socioculturels et rejoint ainsi la « bonne société ».

La majorité des banquiers, industriels et autres « épiciers » ne copie des modèles culturels que les apparences extérieures : la culture est, pour ces bourgeois, de l'ordre du *paraître* et non un mode d'être. Ils fréquentent les théâtres pour être vus dans leur loge ; la bibliothèque est le signe de leur accession à la culture. Mais quels livres contient-elle ? C'est ici que Stendhal établit la différence entre les deux publics bourgeois et « deux genres bien différents de littérature » ; la minorité est capable d'apprécier la finesse d'*Adolphe* et aime les Mémoires historiques, à condition qu'ils soient « de bonne foi ». L'autre public désigne lui-même sa grossièreté par son manque de discernement et ses acquisitions hétéroclites : « Chaque petit négociant de province, écrit Stendhal, forme les premières assises de sa bibliothèque en achetant Voltaire, Rousseau, le *Mémorial de Sainte-Hélène*, cette rhapsodie qui a pour titre *Les victoires et conquêtes des armées françaises* et les plaisants romans de Pigault-Lebrun. Si la fortune du marchand de calicot augmente, il achète Molière, Corneille, Racine, tous les auteurs célèbres du siècle de Louis XIV et une traduction française de Sir Walter Scott... Et voici l'accusation majeure :

« Il ne lit certainement pas tous ces livres, mais il les fait joliment relier et les place à l'endroit le plus visible de son appartement. »

Stendhal, toujours féroce, poursuit la description du processus :

« Lorsque le négociant, décidément classé parmi les gens riches, se met à fréquenter la société de la préfecture, il se voit obligé de lire au moins W. Scott pour placer quelques phrases dans un salon et de faire venir toutes les nouveautés de Paris[11]. »

Bref, le rapport de ce nouveau public à la littérature passe par l'argent et la vanité. Sa consommation littéraire est ostentatoire et sans discernement ; le goût et l'esprit en sont absents. La culture entre, elle aussi, dans les mécanismes de la société capitaliste ; elle n'*est* pas une valeur éthique, mais *a* une valeur de représentation symbolique de la fortune.

Le circuit marchand a été mis rapidement au point, selon Stendhal. La demande augmentant avec l'enrichissement, les libraires-éditeurs en profitent pour pousser les feux, encourager de mauvais écrivains à écrire des ouvrages médiocres et vendre n'importe quoi. On s'achemine, dès les années 1820, vers la « littérature industrielle ». De surcroît, dans les milieux de la littérature, de la critique et de l'édition, « charlatanisme » et « camaraderie » se conjuguent en vue de mieux soutenir une demande et une consommation de qualité médiocre.

Au vecteur création vers réception, qui appartenait à l'ordre de l'art et de la culture, a été substitué un vecteur production vers consommation, qui intègre cet ordre ancien à celui de la sphère des échanges marchands ; cette dévalorisation dit bien que la France est entrée dans l'ère de la société capitaliste. Dévalorisation aux yeux de Stendhal, puisqu'il écrit à propos de l'apparition de la multiplication de cette littérature médiocre et de la constitution de ce public « grossier » que « c'est peut-être le seul mauvais effet produit par la Révolution[12] ».

A cette première analyse de la dispersion et de la fragmentation du public, Stendhal ajoute deux autres considérations, à certains égards croisées, dont il faudra tirer plus loin les conséquences.

On connaît l'ambition longtemps nourrie par H. Beyle de devenir un nouveau Molière. Durant les 25 années pendant lesquelles il essaya de bâtir et d'écrire des comédies, il s'est aussi interrogé sur les effets à produire sur le spectateur ; autrement dit sur l'essence du comique et du plaisir dramatique. Or, en 1823, dans *Racine et Shakespeare*, il observe que, dans la querelle classiques-romantiques, le public des gens de goût est divisé et en crise. Les jeunes gens des écoles, les générations nées de la Révolution et de ses bouleversements et qui par là devraient être à même d'apprécier un théâtre nouveau, sifflent Shakespeare et demeurent fidèles aux règles du théâtre classique, parce qu'ils en sont encore à fonder leurs goûts et leurs jugements sur les critères des La Harpe et Cie. Contradiction de cette jeune génération d'intellectuels que Stendhal les appelle à dépasser. Mais à côté de ce public, en crise interne, si l'on peut dire, il note l'apparition d'un public hétérogène, où se côtoient négociants, « jeunes calicots » et gens du peuple, qui va applaudir au théâtre des genres relativement nouveaux : vaudevilles, proverbes, mélodrames, et qui y recherche des émotions fortes. Public « grossier » encore, composé de gens de la petite et moyenne bourgeoisie tout aussi incapable de comprendre les chefs-d'oeuvre classiques que le théâtre de Shakespeare ou la tragédie historique dont Stendhal souhaite l'avènement. Autre société, autres émotions, autres plaisirs. Quelques années plus tard, ce nouveau public assurera le succès des drames romantiques :

> « La Révolution de 1789 à 1835, donnant l'idée d'aller au spectacle et l'argent pour payer à la porte à un grand nombre de Français incapables de sentir les choses fines, a créé le genre grossier et exagéré de MM. V. Hugo, A. Dumas etc....[13] ».

Autre observation de Stendhal : l'entrée massive au théâtre de ce public dépourvu de culture et de goût est responsable de la mort de la comédie. On sait que c'est la thèse de *La comédie est impossible en 1836*. On la voit affleurer dès *Racine et Shakespeare*, où elle est mêlée à une autre remarque, fondée sur la situation politique de 1823 : la censure interdit la comédie de moeurs qui met en cause directement ou indirectement le pouvoir et ses bases sociales. Les auteurs adoptent une conduite d'auto-censure qui emporte avec elle l'agonie de la comédie de moeurs, la comédie majeure selon Stendhal. Il se demande alors si le roman ne va pas se substituer à la comédie. Autrement dit, au premier degré d'une actualité politique immédiate, le roman pourrait apparaître comme un genre idéologiquement innocent ou neutre, sans doute parce que sa lecture est considérée comme un simple passe-temps et que le roman est encore un genre de seconde zone. Mais, à un deuxième niveau, le roman peut devenir l'héritier de la comédie, parce que la charge critique et satirique dont il est porteur (et ce sera, bien sûr, le cas des romans stendhaliens) est destinée à des lecteurs *isolés* et non plus à un public collectif et « *public* » au sens propre du terme. En 1836, la situation n'est plus la même, la censure n'est plus aussi rigoureuse ; la comédie est cependant impossible dans la société encore plus bourgeoise, si l'on peut dire. C'est bien qu'il existe une raison plus profonde à sa mort : c'est la deuxième de celles que nous avons énoncées : le collectif de spectateurs bourgeois ne peut tolérer de voir mis en scène ses travers, ses mœurs, les vices sociaux. Ces bourgeois qui se veulent respectables et respectés ne savent pas prendre la distance nécessaire pour rire d'eux-mêmes ; ils n'ont pas davantage « *l'intelligence des choses fines* ». Il n'y a donc plus de public possible pour la comédie. Sa mort a deux causes croisées : l'une d'ordre politique, ou mieux idéologique, l'autre d'ordre culturel. Disparition du public en tant qu'entité collective et homogène, qui rit ou s'émeut aux mêmes « choses fines ». Restent à atteindre pour l'écrivain des individus isolés dans une lecture solitaire et individualisée.

Face à ces mutations qu'il observe et analyse, Stendhal adopte une attitude non dépourvue de contradictions, qui recoupent celles que l'on décèle dans ses positions politiques. A ses yeux, la Révolution était nécessaire et fut bénéfique pour la France et les Français. Il se veut fils de 1789. Il estime notamment qu'en jetant à bas les privilèges et les préjugés, la Révolution « a donné le bon sens à la France ». Néanmoins, il regrette la disparition quasi-totale du bon goût et de l'esprit de l'ancienne société aristocratique et l'adéquation qui existait aux XVIIème et XVIIIème siècles entre l'écrivain et le public. Il écrit fréquemment son regret de n'avoir pas vécu au siècle précédent. Nostalgie d'autant plus forte qu'il sait au fond de lui-même que le passé est bien mort. « Revient-on à la gaité et au bon goût après une révolution comme la nôtre[14] ? » se demande-t-il en 1836. Or dès 1825, il répondait presque à cette question : « Si l'industrialisme nous envahit, nous deviendrons encore plus barbares pour les arts[15]. »

Quoi qu'il en soit, la relation écrivain-destinataire de l'oeuvre littéraire est désormais brouillée. Tout aussi confus le choix des genres dans lesquels écrire. La Révolution a fait éclater à la fois le public et l'esthétique littéraire. Nous le savions déjà, certes ; mais l'analyse stendhalienne a le mérite d'avoir été produite à la période même où les mutations font sentir leurs effets contradictoires et de poser avec lucidité de bonnes questions, de les poser en termes d'histoire.

On peut se demander si la réflexion de Stendhal sur l'impossibilité de la comédie et la disparition du « public » ne sont pas pour quelque chose (pour beaucoup peut-être) dans l'abandon de ses ambitions dramatiques et dans sa reconversion au roman. Sa préoccupation fréquemment exprimée d'introduire des éléments comiques dans la structure romanesque nous semble confirmer que cette démarche fut bien la sienne. Qui lit des romans ? Et quels romans ? Y-a-t-il un « public » romanesque dans la France bourgeoise de 1820-1840 ?

Dans les années 1820, le roman est encore considéré par la critique comme un genre de seconde zone. Mais dans le domaine romanesque aussi les choses bougent : le genre est en mutation et ces transformations sont en relation indirecte avec les changements sociaux et ceux qui apparaissent dans les mentalités collectives.

La demande se renforce dans ce domaine. D'où vient-elle ? L'on peut trouver une première approche de la question dans la lettre de Stendhal au comte Salvagnoli à propos du *Rouge et Noir* (octobre-novembre 1832). Il y oppose, on le sait, deux types de romans qui sont définis par leurs destinataires : « les romans pour femmes de chambre » et « les romans des salons ». Ce sont bien des critères sociologiques. Deux publics : l'un recoupant la catégorie de la « bonne société » que nous avons déjà rencontrée, l'autre représenté par « les femmes de chambre » (Stendhal précise que ce sont les libraires qui ont inventé l'expression).

La bonne compagnie des salons recherche dans la lecture romanesque des représentations vraies du coeur humain et des moeurs ; elle veut que la peinture soit écrite avec clarté et exactitude. Elle a horreur de l'extraordinaire et de l'extravagance dans les caractères et l'intrigue, de l'emphase et de l'amphigouri. On trouve dans cette catégorie de lecteurs les survivants et les descendants de l'aristocratie d'Ancien Régime, mais aussi « la classe pensante », les intellectuels.

Pourtant, le tableau se complique et se brouille dès maintenant du fait que les lecteurs sont majoritairement des lectrices. Car il est « des marquises qui ressemblent à (leurs) femmes de chambre[16] », si bien que les oeuvres destinées à ces dernières circulent de la mansarde au salon. Le mauvais goût ou l'absence de goût ont gagné du terrain et le lectorat du « roman des salons » semble se rétrécir, au profit du « roman pour femmes de chambre ».

Celui-ci, Stendhal le débusque un peut partout, lorsqu'il parcourt la production de la décennie 1820-1830 et même au-delà. A le suivre dans son inventaire des destinataires de ce type de romans on y découvre un ensemble très hétérogène : outre les camérières et certaines de leurs maîtresses, il y place « les couturières romantiques », « les concierges emphatiques », « les petites bourgeoises de province ». Lectorat féminin dans sa grande majorité, qui fait une « immense consommation de romans ».

Les hommes, eux, n'ont guère le temps d'en lire. Journaux et ouvrages sérieux, utiles, sont leur pâture lectorale. S'ils lisent des romans, c'est pour pouvoir placer quelques phrases dans une conversation mondaine.

Les femmes des milieux aristocratiques et bourgeois ont, par contre, beaucoup de temps à tuer . Dès les chroniques du *Courrier Anglais*, Stendhal met l'accent sur l'ennui et l'isolement de leur vie. Elles dévorent des romans pour combler le vide de leur existence. Ici encore, il oppose la société d'avant 1789 à celle des années 1820 : au XVIIIème siècle, « on s'amusait en France » ; la Révolution et l'Empire ont introduit dans la vie sociale un « sérieux » et un moralisme hypocrite dont les femmes ont été les principales victimes : elles doivent être vertueuses, se confiner dans leur maison ou leur ménage, pendant que les maris vont à leurs affaires. Autre temps, autres moeurs. « Ne pouvant faire des romans, (elles) se consolent en en lisant ». Lectrices, non ; consommatrices plutôt. Comme, de surcroît, la plupart ont une éducation fort médiocre qui n'a guère développé leur raison (bien au contraire), mais pas davantage orienté leur goût ni leur sensibilité, elles ont peu d'exigences quant à la qualité de leurs lectures. C'est pourquoi le roman pour femmes de chambre offre une réponse qui correspond à la nature de la demande. Il fait appel à leur besoin d'émotions exacerbé par l'ennui et l'étroitesse de leur horizon culturel. Il est, à l'époque de la Restauration, ce que seront plus tard les romans « à l'eau de rose », puis la presse du coeur et les photos-romans : des compensations imaginaires et emblématiques à la pauvreté sentimentale et intellectuelle de l'existence réelle.

Comme la presse du coeur d'aujourd'hui, le roman pour femmes de chambre a une typologie et une thématique stéréotypées, facilement repérables pour les lectrices : c'est déjà un produit « standardisé » dont Stendhal désigne les recettes :

> « ... le héros est toujours parfait et d'une beauté ravissante, fait *au tour* et avec de grands yeux à *fleur de tête* » ; les héroïnes sont des « femmes malheureuses, innocentes et persécutées » ; « (les) événements sont absurdes, calculés à point nommé pour faire briller le héros ».

Bref, le reproche majeur que Stendhal adresse à ce type de roman, c'est « ce qu'on appelle par dérision le *romanesque*[17] ».

Le romanesque de situation y est amplifié par l'emphase de l'écriture. Lorsque, en 1834, Stendhal donne des conseils à son amie Mme Jules Gaulthier pour corriger le manuscrit du *Lieutenant*, il lui reproche en particulier « le langage horriblement noble et emphatique » et le nombre excessif de « superlatifs », les clichés sentimentaux (« passion brûlante », « la passion qui le dévorait ») : ces tics de langage risquent de faire tomber l'oeuvre « dans le roman pour femmes de chambre[18] ».

Procédés structurels et stylistiques se conjuguent donc pour produire un effet d'émotion maximum sur la sensibilité féminine ; ce type de roman s'adresse à un public déjà aliéné par sa condition même dans la société et, par une entreprise de mystification sentimentale, renforce son aliénation. La condamnation stendhalienne argumente à partir de considérations qui sont à la fois esthétiques et sociologiques.

Il faut ici signaler l'attaque en règle que mène Stendhal contre les Romantiques de la première génération, qu'il rend responsables de la prolifération des romans pour femmes de chambre. L'une des bêtes noires du romancier, dans le *Courrier Anglais* est d'Arlincourt, « le vicomte inversif », auteur de romans qui représentent, à ses yeux, le comble de l'extravagance. A deux reprises, pour bien convaincre ses lecteurs anglais, Stendhal résume l'intrigue d'une des oeuvres du vicomte, *l'Etrangère*, en désignant à leur moquerie tout l'attirail du genre : héros noble et généreux, amours contrariées, victimes innocentes poursuivies par des méchants, substitutions d'identité, crimes, délire, folie, mort etc... Que ces ingrédients soient déjà anciens et remontent au roman noir et, par delà, au roman romanesque du XVIIème siècle, certes ; mais les Romantiques de 1823 les ont repris à l'usage d'un lectorat féminin et populaire, contribuant à la dégradation du goût et de l'émotion.

Soulignons aussi que Stendhal établit une relation expresse entre ce lectorat et le public populaire des mélodrames :

> « Toute cette gamme de passions (écrit-il à propos de *l'Etrangère*) est exprimée dans la langue des mélodrames du boulevard[19]. »

Les dialogues, écrit-il encore, « ressemblent aux dialogues des mélodrames qui, sur le boulevard, amusent la classe des ouvriers[20] ».

Et pour mettre en évidence l'équation romans pour femmes de chambre - mélodrame - Romantisme première manière, il associe souvent dans le *Courrier Anglais* trois noms : Chateaubriand, Marchangy et d'Arlincourt. La « mode » romantique des années 1820 est bien responsable d'une dégénérescence de la littérature romanesque et de la diffusion du mauvais goût dans le lectorat.

Elle ne sévit, d'ailleurs, pas seulement parmi les lectrices des classes bourgeoises ou populaires, elle a gagné la bonne compagnie, précisément parce qu'elle est une mode. On retrouve ici, à propos du roman, la problématique générale du public telle que Stendhal la pose : au cours de la décennie 1820 les traditions et l'héritage culturels de l'Ancien Régime sont en voie d'extinction. La rupture révolutionnaire a brisé la chaîne de la transmission des valeurs culturelles en même temps que les structures sociales. L'avènement de la société bourgeoise a désagrégé, dispersé le public. Pour le romancier, la figure du destinataire est, dès lors, confuse, difficile à dessiner, puisque les visages sont divers et souvent grimaçants ou ridicules. Stendhal est tout à fait conscient de cette difficulté, lorsque, dans la lettre au comte Salvagnoli, il écrit :

> « A cause de ces exigences opposées (la volonté de dire vrai et juste et le désir de romanesque des lectrices)..., il est (très) difficile de faire un roman qui soit lu à la fois dans la chambre des bourgeoises de province et dans les salons de Paris[21]. »

Voici donc Stendhal devenu romancier à la recherche de *ses* lecteurs.

S'il eût vécu un siècle plus tard, il aurait entendu dire par certains confrères qu'un auteur écrit d'abord pour lui-même, voire qu'il est l'unique destinataire de son oeuvre. Il est vrai que Beyle écrit pour le plaisir d'écrire, pour le plaisir aussi de découvrir (d'essayer de découvrir) qui il est, qui sont ses personnages ; il l'a assez souvent répété et il ne saurait évidemment être question de le nier. Mais il n'est pas de ceux qui ont érigé le plaisir solitaire de l'écriture en théorie de l'écriture solitaire. Stendhal romancier a un destinataire en ligne de mire de ses oeuvres. Le dépit qu'il éprouve après l'insuccès d'*Armance* le dit sur le mode négatif : « ... le vulgaire ne cristallise pas pour mon roman et, réellement, ne le sent pas. *Tant pis pour le vulgaire*[22] ». On sent dans les notes et marginales de ses manuscrits et de ses livres une certaine anxiété devant la difficulté d'écrire pour un lectorat qu'il sait si divers, traversé de demandes si contradictoires. Les interventions d'auteur par lesquelles il estime nécessaire d'expliquer au lecteur virtuel ses personnages et leurs actions[23], les adresses au « lecteur bénévole » signifient nettement que le destinataire est toujours présent à l'horizon de l'écriture stendhalienne.

Mais où est-il et qui est-il ? Le romancier récuse « le vulgaire », ce « public grossier » dont l'observateur de la société française de la Restauration notait la progression. Dans la suite de la note de l'exemplaire Bucci d'*Armance* qui a été citée plus haut, il comparait son roman à *La Princesse de Clèves* ; dans une autre note le même modèle reparaît :

> « Apparition de *La Princesse de Clèves*, 1670. Temps d'*Ourika*, 1825. Les hommes vulgaires au pied d'*Ourika*, peuvent à peine, vu le changement des temps, apercevoir le sommet de *La Princesse de Clèves*[24]. »

A travers les deux notes s'esquisse un des points de la problématique complexe du roman et de son lectorat telle que la propose Stendhal ; elle est d'ailleurs identique à celle du théâtre et du public dramatique que l'on trouve dans *Racine et Shakespeare*. Les qualités de vérité, de naturel, de simplicité et de délicatesse qu'il demande au roman sont celles que la critique attribuait et attribue traditionnellement aux oeuvres classiques ; elles sont, pour Beyle, un idéal esthétique permanent. Telles furent les qualités du roman de Mme de La Fayette, qui peignait (Stendhal le fait remarquer) les moeurs de la cour de Louis XIV et non celles de l'époque de Henri II ; en quoi elle était « romantique » tout comme Molière et Racine, au sens où Stendhal l'entend dans son pamphlet de 1823. Mais — et c'était là le paradoxe apparent de *Racine et Shakespeare* — les Romantiques de 1823 sont trop outrés, trop emphatiques pour atteindre à la vérité et à la simplicité nécessaire. C'est pour cela que Beyle, comme on le sait, éprouve le besoin de désigner sa position dans la bataille du Romantisme par un autre terme : romanticisme. Dans la perspective romanticiste, *La Princesse de Clèves* peut être désignée comme un modèle et Stendhal peut écrire *Quelques scènes d'un salon de Paris* dans *Armance* en 1826 ou une *Chronique de 1830* dans *Le Rouge et le Noir* avec le roman de Mme de La Fayette pour horizon ; par delà l'apparent paradoxe, il n'y a point de contradiction réelle.

Celle-ci est ailleurs, au niveau de la réception de l'oeuvre et de son lectorat ; c'est à cette contradiction-là que Stendhal se heurte sans pouvoir la résoudre ni à l'époque d'*Armance*, ni (sans doute) plus tard. L'observateur du *Courrier Anglais* avait, pourtant, noté la disparition du public homogène de la « bonne société » : il avait dit l'avènement d'un lectorat où « le vulgaire » domine. Il cherche, néanmoins, dans son premier roman, les suffrages de ce public d'autrefois, mais dont les survivants ou les héritiers ne sont plus les mêmes, ne ressemblent plus à leurs grands-parents. Car la bonne compagnie, l'aristocratie, a « peur d'un nouveau 93 » et pense sans cesse à « la diminution de respect qu'elle trouve dans ses relations avec les autres classes[25] ». Elle ne pouvait être que heurtée et irritée de la représentation critique de ses moeurs dans le premier roman stendhalien. Choquée non pour des raisons esthétiques, mais pour des raisons politiques et idéologiques évidentes. Stendhal avait beau se défendre, dans l'avant-propos d'*Armance*, d'avoir fait de la satire, il avait beau invoquer l'innocence et la neutralité du « miroir », les lecteurs de la « bonne société » ne pouvaient pas ne pas se sentir visés. On sait par une des préfaces de *Lucien Leuwen* que l'homme qui, au miroir, se trouve mauvaise mine, le jette et le casse. Stendhal fermait lui-même la porte qui ouvrait sur le lectorat aristocratique traditionnel avec lequel pourtant il se sentait de plain-pied sur le plan culturel. La contradiction est de même nature que celle que l'on trouve, on l'a déjà dit, dans sa position politique et que lui-même a d'ailleurs soulignée dans la *Vie de Henry Brulard* et dans *Lucien Leuwen* ».

Pouvait-il alors chercher les suffrages d'un lectorat bourgeois, grossier, vulgaire ? écrire des romans pour les femmes de chambres, les provinciales et les industriels ? Le mépris de Stendhal pour ce lectorat appelle un « non » catégorique. Et pourtant... C'est ici que monte à la surface une deuxième contradiction interne, bien plus forte, à notre avis, que la précédente. Il convient de suivre de près la pensée stendhalienne.

Après la publication du *Rouge et le Noir*, qui connut un succès relatif et suscita de nombreuses critiques, lorsque le consul de Cività-Vecchia songe de nouveau à écrire, on le voit s'interroger sur les problèmes de la réception du roman. Des notes de l'exemplaire Bucci d'*Armance*, qui datent de 1831, aux marginalia d'*Une position sociale* (1832) et de *Lucien Leuwen* (1834 à 1836) on le voit préoccupé de cet horizon lectoral. Réflexions fragmentaires et ponctuelles bien souvent, mais où apparaissent des points de focalisation et se dessinent des lignes directrices.

D'abord, sans hésitation aucune, se confirme son mépris des romans pour femmes de chambre. S'il se décide à écrire *Lucien Leuwen* au lieu de corriger (de réécrire ?) le manuscrit du *Lieutenant* de Mme Gaulthier, c'est parce « avec cette *lady*, cela tomberait rapidement dans le *non-lu* des cabinets littéraires pour femmes de chambre[26] ».

Plume à la main, il réfléchit :

> « *Style*. L'enflure donne un air d'élégance, mais il est faux, ou plutôt n'est vrai que pour mesdames les femmes de chambre[27] » ;

dans la même ligne :

> « Je ne dis point : il (Lucien Leuwen) jouissait des doux épanchements de la tendresse maternelle, des conseils si doux du cœur d'une mère, comme dans le roman vulgaire. Je donne la chose elle-même, le dialogue, et me garde de dire *ce que c'est* en phrases attendrissantes. C'est pour cela que le présent roman sera inintelligible pour les femmes de chambre, même à voiture[28]. »

Stendhal demeure ferme dans son refus aristocratique de l'emphase sentimentale, dans son refus de flatter un lectorat grossier, avide d'émotions prédigérées.

Et pourtant, on perçoit des hésitations, une interrogation critique sans cesse en éveil. Signes d'un malaise. En face du passage où il analyse « les combats » qui opposent l'amour et la retenue dans l'âme de Mme de Chasteller et, précisément, en face de la phrase où il s'est laissé aller à écrire que « au milieu des reproches cruels qu'elle s'adressait sans cesse, elle aimait Leuwen de toutes les forces de son âme », il se demande :

> « Laisserai-je cette phrase de femme de chambre ? Oui, pour la clarté[29]. »

En face d'un dialogue entre Mmes de Chasteller et de Constantin, dans lequel celle-ci abuse de « ma chère » :

> « Mme de Villegré dit « ma chère », « ma toute belle » sans cesse ; mais je lui trouvais l'air femme de chambre. Oui, laisser « ma chère », je vois cela dans le modèle[30]. »

On pourrait citer bien d'autres exemples ; nous n'en donnerons qu'un dernier : il s'agit des félicitations que s'adresse Stendhal lorsqu'il pense avoir vaincu la difficulté de représenter la passion dans un langage dénué d'emphase et de superlatifs : « Voilà, se dit-il, la vraie façon de dire dans un roman : il avait une sensibilité vive et folle[31]. »

« Sensibilité vive et folle » : voilà la définition exacte, y compris dans l'hyperbole, du caractère romanesque d'Henri Beyle lui-même ; *La vie de Henry Brulard* et les autres écrits autobiographiques le disent assez pour que nous n'ayons pas à y insister. Les héros stendhaliens sont dotés par leur créateur de cette même « sensibilité vive et folle ». Mais alors apparaît une tension contradictoire entre son amour pour le romanesque sentimental, qui est aussi le climat cultivé par les romans pour femmes de chambre, et son parti-pris d'écrire simplement, froidement. Il lui faut donc lutter contre lui-même, pratiquer dans l'écriture une ascèse volontariste, à la recherche d'un regard qui se veut objectif, froid, « distancié ». De là, un style « sec », qu'il se reproche dès *Armance*. De là, des interrogations telles que celle-ci :

> « Critique. Peut-être l'auteur a-t-il trop le ton d'un froid philosophe qui voit tout de haut sans s'intéresser aux faiblesses, bonheurs, malheurs, etc... des personnages. Ce défaut, s'il existe, ce que je voudrais bien savoir, doit surtout déplaire aux femmes de chambre[32]. »

De là, la tentation de concessions à faire ; et même des concessions de fait quand Stendhal dit de *Lucien Leuwen* :

> « Cet ouvrage est fait bonnement et simplement (...) L'auteur pense que, *excepté la passion du héros*, le roman doit être un miroir[33]. »

Le romanesque sentimental le plus rebattu, celui des romans pour femmes de chambre précisément : la thématique de la passion, obtient donc droit de cité de l'écrivain lui-même. Il n'est pas aussi éloigné qu'il prétend vouloir l'être de ce genre honni, méprisé. En voici une preuve supplémentaire : en face de la scène d'éclaircissement entre Mme de Chasteller et Lucien au « Chasseur Vert », qui est une scène de déclaration d'amour réciproque, même si les « je vous aime » ne sont pas prononcés (chapitre XXIII), Stendhal écrit : « le fond vrai, mais expressions communes ». Voilà une scène du plus pur romanesque traditionnel, bonne à faire pleurer Margot ; mais à la fois une scène très stendhalienne, en ce sens qu'elle marque le moment où l'amour naissant et à demi-avoué donne aux amants le plus grand bonheur possible (voir *De l'Amour*). Or devant la beauté de ce romanesque dont le romancier jouit autant que ses personnages (et que le lecteur virtuel ?) surgit le spectre du roman pour femmes de chambre : l'attendrissement du lecteur n'est-il pas trop facile, trop « vulgaire » ? Peur de se laisser aller à sa pente... Faut-il céder à la tentation ?

Que dire encore lorsque Stendhal avoue dans une des préfaces de *Lucien Leuwen* qu'il écrit « pour la Bibliothèque bleue »[34] ? Il faut, certes, faire la part de l'ironie, mais n'est-ce pas aussi un aveu ?

Contradiction interne, décidément. Le roman pour femmes de chambre sert de repoussoir permanent, mais il est en même temps une sorte de mauvaise conscience toujours présente à l'esprit du romancier. Refus d'écrire pour les femmes de chambre, mais conscience que le romanesque de ses ouvrages n'est pas aussi éloigné qu'il le voudrait des stéréotypes du roman sentimental vulgaire. Comment sortir de cette contradiction, la surmonter ? Stendhal espère y parvenir par une distanciation de lui à lui-même, du scripteur à ses personnages, par le regard lucide, ironique ou faussement naïf que le narrateur porte sur ses héros, par les interventions qui commentent et corrigent leurs sentiments, leurs paroles et leurs actions et, surtout peut-être, par une écriture volontairement exacte et froide qui devaient rendre ses romans « inintelligibles » aux lecteurs bourgeois[35].

Sur l'écriture encore, il s'interroge. N'est-elle pas trop froide ? La narration ne ressemble-t-elle pas trop au discours d'un moraliste ? A du La Bruyère ? Il sait que le fondement du plaisir de lire se trouve principalement dans l'émotion que le texte suscite dans l'âme du lecteur. Pour plaire il faut émouvoir et Stendhal trouve cette formule heureuse : « l'émotion... moyen de force du roman »[36]. Elle est constamment opposée à la froideur du discours « philosophique ». Deux citations, parmi bien d'autres :

> « ... jamais de réflexion philosophique sur le fond des choses qui, réveillant l'esprit, le jugement, la méfiance froide et philosophique empêche *net* l'émotion. Or qu'est-ce qu'un roman sans émotion[37] ? »

Dans les marges d'*Une position sociale* :

> «... on dissèque trop à la La Bruyère le caractère de Roizand. Le lecteur finira par prendre de l'humeur contre ce Roizand qui ne lui donne et qui ne sent aucune *émotion*[38]. »

L'écriture de La Bruyère sert d'anti-modèle à l'écriture romanesque, qui *doit* susciter l'émotion du lecteur. Emotion et romanesque sont les deux termes de l'équation que le romancier doit garder présents à l'esprit en visant sa cible lectorale.

Circonstance aggravante, si l'on peut dire, et qui confirme ce qui a été dit plus haut : les deux sens de « romanesque » (substantif ou adjectif) se cumulent et se confondent chez Stendhal lorsqu'il se place lui-même dans la position de lecteur. Il reproche à Mérimée de n'avoir pas été « assez *délicatement tendre* » dans sa *Chronique du règne de Charles IX* ; Or « il faut cela dans un roman pour me toucher[39] ».

En relisant *La Chartreuse de Parme*, il énonce cette autocritique :

> « L'exposition des amours de Clélia étant faite, ce qui est la partie qui peut ennuyer, je n'en tire pas assez de parti pour amener des scènes doucement attendrissantes[40]. »

Le romanesque stendhalien est donc, à bien des égards, apparenté à celui des romans pour femmes de chambre. Il est significatif d'ailleurs que Stendhal s'en prenne principalement à l'enflure, à l'emphase de leur style ; sur ce point l'opposition n'est pas que théorique, mais se trouve réalisée dans l'écriture. Sans doute, la thématique du roman stendhalien évite les thèmes romanesques les plus outrancièrement poussés dans les romans « vulgaires » : enlèvements, persécutions, violences, etc... moyens d'émotion trop grossiers et trop faciles[41]. Stendhal refuse le mélodrame ou le roman noir et leurs « grosses ficelles » propres à faire frémir, trembler et pleurer les lecteurs et surtout les lectrices. Condamnation sans appel. Cependant, le caractère romanesque de H. Beyle l'a, sans aucun doute, entraîné à actualiser dans ses romans la plus ancienne de ces « ficelles » : la passion contrariée par des obstacles de nature diverse, qui malgré tout, développe sa ligne mélodique et agit sur l'émotion du lecteur. Le roman stendhalien aurait pu s'adresser aux femmes romanesques, camérières ou marquises. Mais il dit « non ». C'est là une des apories de la relation scripteur-destinataire chez Stendhal que cette volonté si souvent exprimée d'une restriction de son lectorat.

A travers les interrogations sur les concessions qu'il croit devoir faire au lecteur pour faire naître la nécessaire émotion, on sent déjà une certaine inquiétude. Il faut écrire pour être lu, sans pourtant céder aux modes, à la facilité. Exigences contradictoires ; mission peut-être impossible ; en tout cas, voie étroite étant données la structure sociologique diversifiée, les mentalités et les comportements culturels de la cible lectorale.

Mission quasi-impossible, parce que « toute vérité n'est pas bonne à dire ». Or, Stendhal veut dire « la vérité, l'âpre vérité » ; il veut que son roman soit un « miroir ». Ce miroir passe devant des réalités politiques et sociales laides, devant un paysage idéologique morose et souvent ignoble à ses yeux : une aristocratie en dégénérescence, avide de revanche et apeurée à la fois, une bourgeoisie lancée dans la course à l'argent, aux places, au pouvoir. Le roman stendhalien est une mauvaise conscience de cette société. Les lectorats bourgeois et aristocratiques peuvent difficilement supporter de voir ces visages difformes dans le miroir et être tentés de le casser.

C'est la société française dans son fonctionnement même, telle qu'elle est représentée dans le roman qui en rend la lecture impossible ; nous retrouvons ici la problématique de *La comédie est impossible en 1836*. Stendhal avait pleine conscience de cette contradiction comme en témoignent l'avant-propos d'*Armance*, les projets de préface de *Lucien Leuwen* et aussi la longue parenthèse du chapitre XIX et la IIème Partie du *Rouge et le Noir*. Il a beau faire appel à la bienveillance du lecteur, protester qu'il ne dresse pas un tableau partisan (puisqu'il ne saurait être à la fois ultra et légitimiste et républicain), les lecteurs potentiels, dans leur grande majorité, ne pouvaient pas ne pas se sentir mis en scène et en cause. Une fois encore, parce qu'il choisit la vérité, parce qu'il choisit d'écrire des romans politiques (directement ou indirectement), Stendhal ferme devant lui des portes lectorales.

Si la vérité politique, historique plutôt, frappe et blesse à la fois lecteurs aristocrates et bourgeois, ces derniers, de surcroît, sont incapables de comprendre la qualité particulière de l'émotion romanesque stendhalienne. Il leur faut de gros effets ; leur inculture ou le mauvais goût cultivé par le premier Romantisme leur feront juger froides la tendresse et la passion en ton mineur des romans. L'oeuvre littéraire ne saurait être perçue par eux pour ce qu'elle est dans l'esprit de Stendhal : le chant d'une âme et, à la fois, l'énoncé de la réalité. Comment ce chant pourrait-il être entendu dans une société, qui précisément, n'a ni âme ni coeur, mais seulement de l'avidité et des ambitions ? L'art n'est pour cette bourgeoisie qu'une affaire de « standing », un objet de consommation ostentatoire ; il n'est pas encore devenu le « supplément d'âme » de la société bourgeoise en crise des années 1970 ; la bibliothèque du salon bourgeois est un signe de richesse, pas encore un refuge contre le bruit et la fureur du monde. Stendhal n'aurait certainement pas voulu voir ses romans bien reliés dans la bibliothèque des Valenod, des Grandet ou des Boissaux. Pour lui, la littérature n'est pas un placement à terme.

Bref la société française des années 1825-1840 n'offrait guère de lecteurs au roman stendhalien pour des raisons qui sont à la fois politiques, sociologiques et culturelles.

Horizons sans lecteurs. Il arrive à Stendhal de se tourner avec nostalgie vers le passé, vers la bonne société d'avant 1789. « Quel juge (que la société de Mme de Sévigné) pour une scène dans le genre de celle de Mme de Rénal avec son mari ! (...) quel juge (que la société de Mme du Deffand) si on la compare à la grossièreté actuelle, aux spectateurs qui donnent 200 000 francs à M...[42] ». Mais leurs descendants sont dévorés de fiel, de peur et de haine impuissante. Public impossible. Tout aussi impossible celui des femmes de chambre, des provinciales et des bourgeois.

Apparaissent alors à Stendhal les figures idéales du lecteur : Mme Roland, Mélanie Guilbert... et les « happy few », « ce petit nombre de lecteurs qu'(il n'a) jamais vus et qu'(il) ne verr(a) point » et « avec qui il eût trouvé tant de plaisir à passer les soirées[43] ». Emergent à un horizon lointain des lecteurs de 1880 et au-delà, qui comprendront et aimeront ses romans. Bel optimisme pour cet esprit critique que ce pari sur l'avenir. Beau courage pour le présent que d'écrire dans un paysage hostile, dénudé, pauvre, où tout au plus se dessinent quelques figures de destinataires floues et incertaines. Preuve de confiance dans le pouvoir de l'écriture, même si cette confiance ne va pas sans accès de découragement. Stendhal est un romancier « *malgré tout* », à l'époque d'un public impossible.

N.B. Pour l'oeuvre romanesque et la correspondance nous avons utilisé l'édition de La Pléiade. Pour les autres oeuvres, l'édition de référence est celle du Divan, sauf indication différente.

NOTES

1. *Courrier Anglais* t. III, pp. 399-400.
2. Chiffres cités par P. Barbéris in *Balzac et le mal du siècle*, t. I, Gallimard, 1970, p. 710, d'après un rapport de Pierre Daru pour la Chambre des Pairs en 1827.
3. Chiffres cités dans l'*Histoire Littéraire de la France*, t. VII, Editions Sociales, Ch. 8, pp. 120-121.
4. Estimation de P. Orecchioni dans *L'Histoire Littéraire de la France*, Ibid.
5. *Racine et Shakespeare*, t. I, Editions J.J. Pauvert, p. 68.
6. Notes de l'exemplaire Bucci du *Rouge et le Noir*, in *Mélanges de Littérature*, t. III, p. 417.
7. *Racine et Shakespeare*, t. II, Editions J.J. Pauvert, p. 171.
8. *Courrier Anglais*, t. IV, p. 402.
9. Voir dans l'édition Flammarion (Nouvelle petite bibliothèque romantique), pp. 84 sqq.
10. *D'un nouveau complot contre les industriels*, pp. 11-12 (éd. citée).
11. *Courrier Anglais* t. III, pp. 400 à 402, passim.
12. Note sur l'exemplaire Bucci du *Rouge et le Noir*, in *Mélanges de Littérature*, t. III, p. 418.
13. Note de l'exemplaire Bucci du *Rouge et le Noir*, in *Mélanges de Littérature*, t. III, p. 418.
14. *La comédie est impossible* en 1836, in *Mélanges de Littérature*, t. III, p. 440.
15. Lettre à Mira, directeur du théâtre des Variétés, 9.12.1825, *Correspondance*, t. II, p. 76.
16. Note de l'exemplaire Bucci d'*Armance*, in *Romans*, t. I, p. 1428 (La Pléiade).
17. Lettre au comte Salvagnoli sur le *Rouge et le Noir*, in *Romans*, t. I, pp. 702-703 passim.
18. Voir lettre du 4.5.1834 in *Correspondance*, t. II, p. 643.
19. *Courrier Anglais*, t. IV, p. 178.
20. *Courrier Anglais*, t. I, p. 125.
21. In *Romans*, t. I, p. 703.
22. Note de l'exemplaire Bucci d'*Armance*, *Romans*, t. I, p. 1428.
23. Voir le livre remarquable de G. Blin, *Stendhal et les problèmes du roman*, J. Corti, 1954.
24. In *Romans*, t. I, p. 1429. C'est Stendhal qui souligne. *Ourika* est le premier roman de la duchesse de Duras. Stendhal en donne un compte-rendu assez favorable dans le *Courrier Anglais* ; après la mort de Mme de Duras en 1828 il loue ses romans « d'être des tableaux fidèles du monde élégant en France » et de peindre « avec délicatesse les obstacles et les malheurs de l'amour. »
25. *La Comédie est impossible en 1836*, in *Mélanges de Littérature*, t. III, p. 429.

26. Marginale de *Lucien Leuwen*, in *Romans*, t. I, p. 1520 note de la page 930. C'est Stendhal qui souligne.

27. Marginale de *Lucien Leuwen, Romans*, t. I, p. 1519, note de la p. 921.

28. Marginale de *Lucien Leuwen, Romans*, t. I, p. 1549, note de la p. 1125.

29. Marginale de *Lucien Leuwen, Romans*, t. I, p. 1527, note de la page 957.

30. Marginale de *Lucien Leuwen, Romans*, t. I, p. 1545, note de la p. 1088. C'est une Mme de Greville qui a servi de modèle pour Mme de Constantin.

31. Marginale de *Lucien Leuwen, Romans*, t. I, p. 1493, note de la p. 778.

32. Marginale de *Lucien Leuwen, Romans*, t. I, p. 1507, note de la p. 864.

33. Première préface de *Lucien Leuwen, Romans*, t. I, p. 761. C'est nous qui soulignons.

34. *Romans*, t. I, p. 767.

35. Sur bien des points, nous retrouvons ici l'analyse de Kurt Ringger dans le premier essai de *L'âme et la page* : « L'anneau d'Angélique », Aran, Editions du Grand chêne, 1982.

36. *Romans*, t. I, p. 1403, Remarques générales sur *Lucien Leuwen*.

37. Marginale de *Lucien Leuwen, Romans*, t. I, p. 1573 ; note de la p. 1330. C'est Stendhal qui souligne.

38. *Une position sociale*, in *Mélanges de Littérature*, t. I, p. 107. C'est Stendhal qui souligne.

39. *Correspondance*, t. II, p. 154 ; lettre du 26.12.1828. C'est Stendhal qui souligne.

40. *Romans*, t. II, pp. 1372-1373.

41. Encore faudrait-il introduire ici des nuances. Voir sur ce point l'essai déjà cité de Kurt Ringger. Mais il convient de faire remarquer que dans les romans dont l'action se situe dans la France contemporaine, ces moyens sont utilisés avec une discrétion évidente.

42. *La Comédie est impossible en 1836*, in *Mélanges de Littérature*, t. III, pp. 418-419.

43. Adresse au lecteur bénévole de *Lucien Leuwen, Romans*, t. I, p. 767.

LA VISION EN COULEURS DES CONTRADICTIONS DE L'ÉPOQUE CHEZ STENDHAL

Jan O. Fischer

On sait bien combien de fois apparaît la symbolique des couleurs dans les titres et sous-titres mêmes des oeuvres de Stendhal : Le Rouge et le Noir, Le Rouge et le Blanc, Le Rose et le Vert.

Le plus facile à déchiffrer est, bien sûr, *Le Rouge et le Blanc*, sous-titre de *Lucien Leuwen*. Le héros du roman, ayant refusé la carrière au sein du « juste-milieu » régnant que son père-banquier aurait si facilement pu lui offrir, est jeté, dans la carrière militaire qu'il a, provisoirement, choisie, dans un choix entre « le blanc » et « le rouge », entre les légitimistes et les républicains, les deux en opposition — une opposition « de droite » ou bien « de gauche » dans la terminologie d'aujourd'hui — justement contre le « juste-milieu » du roi des banquiers, Louis-Philippe.

La société « blanche » des aristocrates apparaît bien ridicule à Lucien (plutôt ridicule qu'odieuse, à la différence de Julien Sorel jeté dans la haute société aristocratique qui était en train de préparer la « note secrète » contre la nation française), ridicule parce que sans possibilités de puissance réelle déjà. Il se moque gratuitement de leur horreur devant une Révolution aussi bien que de tous leurs soucis et intrigues. Mais doit-il choisir l'opposition « rouge » des républicains, dont plusieurs de ses amis et gens qu'il admire sincèrement pour leur dévouement héroïque ? Quel est le sens des luttes audacieuses des républicains de l'époque ? Remplacer monarchie par république, roi par président ? Stendhal éprouve une méfiance « prophétique » à l'égard de tel républicanisme doctrinaire, purement formel, qui voit son idéal dans l'Amérique. Les mêmes raisons pour lesquelles Julien Sorel avait refusé la carrière d'un associé de l'honnête commerçant Fouqué et Lucien Leuwen celle de banquier, empêchent un héros stendhalien d'être ravi par le triomphe du « rapporter du revenu » qui avait choqué Julien Sorel à Verrières chez tous les Valenod. « Je m'ennuierais en Amérique », se dit Lucien Leuwen, « au milieu d'hommes parfaitement justes et raisonnables, si l'on veut, mais grossiers, mais ne songeant qu'aux *dollars*. » Et, plus loin : « Mais je ne puis préférer l'Amérique à la France ; l'argent n'est pas tout pour moi, et la démocratie est trop âpre pour ma façon de sentir. » Cette dernière phrase est historiquement la plus éloquente possible : voilà comment la notion de « démocratie » était indissolublement liée, à l'époque, à celle de « l'argent » ! Voilà la clé, peut-être, du fameux « royalisme » et « catholicisme », si peu orthodoxes quand même, de Balzac, choqué justement par ce règne atroce de la « médiocratie » dénoncée non seulement dans la vie privée et parisienne, mais dans la campagne des *Paysans* même ! Voilà pourquoi un Vigny se voulait « spiritualiste » contre ce qu'il appelle, dans son commentaire de *Chatterton*, le « matérialisme » régnant des John Bell ! Voilà pourquoi, au moment où son ami, le républicain dévoué Gauthier parle avec enthousiasme de l'Amérique, Lucien Leuwen lui répond, en l'affligeant profondément : « Prenez un petit marchand de Rouen ou de Lyon, avare et sans imagination, et vous avez un Américain. »

Elevés dans une société raffinée et dans le monde de l'art, les héros stendhaliens raillent les privilèges régnants, détestent et condamnent tout despotisme aidé par la religion (le philosophe anglais Vane ne dit-il pas à Julien Sorel : « L'idée la plus utile aux tyrans est celle de Dieu » ?), acceptent les idées des Lumières et des « idéologues » si chers à Stendhal, celles de la Révolution régicide, sans cependant pouvoir adhérer à la lutte révolutionnaire dont, à leur époque tragique sans issue, ils saisissent mal les buts. Car il ne s'agit pas là seulement de l'affaire de leur attitude personnelle. Le milieu des simples lanciers et vétérans découvrait à Lucien un monde inconnu, « retrempait son âme comme l'air des hautes montagnes », car « il y avait là quelque chose de simple et de pur, bien différent de l'atmosphère de serre chaude où il avait vécu jusqu'alors », mais, quand même, cette atmosphère ne pouvait point représenter son monde à lui. D'ailleurs, Stendhal analyse lui-même exactement ses attitudes, dans la *Vie de Henry Brulard* : « j'aime le peuple, je déteste ses oppresseurs, mais ce serait pour moi un supplice de tous les instants que de vivre avec le peuple ». Mais, comme nous venons de voir, Stendhal se demande aussi prophétiquement ce que le républicanisme étroitement doctrinaire de l'époque, le républicanisme bourgeois qui devait se démasquer à partir de juin 1848, six années après la mort de Stendhal,

pourrait apporter à l'homme dans sa « chasse au bonheur » stendhalienne.

Ainsi, répétant le paradoxe qui est propre à tous les héros stendhaliens, le protagoniste, que ce soit Lucien ou bien Julien ou Fabrice, en
se révoltant contre l'esprit de profit et contre l'hypocrisie, devient lui-
même un maître en dissimulation. A l'aide de cette arme que nous avons
si bien connue chez Julien Sorel parmi les bourgeois de Verrières, dans
le séminaire et, encore plus, dans le monde des La Mole, Lucien s'efforce
aussi de pénétrer dans la société « blanche » où (et contre laquelle) il
trouve l'amour le plus passionné et le plus pur de sa vie dont il ne cessera de regretter la perte. Comme c'est toujours le cas chez les héros
de Stendhal, dans sa psychologie réaliste, des rapports sociaux, ceux
du milieu ennemi dans lequel l'amour se développe, se reflètent dans
sa « cristallisation », en multipliant l'incertitude amoureuse et en formant
des barreaux que les amants ne peuvent pas franchir. Pour pouvoir rencontrer la bien-aimée devant les yeux de la société, il faut mentir et
dissimuler (cherchant la franchise, il faut devenir hypocrite !) en se
donnant le masque d'un fat. La pure force de l'amour peut percer, aux
moments de bonheur, la cuirasse des conventions et de la dissimulation,
mais, au lendemain de la sincérité intime, les amants recommencent à
se surveiller, étant toujours en garde contre la possibilité d'une comédie
jouée, se méfiant de leur amour et de leur bonheur, craignant de se compromettre aux yeux de la société, car toute désinvolture, toute manifestation sincère d'un sentiment signifie ... se compromettre. D'ailleurs, ce
n'est pas uniquement l'affaire du sentiment amoureux. On sait comment
Lucien se « compromet », aux yeux de la société régnante, par le zèle
avec lequel il veut la servir, et on connaît bien les mots du diplomate bien
expérimenté et rusé, le comte Mosca dans *La Chartreuse* : « Conseilleriez-
vous à un souverain de confier un poste qui, dans un jour donné, peut
être de quelque importance, à un jeune homme... susceptible d'enthousiasme ? » Car, pour suivre les leçons que Fabrice reçoit : « Crois ou ne crois
pas à ce qu'on t'enseignera, mais ne fais jamais aucune objection. Figure-
toi qu'on t'enseigne les règles du jeu de whist ; est-ce que tu ferais des
objections aux règles du whist ? » On n'est pas loin des leçons qu'un
Vautrin donne, chez Balzac, à ses jeunes « apprentis » !

Voilà, alors, *le Rouge et le Blanc* de *Lucien Leuwen* avec ses connotations nettement politiques du moment. Mais, est-ce que toute la symbolique des couleurs chez Stendhal peut être interprétée ainsi simplement ? Est-ce qu'il y a chez Stendhal, des oppositions banales entre « ancien régime » et actualité, entre « royalisme » et « libéralisme » - Stendhal refusant et condamnant les deux, à partir du fameux pamphlet *D'un nouveau complot contre les industriels*, cette réfutation, prophétique encore (excusez-moi d'abuser de ce mot pour les géniales visions stendhaliennes !), de tout esprit se disant « libéral » au moment où il ne fait qu'entrer en scène. Rappelons-nous bien l'analyse stendhalienne : « Les banquiers, les marchands d'argent ont besoin d'un certain degré de liberté... sans lequel il n'y aurait pas de crédit public. Mais dès que le huit pour cent se présente, le banquier oublie vite la liberté. ... car peu leur [aux industriels] importe qu'avec l'argent prêté par eux on aille au secours des Turcs ou au secours des Grecs... » Les citations mentionnées en marge pourraient bien être multipliées et documentées par des citations infiniment plus nombreuses ; elles confirmeraient la génialité de Stendhal qui, ayant profondément pénétré *toute* son époque, joignait le refus des formes féodales pré-révolutionnaires à ce refus fondamental des nouvelles formes bourgeoises qui n'étaient qu'en train de cristalliser en s'ornant des phrases libérales d'un semblant extrêmement humaniste et progressif.

Tandis que, alors, dans *Lucien Leuwen*, la symbolique des couleurs du sous-titre revêt un sens éminemment politique référant à l'époque, dans *Le Rouge et le Noir* la symbolique était beaucoup plus complexe. On sait bien combien de théories ont été avancées et réfutées pour expliquer, d'une manière plus étroite ou bien plus générale, la signification du fameux titre. Le contraste du « rouge » et du « noir » pouvant bien être appliqué au caractère de Julien, à la couleur de « l'uniforme de son siècle » qu'il a su choisir, etc., ne peut pas, cependant, être limité à ces applications partielles seules.

Pour Stendhal, disciple d'Helvétius et de Destutt de Tracy, admirateur des artistes et des héros de l'époque de la Renaissance, aussi bien que des luttes de la République révolutionnaire, admirateur de cette Italie, brutale si l'on veut où on commet des assassinats atroces « mais on ne tue jamais pour de l'argent » (voilà l'idée stendhalienne adoptée et incarnée dans le *Mateo Falcone, Colomba* et d'autres nouvelles de son jeune ami Prosper Mérimée !), pour Stendhal « le rouge » représente la couleur des luttes et des émotions, de l'amour et des passions, du mouvement grandiose des armées révolutionnaires et napoléoniennes. C'est aussi la couleur des efforts de l'art de la Renaissance, celle de la liberté, d'une vie remplie d'amours et de haines. Et « noir » n'est pas seulement l'obscurantisme et le despotisme, mais tout le système qui ne permet pas de vivre d'une manière digne de l'homme, en ne faisant que marchander avec les idées et les sentiments, en forçant les individus à s'humilier, à dissimuler et à se vendre.

Les héros stendhaliens, jeunes gens toujours, cherchent, dans la société, une place qui fasse valoir leur talent et leurs désirs. Ils veulent vivre et arriver. Ils ne trouvent pas de bonheur en eux-mêmes, dans la solitude. Ils croient y arriver en vivant pleinement un sentiment ou remplissant une tâche : dans un amour dévoué et passionné, pour un certain temps aussi dans les voyages, dans une activité dont c'est en vain, cependant, qu'ils cherchent le but. Ils ne veulent pas languir dans une serre, ils sont avides de vivre. Mais ils doivent se heurter aux intérêts financiers, aux conventions et préjugés, au despotisme et à l'obscurantisme, à l'interdiction du mouvement. Le chemin cherché n'est pas libre, dans leur société. Un premier choc leur donne un choix : s'adapter et se vendre (même choisir une carrière de commerçant ou de banquier serait, pour eux, « se vendre »), ou bien se révolter. Le premier terme de l'alternative leur prête, pour un moment, l'illusion d'une activité, d'un mouvement possibles. Mais, enfin, ils se rendent compte qu'on ne peut pas racheter la vie au prix de sa déformation. Même s'ils réussissent à pénétrer, en se servant des armes données, au prix de l'hypocrisie et de la dissimulation, dans les hauts-lieux de leur société — société des La Mole pour Julien, service au Ministère de l'Intérieur pour Lucien, la cour de Parme pour Fabrice —, ils apprennent que même là-bas — et encore plus — on est soumis à la pression de rapports peu dignes de l'homme. La seconde possibilité, une révolte ouverte choisie par Julien devant ses juges, les amène à un conflit direct avec la société régnante qui les anéantit brutalement. Quel que soit leur choix, ils apprennent que l'organisation sociale actuelle n'admet pas un libre développement de la vie et de l'individualité - des idéaux les plus chers à Stendhal, disciple de la Renaissance et des

Lumières dont les héros, doués de ses propres aspirations, sont, cependant, si avides de vivre, de vivre et de lutter directement, héroïquement, sans dissimulation.

On connaît bien les reproches faits par plusieurs critiques à la rupture dans le développement de l'action du *Rouge*. Pourquoi Julien, cet hypocrite ne s'efforçant que pour parvenir, à tout prix, à une carrière, aurait-il démoli cette carrière pour de pures réminiscences sentimentales ? Mais une telle conception du personnage de Julien est la plus éloignée de comprendre un personnage stendhalien. Justement après avoir parcouru et connu la société pleinement embourgeoisée de la province, du séminaire écclésiastique et, finalement, le milieu de la « haute société » dans laquelle il avait voulu parvenir, en y réussissant presque, le héros stendhalien se rend compte de la futilité et nullité de ses désirs primaires. Sans ce choc « illogique », comme il paraissait aux critiques qui jugeaient les héros stendhaliens par les yeux de cette société bien établie, Julien ne serait qu'un Tartuffe et toute contradiction stendhalienne entre le « rouge » et le « noir » disparaîtrait. L'hypocrisie et la dissimulation n'étaient point les qualités primordiales des héros stendhaliens : ce n'était qu'un sacrifice au prix duquel ils auraient voulu racheter la possibilité d'une vie active qui les satisfasse. Ce n'était qu'une mesure de sécurité contre une société ennemie qui ne leur accorde pas de bonheur et ne tolère pas les idéaux chers à Stendhal. Le grand critique tchèque de l'entre-deux-guerres, F.X. Salda, admirateur de l'héroïsme et du « nonconformisme » du romancier a très bien saisi ce conflit éminemment stendhalien : « Il avait un culte du masque, parce qu'il y avait, en lui, des profondeurs de vie intérieure sur lesquelles il devait tromper les gens, parce que, dans son intérieur, brûlait une flamme pure qu'il devait protéger devant le souffle infecté de trop de gens. Son Julien Sorel, son Fabrice del Dongo, son Henry Brulard sont des hypocrites par calcul, des Tartuffe par méthode. Et comment ne le seraient-ils pas ! C'est que, s'ils se dévoilaient, la société de l'époque les foulerait par ses sales sabots. ... Hypocrites doivent toujours être les âmes ardentes aux époques froides et viles — Tartuffes doivent être ceux qui ont quelque chose à cacher aux époques vides et désertes qui ne savent que prendre et profaner tout, mais rien donner. » Voilà une excellente interpréation du « rouge » et du « noir » stendhaliens : le « rouge » doit être dissimulé en « noir » si l'on veut survivre dans une époque « noire » !

On sait bien que Balzac était le seul à avoir compris et interprété un roman stendhalien, *La Chartreuse*, avec une pleine compréhension de la génialité de son collègue, méconnu à l'époque. Ne citons que quelques mots de sa longue analyse du roman : « Quand on vient à songer que l'auteur a tout inventé, tout brouillé, tout débrouillé, comme les choses se brouillent et se débrouillent dans une cour, l'esprit le plus intrépide, et à qui les conceptions sont familières, reste étourdi, stupide devant un pareil travail. ... Enfin, remarquons-le bien, ces crises, ces terribles scènes sont cousues dans la trame du livre : les fleurs ne sont pas rapportées, elles font corps avec l'étoffe. » Etc.

Cependant, cette profonde compréhension et cet enthousiasme de l'autre grand maître du roman réaliste ont leurs limites. On sait bien que Balzac aurait aimé *La Chartreuse* davantage sans tout le premier tiers exposant l'enthousiasme libérateur de l'Italie du Nord, les aspirations napoléoniennes du jeune Fabrice et ses déceptions à Waterloo, toute sa vie et ses aventures avant Parme. On a bien dit que, pour Balzac, il s'agirait plutôt de la « cour de Parme » que de *la Chartreuse de Parme*, ce motif symbolique de la retraite de la vie qui n'avait pas satisfait le héros n'apparaissant qu'à la toute dernière page du roman. Car Balzac, lui non plus, bien que pour des raisons créatrices tout à fait différentes, n'était pas fait pour comprendre la contradiction du « rouge » et du « noir » stendhaliens.

Balzac, lui, aborde ses personnages en observateur critique (même s'il est impossible que les protagonistes ne représentent pas une partie de la pensée et des expériences intimes d'un auteur). Mais Stendhal incarne tout le « rouge » de ses idéaux et aspirations dans ses protagonistes pour les laisser se heurter au « noir » régnant dans la société actuelle, et pour se demander lui-même si, quand même, il ne serait pas possible de faire valoir ces idéaux, en dépit des rapports régnants et contre eux. Ce désir, disons, « romantique », « romantique révolutionnaire » si l'on veut, tombe toujours en collision avec la réalité, cette collision fatale étant démontrée de main de maître par un auteur réaliste pour qui l'homme, même dans son intimité, dans sa psychologie intérieure, ne cesse d'apparaître comme un être social, plongé dans les rapports de la société donnée.

Sans l'approche « biographique », ou même « autobiographique » des personnages stendhaliens la collision du « rouge » et du « noir » ne pourrait pas se présenter. Fabrice, devant cacher son enthousiasme suivant sa carrière à la cour de Parme, devant feindre d'apprendre les règles du jeu de whist, ne serait pas Fabrice sans cet enthousiasme juvénile que justement il doit cacher.

Dans *la Chartreuse*, dans un milieu italien tout à fait différent de la France à la veille des Trois glorieuses du *Rouge* et de celle du « roi des banquiers » de *Lucien Leuwen*, réapparaît le conflit du jeune héros stendhalien avec la société de l'époque. La vie de Fabrice, inspirée de l'enthousiasme de ses idéaux juvéniles, est, ici encore, déformée par les rapports régnants vers une dissimulation constante, à partir de sa jeunesse au château de son père pro-autrichien jusqu'à sa carrière ecclésiastique à Parme. Le jeune Fabrice, enlevé par les idéaux de la Révolution française – dont l'oeuvre dans le Nord de l'Italie, vivant sous le despotisme autrichien, est reproduite avec tant d'enthousiasme au début du roman (« on vit que pour être heureux après des siècles d'hypocrisie et de sensations affadissantes, il fallait aimer quelque chose d'une passion réelle, et savoir dans l'occasion exposer sa vie ») – voulant appliquer ces idéaux à la personne de Napoléon - le démolisseur et à la France napoléonienne de ses jours, a été cruellement déçu. « Le noir » prévalait déjà sur « le rouge ». Ce n'est plus l'enthousiasme et l'idéal qui décident dans l'armée napoléonienne, mais l'argent et un calcul utilitariste. Les espoirs juvéniles de Fabrice sont déçus, même, de sa participation à la bataille de Waterloo : était-ce vraiment la bataille de ses rêves, cette bataille décrite dans ces scènes que vont admirer tous les futurs maîtres du réalisme comme un modèle de l'art réaliste, sans aucun tableau pathétique, alors courant, plein de couleurs, aucune narration monumentale, mais une représentation très, très concrète de la première bataille vue et vécue par le jeune enthousiaste déçu, une représentation correspondant aux propres expériences de l'auteur, avec tous ces moments plutôt en marge de la lutte, avec les soucis quotidiens et les calculs paraissant indignes au jeune Italien ?

L'inspiration historique des « chroniques italiennes », aussi bien que l'inspiration de l'Italie actuelle connue par le consul refusé à Trieste et déçu par son séjour à Civitavecchia, et l'inspiration stendhalienne « autobiographique », s'entrecroisent dans les épisodes de la vie de Fabrice, munie de cette symbolique menant à la dernière page qui a donné le titre au roman. Tout est, en fin de compte, dirigé par les mêmes principes d'une collision fatale du héros stendhalien plein d'idéaux « rouges » avec le milieu « noir », bas et mesquin que nous connaissons si bien des romans se déroulant en France. Ce qu'ont vécu Julien et Lucien, ce qu'a vécu Stendhal lui-même se cachant sans cesse sous des noms, chiffres et abréviations conspiratifs, est encore concentré ici. C'est « le noir » qui domine Parme entièrement. Le complexe de la crainte et de la brutalité qui en découle dominent la cour de Parme, la chose la plus dangereuse (pouvant amener une révolte que tous craignent) étant la raison. L'intelligence, l'idée, l'esprit, la logique, l'enthousiasme — tout est suspect et poursuivi. (On sait comment Jacques Decour, future victime du nazisme, a bien pu se servir de ce tableau stendhalien dans sa lutte héroïque contre le fascisme, dans son article sur le centenaire de *la Chartreuse*.) C'est dans ce milieu que se développe l'action mouvementée des intrigues et contre-intrigues où il faut savoir dissimuler, sans jamais se dévoiler. Voilà, encore une fois, et d'une manière encore plus évidente et éloquente, « le rouge » des idéaux stendhaliens confronté à la réalité « noire » de l'époque.

Stendhal qui, au sein même de ce qu'on appelle la « bataille romantique », avait créé, par son *Racine et Shakespeare*, par son *Courrier anglais* et d'autres comptes-rendus, essais et notes critiques marginales, une vraie théorie esthétique de son futur roman psychologique réaliste, Stendhal, le fin amateur d'art, Stendhal le « dilettante » et l'homme d'action, s'efforçait toujours que son style « convînt aux enfants de la révolution, aux gens qui cherchent la pensée plus que la beauté des mots », comme il a écrit dans son *Racine et Shakespeare*. Luttant pour ce qu'on appelait, à l'époque, « romantisme », ou bien, d'après Stendhal avec ses expériences italiennes « romanticisme », et se moquant en même temps de tout ce qui se dénommait comme « romantique » en France (« ces sentiments vagues et mélancoliques, partagés par beaucoup de jeunes gens riches de l'époque actuelle, sont tout simplement l'effet de l'oisiveté », y écrit-il encore), il a donné, comme on sait, dans le fameux troisième chapitre de ce même livre, la définition lapidaire, et devenue classique, de sa lutte pour un art correspondant à l'actualité : « Le *romanticisme* est l'art de présenter aux peuples les oeuvres littéraires qui, dans l'état actuel de leurs habitudes et de leurs croyances, sont susceptibles de leur donner le plus de plaisir possible. – Le classicisme, au contraire, leur présente la littérature qui donnait le plus grand plaisir possible à leurs arrière-grands-pères. » Rien de plus et rien de moins. Le « romanticisme », c'était, pour Stendhal, l'art jailli de l'actualité et fait pour elle. Si déjà les romantiques avaient voulu attirer l'attention sur l'étude du « coeur humain », Stendhal, pour qui cette étude des passions, du « coeur humain » est le but suprême de l'art, ne voit pas ce « coeur humain » et ses mouvements dans une individualité indéfinissable, mais dans une interaction incessante avec le monde historique objectif. Les « passions » doivent être étudiées au sein des rapports sociaux réels. On connaît bien avec quels mots Stendhal recommandait Shakespeare comme modèle pour la littérature actuelle : « Shakespeare fut romantique parce qu'il présenta aux Anglais de l'an 1590, d'abord les catastrophes sanglantes amenées par les guerres civiles, et pour reposer de ces tristes spectacles, une foule de peintures fines des mouvements du coeur, et des nuances de passions les plus délicates. Cent ans de guerres civiles et de troubles presque continuels, une foule de trahisons, de supplices, de dévouements généreux, avaient préparé les sujets d'Elisabeth à ce genre de tragédie, qui ne reproduit presque rien de tout le *factice* de la vie des cours et de la civilisation des peuples tranquilles ».

Si le « beau » et le « laid » restaient, dans l'esthétique d'un Hugo ou d'un Lamartine, des catégories métaphysiques abstraites comme celles du « bien » et du « mal » chrétiens, chez Stendhal ils ont toujours un visage historique concret. (On sait que Stendhal n'a même pas hésité à écrire, dans un essai : « La beauté dans chaque siècle, c'est donc tout simplement l'expression des qualités qui sont utiles. ») Stendhal n'a jamais accepté l'existence d'un « beau absolu » ; aucun « beau idéal », donné une fois pour toutes, n'existait pour lui (c'était là le point principal de sa discussion avec Lamartine). Chaque époque, chaque société, ou plutôt encore : chaque point de vue social exige son idéal de beauté : il faut peindre « d'après nature », d'après la vie réelle. La tâche de l'art consiste, pour Stendhal théoricien, aussi bien que, plus tard, pour Stendhal romancier, dans l'action de dévoiler les mouvements réels du coeur et d'agir sur l'âme des lecteurs et des spectateurs. L'individualité de l'artiste consiste, écrit-il encore dans un essai, dans « sa manière de sentir les événements de la vie ». Les grands artistes de tous les temps, écrit-il à propos de Raphaël et de ses imitateurs, ont « regardé la nature et choisi, parmi les effets qu'elle présente, ceux qu'il faut transporter sur la toile, afin d'agir puissamment sur l'âme des spectateurs ». Agir sur l'âme des spectateurs, gagner leur intérêt, les secouer — voilà le grand problème pour Stendhal. Le reste, ce ne sont que des moyens qui peuvent être différents à des moments différents.

Et, pour Stendhal, son point de vue de l'actualité était forgé par toute sa vie, ses aspirations et ses expériences. Henri Beyle n'est devenu romancier, comme on sait, que dans la cinquième décennie de sa vie mouvementée. L'amour des idéaux rationalistes des Lumières, forgé à l'école de son grand-père et dans celle des « idéologues », aussi bien que dans la haine des tendances aristocratiques familiales et de la tyrannie d'une « bonne » éducation traditionnelle, les expériences européennes de l'armée napoléonienne, la passion pour l'Italie d'où, conspirateur et ami des carbonari, il a été expulsé par la police autrichienne lors de la Révoltuion de 1821, les polémiques littéraires et politiques des années 20 en France avaient précédé son travail de romancier. Pierre Martino a pu bien écrire, dans sa monographie stendhalienne : « Et peut-on s'étonner que les livres de Stendhal aient une saveur particulière ? L'existence de la plupart des gens de lettres, ses contemporains, s'est écoulée devant une table de travail, dans les salons, ou parmi les réunions d'hommes de lettres ; une âpre expérience, au contraire, une vérité brutale, une dure vision de la vie sourdent de partout dans l'oeuvre de Stendhal, dès ses premiers ouvrages.... ».

Stendhal a bien vécu lui-même cette collision de ses idéaux « rouges » avec la réalité « noire ». Cette collision fatale n'a pas besoin, dans ses romans, de descriptions « physiologiques » qui manquaient tant, chez lui, à Zola et aux naturalistes, elle est définie très exactement par ce conflit des idéaux et aspirations des héros « autobiographiques » avec le « milieu » dont les rapports sont saisis et localisés sans équivoque, même si sans descriptions « physiologiques » naturalistes. C'est dans cette collision fatale, représentée dans tous les détails psychologiques (mais de cette psychologie réaliste où se reflètent les lois et les rapports sociaux réels) que les personnages stendhaliens deviennent des types réalistes par excellence, incarnant ce conflit, pensé jusque dans ses conséquences extrêmes, des idéaux et de la réalité donnée, du « rouge » et du « noir ». Chez Stendhal, aussi bien que chez Balzac, il n'y a pas encore cette rupture, cette scission de « l'historique » et de « l'individuel » qu'on va rencontrer dès Flaubert. C'est à travers les destinées et conflits éminemment individuels que toute l'époque est représentée. Et ce n'est pas seulement l'époque des régimes différents sous lesquels l'auteur a vécu, mais – permettez-moi d'abuser encore une fois du mot – *prophétiquement* toute l'époque qui, au temps de Stendhal, était en train de naître pour prolonger son règne pour plus d'un siècle.

PORTRAIT DE L'ARTISTE EN SOLLICITEUR

Michel Arrous

L'année 1830 a pesé lourd dans le destin de Stendhal. Inquiété par la dégradation de ses revenus depuis 1828, il rechercha un emploi au service des Bourbons. En fait, l'examen de ses comptes prouve que ses ennuis d'argent ne compromirent jamais sa situation d'homme « embarrassé plutôt par manque de soin et insouciance que par absence véritable de moyens[1] ». Plus grave fut la crise morale qu'il traversa : les quatre testaments rédigés dans la seule année 1828 révèlent une hantise de la mort et une difficulté à vivre qui comptent plus que le manque de parole d'un Colburn. Dans ces temps « où il fallait être un peu boueux pour parvenir », comme il l'écrira en 1832[2], on le voit demander à ses amis et à ses relations un emploi qui lui permette de vivre décemment à Paris.

Entre son retour d'Espagne en novembre 1829 et son départ pour Trieste un an après, il manifeste une grande activité créatrice, signe que la crise morale a été surmontée[3]. Le besoin le talonne, aussi ne se montre-t-il pas difficile : une place de référendaire de seconde classe à la Cour des comptes, un emploi de bibliothécaire ou d'archiviste logé à l'hôtel de Soubise, même une sinécure aux Enfants trouvés ! Sa situation l'alarme, mais ses sollicitations resteront, de son propre aveu, peu actives, et fort insuffisantes ses démarches auprès du comte Roy, ministre des Finances, du marquis de Barbé-Marbois, premier président de la Cour des comptes, du baron Dacier, conservateur à la Bibliothèque royale, ou du vicomte Siméon, directeur de la division des Sciences, Belles-Lettres et Beaux-Arts au ministère de l'Intérieur, bien qu'il bénéficie de la recommandation de Mounier, Pastoret, Cuvier, Daru, d'Argout, de l'aide de Mareste et des conseils de Sophie Duvaucel sur l'art de séduire[4]. Stendhal semble ne s'être pas donné la peine de réussir ; comportement qui avait été le sien dans une occasion semblable en 1813 et qu'on va retrouver. Le créateur de Julien Sorel n'avait pas l'âme d'un solliciteur.

L'année 1830 ne s'annonce pas meilleure. Il continue sa collaboration à la *Revue de Paris* et quatre de ses articles paraissent dans *Le Temps* et *Le National*. On ignore le montant de ses rétributions. Enfin, des 1500 francs du *Rouge*, il ne recevra que le tiers à la remise du manuscrit. D'autre part, il dispose toujours de ressources fixes comme sa pension militaire réduite depuis mars 1828 à un traitement de réforme annuel de 450 francs, et sa rente viagère de 1600 francs. C'était bien peu pour qui jugeait la vie agréable à partir de 6000 francs de revenu[5]. Encore cette « opinion qui concilie la grandeur et la prudence » (Baudelaire) lui paraissait-elle parfois discutable et cette somme insuffisante pour vivre à sa guise et être reçu dans la bonne société[6]. A cet homme qui avait de justes raisons d'être inquiet, la Révolution allait offrir une chance inattendue que, dès le 3 août, il s'empressa comme bien d'autres de saisir en recourant à ses relations et en frappant à la porte des nouveaux dispensateurs, Girod de l'Ain, Guizot, Molé, et en ne négligeant pas qui pouvait faire avancer ses affaires. Le 3 août 1830, Stendhal se range au nombre des hommes du lendemain. Il faut le suivre à la recherche d'un poste lui promettant repos et sécurité matérielle ; il faut retracer l'« histoire de sa sollicitation »[7]. Certes Trieste ni Civitavecchia n'étaient de vraies sinécures, mais en ce temps-là la carrière consulaire offrait la garantie d'indépendance à laquelle aspirait Stendhal.

Deux exemples suffiront pour éclairer, à travers un épisode peu connu de sa biographie, la conduite de Stendhal solliciteur auprès des représentants officiels de l'Etat, dans le remue-ménage de Juillet. Dans cette période de sa vie Stendhal, par maints côtés, pourrait être comparé à bien d'autres opportunistes ; en dépit de cette ressemblance parfois choquante, on le voit, finalement, se distinguer en restant en marge alors qu'il a voulu tout faire pour profiter de la situation. Dans sa stratégie, ce solliciteur semble n'avoir rien oublié : préparatifs, plans d'entretiens et d'exposés politiques, liste de personnes à voir, etc. On sait que cette débauche d'efforts n'a donné qu'un fort mince résultat. Pourquoi ? En position de demandeur face au Pouvoir, l'écrivain a-t-il su tirer le plus grand profit possible de ses relations de société ; ses projets auraient-ils pâti d'un manque fondamental de conviction ?

Stendhal a demandé une place à Girod de l'Ain, c'est ce que révèle le texte d'un dialogue avec Guizot[8]. Député d'Indre-et-Loire depuis 1827, Girod de l'Ain fut appelé à la préfecture de police par le Lieutenant-général du royaume, le 1er août. Stendhal a donc suivi de près les événements, il a saisi l'occasion de cette ascension inattendue qui surprit beaucoup de monde[9]. Le 29, Girod de l'Ain s'intégrait à la commission municipale qui exerça les fonctions du pouvoir exécutif ; le 30 il fut l'un des signataires de la proclamation adressée au peuple par les députés provinciaux alors à Paris ; le 1er il remplaçait Nicolas Bavoux, célèbre professeur de la Faculté de Droit, nommé la veille à la préfecture !

Stendhal connaissait Amédée Girod de l'Ain pour avoir été avec lui, en 1810, auditeur au Conseil d'Etat[10]. Il l'avait retrouvé dans le salon de Mme O'Reilly qu'il fréquentait assidument, car Girod de l'Ain était un des principaux députés-actionnaires qui participèrent à la fondation du *Temps*. Stendhal avait suivi l'activité du député qui s'était distingué dans l'affaire Labbey de Pompières : il avait été le rapporteur de la commission chargée d'examiner la proposition de mise en accusation de Villèle, proposition faite par Labbey de Pompières dans la séance du 21 juillet 1828[11]. La Chambre le choisit comme vice-président en 1829. Il vota l'adresse des 221 et fut réélu le 12 juillet 1830. Parmi les actionnaires du *Temps*, trois membres de l'influente colonie grenobloise de Paris, bien connus de Stendhal : Félix Faure, dont le rôle politique fut alors notable[12], Augustin Périer, Charles Sapey[13]. Est-ce par eux que Stendhal atteignit Girod de l'Ain, ou bien par son ami Mareste, récemment promu chef de la première division à la Préfecture de police, et qui ne manquait pas d'entregent ? Cette hypothèse de François Michel[14] trouve sa confirmation dans une lettre adressée le 23 septembre 1830 à Mareste, dans laquelle Stendhal, qui espère alors être nommé consul à Livourne, pense à remercier « l'excellent et l'obligeantissime Mall[al 15] », abréviation qui désigne P. Malleval, secrétaire général de la Préfecture de police. C'est par ses relations que Stendhal a voulu se ménager la faveur du nouveau préfet à qui il ne semble pas avoir exposé ses voeux par écrit : les archives de la Préfecture, les archives du château de Chevry, berceau de la famille Girod de l'Ain, comme celles de Maurice Girod de l'Ain sont muettes. Signalons que le plus jeune frère d'Amédée, Félix Girod de l'Ain, fut de 1813 à 1815 l'aide de camp du général Curial, et que la veuve de ce dernier resta en correspondance avec lui après 1829[16]. Stendhal a pu le connaître à Moscou, à Vilna ou, plus tard, chez Clémentine. Sous la Restauration, il se consacra à l'élevage des mérinos dans ses terres du pays de Gex et à Croissy, près de Paris. Il fréquentait le salon Curial, rue des Saussaies, et comptait parmi les habitués du château de Monchy.

L'objet de ces premières démarches qui n'aboutirent point était sans doute un emploi relevant de la Préfecture de police. A titre purement indicatif, et compte tenu des remarques formulées en 1831 lors de la « chute » de Trieste — 15 000 francs — à Civitavecchia — 10 000 francs —, seul le traitement d'un chef de division à la Préfecture — 10 000 francs — eût convenu à Stendhal qui ne pouvait se contenter d'être un chef de bureau aux émoluments variant entre 5 000 et 8 000 francs par an[17]. A moins que l'appel à Girod de l'Ain ne fût un relais vers Guizot ?

L'insurrection calmée, Stendhal s'empresse d'offrir ses services au nouveau régime en demandant à Guizot, commissaire à l'Intérieur, une audience qui dut avoir lieu le matin du 3 août car l'après-midi fut occupée par l'ouverture de la session législative en présence du Lieutenant-général du royaume[18]. Mauvais moment pour solliciter Guizot, lequel accordait les audiences importunes de grand matin afin de consacrer la journée aux « affaires véritables »[19]. Notons qu'en ces journées chargées d'événements, Stendhal n'a pas tergiversé et qu'il est allé à la bonne porte.

Stendhal eut recours à Palluy, chef de bureau au ministère de l'Intérieur, avec qui il avait déjà été en contact quand il recherchait l'appui du vicomte Siméon[20]. Palluy lui obtint une audience avec Guizot[21], ce qui exclut d'autres intermédiaires possibles, comme Lingay, lequel était pourtant bien placé puisque rédacteur au *Temps* et ancien employé de Guizot, mais Stendhal affirme n'avoir jamais recouru à son dévouement[22]. Parmi les collaborateurs du journal dont Guizot était un des actionnaires[23], il y avait A. Billiard qui fut secrétaire général de Guizot du 21 août au 10 septembre 1830[24] ; de plus, un des membres du conseil d'administration du journal, Jean-Jacques Baude, célèbre pour sa conduite le 27 juillet, fut secrétaire général de la Commission municipale et de l'Intérieur au même moment.

Même s'ils ne fréquentaient pas tout à fait le même monde, les deux hommes ne s'ignoraient pas. Stendhal affirme que sous la Restauration, s'il en avait eu le souci, il aurait pu être reçu chez Mme Guizot, qu'il appréciait, bien qu'elle ne fût pas dépourvue d'affectation langagière[25]. Stendhal et Guizot s'étaient rencontrés en société, chez les dames Clarke, chez les Cuvier ou dans les salons de Virginie Ancelot, de Mme de Mirbel et de Mme O'Reilly[26]. Quant au salon Guizot, si Stendhal y était entré, on pressent qu'il eût été fort mal à l'aise dans une atmosphère si gourmée[27]. Stendhal reconnaissait à Guizot sa compétence d'historien mais lui déniait génie et style, et la moindre aptitude à parler d'esthétique[28]. Pour sa part, si Guizot avait traité de « polisson » le correspondant peu scrupuleux des revues anglaises[29], la *Revue française*, qu'il dirigeait, avait goûté la manière de Stendhal dans les *Promenades dans Rome*[30]. Par contre, il ne paraît pas avoir apprécié le romancier puisque sa bibliothèque ne contenait que l'exemplaire de l'*Histoire de la peinture en Italie* adressé à Pauline de Meulan, alors qu'y figuraient Nodier, Vigny, G. Sand[31]. Sur ce que deviendront les relations entre le ministre et son subordonné, nous avons eu l'occasion de revenir plus en détail à propos des opinions émises par Stendhal sur le personnel politique de la monarchie de Juillet.

En août 1830, les éléments du dossier ne laissaient augurer rien de bon de l'audience. Entre les deux hommes, aucune trace d'un climat favorable à l'expression d'une sympathie réciproque. De leur entretien nous connaissons l'essentiel grâce à Stendhal. Une recherche aux Archives nationales s'est révélée décevante. La vérification dans la série F1d n'a pu être faite car les liasses qui regroupaient les demandes pour 1806-1832 et 1830-1831 ont disparu, beaucoup de dossiers provenant du ministère de l'Intérieur ont été détruits et le reste est en déficit[32]. Quant aux Papiers Guizot, leurs dossiers pour 1830 n'ont conservé aucune trace de l'audience de Stendhal. Le romancier a expliqué le refus de Guizot par un motif d'ordre politique :

> « La cause qui a tout gâté, dans l'esprit de Zotgui, dira à Régime [Sainte-Aulaire] que je suis un impie, un homme qui prend la liberté au sérieux. »

Monsieur Guizot ne faisait pas confiance aux gens d'esprit qui prônaient Lafayette. Guizot a donc reçu Stendhal, mais comme celui-ci le dira à Mareste le 17 mars 1831, le ministre n'a pas longtemps hésité : « Un jour M. Guizot était fort bien pour moi, deux jours après il était indifférent, vingt-quatre heures plus tard hostile[33]. »

Dans la plus récente édition des oeuvres complètes de Stendhal (1969), les folios 179, 180 et 181 du manuscrit de la Bibliothèque de Grenoble coté R 5896 (tome IV) ont été arbitrairement intervertis : le « Dialogue » daté du 6 août, et donc postérieur à l'audience, doit se lire après et non avant la « Proclamation » ; le fragment intitulé « Dire à M. Guizot » venant ensuite[34]. Sa lecture prouve que Stendhal, fidèle à une ancienne habitude[35], avait préparé l'audience en rédigeant un memento ; par contre, le « Dialogue » n'est pas la sténographie des propos échangés avec Guizot : de la part de Stendhal il eût été bien maladroit de manoeuvrer ainsi ! Toutefois, le caractère abrupt de ces lignes traduit l'importance que revêtait l'obtention d'un poste de fonctionnaire pour un homme qui recherchait depuis plusieurs années un honorable gagne-pain. Conscient de sa valeur, c'est sans fausse honte qu'il participe à la « curée » en demandant un poste digne de lui, à la tête d'une des « trente grandes préfectures ». La présentation sans équivoque ni flatterie rend plus aiguë l'ironie qui parcourt l'argumentation[36] :

> « Votre Excellence est trop honnête homme pour vouloir établir un gouvernement de *faveur*. Il s'agit donc d'employer les *plus dignes*, où trouverez-vous trente hommes de mérite pour les trente grandes préfectures ? [...] Je suis pauvre. C'est une place pour vivre. Cela se voit et ne me dégrade pas. »

Avant même de rencontrer Guizot, Stendhal avait rédigé son programme politique en signant un « petit placard », à l'instar de l'appel au duc d'Orléans que Thiers, Mignet, Carrel et Larréguy firent afficher dans Paris le 30 juillet, confondu par certains biographes avec la proclamation que celui qui s'imaginait déjà préfet du Finistère[37] destinait à ses futurs administrés. Il y eut en fait deux documents ; seule la proclamation nous est parvenue[38]. Texte de circonstance, dans un genre où Stendhal excellait — qu'on se rappelle le tour des missives qu'il rédigeait en 1814 pour le sénateur-comte de Saint-Vallier ou celui du programme qu'expose aux conspirateurs du *Rouge* le marquis de La Mole — et tel qu'en signèrent les nouveaux préfets d'août 1830[39], mais où l'on reconnaît quelques-uns des principes fondamentaux de la politique stendhalienne : l'aptitude des Français à la liberté dans une France révolutionnée (le mouvement révolutionnaire commencé en 89 n'est pas achevé), la nécessité d'une nation alphabétisée et armée :

« Concitoyens, voulez-vous réellement cette liberté après laquelle nous marchons depuis quarante années ? Saisissez-la, elle est à votre portée. Nous la possédons à jamais si nous savons la défendre. Formons notre garde nationale. Que le plus petit village ait dix hommes ou cinq hommes résolus à défendre leurs droits et personne ne songera à les attaquer [...] Que nos jeunes concitoyens des campagnes apprennent deux choses : le maniement des armes et à lire. »

La fermeté du ton contraste violemment avec la fade rhétorique qu'employèrent les préfets nouvellement promus. Décidément, Guizot n'eût pu tolérer pareil écart[40] ! Le ministre ignora ces lignes qui restèrent dans les papiers du candidat. « Quimper, le 11 août », ainsi commence cette proclamation ; le nom était une fiction et la date fut fatale : le soir-même Stendhal apprenait de Mareste le refus de Guizot[41].

Quant à l'affiche qui a disparu comme la plupart des témoignages de ce genre dûs à des initiatives privées, Stendhal l'a rédigée et fait placarder le 1er août, si l'on en croit Virginie Ancelot qui plaisanta les ambitions de son ami : « Depuis que je sais que M. Beyle a droit de proclamation dans la ville de Paris, j'ai pris une si haute idée de son crédit que je ne doute pas qu'il ne soit un des cinq ou six mille qui vont faire chacun une constitution pour notre pays...[42] ». Ce devait être un curieux document où s'exprimait, sans atermoiements ni demi-mesures, une pensée qu'on retrouve dans la lettre à Mareste du 17 janvier 1831 où est dénoncée, avec un recul de six mois, l'ambiguïté d'un régime qui aurait dû choisir franchement la route tracée par Stendhal.

« Cette affiche était admirable. Voilà ce qu'il fallait dire en baisant le grand citoyen quatre fois par jour. Il fallait faire Conseiller d'Etat l'auteur de l'affiche. Mais son profond bon sens irrite le père Réal et probablement Apollinaire. Qu'y faire ? Le chemin indiqué par l'affiche paraîtra excellent en 1832[43]. »

Bien qu'on ait perdu cette affiche où Stendhal préconisait la solution orléaniste, on peut, à partir des notes rédigées en vue de l'audience du 3 août, tenter de reconstituer les grandes lignes de ce programme. Comme en 1814, époque des pages sur la Constitution[44], il tient compte des exigences de l'heure. Ainsi de la nécessité de la démagogie :

> « Monsieur, je crois qu'on mène le peuple comme les chevaux en lui parlant beaucoup. Dois-je parler ? [...] Je paraîtrai plutôt en habit de garde national qu'en uniforme brodé. La broderie n'est plus guère de saison.
>
> Dois-je aller à la messe[45] ? »

Ou bien de l'intérêt qu'il y a à ne pas négliger l'influence du mouvement républicain, à profiter de la nouvelle expansion révolutionnaire :

> « Dévoué à la loi fondamentale, au Prince, à la garde nationale, je seconderai de toutes mes forces le grand mouvement qui s'opère en France. Jamais nous n'aurons excité à meilleur droit l'envie et l'admiration de l'étranger[46]. »

Parodiant la rhétorique officielle, il développe une conception politique de l'administration que Guizot ne pouvait agréer, pas plus que, dans son ensemble, l'argumentation de Stendhal. Le Secrétaire d'Etat à l'Intérieur était par nature bien étranger à l'ardeur qui soustend cet ensemble de textes.

En ces temps d'épuration Stendhal semblait devoir être accepté. En effet, son cas personnel ne fait aucunement exception quand on le compare à celui d'autres bénéficiaires dont la sociologie est connue. Il faisait un candidat tout à fait admissible puisque la plupart des nouveaux préfets furent choisis parmi d'anciens fonctionnaires de l'Empire disgrâciés en 1814, ou parmi ceux de la Restauration révoqués en 1820. 1830, c'est la revanche de 1815[47]. Stendhal, doué des qualités essentielles de l'administrateur : la précision, le sens de l'organisation et l'esprit d'initiative, l'intelligence et la fermeté[48] était donc « préfecturable »[49], excepté pour Guizot à qui la réputation de Beyle ne convenait guère et qui attendait de ses préfets tout à fait autre chose que ce que semblait offrir pareil candidat. Autre fait qui jouait contre lui, le phénomène bien connu qui veut qu'à chaque changement de régime des postes de préfet soient demandés en remerciement de services rendus[50]. Les prétentions de Stendhal n'allaient pas jusque là.

Plus tard, et pour se justifier, Guizot devait expliciter les critères qui avaient présidé à ses choix, ce qui permet de comprendre les causes réelles du refus essuyé par Stendhal. Furent exclus ceux qui étaient réputés sous

« le joug de l'esprit révolutionnaire » ; « un grand nombre d'hommes modérés, impartiaux, capables » furent appelés « pour relever le pouvoir » :

> « Je cherchais partout, pour leur confier l'administration et sans même m'inquiéter des apparences, les hommes qui, depuis 1814, fonctionnaires ou opposants, avaient fait preuve de sincère attachement à la monarchie constitutionnelle, et bien compris ses conditions de force légale[51]. »

C'est ainsi que Stendhal ne devint pas préfet. Guizot s'est-il trompé ? Si l'on en juge par les seules capacités administratives, Stendhal valait bien Rouillé d'Orfeuil qui, le 12 août, obtint la petite préfecture du Finistère, loin des premiers rangs, ou Billiard, ex-secrétaire général sous Guizot et anticlérical notoire qui lui succéda ! Stendhal n'a-t-il pas assez intrigué ? Il répéta souvent qu'il aurait pu mieux tirer parti de la situation. Au moment de la « curée », il a manqué de persévérance et sa réputation l'a desservi. La note au bas d'un feuillet du *Rouge* − « Esprit per[d] pré[fecture.] Gui[zot]. 11 A[oût] [18]30 » − où l'on peut voir comme une vengeance de l'écrivain[52], n'explique pas tout. Ce n'est pas tant sa forme d'esprit qui l'a perdu auprès de Guizot que la situation politique. Il était par trop évident que Stendhal avait les qualités requises, qu'il était bien plus compétent que tand d'autres qui n'avaient pas son passé de fonctionnaire impérial. Il sera bien aise de prouver qu'il connaissait même les ficelles du métier, en posant à un paysan breton − que la scène soit réelle ou fictive il n'importe − « une de ces questions qui sont le triomphe des préfets[53] ». En fait, parce qu'il était assiégé de demandes de places et parce qu'il fallait tenir compte des événements, Guizot fut en réalité moins exigeant que ne le donnent à penser ses *Mémoires* : compagnons de route, amis et modérés déjà connus de lui furent privilégiés[54]. Pour être distingué, il fallait remplir deux conditions qu'expose un correspondant de Guizot : « Je ne dissimulerai point au ministre que l'on s'accorde à lui reprocher de l'éloignement pour les hommes d'une opinion prononcée, quand ils n'ont pas eu l'occasion de se faire connaître de lui par d'anciens rapports[55]. » Ces quelques lignes extraites d'un rapport de préfet résument assez bien le dossier de Stendhal candidat à une préfecture, poste beaucoup plus politique qu'administratif. S'il avait effectivement exprimé une « opinion prononcée », et s'il avait auparavant rencontré Guizot, Stendhal n'avait pas cru devoir se lier avec lui, s'inféoder à sa coterie « fort nombreuse et douée d'un grand appétit[56] ». Enfin, Stendhal fut victime d'un retour de bâton. Parmi les causes de son échec auprès de Guizot, il faut aussi tenir compte de l'humeur des vainqueurs qui se souvenaient d'avoir été malmenés par le collaborateur de revues anglo-parisiennes et l'auteur *D'un nouveau complot contre les industriels*, fort mal vu à gauche, par Dunoyer notamment. Les rédacteurs du *Globe* dont il s'était fait des ennemis[57], qui étaient aussi ceux de la *Revue française*[58], et Guizot lui-même si l'on en croit Viennet, connaissaient l'activité journalistique de Stendhal à l'époque où, couvert par l'anonymat, il ne ménageait ni amis ni relations ; les vainqueurs ne pouvaient décidément pas voir d'un bon oeil celui qui avait dénoncé la collusion des industrialistes et des libéraux. Ils n'étaient pas près d'accepter un homme qui s'était aliéné bien des appuis par ses déclarations intempestives[59].

Après cet échec, faut-il parler de dépit ? Le commis-voyageur de 1837 jugera peu compétent le personnel de l'administration départementale nommé après Juillet. Dans ce personnage de complaisance on reconnaît l'ancien auditeur qui avait rêvé d'appartenir à ce corps d'élite qu'étaient les préfets de Napoléon ; aux nouveaux préfets de Louis-Philippe il reprochera de ne disposer d'aucune expérience réelle, de n'avoir d'autre éducation que celle puisée dans les journaux[60], de n'être que des incapables. Relisant en 1817 son journal de 1811, il constatait que les préfectures s'étaient abaissées jusqu'à des sots ; reprenant la même page après la révolution de Juillet, il commente la « curée » : « Elles se sont bien autrement abaissées depuis 1830[61]. » Il avait pour sa part la formation souhaitée et prouvé ses compétences. L'humeur eût pu lui faire prendre à contre-pied sa boutade de 1826 : jugez d'un gouvernement par ceux qu'il ne place pas[62] !

Supposons un instant qu'il n'eût obtenu de Guizot qu'une modeste préfecture ; comme il l'envisage d'ailleurs dans son « Dialogue » avec le ministre, l'ennui l'eût vite poussé à démissionner. Il savait de longue date que dans ce genre de poste on ne gagne qu'une « servilité outrée » et qu'un « respect aveugle » pour les ministres[63]. De tous les corps de l'Etat, le corps préfectoral est celui qui s'identifie le plus à la politique d'un régime. S'il lui avait fallu faire de « bonnes élections », réprimer les opposants et défendre le gouvernement ou, pour user d'une de ses formules, « bêtifier » tout un département[64], il eût été à la gêne. Est-ce pour pallier ces inconvénients qu'il se propose d'écrire à un des neveux de Romain Gagnon, Joseph-Adolphe Blanchet ? Dans cet avocat grenoblois il pensait trouver un informateur avisé, peut-être même un collaborateur compétent, voire un secrétaire général qui se serait chargé de la partie désagréable de la besogne[65]. Tâche peu exaltante et combien ingrate ! Voyez le nouveau préfet de Moulins, l'« honnête Dunoyer », se lamenter sur son département peuplé d'analphabètes, ou l'ingénieur Chaper perdre son temps à Nîmes ; et Jacquemont de s'écrier sur le sort de ses deux amis : « Quel métier, grand Dieu[66] ! » De son observatoire ministériel Mérimée était à même de réconforter Stendhal après son échec : l'ami Clara estimait le métier de préfet « pire que celui de galérien »[67]. Et ce métier, on risquait d'aller l'exercer dans un trou[68] !

Dans cet échec les causes politiques ont été déterminantes. Il en est d'autres pourtant, moins évidentes mais qui comptent plus quand on voit derrière le solliciteur se profiler l'artiste.

Dans la comédie de la « curée », Stendhal tint un bout de rôle. Persuadé que le libéralisme dont il avait fait preuve, la compétence administrative qui avait été la sienne sous l'Empire, méritaient une récompense, il se met sur les rangs car il a besoin d'un emploi. Il donne cependant l'impression de ne pas s'être engagé vraiment dans une stratégie du placement digne de ce nom. Son échec relatif — pas de préfecture et, pour finir, un consulat de deuxième catégorie — s'explique davantage par le manque de motivation que par l'efficacité variable de ses relations. Sa conduite, en la circonstance, constitue un élément supplémentaire dans l'appréciation qu'il porte sur le nouveau régime, aussi bien que sur sa situation personnelle d'écrivain. Cette conduite s'éclaire quand on relève dans sa vie une série d'épisodes dont la similitude suppose une véritable propension à l'échec volontaire. Si l'échec est un trait de caractère, on doit l'interpréter comme une « affirmation de soi », comme le signe d'un destin[69]. Aussi paradoxal que cela puisse paraître, on ferait sans peine tout un chapitre sur Stendhal et l'art de ne pas obtenir de places... L'homme de 1830, plus résolu que jamais à garder la *cara libertà* aurait sans nul doute avalisé sa déclaration de 1813 : « Si cela réussissait, je serais bien embarrassé[70]. »

Certains épisodes de sa carrière sous l'Empire donnent à penser qu'Henri Beyle joua les ambitieux en s'estimant parfaitement capable, une fois l'objectif atteint, d'oublier « toutes les bêtises d'avancement et de fortune[71] ». En 1809, il intrigue pour devenir Auditeur au Conseil d'Etat. Lui à qui il arriva d'être dévoré d'ambition[72], il s'estime différent de son collègue Fromentin en qui il voit l'« ambitieux pur » dont la moindre action n'a pour but que de « capter M. Daru[73] ». Il usera pourtant de ce moyen de parvenir en chargeant sa soeur de plaider ses intérêts de carrière auprès du *bâtard* mesquin et du « bon grand papa[74] ». Est-il question de sa nomination, aussitôt il en rabat : « Je n'avais pas une envie d'être auditeur aussi grande que l'horreur d'aller recommencer mon triste métier de commissaire des guerres[75]. » A peine est-il promu à ce poste envié qu'il rêve d'une tour monumentale où il se retirerait pour lire et rêver[76]. Dans ce rêve il faut voir le désir profond d'être à soi en échappant aux tentations de l'arrivisme.

L'auditorat n'était qu'une étape sur la route des préfectures qui lui semblaient accessibles en 1813. Il se prend à rêver d'une préfecture dans les départements italiens ou, mieux, d'une maîtrise des requêtes à Rome ou à Florence... Il sait que le véritable bonheur n'est pas dans ces postes convoités, mais en plus d'une page de son journal l'ambition est à l'ordre du jour[77]. Il n'aura rien sinon un « chagrin d'ambition ». Gros-Jean comme devant, à peine s'est-il senti « l'âme un peu mordue du chagrin de n'être pas préfet » qu'il trouve une compensation dans l'idée d'échapper à « la nécessité d'aller se confiner quatre ou cinq ans dans un trou de 6000 habitants, comme Lons-Le-Saunier ». Mais une préfecture, quel poste idéal pour voir la société de haut[78] ! Cette humiliation surmontée, la déclaration de guerre lui fait miroiter une intendance. Doit-il faire la campagne ? Il conclut par la négative : briguer pareille mission suppose trop de platitudes, démarches et visites à faire en bas de soie, trop de demi-bassesses[79]. L'Empire aura permis à ce solliciteur réticent d'apprécier « les avantages des places » ou, plutôt, « le bonheur de l'ambition », comme il l'écrivit d'abord en une formule où il vit une amphibologie bien révélatrice[80].

Avec la première Restauration, c'est d'ambition frelatée qu'il faut parler quand Stendhal, dépourvu de scrupules, intrigue dans le salon Beugnot pour « une petite place en Italie », ou écrit au ministre de la Maison du Roi pour obtenir un emploi, même honorifique. On ne peut qu'être d'accord avec H.F. Imbert qui avoue aimer fort peu ce Stendhal de 1814 prêt à accepter la Restauration pourvu qu'elle veuille bien de lui[81]. Il fallait vivre. L'échec essuyé pesa dans sa décision de choisir l'Italie et provoqua le recours à une conduite de compensation : repris rétrospectivement par ses phantasmes d'ambitieux, il prétendra avoir refusé la place à millions que lui offrait Beugnot[82].

Trois ans après avoir choisi le métier d'auteur, rempli d'orgueil depuis la chute de ses grandeurs, il se sent fait pour être préfet ou député et écrit des livres en attendant de lire sa nomination dans le *Moniteur*. Raillerie. Si en 1817 cette perspective tout imaginaire de devenir préfet ne l'enchantait guère, il en ira autrement en 1830 : après Juillet il n'aurait certes pas eu à compter parmi ses collègues un Montlivaut, préfet à Grenoble lors de l'affaire Didier[83], mais on a vu qu'il ne regretta pas ou se donna de bonnes raisons de ne pas regretter la fréquentation de collègues qu'il accabla de son mépris. 1829, dernière tentative sous le plat règne des Bourbons : il recherche à nouveau un emploi alors que Mérimée, plus à l'abri du besoin il est vrai, refuse toute offre parce qu'il juge qu'accepter des fonctions du gouvernement en place serait n'être pas d'accord avec soi-même[84].

Ses ambitions ayant échoué par la faute de l'Histoire au moment où il allait devenir préfet[85], il chercha à s'imposer par la littérature, seul espace à conquérir pour lui dans le monde réactionnaire de la Restauration[86]. Il lui fallut attendre 1830, non pour retrouver l'ambition mondaine, le goût de la réussite qui s'expriment dans le journal et les lettres de sa grande époque, mais pour saisir la chance d'être à l'abri du besoin. A quarante-sept ans il n'a plus l'ardeur du jeune auditeur ; il se dédommagera vite de n'avoir pas été préfet ou d'être relégué aux confins de la civilisation, puis dans cet autre trou qu'était Civitavecchia. Encore une fois le renversement compensatoire se produira. Après Juillet on le voit, intrigant vélléitaire, ne jamais se pousser et déléguer à autrui le souci de son avenir[87]. Sa stratégie de carrière et de placement est médiocre, déficiente même : elle inclut des critères techniques — la compétence professionnelle du candidat ne fait aucun doute —, use de liens politiques et partisans qui le rattachent aux nouveaux maîtres, mais sa personnalité ne convient pas[88]. Ses insuccès ou ses échecs il faut les attribuer moins à son manque de talent — il se tancera de ne pas avoir su profiter des salons ou de ses relations — qu'à une inaptitude radicale à se faire valoir et à obtenir un emploi et de l'avancement, tant il est vrai que la réussite exige autant de qualités humaines et mondaines, une certaine sociabilité, que de connaissances spéciales. En changeant de registre, le romancier de 1830 aurait pu avouer comme en 1822 que le malheur de toutes ses entreprises dans la vie réelle provenait « du manque de patiente industrie et d'imprudences produites par la force de l'impression du moment[89] ». Il reconnaîtra son manque de savoir-faire dû à un défaut de sociabilité qui lui fit négliger des relations influentes ou, plus simplement, le hasard[90]. Même quand la nécessité eut force de loi, il ne concéda rien d'essentiel à son avenir de fonctionnaire, d'où d'innombrables occasions manquées[91]. Il se console aussitôt en se rappelant tel intrigant habile qui n'obtint pas beaucoup mieux que lui. On tient là un motif autobiographique récurrent : après 1830 il répétera qu'il aurait pu se pousser dans le monde, c'est-à-dire réussir, et ce dès 1829, s'il avait voulu tirer parti du salon de Mme Aubernon, de l'amitié de Béranger, ou ne pas négliger Lafayette : « *Julien* eût tiré parti de tout cela » dira-t-il à Alberthe de Rubempré[92]. Dans ses échecs, il n'a pour ainsi dire jamais été pris au dépourvu. Il s'était fixé des règles ; s'il n'a pas réussi, c'est parce qu'il n'a pas appliqué les principes auxquels il avait réfléchi pendant ses années de formation : le « principe de l'amabilité continue », « l'amabilité nécessaire pour être vu avec plaisir », le génie politique ou « l'art d'arriver à un but avec les éléments qu'on possède[93] ». S'il avait acquis une expérience non négligeable, les règles qu'il s'était fixées sous l'Empire ne lui étaient pas devenues une seconde nature.

Satisfait du peu de faveurs que la Fortune lui aura accordé, le consul de Civitavecchia n'en voudra pas aux hommes de son peu d'avancement et s'estimera satisfait : « [...] je suis content dans une position inférieure. Admirablement content surtout quand je suis à deux cent lieues de mon chef comme aujourd'hui[94]. » Stendhal n'a jamais tenu la société pour responsable de ses échecs de candidat à un emploi, ou d'écrivain[95]. Consul de France et revenu de toute autre ambition[96], Stendhal se satisfait d'une position inférieure dans un poste relativement subalterne ; ses échecs l'ont réconforté.

Stendhal se savait dépourvu des qualités qui permettent de faire carrière, mais non de celles nécessaires aux bons administrateurs. A coup sûr il avait l'étoffe d'un haut fonctionnaire, d'un préfet, voire d'un ministre[97]. S'il n'a saisi dans la « curée » qu'un modeste consulat, ce résultat, sur lequel il a pu méditer comme il avait médité sur les étapes de sa carrière entre 1800 et 1814, paraît tout à fait conforme à la « petite figure de géométrie » inventée pour la *Vie d'Henri Brulard*[98], dans laquelle il faut voir le plan d'un destin. D'un point symbolisant le moment de la naissance et occupant le centre d'un demi-cercle, rayonnent régulièrement de droite à gauche les routes de l'argent (R) : Rothschild ; des bons préfets (P) : Daru, Roederer, Français, Beugnot ; de la considération publique ; de l'art de se faire lire, Le Tasse, Jean-Jacques Rousseau, Mozart (L) ; de la folie (F). Figure éloquente : pour réussir, il faut prendre un tout autre cap que celui de la littérature, fort proche de la folie. Métaphore matérialisée, sans ambiguïté, bien différente au fond de ces images de l'indécision, carrefours ou cercles, qu'on retrouve chez plus d'un diariste angoissé devant la décision à prendre[99]. Rien de tout cela chez Stendhal, pour qui le choix des routes du succès littéraire ou mondain, et de la folie, se fait souvent à notre insu dans la première enfance. Ses notes explicatives ne laissent aucun doute sur la route qu'il a prise : « Il est souverainement absurde de vouloir à 50 ans [Stendhal en a alors 53] laisser la route R ou la route P pour la route L. » Et de manière combien inattendue mais significative, il se compare au roi de Prusse : « Frédéric II ne s'est guère fait lire et dès 20 ans il songeait à la route L. » De ce plan, un ambitieux véritable n'eût gardé pour faire campagne que la moitié droite.

Objectera-t-on qu'à la différence du diariste qui vit au présent son introspection, le narrateur en question dispose d'une profonde perspective temporelle pour mettre en forme le discours de sa vie ? Pour celui-ci l'heure du choix a déjà sonné, pour celui-là elle retentit douloureusement. Même dans son journal intime Stendhal ne souffre pas du choix qu'impose l'instant. D'où l'absolue clarté de la figure et du commentaire joint. Se remémorant l'époque Daru, il n'a eu à gommer aucune hésitation ; cette interprétation que le consul n'inventa qu'en 1835, le « simple auditeur » l'eût acceptée. D'où, on le sait, l'étonnement qu'il éprouva quand il apprit qu'il avait réussi auprès de Molé. Si Henri Beyle avait obtenu ce poste pour l'avoir profondément désiré, il ne serait pas devenu Stendhal.

1. *Oeuvres Complètes* (Cercle du Bibliophile, Genève, 1968), t. XX, p. 26 (*Brulard*).

2. *Correspondance*, Bibliothèque de La Pléiade, 1967, t. II, p. 436.

3. Voir l'explication générale qu'il donne dans les *Souvenirs d'égotisme, Oeuvres intimes*, Bibliothèque de La Pléiade, 1955, fin du chap. 10.

4. *Corr.*, t. II, lettres n°s 859, 871, 875, 879, 881, 884, 895, 896 et, dans les « lettres à Stendhal », *ibid.*, n°s 175, 179, 181. Récit dans H. Martineau, *Coeur de S.*, t. II, pp. 113-115 ; suppléments dans A. Doyon et M.A. Fleury, « Nouvelle correspondance stendhalienne... », *Stendhal Club*, n° 42, 15 janv. 1969.

5. *De l'Amour*, éd. Garnier, 1959, p. 256.

6. Pour 1814, *Journal* (éd. de V. del Litto, Bibliothèque de La Pléiade, 1981), p. 906 ; pour 1826 - entre 5 et 8000, *Courrier anglais*, t. III, p. 160 ; en janv. 1830, il n'aura pas changé d'avis comme l'indique le budget qu'il établit en prévision d'un éventuel mariage, voir Y. du Parc, *Dans le sillage de S.*, Lyon, 1955, p. 150.

7. Expression du *Journal* (éd. cit.), p. 619.

8. *OC*, t. XXXII, p. 66. Bibliothèque de Grenoble, Ms R 5896, t. IV, f° 181.

9. Bérard, *Souvenirs de la Révolution de 1830*, cité par la *Biographie universelle Michaud* ; J. Tulard, *La préfecture de police sous la monarchie de Juillet*, Paris, 1964, p. 40.

10. Girod de l'Ain avait été nommé auditeur de 1ère classe en août 1809. Sur sa carrière, voir aux Archives de la préfecture de police de Paris, EA 163 II et EA 20. Biographie par Gabriel Girod de l'Ain, *Une vieille famille du pays de Gex : les Girod de l'Ain*, Bourg, 1956, pp. 11-19.

11. *CA*, t. V, pp. 346-347.

12. Voir notre « Note sur la carrière politique de F. Faure », *SC*, n° 92, juil. 1981, p. 15.

13. 1er numéro du *Temps*, 15 oct. 1829. En cette circonstance l'appui de F. Faure paraît improbable car le député de l'Isère n'arriva à Paris que le 6 août, d'après J. Félix-Faure, *Un compagnon de S.*, Félix-Faure pair de France, Aran, 1978, p. 137. Parmi les Grenoblois de Paris dont S. était proche : la famille Teisseire, C. Chenavaz (mort en 1829), Champolion-Figeac, etc ; voir Berlioz, *Corr. générale*, t. I, p. 177 ; F. Michel, *Etudes stendhaliennes*, pp. 224-225 ; *Le Temps*, 1er mai 1830. On pourrait joindre à cette liste le conseiller Bérenger.

14. F. Michel, *Fichier stendhalien*, n° 6091.

15. *Corr.*, t. II, p. 189.

16. Renseignements obligeamment communiqués par M. Gabriel Girod de l'Aln. Félix Girod de l'Ain (1789-1874) a laissé un volume de mémoires, *Dix ans de mes souvenirs militaires de 1805 à 1815*, Paris, 1873.

17. J. Tulard, *op. cit.*, p. 53.

18. Montgaillard, *Hist. de France (Continuation)*, t. IV, p. 388 ; *Le Temps*, 4 août 1830, peu après 13 heures.

19. Guizot, *Mémoires*, t. II, p. 53. Guizot recevait dès cinq heures du matin : voir la requête de Michelet à Mme Guizot, le 10 août, citée par P. Viallaneix, *La Voie royale*, Paris, 1959, p. 30.

20. *Corr.*, t. II, p. 146.

21. *OC*, t. XXXII, p. 69.

22. *Egotisme* (Bibliothèque de La Pléiade, 1955), p. 1496.

23. *Le Temps*, 28 juil. 1830. Sur Lingay au *Temps*, témoignage de Rémusat dans ses *Mémoires*, t. II, p. 483.

24. Papiers Guizot, Archives nationales, Organisation du ministère de l'Intérieur.

25. *CA*, t. I, p. 85, p. 108, t. III, p. 169 ; *Egotisme*, p. 1504.

26. H. Malo, *Thiers*, p. 72 ; Thibaudet, « Le centenaire du *RN* », *Rev. de Paris*, 1er déc. 1930. Guizot était fort lié avec F. et G. Cuvier, voir D. Johnson, *Guizot - Aspects of french History*, Londres, 1963, p, p. 92, p. 111.

27. *Journal* de Charles Didier, Bibliothèque S. de Lovenjoul, Chantilly, E 940, f° 3. On y voit Mérimée et le fils aîné de Mathilde Dembowski.

28. Dans le *Journal* (éd. cit., p. 826), à propos de la conception que Guizot, auteur d'une brochure intitulée *De l'état des beaux-arts en France*, se fait du réalisme en peinture.

29. Viennet, *Journal*, p. 261.

30. *OC*, t. VI, cxii-cxiii.

31. *Catalogue des livres composant la bibliothèque de feu M. Guizot*, Paris, 1875. Pour l'envoi de l'*HPI* à Mme Guizot, voir *Corr.*, t. I, p. 858.

32. Par ex. F1b I 692 supp. 89, comporte 99 demandes d'août 1830 à 1832 adressées à Guizot.

33. *Corr.*, t. II, p. 253. Voir aussi une lettre du 17 janvier 1831 au même, *ibid.*, p. 218.

34. *OC*, t. XXXII, pp. 66-68.

35. Se rappelant en 1836 l'audience décisive que lui accorda en 1800 le Secrétaire général à la Guerre, il écrit dans le *Brulard* : « [...] il me semble que j'écrivis d'avance la conversation que je voulais avoir avec M. Daru », *OC*, t. XXI, p. 275.

36. *Ibid.*, t. XXXII, p. 66. Il n'existait pas alors « trente grandes préfectures » ; seules huit d'entre elles, après la Seine, pouvaient prétendre à ce titre, voir H. Fauré, *Galerie administrative ou biographie des préfets*. Aurillac, 1839, vi-viii. Sur le classement des préfectures, on pourra se reporter à N. Richarson, *The French prefectoral corps, 1814-1830*, Londres, 1968.

37. Mot ajouté par R. Colomb - voir le fac similé du ms, *Album Stendhal*, Bibliothèque de La Pléiade, 1966, p. 225. - et conforme à l'indication fantaisiste de la signature.

38. Excepté dans une note de la *Corr.*, t. II, p. 851, H. Martineau a négligé le « petit placard » que Colomb signale dans sa *Notice*, *OC*, t. XLIX, p. 279. Texte de la proclamation, *ibid.*, t. XXXII, pp. 67-68 ; sur sa datation, voir *Fichier stendhalien*, t. I, p. 94.

39. A.N., Papiers Guizot, 42 AP 47.

40. *Ibid.*, « Lettres confidentielles des préfets pendant mon ministère. (1er août - 2 nov. 1830) » : comme ex. de style préfectoral, la proclamation de Dupuy, préfet de la Haute-Loire. Autre ex. dans André Thuillier, *Economie et société nivernaises au début du XIXe siècle*, Paris, La Haye, 1974, pp. 135-136 : circulaire du préfet Badouix.

41. *Corr.*, t. II, pp. 218-219.

42. *Ibid.*, p. 851.

43. *Ibid.*, p. 219.

44. *OC*, t. XLV, pp. 141-151 et H. F. Imbert, *Les Métamorphoses de la liberté*..., Paris 1967, p. 40 sqq.

45. « Dire à M. Guizot », *OC*, t. XXXII, p. 68.

46. *Ibid.* p. 67, proclamation à ses concitoyens.

47. Sur l'épuration du corps préfectoral et sa réorganisation, voir : a) Ch. H. Pouthas, « La réorganisation du ministère de l'Intérieur et la reconstitution de l'administration préfectorale par Guizot en 1830 », *Rev. d'Hist. moderne et contemporaine*, oct. - déc. 1962 ; b) S. Charléty, *La Monarchie de Juillet*, p. 15 ; c) D. H. Pinkney, *The French Revolution of 1830*, Princeton, 1972, chap. IX, « Purge and Replacement » ; d) Guizot, *Mémoires*, t. II, pp. 54 sqq.

48. *Corr.*, t. III, viii, préface de V. del Litto.

49. Expression qu'on trouve à la date du 17 mars 1813 dans le *Journal*.

50. Brian Chapman, *The Prefects and provincial France*, Londres, 1955, p. 32.

51. Guizot, *op. cit.*, t. II, p. 56.

52. *Le Rouge et le Noir*, éd. de P. G. Castex (Garnier, 1973), p. 311.

53. *OC*, t. XVI, p. 24 (*Mémoires d'un Touriste*).

54. Comme le prouvent force lettres adressées à Guizot (archives microfilmées dans les Papiers Guizot, A.N.).

55. A.N. 42 AP 47, « Lettres confidentielles des préfets... », rapport de Tissot, f° 3.

56. Viennet, *op. cit.*, p. 108, lequel avait sa coterie à Béziers dont il était député !

57. *Egotisme* (éd. cit.), p. 1513.

58. Les deux publications étaient préparées dans le même salon, voir Broglie, *Souvenirs*, Paris, 1886, t. III, p. 277.

59. *Egotisme* (éd. cit.), pp. 1437-1438, 1460, 1461, 1463-1464, 1470, 1504. Voir aussi les *Chroniques pour l'Angleterre*, éd. de K.G. McWatters (Grenoble, 1980), t. I, pp. 10, 25, et J.-J. Goblot, *SC* n° 56, « S. chroniqueur dévoilé ? le *CA* et *Le Globe* ».

60. *OC*, t. XVI, p. 489 (*Touriste*).

61. *Ibid.*, t. XXX, p. 200. Commentaires portés par S. sur la copie définitive de 1813 dite copie Crozet-Royer ; voir l'apparat critique de V. del Litto dans son éd. du *Journal* pour la Bibliothèque de La Pléiade, p. 1430.

62. *Rome, Naples et Florence*, ex. Bucci, *OC*, t. XLIX, p. 151.

63. *Vie de Napoléon*, cité par F. Michel dans ses *Etudes stendhaliennes*, p. 308.

64. *Journal*, éd. cit., p. 725.

65. *OC*, t. XXI, p. 474 (*Brulard*) et *Petit dictionnaire stendhalien*, pp. 82-83. S. connaissait bien Joseph Blanchet père, voir *SC* n° 92, p.294.

66. V. Jacquemont, *Corr. inédite*, Paris, 1867, t. II, pp. 182-183, 240.

67. *Corr. générale*, t. I, p. 254, lettre du 12 oct. 1833 à Ed. Grasset.

68. Dans le *Journal* de 1806 (éd. cit. , p. 447), à propos de son ami Ladoucette préfet à Gap : « Quel ennui de passer cinq ou six ans de sa vie dans un tel trou ! ».

69. Voir l'interprétation freudienne de l'échec - fonction et signification - analysée par Yvon Belaval, *Les Conduites d'échec*, Paris, 1953, pp. 74-75.

70. *Corr.*, t. I, p. 692.

71. *Ibid.*, p. 543.

72. *OC*, t. XXIX, p. 117. Voir, dans l'éd. cit. du *Journal* les innombrables occurrences de ce terme : pp. 463, 465, 605-674 ; et une version dérisoire de la carrière d'un ambitieux dans une lettre de 1808 à Durzy : « [...] être fait Sous-inspecteur. Ensuite on se marie, on est cocu, on devient inspecteur et l'on crève. Voilà ma carrière. », in H. Baudouin et F. Ledoux, « Deux lettres peu connues de S. », *SC*, n° 95, 15 avril 1982, p. 234.

73. *Journal*, éd. cit., p. 359.

74. *Corr.*, t. I, lettres à Pauline nos 378-380, 384, 386, 388, 389, du 14 oct. 1809 au 9 fév. 1810.

75. *OC*, t. XXIX, p. 359.

76. *Ibid.* , t. XXX, p. 63.

77. *Ibid.*, t. XXXI, pp. 45, 48, 52, 63.

78. *Ibid.*, p. 46. Voir aussi *Corr.*, t. I, pp. 692-693.

79. *OC*, t. XXXI, p. 63 ; t. XXI, p. 325 (*Brulard*).

80. *Corr.*, t. I, p. 988. Dans cette lettre au comte Daru (30 sept. 1819), S. redoute, s'il ne peut vivre à Milan, de devoir faire à Paris « le pénible métier de solliciteur ».

81. H.-F. Imbert, *op. cit.*, pp. 39, 608 ; *Corr.*, t. I, pp. 769-772.

82. *OC*, t. XXI, pp. 325, 442-443, 450, notices biographiques de 1821 (?) et 1837, (*Brulard*).

83. *Corr.*, t. I, p. 881.

84. *Corr. générale*, t. I, pp. 50-52 ; S., *Corr.*, t. III, pp. 681-682. Rappelons qu'en 1827 S. avait accepté de collaborer au *Journal de Paris*, organe aux gages de Villèle, voir H. Martineau *Coeur*, t. II, p. 72.

85. *OC* , t. XXI, p. 326 (*Brulard*).

86. J. Starobinski, *L'Oeil vivant*, Paris, 1975, « S. pseudonyme », pp. 210-211.

87. *Corr.*, t. II, p. 201, à Mme de Tracy.

88. Comme le montrent les exemples relevés par Ch. Charle, *Les Hauts-fonctionnaires en France au XIXe siècle*, Paris, 1980.

89. *De l'Amour*, éd. Garnier, 1959, pp. 89-90.

90. *Egotisme (Oeuvres intimes*, Bibliothèque de La Pléiade, 1955*)*, pp. 1449, 1457-1458, 1505, 1428.

91. Un exemple entre autres, à l'époque de son consulat : Mérimée semble avoir été de l'avis que S. aurait pu se pousser en sachant plaire à Mme de Cubières, auteur de *Marguerite Aymon* dont il avait favorablement parlé en 1822 (*CA*, t. II, p. 184) et femme du général commandant la place d'Ancône en 1832 ; voir *Corr.*, t. III, p. 532 et *Chroniques pour l'Angleterre*, t. I, pp. 281-283.

92. *Corr.*, t. II, pp. 256-257. Sur ce motif, voir *OC*, t. XXI, pp. 355-356 (*Brulard*) et *Egotisme* (éd. cit.), p. 1457.

93. *Journal*, éd. cit., pp. 367, 383, 429, 556.

94. *Egotisme* (éd. cit.), p. 1457.

95. « Je n'ai jamais cru que la société me dût la moindre chose... Je n'ai donc jamais eu l'idée que les hommes fussent injustes pour moi. » (*Brulard*), cité par G. Blin, *S. et les problèmes de la personnalité*, Paris, 1958, p. 381, n.6 ; voir aussi *Egotisme*, p. 1547 : « ... je ne m'en prends pas aux hommes de mon peu d'avancement ».

96. G. Blin, *op. cit.*, p. 188, n.1.

97. V.del Litto, in *Stendhal-Balzac, Réalisme et Cinéma. Actes du XIe Congrés international Stendhalien*, PUG 1976, p. 104.

98. *OC*, t. XX, p. 214 (déc. 1835) ; *ibid.*, t. XXI, p. 137 (janvier 1836), ce second schéma est plus complet et commenté. Il faut lire « considération *publique* » et non « *politique* » et voir dans le « dessin » (t. XX, p. 213) la correction d'un « lapsus calami » significatif. Nous avions déjà traité de ce point quand *SC* a publié l'étude de P.B. Daprini, « Le jardin d'Armide : refuge et imagination stendhalienne » (n° 91, 15 avril 1981) qui insiste avec raison sur ce passage déjà remarqué par G. Blin, *op. cit.*, p. 590, n.1.

99. Amiel, Kierkegaard, Du Bos recourent tous trois à cette métaphore oedipienne pour exprimer leur angoisse, voir B. Didier, *Le Journal intime*, Paris, 1976.

LE PARASITE DU POUVOIR ET LE POUVOIR DU PARASITE

Jean-Jacques Hamm

Commençons par une fable et un discours. La première est bien connue : la fourmi travailleuse et moralisante y fait la sourde oreille à la cigale. La quémandeuse n'obtiendra rien de celle à qui le travail, l'engrangement des richesses auront donné le pouvoir de refuser le partage. Le discours se prendra dans *la Peau de Chagrin*, Rastignac y faisant la leçon à Raphaël de Valentin :

> Toi, tu travailles ? Eh ! bien, tu ne feras jamais rien. Moi, je suis propre à tout et bon à rien, paresseux comme un homard ? Eh ! bien, j'arriverai à tout. Je me répands, je me pousse, l'on me fait place ; je me vante, l'on me croit ; je fais des dettes, on les paie ! La dissipation, mon cher, est un système politique. (...) Connaissant les ressorts du monde, il les manoeuvre à son profit. Ce système est-il logique, ou ne suis-je qu'un fou ? N'est-ce pas là la moralité de la comédie qui se joue tous les jours dans le monde ?[1]

Entre ces deux textes, parallèlement au premier du moins, le roman picaresque a dessiné le récit des « aventures d'un gueux qui subsiste aux dépens d'autrui »[2]. L'on évoquerait à ce propos la série des paysans parvenus ou pervertis qui soit s'enrichissent sur le dos des autres, soit leur volent biens ou êtres leur appartenant. Les aventuriers pique-assiette sont légion ; les hôtes, au double sens du terme, et les dupes également.

Dans la fable de La Fontaine les enjeux semblent clairs. Mais il est du même auteur d'autres fables où triomphe le parasite et emporte le fromage de sa victime. Pour Rastignac, les enjeux le sont également : la dissipation est un système d'investissements. Le fait de se répandre, de se créer des réseaux de relations devrait permettre de sauvegarder ou d'étendre un capital de sympathie et de s'assurer par là une place au festin social.

Le travail solitaire par contre ne compte pas ; ne s'appuyant sur aucune coterie, ne participant d'aucune organisation ni d'aucun système, il n'engendrera aucun pouvoir sur le monde.

Les deux textes cités, qui ne sont pas à lire comme des pôles ou des moments précis à l'intérieur d'une évolution historique, nous révèlent un étonnant renversement de valeurs. Le parasite honteux, quémandeur et coupable, du premier texte se trouve dans le second cas glorifié. Le geste grandiose de Rastignac au Père-La-Chaise débouche tout aussitôt sur une mise en pratique de la démarche parasitaire :

> Et pour premier acte du défi qu'il portait à la société, Rastignac alla dîner chez madame de Nucingen[3].

L'éducation et les idéaux qu'elle a pu véhiculer avec elle s'effacent devant la réalité des choses : Rastignac ne sera ni Goriot ni, comme nous le savions déjà, Raphaël de Valentin. La carrière de parasite le portera à l'aisance et par la suite au pouvoir.

On s'interrogera donc ici sur le parasite et le fonctionnement de l'univers parasitaire. Et puisqu'il sera question de Stendhal et des parasites de *Rouge et Noir*, on examinera quelles relations parasitaires en ce roman occupent, dominent ou règlent la scène. Qu'en est-il de l'écrivain même, du scripteur face à son texte et dans le dos de ses personnages ? A qui profite la singularité ou la folie d'un héros ? Qu'en est-il enfin du parasite lecteur, semblable, frère et complice ? Qui dans cette longue chaîne détient le pouvoir ? Sont-ce les parasites ? Serons-nous obligés de les parasiter à notre tour ? Les congrès aussi se terminent par des banquets. Quel bruit à la porte nous chassera-t-il nous aussi ? C'est Michel Serres et son *Parasite*[4] qui fourniront le point de départ à l'étude qui va suivre.

Livre hétérotopique où se côtoient des animaux, des bruits, des habitudes sociales, des démarches intellectuelles, des champs du savoir tels que l'économie, livre de philosophe, c'est-à-dire de langage à maintes entrées [12], il pose la question des rapports de l'ordre et du désordre dans le fonctionnement d'un système. Dans l'écart par rapport au système, Serres voit moins le signe d'un échec, d'une rature, que la possibilité pour le système de fonctionner. L'écart étant de la chose même et peut-être la produisant [23], l'ordre et le rationalisme ne seraient-ils pas en fin de compte (dés)ordre par peur du désordre ? Faudrait-il rappeler les pages de Michel Foucault sur le monde de la folie et la création de l'associal par l'internement[5] ? Mais l'existence de l'asocial, son étiquetage permettent à la norme de se donner pour telle. Chez Michel Serres, le parasite passe donc du rôle d'amuseur, de simple gêneur, d'épiphénomène à celui de moteur d'un système. « Il n'y a pas, écrit Serres, de système sans parasite » [21]. De quantité négligeable, de secondaire, le parasite acquiert ainsi ses lettres de noblesse, s'installe, prend le pouvoir, se pose en sujet en face ou dans le dos d'un hôte objet. On pourrait ainsi affirmer que Tartuffe n'est pas un monstre, mais qu'il est le révélateur d'un système qui prône la sujétion, la soumission totale des âmes et l'absence de tout jugement individuel. Tartuffe est dans la logique du système. La morale n'y trouve sans doute pas son compte si la parasitologie y trouve le sien.

Livre du collectif social, ce sera en fin de compte également le livre du mal, du Diable, de l'ivraie, de la zizanie, son équivalent grec [120]. Examinons à présent le comportement des parasites.

Le parasite vit sur le corps propre ou figuré d'autrui. Il s'agit donc d'abord de nourriture, de repas. C'est de plus un trouble-fête qui vient du dehors et s'installe dans notre espace. C'est un bruit inattendu, la visite du commandeur. La cigale chante, Rastignac se répand, l'écornifleur tient les bourgeois par la parole[6]. Le parasite est un hâbleur, un bateleur. Y aurait-il donc des emplois de parasite, des rôles, des types voués plus particulièrement à ce métier ? Mais tout ne serait-il pas affaire de perspective, et l'histoire du parasite ne serait-elle pas en fin de compte celle de la paille et de la poutre ? Il importe donc de voir la relation parasitaire et ses lois, c'est-à-dire son désordre.

Le parasite est celui qui mange dans le dos de l'autre. Aussi, « dans la chaîne parasitaire, le dernier venu tente de supplanter celui qui le précède »[10]. Un parasite en chasse un autre et c'est pourquoi le parasite n'aurait qu'un ennemi : le parasite qui va le remplacer. L'exemple de Rousseau aux Charmettes n'est pas étranger au livre de Serres.

Le parasite est un bruit, quelque chose qui se greffe sur la chaîne destinateur-destinataire et transforme l'échange à son profit. Venant de l'extérieur, il apporte du nouveau, fait bouger les choses. C'est par lui aussi que s'échangent les richesses. L'hôte donne à manger, le parasite prend et donne du bruit en échange :

> Il capte une énergie et la paie en information. Il capte le rôti et le paie en contes [51].

Or le pouvoir est affaire de son, de parole, d'interception, de coupure :

> Qui a le pouvoir ? Celui qui a le son, le bruit et qui fait taire. Il n'a même pas besoin de la parole, il lui suffit d'intercepter. De dire n'importe quoi, mais d'empêcher de dire. Il suffit de tonner. Le pouvoir n'est jamais que l'occupation de l'espace (...) Le pouvoir n'est qu'une variété de tintamarre [186-7].

Le dernier trait à relever est la spécificité du parasite [309]. Comme le fait remarquer Michel Serres, n'importe qui n'est pas invité chez n'importe qui. Le neveu de Rameau n'aurait pas eu de chance chez Orgon. N'importe qui n'intercepte pas, ne se place pas en position de tiers.

Et Tartuffe ? On le sait, c'est un parasite. Excitateur thermique [255], venu de l'extérieur, il s'installe dans le corps de la famille, se repaît amplement des biens de son hôte. Michel Serres accorde au verbe « imposer », par lequel Valère le décrit, le double sens d'en imposer et de percevoir un impôt :

> Si Tartuffe m'était conté, j'en ferais un économiste, un spécialiste des finances et de l'imposition (....) Un Tartuffe efface toujours son exaction locale dans une théorie globale [271-2].

Tartuffe s'est glissé dans la famille, il endort Orgon, il est sa narcose, le pharmakon de la famille. Il détruit, prend de l'intérieur. La logique à l'oeuvre serait finalement aussi celle de l'épidémie. L'exclusion, l'expulsion de l'hôte tuera le parasite :

> La mort des hôtes est mort des parasites. Ils sont tout à fait stupides, suicidaires, en leur logique sans frein. C'est cela même, le tragique [279].

Reste le problème de l'hypocrisie. Hypocrite est celui qui, introduit dans la collectivité, suscite des crises, se glisse sous elles. L'hypocrisie « c'est l'art de ne décider point » [283]. Hypocrite Tartuffe, mais également hypocrite Molière ?

Molière expédie Tartuffe devant : ce n'est pas moi, dit l'auteur, qui observe, analyse, paralyse, ce n'est pas moi, c'est lui, mon personnage, mon envoyé, mon lieutenant, mon masque (...). Tartuffe est l'observatoire avancé de Molière, son expérimentateur patenté, son espion. Les puissances désavouent toujours leurs services secrets. L'auteur n'a plus qu'à condamner le personnage et le voilà sauf (...) Qui est parasite, dans cette affaire ? Qui, en queue de série, rafle les bénéfices [284-5].

Un parasite en chasse un autre. Cela suppose au moins une fuite, une ronde peut-être, un combat sans doute. Les applications ne manquent pas.

En premier lieu on aura donc un excitateur venu de l'extérieur dans un milieu clos dont il modifiera le fonctionnement avant d'être à son tour expulsé. Peut-être en sera-t-il réduit à se coller au dos l'étiquette de *l'Ecornifleur* :

« A céder, un parasite qui a déjà servi »[7].

C'est Julien Sorel dans la famille des Rênal, dans l'hôtel de La Mole. Il apporte de l'imprévu, de la différence, de la passion aussi. La morne et triste soirée des Rênal est de même transformée par l'arrivée de Geronimo qui raconte, chante et que l'on festoie [146][8].

En second lieu, le parasite participe à des repas. Il prend de l'énergie, de la nourriture et donne de l'information, des mots, du vent. Invité chez les Valenod, Julien Sorel doit parler :

Ce n'était pas pour rêver et ne rien dire qu'on l'avait invité à dîner en si bonne compagnie [134].

Invité à l'Hôtel de la Mole, on le fait parler [234-5]. Invité à un dîner de prêtres, Julien Sorel parle. Mais qui est parasite ? Est-ce Julien Sorel ? Est-ce le Neveu de Rameau ? Celui-ci se voit enjoindre l'ordre de se taire[9] ; celui-là parle mal à propos [24]. Valenod est un parasite, il vole et pourtant donne des dîners. La relation est donc plus complexe qu'il n'aurait pu y paraître.

En troisième lieu, le parasite est un bruit. Dans la ville de Verrières l'usine de Monsieur de Rênal dérange le voyageur de la contemplation du paysage [3-4]. De même, le coup de pistolet de Julien Sorel détruit le silence du service religieux. Les maîtres du bruit, Rênal et Sorel sont, mais dans des proportions différentes, les possesseurs d'un pouvoir. Mais le bruit est ambivalent. C'est un joker pour reprendre la terminologie de Michel Serres : tantôt positif, tantôt négatif [90]. Les ronflements de Monsieur de Rênal permettent au parasite de voler vers l'hôtesse, de la voler [81]. Le bruit de ses pas trouble l'intimité et un nouveau parasite apparaît [61].

Le parasite est nocturne et agit de nuit. Il prend et ne donne rien. L'hôte le reçoit, il lui enlève sa femme ou sa fille. Julien Sorel est donc un parasite ? La réponse est un joker ; positive et négative selon le cas.

Dès le début, le roman nous fait entrer dans l'univers du travail. Le maire emploie une main d'oeuvre féminine pour produire des clous et du bruit. Le maire ne travaille pas mais fait travailler, prend du travail, donne un salaire et le bruit en prime. Le père Sorel fait travailler Julien, comme Monsieur de Rênal fait travailler les jeunes filles. Julien vole du temps et donc du travail au père Sorel. Première constatation : Rênal est un parasite, Julien également. Le rapprochement a de quoi étonner. Prenons la scène de l'invitation à dîner chez les Valenod.

Il s'agit certes d'un échange d'information contre de l'énergie. Mais regardons comment fonctionne la soirée. Valenod, on le sait, s'enrichit sur les fonds qu'il administre, étale ses richesses :

> ... on lui disait le prix de chaque meuble. Mais Julien y trouvait quelque chose d'ignoble et qui sentait l'argent volé [133].

Ce dîner de riches, de nouveaux riches, est interrompu par la chanson d'un prisonnier. Un parasite chasse l'autre. Valenod fait imposer silence, le percepteur des contributions, autre parasite, entonne une chanson royaliste. C'est alors que Julien Sorel se livre à la réflexion suivante :

> Voilà donc, se disait la conscience de Julien, la sale fortune à laquelle tu parviendras, et tu n'en jouiras qu'à cette condition et en pareille compagnie ! Tu auras peut-être vingt mille francs, mais il faudra que, pendant que tu te gorges de viandes, tu empêches de chanter le pauvre prisonnier ; tu donneras à dîner avec l'argent que tu auras volé sur sa misérable pitance, et pendant ton dîner il sera encore plus malheureux [133-4].

Julien Sorel refusera donc la relation parasitaire. Dès le départ, il réclame le droit à la dignité du travail. Il ne sera pas un objet, un domestique des Rênal. Pas de confusion non plus entre l'habit noir et l'habit bleu. Le jour il gagne sa vie, non le soir en dînant à l'hôtel de La Mole ou en passant du temps auprès du marquis [263]. De même, et quels que soient les motifs qu'il s'imputera et qu'on pourra lui imputer, il refuse la vie aisée que lui propose Elisa [44]. La mise n'en valait peut-être pas la peine. Il en est tout autrement de la proposition de Fouqué qu'il rejette pourtant :

Fouqué lui avait offert un moyen ignoble d'arriver à l'aisance [74].

Il refusera enfin, par un geste suicidaire, l'offre du marquis en lui indiquant Madame de Rênal comme répondante [431-2]. Le parasite aurait trouvé le moyen d'épouser la fille de l'hôte. La supposition est sans doute gratuite, mais elle peut nous aider à voir ce que Julien repousse. Le marquis, de guerre lasse, ayant consenti au mariage, le couple aurait eu les terres du Languedoc. Julien Sorel de la Vernaye et Mathilde de La Mole se seraient retirés au château d'Aiguillon [423]. Le roman du parasite aurait alors pu se terminer là. Mais il n'est point, comme *le Rouge et le Noir* nous l'a déjà indiqué, de fuite possible. Nous savons que tout hobereau sera sollicité par les frères collecteurs et gare à lui si, comme M. de Rênal, son nom occupe la dernière ligne car « le clergé ne badine pas sur cet article » [140]. Nous savons également depuis la fuite de Saint-Giraud que la vie à la campagne est intenable et que la paix des champs n'existe plus [220]. Lorsqu'on a accepté de vivre en société, on n'échappe pas à la chaîne parasitaire, et Julien Sorel ne sera pas, comme Rousseau, « un laquais parvenu » [272]. Par désespoir, puis par vengeance, il réduit son père à se faire parasite lors de sa visite en prison [478], puis répète, pour son amusement, le spectacle avec un autre prisonnier [478-9]. On conçoit alors l'intérêt qu'il porte au cas Danton.

La réflexion de Mathilde est centrée sur la grandeur d'une conduite qui a obligé son auteur à payer de sa tête les risques pris dans un processus révolutionnaire. La mort seule permet d'échapper au système de la valeur d'échange :

> Je ne vois que la condamnation à mort qui distingue un homme, pensa
> Mathilde : c'est la seule chose qui ne s'achète pas [273].

La passion de Julien pour Danton s'accompagne de questions sur les rapports entre l'acte révolutionnaire et le crime, sur la justification des moyens par les fins. Danton a-t-il bien fait d'être parasite [284] ? Est-ce être parasite que de prendre et de donner à son tour ? Les questions de Julien Sorel restent en suspens. La mort sur l'échafaud est en tout cas une purification. Elle déclassera le héros, le mettra définitivement à part des Valenod et autres arrivistes.

On concevra aussi combien Julien Sorel est différent de Tartuffe. Nous renvoyons aux très riches pages que G. Blin a consacrées à la question de l'hypocrisie[10]. Tartuffe vise à obtenir le pouvoir en s'emparant du bien d'autrui. Julien Sorel met au service de sa dignité et non de sa carrière une conduite de conquête. L'un connaît les rouages du monde et s'en sert ; l'autre apprenant à les connaître, refuse de les utiliser. Tartuffe veut les possessions matérielles de son hôte ; Julien Sorel veut être reconnu hors de toute valeur d'échange. Une aspiration à la totalité existe bien des deux côtés : l'un convoite le contrôle de la matière, l'autre celui de l'esprit et du désir d'autrui. Dans le premier cas l'hypocrisie est utile ; dans le second, elle évite au personnage quelques inconvénients mineurs, lui permet de remporter des victoires sans lendemain, mais n'aide guère à un avancement que facilitent la singularité du héros et l'intervention de parrains et marraines. Et puis, n'y aurait-il pas intérêt à distinguer ce qui est silence de l'hypocrisie en acte ? Le siècle est à l'hypocrisie, au charlatanisme [480]. L'âpre vérité ne saurait se dire ; se taire, c'est bien sûr se glisser sous la crise, c'est respecter des conventions sociales. Mais le silence tue et s'il faut que la vérité soit coup de pistolet au milieu d'un concert ou d'une messe, ce sera le prix à payer pour que cesse la comédie sociale, pour que puissent enfin se vivre les privilèges de la liberté. La loi du roman nous dit que pour vivre en société, il faut savoir et vouloir parasiter les autres. Dupes et fripons sont renvoyés dos à dos car ils sont en fin de compte de la même espèce. Refuser de jouer le jeu, rompre la chaîne, ne peuvent mener qu'à la folie et à la mort. Les privilèges du jansénisme n'ont rien à voir avec ce monde. Si donc l'hypocrisie sert peu les desseins du personnage, elle sert en tous cas bien ceux de l'auteur et de la contrebande littéraire qu'il pratique[11].

Le Rouge et le Noir est une machine de guerre que Stendhal lance contre la société de 1830. Face aux privilèges de toutes sortes, aux abus, aux combines, le roman révèle la pauvreté et la solitude de Julien Sorel. Le siècle est cruel à ceux qui ne sont d'aucune coterie et la « haute vertu » triomphe dans le vol [341-2]. Mais le roman stendhalien n'est pas un roman à thèse. Stendhal n'est pas Drouineau, pour prendre un exemple, et il choisit, lui qui écrit pour les « Happy few », de se porter du côté du grand nombre. Le masque, l'hypocrisie, la tartufferie, c'est plus du côté du scripteur et non du personnage qu'il faut les chercher. Venu de l'extérieur, parasite du récit, il en tire le maximum de profit. N'affirme-t-il pas qu'il ne compose pas, qu'il relit quelques pages de la veille puis continue et que de toute façon son roman est un miroir, placé dans une hotte, qui se déplace le long d'un chemin ? Sous une esthétique de l'ir-responsabilité agit un scripteur nocturne, un bruit, une captation de mes-sage : ne voyez-vous pas que mon personnage est fou, singulier, bizarre ? Ne le prenez pas au sérieux, c'est une tête brûlée, une « *mauvaise tête* » [6]. Ce sont certes là des dispositifs de ce que V. Brombert a appelé « la voie oblique » ; ce sont aussi des formules de délation, de séduction du lecteur et de captation de la bienveillance. Que l'on relise, par exem-ple, les pages consacrées à la prétendue folie de Mathilde. Stendhal para-site ses personnages, leur discours, trompe son public, le flatte, l'induit en erreur par des préfaces sibyllines, des épigraphes que seule une lecture paradigmatique permettrait de déchiffrer ou de multiples dénouements. Le furet, comme l'indique Michel Serres [302], est également l'un des avatars du parasite.

Sur quoi porte donc le pouvoir de l'écrivain ? Si, comme le veut Serres du parasite, son action « est d'aller à la relation » [278], il est simplement un bruit qui intervient dans un circuit, qui capte l'attention un instant et empêche le message de passer en toute quiétude. Entre le pouvoir politique et les administrés, entre les gouvernants et les gouver-nés, entre le Château , ou le ministère, et la province se place un conteur ou un romancier qui dévoile l'ordre des choses. Il est des régimes puri-tains qui ne tolèrent pas, qui n'aiment pas les contes ou les poèmes ; la prison ou l'exil remédient alors à cet état des choses. Les Béranger, Fontan ou Barthélemy de l'époque ont connu la première. Il en est d'autres plus tolérants. Dans les deux cas, le pouvoir a sans doute le dernier mot. Dans le premier cas, il s'affirme avec force ; dans le second, il se cache, se fait plus ou moins nocturne, agit ou n'agit pas en sourdine. Il n'est cependant pas sûr que le pouvoir de l'écrivain soit en fin de compte négligeable.

Les petites énergies, nous dit Serres, l'emportent sur les grandes [285]. Les romans l'emporteraient-ils sur les forces socio-économiques du monde ? L'on ne reprendra pas ici le débat sur le rôle que les écrivains du dix-huitième siècle ont joué par rapport à l'avènement de la Révolution française, ni sur celui du rapport entre *le Berger extravagant* et celle-ci, par exemple[12]. On dira de l'écrivain qui se répand, qui se tisse un réseau de lecteurs en publiant *le Rouge et le Noir*, qui raconte à ce même public des histoires, qui en un mot finit par occuper la scène, susciter le bruit que voici, qu'il est en fin de compte un bel exemple de parasitisme, un autre Rastignac, un autre arriviste. Mais ne serait-ce pas insulter l'hôte, c'est-à-dire le lecteur ? Venu de l'extérieur, l'excitateur thermique, le livre, introduisent leur désordre, leur épidémie dans l'esprit de celui-là, débloquent la rigidité d'un système. L'existence de parasites ne serait-elle donc pas en fin de compte la garantie de notre liberté ? La réponse à cette question est-elle un joker ? Il n'est pas sûr que la cause de la fourmi soit aussi juste que le prétendaient certains manuels. La Fontaine avait sans doute plus d'un tour dans son sac ; mais ceci serait une autre histoire.

NOTES

1. *L'oeuvre de Balzac*, Paris, Club français du Livre, 1962, tome 7, p. 1074.
2. Jacques Vier, *Histoire de la littérature française XVIIIe siècle*, Paris, Armand Colin, 1970, tome 2, p. 347.
3. Même édition, tome 4, p. 322.
4. Paris, Grasset, 1980. Afin de ne pas multiplier les notes, les renvois aux pages seront donnés entre crochets.
5. *L'Histoire de la folie*, Paris, Plon, 1961.
6. Jules Renard, *L'Ecornifleur*, Paris, Gallimard, 1979, p. 34.
7. *Ibidem*, p. 213.
8. Toutes nos citations de *Rouge et Noir* renvoient à l'édition de P.G. Castex, Paris, Garnier, 1973.
9. *Le Neveu de Rameau*, Paris, Garnier-Flammarion, 1967, p. 32-33.
10. Georges Blin, *Stendhal et les problèmes de la personnalité*, Paris, José Corti, 1958, p. 219 et suivantes.
11. Louis Aragon, *La lumière de Stendhal*, Paris, Denoël, 1954, p. 39.
12. *Que peut la littérature ?* Paris, UGE, 1965, p. 65 et suivantes.

LA SOCIÉTÉ ET LE JEU DANS « LE ROUGE ET LE NOIR »

John West Sooby

> « *Ainsi va le monde, c'est une partie d'échecs.* »
>
> Le comte Altamira

Qu'est-ce que le jeu, sinon une activité libre qui s'accomplit selon un certain nombre de règles précises et irrécusables que les joueurs, par un accord préalable et tacite, acceptent et respectent comme garant du bon déroulement de la partie ? Activité libre, le jeu, comme le fait remarquer R. Caillois, est « volontaire, source de joie et d'amusement »[1]. Activité incertaine aussi puisque le doute est inhérent à l'esprit de jeu : « Tout jeu d'adresse, précise R. Caillois, comporte par définition, pour le joueur, le risque de manquer son coup, une menace d'échec »[2]. Or l'image de la société de 1830 que Stendhal nous donne dans *le Rouge et le Noir* est précisément celle d'un monde où les participants obéissent à un nombre réduit de règles préétablies, artificielles et impérieuses. C'est cette organisation de la société et cette obéissance à ses lois qui nous préoccupent ici. La vision stendhalienne de la société contemporaine ou, plutôt, le mode de vision que Stendhal fait sien par une accommodation particulière, peut être mis en évidence par une étude de l'attitude ludique de la société du *Rouge et Noir*.

Une des premières constatations qu'on peut faire, c'est que, chez Stendhal, le nombre des règles est très réduit et que celles-ci s'expriment dans des statuts. La société du *Rouge*, c'est évident, se compose de différentes catégories sociales. Une des principales règles est précisément que ces compartiments sociaux doivent rester étanches : aucune communication, aucun mouvement vertical n'est permis. C'est ce qu'a bien vu Ph. Berthier qui, en parlant de l'organisation de la société chez Stendhal et Balzac, fait observer que : « Cette structure fait songer moins à la spirale babélienne (qui ménage les possibilités d'une progressive ascension grâce à la montée de ses plans inclinés continus) qu'à la ziggourat mésopotamienne, ou, mieux encore, à la pyramide aztèque, avec ses terrasses abruptes en retrait les unes sur les autres »[3]. Plus prosaïquement, comme le dit d'un ton sardonique et résigné le maçon qui travaille au mur du séminaire : « Qui est né misérable, reste misérable, et v'là. »[4]

C'est d'ailleurs au séminaire que Julien prend pleinement conscience des modalités du jeu social. A Verrières, il avait observé les comportements des gens qui l'entouraient à la façon d'un enfant. C'est-à-dire que, finalement, il n'y comprenait pas grand'chose ou ne devinait qu'à moitié les mobiles des actions qui régissaient le milieu dans lequel il vivait. En témoigne son incompréhension totale de l'épisode de l'adjudication à laquelle il assiste[5]. Les règles du jeu commencent à lui apparaître dans son séjour au séminaire. Cette initiation, au sens propre du terme, lui fait comprendre que la conformité, la soumission, la médiocrité et l'interdiction absolue faite à l'individu de s'exprimer en tant que tel, voilà les principes de cette société dans laquelle il désire trouver sa place. Il y trouve également la confirmation de la seule règle − l'hypocrisie − dont il avait, dès l'âge de quatorze ans, cerné l'importance capitale ; comme nous l'explique Stendhal, les diverses manoeuvres politiques qu'a suscitées la construction de l'église de Verrières ont éveillé l'intérêt du jeune Julien et lui ont appris la nécessité du conformisme et de la dissimulation, voire de la suppression de ses sentiments profonds. Il n'est pas illogique que dans cette société où « Tout bon raisonnement offense »[6], la règle du jeu soit la tricherie et la duplicité.

Les divers mentors de Julien prennent soin de lui indiquer ces règles, de les élucider en lui montrant ce qu'elles impliquent. L'abbé Chélan est le premier à le faire, cartes sur table : « Vous pourrez faire fortune, mais il faudra nuire aux misérables, flatter le sous-préfet, le maire, l'homme considéré, et servir ses passions »[7]. Ce thème sera repris par Fouqué lors de la visite que Julien lui fait avant de partir pour la capitale : « Cela finira pour toi, dit cet électeur libéral, par une place de gouvernement, qui t'obligera à quelque démarche qui sera vilipendée dans les journaux. C'est par ta honte que j'aurai de tes nouvelles. »[8] Que dans ce jeu il n'y ait point de compromis sans compromission, Julien en prend conscience lors du dîner chez les Valenod : « Voilà donc, se disait la conscience de Julien, la sale fortune à laquelle tu parviendras, et tu n'en jouiras qu'à cette condition et en pareille compagnie ! »[9] Et Stendhal de renchérir, dans une longue diatribe contre son siècle : « La marche ordinaire du XIXe siècle est que quand un être puissant et noble rencontre un homme de coeur, il le tue, l'exile, l'emprisonne ou l'humilie tellement, que l'autre a la sottise d'en mourir de douleur. Par hasard, ce n'est pas encore l'homme de coeur qui souffre. »[10] Voilà énoncée, sous la forme d'une sorte de prédiction voilée — « pas encore » — la règle majeure du jeu dans la société de la Restauration, règle que l'auteur résume en fin de paragraphe dans une formule qui pourrait facilement servir d'épigraphe au roman : « Malheur à qui se distingue ! »[11] On ne peut être plus précis.

Aux couches sociales différentes correspondent des niveaux de jeu différents. Les règles ne varient pas d'un niveau à l'autre. Les classes sociales que Stendhal nous présente montrent chacune un aspect différent de la même forme de jeu avec, toutefois, des nuances dans la pratique. Plus haut on se situe, plus la situation se sclérose ; plus les divers éléments du jeu se figent, moins il faut d'énergie aux participants pour remporter les victoires que sont l'avancement, l'obtention d'un poste important, l'argent ou un titre. Un Valenod est obligé de « jouer serré »[12] et a besoin de beaucoup plus d'énergie, de ruses et de subterfuges pour obtenir un titre de baron et parvenir à la mairie qu'il n'en faut aux « courtisans » de l'hôtel de La Mole, qui n'ont qu'à rechercher la faveur de la maréchale de Fervaques ou du marquis pour obtenir la place convoitée.

Si les règles du jeu ne varient pas d'un niveau à l'autre, chaque couche de la société met en évidence une nouvelle facette du jeu. En témoigne la description des figurants, ces « marionnettes » du jeu social. A Paris, ce ne sont pas les pantins qui manquent : de l'académicien et son neveu Tanbeau à madame de La Mole elle-même, en passant par Norbert, Croisenois, de Caylus, etc., le petit jeu de ces « poupées parisiennes » demeure inoffensif, sans grande portée, et se déroule dans une atmosphère feutrée. Il n'en va pas de même en province, où le vernis des conventions et des bienséances n'a pas acquis la même patine. La subtilité et le bon ton n'y sont pas (encore) de rigueur ; on voit le jeu à son état brut, ou presque. Le marquis de La Mole n'est pas moins fier de ses propriétés qu'un Valenod, mais il ne le montre pas avec cette grossièreté, cette vulgarité qui choquent profondément Julien. Le dîner auquel le héros assiste chez Valenod fait pendant à son premier dîner à l'hôtel de La Mole. Chez les uns comme chez les autres, on s'amuse à écouter ce jeune abbé réciter des passages de la Bible. Mais si c'est l'auteur qui suggère, et suggère seulement

« l'ameublement magnifique de la salle à manger »[13] parisienne, chez Valenod c'est le maître de maison lui-même qui, secondé par son épouse, prend soin d'indiquer à Julien « le prix de chaque meuble »[14] et jusqu'au prix du vin du Rhin, que l'on sert — ce qui peut paraître le comble du mauvais goût — dans des verres verts ! L'importance que l'on accorde aux apparences est un élément fondamental de ce jeu social, mais la pratique, les manifestations de ce principe changent entre Paris et la province. Ces deux milieux montrent simplement les divers degrés d'un même jeu. L'auteur joue, évidemment, sur le fait que la mode en vigueur dans la capitale met beaucoup de temps à se propager en province.

Dans le même esprit, la notion de rang est inhérente à la société du *Rouge*, que ce soit à Verrières ou dans l'hôtel de La Mole. Seules les façons de la faire respecter diffèrent. Stendhal précise que M. de Rênal, afin de montrer que « *Tous ces gens-là (...) sont nos domestiques* »[15], d'après le mot du prince de Condé, « ne manquait jamais de doubler le pas pour avoir l'avantage de passer le premier à la porte »[16]. A Paris, on a des façons beaucoup plus subtiles de marquer les différences de rang. Par les divers degrés du langage et de la politesse, par exemple, comme Julien l'apprend quand, vêtu pour la première fois de son habit bleu, il rend visite au marquis : « Julien avait un coeur digne de sentir la vraie politesse, mais il n'avait pas d'idée des nuances. Il eût juré, avant cette fantaisie du marquis, qu'il était impossible d'être reçu par lui avec plus d'égards. »[17] Le marquis et M. de Rênal sont sans doute également soucieux de montrer l'importance qu'ils accordent au rang, mais ce souci se manifeste différemment.

Si le jeu en province est plus grossier, plus vulgaire, il est aussi plus mystérieux et d'autant plus dangereux que l'on a du mal à y voir clair. Les machinations du grand vicaire de Frilair et de l'abbé Castanède sont réellement méchantes. Frilair est un homme redoutable que rien n'arrête pour parvenir à ses fins. Il ira jusqu'à droguer le chanteur Géronimo, lors de l'épisode de la note secrète[18]. Et comment lutter contre un adversaire qui pousse la tactique jusqu'à enlever les arêtes du poisson de son évêque myope[19] ? Le marquis de La Mole lui-même, puissant propriétaire, ami du ministre de la Justice, en fait les frais ; il ne vient pas à bout de cet homme redoutable dans le procès qui les oppose depuis plusieurs années, et finit par capituler, « étourdi de la contenance de sa partie adverse »[20]. En comparaison, le jeu des salons parisiens paraît anodin. Aussi peut-on voir dans le jeu deux versants, l'un sombre, l'autre clair : autant le jeu à Paris est inoffensif, fade même, facile à démanteler, autant en province il prend une teinte nettement plus dangereuse, mystérieuse et discrète (le lecteur ne voit jamais le dessous des manoeuvres de Frilair, par exemple). Il faut toutefois souligner que dans les deux cas, le jeu consiste non pas à bousculer les règles de la société, mais à les fixer encore davantage. Les intrigues de Frilair n'ont pour but, finalement, que le maintien du *statu quo* ; il oeuvre pour la pérennité du système, comme le font les « courtisans » parisiens, qui cherchent uniquement à gagner ce que les règles leur permettent d'obtenir.

Autre élément de contraste entre le jeu provincial et celui de Paris : en province, il y a véritablement permutation d'individus alors que dans la capitale, rien ne change ni dans la forme ni dans le fond : comme on l'apprend en fin de roman[21], Valenod parviendra à supplanter M. de Rênal. Il n'y a pas évolution à proprement parler, car Valenod n'agira pas autrement que M. de Rênal, une fois promu. Seule la forme a changé. Chose curieuse, M. de Rênal, qui appartient à un milieu quelque peu dynamique — on assiste à une passation de pouvoirs à Verrières — se révèle être un joueur figé dans son rôle, alors que le marquis de La Mole, dans un environnement où le respect des bienséances est si rigide, fait preuve d'une véritable originalité face au jeu. Dans le cas du maire de Verrières, c'est précisément parce qu'il reste prisonnier de son rôle que M. de Rênal se fait supplanter à la fin du roman. Le marquis, lui, sait innover. Donner la croix de la Légion d'honneur à un commensal fait partie du jeu ; l'offrir au fils d'un charpentier du Jura, voilà qui est original ! L'habit bleu est une autre illustration de l'esprit d'innovation du marquis. L'importance du vêtement est une règle capitale du jeu dans *le Rouge et le Noir*, mais ici le marquis sait utiliser cette convenance dans un esprit de créativité. Le vocabulaire que Stendhal emploie à propos du marquis est significatif à cet égard : c'est « un homme qui n'agit que par caprices »[22] ; les familiers de l'hôtel de La Mole font la cour à Julien parce qu'ils le croient « protégé par un *caprice* du marquis »[23] ; et Pirard fait remarquer à Julien que « sans ce *caprice* du marquis de La Mole »[24], qui a bien voulu le prendre comme secrétaire personnel, son sort au séminaire aurait été des plus pénibles ; Julien parlera de l'habit bleu comme de « cette *fantaisie* de marquis »[25] ; et même quand il s'agira de l'avenir de sa fille, le marquis continuera d'agir par fantaisie : « Pendant les six semaines qui venaient de s'écouler, tantôt poussé par un *caprice*, le marquis avait voulu enrichir Julien »[26]. L'instinct ludique du marquis, précurseur en cela de François Leuwen, est très poussé, comme il le reconnaît lui-même, au grand étonnement de Pirard : « je soigne mes plaisirs, et c'est ce qui doit passer avant tout, du moins à mes yeux »[27]. Plus tard, quand Julien lui rend visite en habit bleu, M. de La Mole lui demande de « raconter clairement et d'une façon amusante. Car il faut s'amuser, continua le marquis ; il n'y a que cela de réel dans la vie. »[28] Cet esprit manque singulièrement à M. de Rênal ; l'absence de ce type de vocabulaire chez lui en est l'indice révélateur.

Pour rester dans la perspective du contraste entre Paris et la province, on peut comparer l'attitude ludique de Mathilde de La Mole à celle de madame de Rênal. La première croit être originale et finit par n'être qu'une copie ; la seconde passe pour jouer un rôle mais fait preuve d'une fantaisie et d'une créativité vraiment étonnantes en province. Madame de Rênal a acquis la réputation d'épouse modèle, parfaitement soumise à son époux et que « les maris de Verrières citaient en exemple à leurs femmes »[29]. Cependant, sa réaction à la lettre anonyme dévoile une originalité remarquable chez une femme élevée au *Sacré-Coeur* et sans grande expérience de la vie. Le stratagème qu'elle invente pour détourner les soupçons de son mari est à la fois habile et ingénieux. Elle conçoit l'idée d'une deuxième lettre anonyme, adressée à elle-même cette fois, et que Julien doit composer par découpage et collage. Ce qu'il fait d'ailleurs « avec un plaisir d'enfant »[30]. Enfin la façon dont elle amène son mari à « découvrir » que ces lettres proviennent de Valenod est digne d'une intrigante.

Autant madame de Rênal se révèle fine joueuse, autant Mathilde, qui éprouve pourtant le besoin du risque et de l'originalité — caractères inhérents au jeu — tombe finalement dans le conformisme. Ce n'est pas par manque de volonté : l'instinct ludique de Mathilde est très développé. En cela, c'est le cas de le dire, elle est bien la fille de son père. « Son plaisir était de jouer son sort »[31], nous dit Stendhal, et le goût du risque est un des ressorts essentiels de son caractère : « Rien ne pouvait lui donner quelque agitation et la guérir d'un fond d'ennui sans cesse renaissant que l'idée qu'elle jouait à croix ou à pile son existence entière. »[32] L'épigraphe du chapitre 12, chapitre où Mathilde « décide » qu'elle aime Julien, est l'éloquente illustration de son tempérament ; cet extrait des *Mémoires* du duc d'Angoulême parle du « *besoin d'anxiété* », du « besoin de jouer » qui formaient l'essence du caractère de Marguerite de Valois, que Mathilde a adoptée comme modèle. Mais là où le bât blesse, c'est qu'au lieu de créer Mathilde ne fait que répéter. Or la créativité, dans le contexte ludique, est une condition préalable à l'originalité. Qui plus est, Mathilde commet une grave faute de logique en essayant de transposer et d'incarner un personnage d'énergie et de passion dans la société de la Restauration. Elle ne se rend pas compte que son modèle est déplacé dans cette situation historique. En voulant être originale, Mathilde finit par n'être que bizarre et excentrique. Paradoxalement, elle qui rêve d'énergie et d'autonomie n'atteint qu'à la platitude et au conformisme. Le culte de Boniface de La Mole va à l'encontre du principe d'invention et d'innovation, source d'originalité. Mathilde veut se faire reconnaître et admettre en tant qu'individu mais elle reste prisonnière et victime de son personnage.

Cet avilissement de l'esprit de jeu est d'ailleurs symptomatique de toute la société du *Rouge et Noir*. Dès lors qu'on pose comme principe que le jeu est une activité libre, créatrice et divertissante, il convient de relever dans le comportement des personnages les anomalies qui le dégradent. A partir d'un petit nombre de règles, il doit y avoir une infinité de combinaisons possibles, mais seul Julien les exploite. Certes, Mme de Rênal montre des capacités d'innovation mais uniquement exploitées dans l'intimité de ses relations avec son amant. Et la manière dont le marquis de La Mole aborde le jeu présente bien quelques nouveautés, mais sans dépasser certaines limites. Julien est bien le seul personnage du *Rouge* qui se manifeste publiquement en tant qu'individu. Les autres restent prisonniers de leur rôle et ne réussissent plus à affirmer leur caractère propre, comme le fait remarquer G.C. Jones :

> « Obligés de se conformer, de jouer des rôles, de porter des costumes, ces jeunes en viennent à refouler leurs sentiments les plus naturels, leurs réactions spontanées. »[33].

Nous touchons là un des aspects fondamentaux du jeu. En effet, on ne saurait trop insister sur l'importance de cette catégorie de jeux que

R. Caillois désigne sous le vocable : *mimicry*. Ce mot qualifie en anglais le principe de mimétisme, notamment chez les insectes. Appliqué à la conduite humaine, il décrit le jeu qui consiste à se faire passer pour un autre que soi-même. Le goût de porter un masque, le plaisir de « jouer un personnage » sont donc les éléments essentiels de la *mimicry*. Comme le souligne R. Caillois : « Mimique et travesti sont ainsi les ressorts complémentaires de cette classe de jeux. »[34]

Or le thème du rôle à jouer et de l'habillement à choisir pour jouer ce rôle est une des obsessions de Stendhal romancier. Dans *le Rouge et le Noir* on ne trouve guère de personnage qui ne tienne pas un rôle. Quand M. de Rênal marchande avec le père Sorel pour s'attacher les services de Julien, il s'inquiète en pensant qu'il va être obligé « de raconter à sa femme le rôle qu'il avait joué dans cette négociation. »[35] Le jeune évêque d'Agde, s'exerçant à donner des bénédictions et à se rendre plus grave et vénérable, ne fait que préparer un rôle. Valenod, lui, montre son aptitude à la comédie lors du procès de Julien où, avant de prononcer le verdict du jury, il « s'avança d'un pas grave et théâtral »[36]. Mais le jeu théâtral des provinciaux pâlit en comparaison de celui des Parisiens. Julien le pressent en se disant, juste avant de quitter Verrières, qu'il va « paraître sur le théâtre des grandes choses. »[37] Langage qui trouvera tout de suite un écho dès le début de son voyage. Notre héros écoute avidemment la conversation que tiennent ses compagnons de voyage, Falcoz et Saint Giraud. Ce dernier avait fui la capitale, dit-il, parce qu'il était « las de cette comédie perpétuelle, à laquelle oblige ce que vous appelez la civilisation du dix-neuvième siècle. »[38] A Paris, même le duel « n'est plus qu'une cérémonie. Tout en est su d'avance, même ce que l'on doit dire en tombant. »[39] Lors d'une de ses rêveries romanesques, Mathilde se demande ce qui se passerait si la Révolution recommençait : « Quels rôles joueraient alors Croisenois et mon frère ? Il est écrit d'avance : la résignation sublime. »[40] Révélateur aussi l'épisode de la note secrète. L'importance de l'enjeu fait supposer au lecteur, comme à Julien, que la conspiration se déroulera dans une atmosphère grave et pondérée. Toutefois, cette scène prend vite une allure théâtrale et comique. « Voilà un bon acteur »[41], se dit Julien après le discours de M. de Nerval ; « Voilà du bien joué »[42], pense-t-il en écoutant la harangue du marquis de La Mole, lequel donne le ton en citant ce vers de La Fontaine : « Sera-t-il dieu, table ou cuvette ? »[43] Un ton pareil ne convient assurément pas à une discussion où l'avenir de la nation est en jeu.

Pis, la notion de rôle corrompt même l'amour. Julien est le premier à se rendre coupable de cette corruption. Au début de ses amours avec Mme de Rênal, le mot rôle revient sans cesse : « Julien, s'obstinant à jouer le rôle d'un Don Juan »[44] ; « son rôle de séducteur lui pesait »[45] ; « il prétendit encore jouer le rôle d'un homme accoutumé à subjuguer les femmes »[46] ; « Ai-je bien joué mon rôle ? », se demande-t-il. « Et quel rôle ? Celui d'un homme accoutumé à être brillant avec les femmes. »[47] L'amour est bien un jeu. Un jeu guerrier dans le cas de Julien, comme le montre le vocabulaire militaire dont il use dans ces situations. Jeu stratégique qui se double d'un jeu théâtral ; l'emploi régulier de l'expression : « un rôle à jouer », l'atteste. Le jeu théâtral atteint son apogée lors de la séduction de Mathilde. Tous les éléments du mélo-drame s'y trouvent : échelle, pleine lune, héros armé jusqu'aux dents, mais qui finit enfermé dans une armoire, etc. Julien est conscient de la théâtralité de ses actes. Il se voit « un confident de tragédie »[48] jouant tantôt « le rôle d'un importun subalterne »[49], tantôt « le rôle de l'admi-ration la plus extatique »[50]. Julien copie ce qu'il croit être l'art de séduire. Il applique assez mal des recettes qu'il ne connaît pas bien, d'où son succès auprès de Mme de Rênal. Par contre, une telle inexpérience de la comédie amoureuse ne saurait lui permettre de conquérir Mathilde ; pour y parvenir, il lui faudra les conseils avisés de Korasoff. Celui-ci lui fournit une recette que le héros suit à la lettre et qui subjugue Mathilde. Mais le véritable amour ne connaît pas de recette et obéit à l'esprit originel du jeu : il exige invention et improvisation, il ne peut se satisfaire de la copie ; il suppose la libre disposition de soi et ne supporte pas qu'on refrène l'élan créateur de l'individu. Il faut pouvoir se montrer au-dessus de son rôle. Stendhal est formel sur ce point : les seuls moments où Julien trouve du bonheur sont ceux où il abandonne — volontairement ou non — son rôle[51].

Jouer un rôle est donc monnaie courante dans la société du *Rouge et Noir*, à tel point que Julien est désemparé par les rarissimes exceptions à cette règle. La simplicité et la franchise de l'abbé Chas-Bernard le désar-ment totalement : « mais où cet homme veut-il en venir avec toute cette friperie, pensait Julien ? Cette préparation adroite dure depuis un siècle, et rien ne paraît. Il faut qu'il se méfie bien de moi ! Il est plus adroit que tous les autres, dont en quinze jours on devine si bien le but secret. »[52] Et Julien de se méprendre aussi sur le comportement de Mathilde, qui est sincère en témoignant de l'intérêt au jeune secrétaire de son père : « Ceci pourrait être un parti pris, une affectation ; mais je vois ses yeux s'animer, quand je parais à l'improviste. Les femmes de Paris savent-elles feindre à ce point ? »[53] Le héros est si peu habitué à voir les gens s'exprimer sans artifice que son jugement est faussé.

La place accordée par Stendhal au langage et au vêtement est un autre signe de l'importance du thème de la théâtralité dans la société du *Rouge et Noir*. Le langage des protagonistes n'est que la répétition littérale des paroles qu'on attend de la part de personnages occupant telle ou telle position. Ainsi le père Sorel qui, avant de répondre à la proposition inattendue du maire de Verrières, rabâche « la longue récitation de toutes les formules de respect qu'il savait par coeur. »[54] Dans les salons de Paris l'art de la parole, poussé à l'extrême, laisse Julien pantois d'admiration : « C'était comme une langue étrangère qu'il eût comprise et admirée, mais qu'il n'eût pu parler. »[55] Ce langage amphigourique, la maréchale de Fervaques le parle à merveille : le comte Altamira, tout dépité de n'y rien comprendre, dit à Julien : « Il est des jours où je comprends chacun des mots dont elle se sert, mais je ne comprends pas la phrase tout entière. Elle me donne souvent l'idée que je ne sais pas le français aussi bien qu'on le dit. »[56] Enfin le titre que Stendhal donne au chapitre 6 de la deuxième partie du roman : « Manière de prononcer », souligne l'importance qu'il attribue à cet aspect de la société.

Plus que le langage encore, le rôle du vêtement est essentiel à la peinture des moeurs dans *le Rouge et le Noir*, comme l'a bien montré G.C. Jones. Mais alors que ce commentateur met en valeur la correspondance entre l'habillement et l'état psychologique des personnages[57], nous nous intéressons davantage au vêtement en tant que signe d'appartenance à une classe. En effet, pour notre propos, l'importance du vêtement réside dans le fait qu'il signale de façon presque tyrannique l'appartenance d'un personnage à une catégorie sociale précise. C'est une manière de respecter et de faire respecter les règles du jeu. Ce n'est pas par hasard que Stendhal insiste sur l'importance de la toilette d'un Valenod ou d'un chevalier de Beauvoisis. Nombreux surtout sont les détails qu'il nous donne sur les toilettes du héros. Qu'il s'agisse de « la pénurie de la très petite garde-robe de Julien »[58], de sa visite chez le tailleur au début de son séjour parisien, ou de son apprentissage de la mode chez les dandys londoniens, Stendhal s'attarde longuement sur ces détails qui marquent l'évolution de Julien. Aussi celui-ci est-il le seul personnage du *Rouge* à changer de genre vestimentaire. Si ce genre est le signe de l'appartenance à une caste, Julien est le seul à gravir les échelons de la société, à franchir les barrières qui devraient rester infranchissables. En soulignant l'importance du vêtement, Stendhal montre de façon éloquente le dynamisme du héros face à l'immobilisme de ses contemporains.

La facilité avec laquelle Julien change d'habit indique qu'il est le seul personnage à changer de rôle. Il passe progressivement du rôle de précepteur, à celui de séminariste, pour aboutir à celui de secrétaire personnel d'un riche marquis parisien. Sans compter, bien sûr, les divers rôles d'occasion adoptés : Don Juan, Tartuffe, Napoléon.... Il ne les joue pas toujours à la perfection, de nombreux commentateurs l'ont souligné[59], mais il les interprète suffisamment bien pour remporter des succès indéniables et productifs. Ainsi se révèle l'originalité de Julien. Les autres personnages restent prisonniers de leur rôle ; Julien, lui, échappe constamment au comportement ludique attendu. A partir de plusieurs modèles, et non d'un seul, Julien innove. C'est ce qui lui permet justement de franchir les barrières sociales. Il n'applique pas de règle, il applique *sa* règle, échappant ainsi aux contraintes qu'implique la copie littérale d'un modèle. Julien sait que la règle du jeu de la société exige un rôle. Pour rester fidèle à l'esprit de jeu il est préférable de prendre plusieurs modèles et de ne les utiliser que comme points de départ. Le jeu est dynamique, créateur ; Julien l'est aussi. Acteur assidu, Julien revoit sans cesse ses rôles (relectures périodiques du *Mémorial de Sainte-Hélène* ou des *Confessions*, par exemple) pour y puiser de l'inspiration. Les autres personnages, sans doute pour préserver leurs privilèges, demeurent statiques. Valenod est ambitieux, énergique même, ce qui lui permet de succéder à M. de Rênal. Il obtient un titre et de l'avancement, et pourtant il finira par agir exactement comme celui dont il vient de prendre la place. Il ne montre pas de dynamisme *créateur*. Par contre, les succès de Julien ne se limitent pas au cadre de son groupe. Il traverse les différentes couches sociales et, ce faisant, permet au lecteur de comparer. C'est en quelque sorte un aspect de la *fonction romanesque* de Julien : il fait office de révélateur. Les personnages secondaires ont adopté une théorie du jeu des plus banales ; aussi constate-t-on la carence totale des qualités de créativité inhérentes à l'esprit originel du jeu. En revanche, le jeu de Julien est toujours inventif : chaque fois qu'il joue il crée, ne serait-ce que lui-même. En refusant la façon de jouer d'autrui, en imposant son mode de jeu, Julien *dérange*. Il est un élément *déstabilisateur*, et c'est pour cela qu'on le condamne. Le héros du *Rouge et Noir* se meut dans cette zone que délimitent le respect des règles de la société et la possibilité de les outrepasser. Malgré tout, il se sent contraint par ses rôles, étouffé par les conduites qu'il s'est imposées. Il se révolte alors et se manifeste en tant qu'individu. A intervalles réguliers, il y a éclatement du rôle, dont Julien se dégoûte. Armand Hoog fait observer que ce phénomène tient à un trop-plein d'énergie et de personnalité : « (Julien) ment avec difficulté. Non par vertu. Parce que simplement, le caractère crève les apparences. »[60].

C'est précisément au moment où les autres s'attendent à une copie qu'il affirme son véritable caractère, transgressant ainsi la loi sociale qui veut qu'on supprime l'individualité au profit du groupe. Mme de Rênal est agréablement surprise lorsqu'elle voit que Julien ne va pas être le précepteur typique qui bat les enfants. Notre héros n'est pas davantage fidèle au rôle d'employé subalterne du maire de la ville ; l'insolence avec laquelle il prévient M. de Rênal qu'il va partir pour trois jours est pour le moins surprenante. Pendant les examens au séminaire, Julien oublie son rôle de séminariste modèle pour répondre en son propre nom, et brillamment, aux questions des examinateurs. A l'hôtel de La Mole, son caractère naturel refait surface de temps à autre, ce qui lui vaut les distinctions que lui attribue le marquis. Tanbeau est là pour nous montrer ce qu'est un secrétaire typique. Julien est donc *singulier*, au sens grammatical et philosophique du terme. Il innove, d'abord, en improvisant à l'intérieur du système des règles sociales. Il surprend, ensuite, en transgressant de temps en temps ces règles.

« Le jeu est une création dont le joueur reste maître », nous dit R. Caillois[61]. Non seulement les autres personnages ne créent pas (à l'exception du marquis et de madame de Rênal, avec les réserves que nous avons émises), mais, de plus, ils restent prisonniers de leur rôle. Julien, lui, a la possibilité de prendre du recul par rapport à son personnage. *Il est lui-même son principal spectateur* : il se critique, s'applaudit, s'apprécie. Cette objectivité lui permet de se montrer au-dessus de son rôle et de trouver le courage de se manifester en tant qu'individu. Il est intéressant de noter que ce rapport entre le succès du rôle à jouer et l'objectivité avec laquelle on le joue a déjà été formulé par Diderot dans son *Paradoxe sur le Comédien*. Dans ce traité en forme de dialogue Diderot développe l'idée que « c'est la sensibilité qui fait les comédiens médiocres ; l'extrême sensibilité les comédiens bornés ; le sens froid et la tête, les comédiens sublimes. »[62] Au début du moins, le héros du *Rouge* conserve justement une certaine froideur vis-à-vis des rôles qu'il adopte.

Il convient toutefois de nuancer ces éloges du héros. Julien perd petit à petit de cette capacité de se juger objectivement, tandis que s'améliore son aptitude à observer et juger autrui. A mesure qu'il s'enlise dans les rôles qu'il doit jouer, et notamment dans celui qu'il adopte face à Mathilde, Julien se laisse entraîner à une certaine émotivité qui détruit l'efficacité de son jeu. Diderot l'a dit, « c'est l'inégalité des acteurs qui jouent d'âme. Ne vous attendez de leur part à aucune unité ; leur jeu est alternativement fort et faible, chaud et froid, plat et sublime. Ils manqueront demain l'endroit où ils auront excellé aujourd'hui »[63]. Voilà qui décrit admirablement le comportement de Julien dans ses relations avec Mathilde. Les difficultés auxquelles il se trouve confronté finissent par embrouiller et subjuguer Julien ; la qualité de son jeu en souffre.

Ce phénomène de déclin de l'objectivité est en rapport direct avec l'effritement de cet esprit que R. Caillois nomme *agôn*. Cette catégorie de jeux comprend tous les jeux de compétition, de combat et de rivalité, et dont le ressort est « pour chaque concurrent le désir de voir reconnue son excellence dans un domaine donné. »[64] L'*agôn* se présente comme « la forme pure du mérite personnel et sert à le manifester. »[65] Il va sans dire que tous les personnages du *Rouge et Noir* sont des compétiteurs. Il ne saurait en être autrement dès lors qu'il s'agit de rivaliser pour obtenir les récompenses qu'ils estiment mériter. Dans l'optique stendhalienne de la société contemporaine les concepts de *mimicry* et d'*agôn* ne peuvent se différencier : la mimique et le travesti sont les armes premières du combat social, nous l'avons déjà souligné. Or le Julien du début du roman n'en est encore qu'aux tout premiers balbutiements de son apprentissage de la *mimicry*, tandis que l'esprit de compétition qui l'anime, et qui est à l'origine de son ambition, apparaît à l'état brut. L'initiation du héros à l'art du geste, de la parole et du costume se fait progressivement, mais aux dépens, semble-t-il, de son agressivité. Celui qui commence son parcours en « plébéien révolté » finit par être défiguré par son masque. Son titre de chevalier, son changement de nom, les terres et l'argent dont le marquis lui fait cadeau donnent le coup de grâce au combat de Julien. Au chapitre 34, il se trouve en fin de parcours. C'est ce qu'il reconnaît lui-même lorsqu'il déclare : « mon roman est fini ». L'esprit de compétition, la volonté d'être soi, de s'affirmer et de s'imposer s'usent par degrés, et finissent par se perdre dans la *mimicry*. Stendhal nous montre ainsi l'immense difficulté à laquelle l'individu compétitif se heurte dans cette société. Toute manifestation d'énergie et d'originalité est vite repérée et mise au ban de la société.

Le vocabulaire de Julien montre bien cette évolution. La violence de ses propos s'atténue avec sa marche vers le titre de Julien Sorel de La Vernaye. Au départ, « il n'éprouvait que haine et horreur pour la haute société où il était admis »[66]. On peut même lire dans son regard « comme un espoir vague de la plus atroce vengeance. »[67] Julien a souvent du mal à contenir ce désir d'humilier l'adversaire : « La haine extrême qui animait Julien contre les riches allait éclater. »[68] L'esprit compétitif du jeune plébéien se traduit par ce désir de marquer des points contre la haute société : « Que deviendraient-ils, ces nobles, s'il nous était donné de les combattre à armes égales ! »[69] L'exclamation : « Aux armes ! », véritable cri de guerre poussé par Julien en sortant de l'église de Verrières (I, chap. 5), caractérise la violence de ses pulsions combatives. Dans la deuxième partie du roman, ces exclamations s'espacent, sans pourtant disparaître complètement. En recevant la déclaration d'amour de Mathilde, son esprit compétitif refait surface, après avoir été longtemps tenu à l'écart par l'attention que Julien a dû consacrer à son nouveau rôle. « Le plaisir de triompher du marquis de Croisenois »[70] trouve son explication dans le désir de voir reconnaître son mérite — « je suis son égal »[71] — et dans le besoin du héros de se venger des injustices sociales — « le pauvre charpentier du Jura l'emporte »[72]. On est en plein *agôn*. Julien retrouve même, momentanément du moins, son vieux cri de guerre : « Aux armes ! »[73] La joie de Julien est celle du gagnant ; sa victoire le rend « ivre de bonheur et du sentiment de sa puissance »[74]. Cette formule résume parfaitement la combativité féroce qui fait le fond du caractère de Julien.

Malheureusement, comme nous l'avons montré, ce type de réaction ne se produit que trop rarement dans la deuxième partie du roman. Les règles de la société requièrent de la part du héros de plus en plus d'attention. Il faut se conformer, soigner son rôle, refouler ses instincts. Le ressort fondamental de l'esprit de compétition est étouffé. Or c'est au moment où Julien atteint le sommet de la *mimicry* qu'intervient la lettre dénonciatrice de Mme de Rênal. Cette lettre permet au héros de prendre conscience de son évolution, du déclin de son agressivité. Il comprend tout à coup que, malgré son originalité, il a été victime du jeu social. Il a innové en jouant le jeu avec une certaine créativité, mais il est quand même resté dans le système, avec toutes les contraintes qu'il suppose. Il se rend compte que ses tentatives de s'affirmer n'ont abouti à rien. La lettre lui prouve que d'autres veulent le faire passer pour un arriviste. Mme de Rênal, certes, l'a saisi en tant qu'individu, mais sa lettre, en décrivant le rôle typique du parvenu vulgaire et en appliquant cette grille à la conduite de Julien, lui fait comprendre que les autres ne peuvent que partager ce même point de vue. Julien, de plus en plus imbu de son rôle, a perdu la capacité de se regarder objectivement. Aussi la lettre de Mme de Rênal fait-elle office de *rappel à l'ordre*.

D'où la réaction de Julien qui est une tentative de rétablir la vérité, de démontrer qu'il a effectivement joué ce rôle, mais que celui-ci n'a jamais correspondu à sa vraie personnalité. Son crime est un démenti catégorique du rôle dans lequel on a voulu le figer. Il avertit tout le monde que, même si le masque lui a un peu trop collé à la peau depuis son arrivée à Paris, il n'est pas question de confondre ce masque et la personne qui s'est abritée derrière. Il laisse tomber brusquement le masque pour se révéler tel qu'il est réellement, tel qu'il a toujours été au fond. Son crime est aussi, et surtout, un refus absolu du jeu social. Vainqueur, Julien refuse le gage de la victoire. Le terrible réquisitoire qu'il lance à ses adversaires lors du procès est encore de l'anti-jeu : Julien démasque toute la société contemporaine en démontrant à ses représentants officiels les véritables raisons pour lesquelles il va être condamné. Non seulement il s'est montré meilleur joueur, mais, de plus, il a outrepassé certaines limites en quittant le cadre de sa propre catégorie sociale. Voilà qui est intolérable et sanctionné par les juges.

Cette condamnation, cet étouffement de l'individualité nous font conclure que, telle que Stendhal nous la présente dans *le Rouge et le Noir*, la société de la Restauration est essentiellement annihilante. Nous avons essayé de montrer que c'est précisément en privilégiant dans sa peinture des moeurs le comportement ludique des personnages que l'auteur fait mieux ressortir les carences de cette société. L'entrée en lice du héros, joueur créatif, donne des points de comparaison et de contraste qui rendent cette condamnation de la société contemporaine encore plus convaincante. D'un côté il y a progrès, ou du moins possibilité de progrès et d'évolution, de l'autre il n'y a que médiocrité et absence d'énergie. Ce n'est pas par hasard que nous avons qualifié les personnages du *Rouge* de « marionnettes » : comme le montreur de marionnettes fait obéir ses figurines par moyen de fils, les règles du jeu social dans le roman stendhalien répriment toute possibilité d'originalité et d'indépendance de la part des personnages. En revanche, Julien, lui, aborde le jeu plutôt à la manière d'un acteur de la *commedia dell'arte* : c'est un personnage qui improvise à partir d'un ou plusieurs modèles. Malheureusement cette tentative d'innovation avorte. A l'origine il y a une impulsion quasiment révolutionnaire — qu'est-ce qu'une véritable révolution sinon un renversement des règles du jeu ? — qui pourtant n'aboutit pas. Julien pourrait être un ferment de progrès mais cet élan se ralentit, se sclérose. Le héros dit certaines vérités et en révèle d'autres, ce qui constitue un élément positif, mais il n'en découle pas une véritable transformation de la société. Voilà pourquoi la vision stendhalienne de la société de l'époque est si négative. Non seulement l'esprit originel de jeu a été perverti, puisque personne ne joue plus avec imagination, mais cette perversion de l'instinct ludique fait que la société vit en autarcie et absorbe tous ceux qui, comme Julien, essaient d'innover. Stendhal situe son héros *au seuil de l'Histoire* : la tragédie est qu'il y reste.

1. *Les Jeux et les Hommes (le masque et le vertige).* Paris, Gallimard (NRF), 1958, p. 17.

2. Ibid., p. 20.

3. « Structure et signification d'un espace provincial chez Stendhal et Balzac : la Ville. » (dans : *Stendhal et Balzac II. La Province dans le roman.* Actes du VIIIe Congrès International Stendhalien (Nantes, 27-29 mai 1971), p. 188.) Voir également le commentaire suivant, qui n'est pas sans intérêt pour notre propos : « La structure de la ville de province, analysée par Stendhal et Balzac, n'a rien à voir avec celle du jeu de l'oie. Il ne s'agit pas, pour des joueurs placés d'abord dans des conditions égales, d'arriver plus ou moins vite à l'extrémité d'un sinueux parcours (...). Chacun, dès sa naissance, est placé au sein d'un espace propre dont normalement il ne pourra pas sortir. » (p. 189).

4. *Le Rouge et le Noir*, Garnier, 1973, p. 190. Toutes les références au texte renvoient à cette édition.

5. *Rouge*, I, ch. 23, et notamment p. 142 : Julien, en lisant l'affiche qui annonce la vente aux enchères, « fut fort désappointé ; il trouvait bien le délai un peu court : comment tous les concurrents auraient-ils le temps d'être avertis ? »

6. *Rouge*, I, ch. 27, p. 179.

7. *Rouge*, I, 8, 43.

8. *Rouge*, I, 30, 204-205.

9. *Rouge*, I, 22, 133.

10. *Rouge*, I, 23, 141.

11. La fameuse expression de Julien : « Différence engendre haine », montre qu'il a bien appris cette leçon (au séminaire).

12. *Rouge*, I, 23, 148. Cf. I, 22, 139 : « (...) beaucoup plus actif, ne rougissant de rien, se mêlant de tout, sans cesse allant, écrivant, parlant (...), il avait fini par balancer le crédit de son maire. »

13. *Rouge*, II, 2, 235.

14. *Rouge*, I, 22, 133.

15. *Rouge*, I, 7, 38.

16. *Rouge*, II, 2, 233.

17. *Rouge*, II, 7, 261.

18. *Rouge*, II, 23, 371.

19. *Rouge*, I, 29, 196.

20. *Rouge*, I, 29, 193.

21. *Rouge*, II, 41, 460.

22. *Rouge*, II, 1 : 224.

23. *Rouge*, II, 4, 241. (C'est nous qui soulignons).

24. *Rouge*, II, 1, 227. (C'est nous qui soulignons).

25. *Rouge*, II, 7, 261. Voir aussi p. 263, où le marquis se dit : « Cette *fantaisie*, si elle dure, me coûtera un diamant de cinq cents louis dans mon testament. » (C'est nous qui soulignons).

26. *Rouge*, II, 34, 424. (C'est nous qui soulignons).

27. *Rouge*, I, 30, 202.

28. *Rouge*, II, 7, 262.

29. *Rouge*, I, 7, 35.

30. *Rouge*, I, 21, 118.

31. *Rouge*, II, 11, 294.

32. *Rouge*, II, 17, 330.

33. « Le thème du vêtement dans *le Rouge et le Noir*. » (Dans : *Stendhal Club*, n° 57, 15 octobre 1972, p. 23.)

34. *Les Jeux et les Hommes*, op. cit., p. 41.

35. *Rouge*, I, 5, 22.

36. *Rouge*, II, 41, 464.

37. *Rouge*, I, 30, 205.

38. *Rouge*, II, 1, 220.

39. *Rouge*, II, 14, 313.

40. *Rouge*, II, 12, 298.

41. *Rouge*, II, 23, 367.

42. *Rouge*, II, 22, 363.

43. Ibid. Quant à l'attachement que Stendhal manifeste pour ce vers, voir la note de P.G. Castex, *Rouge*, ed. cit., p. 623, note 15.

44. *Rouge*, I, 14, 79.

45. *Rouge*, I, 15, 80.

46. *Rouge*, I, 15, 82.

47. *Rouge*, I, 15, 83.

48. *Rouge*, II, 10, 288.

49. *Rouge*, II, 20, 349.

50. *Rouge*, II, 28, 394.

51. A ce sujet, l'épigraphe du chapitre 25 de la deuxième partie du roman constitue un avertissement : « Mais si je prends de ce plaisir avec tant de prudence et de circonspection, ce ne sera plus un plaisir pour moi. »

52. *Rouge*, I, 28, 182.

53. *Rouge*, II, 10, 291.

54. *Rouge*, I, 4, 15.

55. *Rouge*, II, 4, 245.

56. *Rouge*, II, 25, 380.

57. « Le thème du vêtement dans *le Rouge et le Noir* », art. cit., Cf. ces observations très justes d'ailleurs : « (...) le vêtement n'est jamais un simple accessoire ; il révèle, en plus, quelque aspect de la psychologie des personnages. » (p. 26) ; « (...) les changements de vêtement (chez Julien) marquent les étapes d'une éducation spirituelle » (p. 30).

58. *Rouge*, I, 7, 34.

59. Voir, par exemple, l'étude probante d'Armand Hoog : « Le "rôle" de Julien » (Dans : *Stendhal Club*, n⁰ 78, numéro spécial : Stendhal aux Etats-Unis I, 15 janvier 1978, pp. 131-142).

60. « Le "rôle" de Julien », art. cit., p. 131.

61. *Les jeux et les Hommes*, op. cit., p. 256.

62. Lettre à Grimm datée du 14 novembre 1769. (Voir : *Paradoxe sur le Comédien*, Flammarion, 1981, p. 119).

63. *Paradoxe sur le Comédien*, éd. cit., p. 128.

64. *Les Jeux et les Hommes*, op. cit., p. 32.

65. Ibid.

66. *Rouge*, I, 7, 33.

67. *Rouge*, I, 9, 54.

68. Ibid.

69. *Rouge*, I, 17, 90.

70. *Rouge*, II, 13, 308.

71. Ibid.

72. Ibid.

73. *Rouge*, II, 13, 310.

74. *Rouge*, II, 13, 311.

LA LITTÉRATURE DE L'ÉPOQUE NAPOLÉONIENNE :
UN PROCÈS EN RÉVISION ?

Jean Tulard

Ouvrons Stendhal puisque ce colloque nous y convie.

> « Je crois que ce qui me défendait du mauvais goût d'admirer la *Cléopé-
> die* du comte Daru et bientôt après l'abbé Delille, c'était cette doctrine
> intérieure fondée sur le vrai plaisir, plaisir profond, réfléchi, allant jusqu'au
> bonheur que m'avaient donné Cervantès, Shakespeare, Corneille, Arioste,
> et une haine pour le puéril de Voltaire et de son école. »

A lire son journal, on ne retire pas l'impression que Stendhal ait
beaucoup fréquenté les écrivains de l'époque impériale. Les a-t-il pour
autant méprisés ?

S'il avoue, le 5 septembre 1806, que le vaudeville l'ennuie, même
signé de Barré et Piis, et s'il semble ignorer Raynouard, il mentionne, la
même année, la mort du charmant Collin d'Harleville comme un événement à placer sur le même plan que l'élévation de Joseph Bonaparte devenu roi de Naples par la grâce de l'Empereur. Il voit dans *La petite ville* de
Picard une peinture vraie des moeurs de la province, qu'il déteste, et con-
fesse avoir suivi les cours de Legouvé au Collège de France.

Ces jugements nuancés peuvent-ils nous inciter à demander la révision du procès fait à la littérature napoléonienne ?

On admet traditionnellement que l'Empire n'a pas été favorable à
l'éclosion de nouveaux écrivains et qu'il marque le déclin des grands
genres, de la tragédie à l'épopée. Les passions politiques apaisées, les pro-
cureurs n'ont pas désarmé. Les histoires de la littérature passent dédai-
gneusement sur les années 1800-1815. Toutefois on note un regain de
curiosité pour cette époque. Faut-il l'attribuer aux pages plus compréhen-
sives de *l'Histoire littéraire de la France*, parue aux Editions sociales, à

117

l'excellent chapitre que Jean Mistler a consacré aux écrivains de l'époque dans *Napoléon et l'Empire*, en 1968, ou au numéro spécial d'*Europe*, de 1969 ?

Tout procès, on le sait, est sujet à révision et même à cassation. Peut-être sont-ce de trop grands mots pour les modestes remarques que je voudrais présenter ici. Mais qu'il me soit permis de poser trois questions :

— A-t-on lu les auteurs de l'époque napoléonienne ?

— Peut-on parler de persécutions à l'égard des écrivains qui voulurent affirmer leur indépendance vis-à-vis du régime ?

— Le procès de la littérature napoléonienne n'est-il pas en définitive celui de Napoléon, reposant sur le postulat que la dictature stérilise le génie ?

Telles sont les questions auxquelles souhaite répondre cette conférence.

*
* *

Avant de mourir en 1811, Marie-Joseph Chénier avait écrit un *Tableau historique de l'état et des progrès de la littérature française depuis 1789*, qui connaîtra une nouvelle édition en 1817.

> « Plus nous avançons dans le travail qui nous a été prescrit, et plus nous sentons quel poids il nous impose. Comment, de leur vivant même, apprécier tant d'écrivains, non sur de rigoureuses théories, sur des faits démontrés, sur des calculs évidents, mais sur des choses réputées arbitraires, sur l'esprit, le goût, le talent, l'imagination, l'art d'écrire ? Comment se frayer une route à travers tant d'écueils redoutables, entre tant d'opinions diverses, quelquefois contraires, toujours débattues avec chaleur ; parmi tant de passions qu'il était si difficile d'assoupir, et qu'il est si facile de réveiller ? Comment satisfaire à la fois, et ceux dont il faut parler, et ceux qui ont un avis sur la littérature après l'avoir étudiée, et ceux même qui, sans aucune étude, se croient pourtant du nombre des juges ? Dispenser la louange avec plaisir, exercer la censure avec réserve, proclamer les talents qui nous restent, applaudir aux dispositions naissantes : tel est le devoir que nous avons à remplir. »

L'introduction vise à présenter un panthéon de la littérature. Au sommet : la philosophie. « Un esprit sage et méthodique, M. de Gérando, a recherché les rapports des signes et de l'art de penser. Un esprit étendu, M. de Tracy, a rassemblé les trois sciences liées dans un corps d'ouvrage comme elles le sont dans la nature. M. Cabanis, intéressant et clair avec profondeur, en comparant l'homme physique et l'homme moral, a soumis la médecine à l'analyse de l'entendement. Chargé d'enseigner cette analyse au sein des écoles normales, M. Garat, par son imagination brillante, a rendu la raison lumineuse ; genre de service que, dans les questions encore abstraites la raison ne peut devoir qu'aux talents d'un ordre supérieur. » Chénier ne néglige ni les sciences, ni l'histoire, ni les récits de voyage. Il en arrive, selon une progression qui paraîtra aujourd'hui bien convenue, à la poésie : Parny, Parseval de Grandmaison, Luce de Lancival et surtout Delille et Lebrun, avec une mention pour Millevoye.

Le roman est rapidement expédié. Chénier cite pêle-mêle, dans son chapitre VI, Mme de Genlis, Mme Cottin, Pigault-Lebrun, Fiévée et Mme de Staël et ne retient dans l'introduction que l'*Atala* de Chateaubriand et *La chaumière indienne* de Bernardin de Saint-Pierre. A ses yeux, le genre noble par excellence demeure la tragédie. Un genre dans lequel il s'est illustré. Ont droit à des compliments Arnault et son *Marius*, Legouvé et sa *Mort d'Abel*, Lemercier et son *Agamemnon*, Raynouard et ses *Templiers*, Baour-Lormian et son *Joseph* et l'*Abdélasis* de Murville.

Dans la comédie voici Andrieux et Collin d'Harleville, François de Neufchateau et Cailhava, Picard et Etienne ; dans le drame Esmenard et Jouy, Duval et Mouvel.

Cette énumération entend mettre en lumière les noms les plus illustres de la période, du moins aux yeux de Chénier.

En réalité, à l'exception de Chateaubriand et de Mme de Staël, on les chercherait en vain dans nos modernes dictionnaires. Ils sont tous tombés dans l'oubli.

Un tel oubli est-il justifié ? Pourquoi ne lit-on plus ces écrivains ? Les-a-t-on même lus avant de les envoyer dans ce purgatoire d'où ils ne semblent plus devoir sortir, nul ne faisant célébrer de messe pour le rachat, sinon de leur âme, du moins de leur oeuvre ?

J'évoquerai donc quelques poètes, auteurs tragiques ou romanciers qui méritent peut-être un meilleur sort.

Un colloque sur Delille a tenté — en vain semble-t-il — d'attirer à nouveau l'attention sur celui qui fut considéré comme le plus grand poète français de la fin du XVIIIe siècle.

Sa traduction de Virgile a fait longtemps autorité mais c'est d'Homère qu'il se réclamait, étant menacé de perdre la vue. Il vivait avec sa nièce, Melle Vaudechamp, son « Antigone », qu'il finit par épouser. Professeur de poésie au Collège de France, d'une inépuisable fécondité, il faisait à la commande des alexandrins que Melle Vaudechamp allait revendre chez les libraires à bon prix. Ses livres étaient tirés, dit-on, à 50 000 exemplaires.

Delille fut surtout le chantre des jardins, qu'il connaissait fort mal s'il faut en croire ce quatrain de l'un de ses ennemis, cité par Jean Mistler :

> « Virgile dans les frais vallons
> A célébré l'agriculture.
> Vous l'abbé, c'est dans les salons
> Que vous observez la nature. »

Stendhal lui est favorable et note dans son *Autobiographie* de 1837 comme l'un des événements de sa vie le jour où il lui fut présenté. Ne le mentionne-t-il pas à côté de Racine ? A dire vrai la poésie didactique de Delille paraît bien froide, sans l'involontaire drôlerie de ses imitateurs comme ce Lalanne que Stendhal qualifie pourtant sans la moindre trace d'humour de « poète ». Auteur du *Potager*, Lalanne y représente ainsi le limaçon qui est, comme chacun sait, hermaphrodite :

> « Cet insecte pourtant que notre orgueil écrase,
> Des feux d'un double hymen chaque printemps s'embrase,
> Et goûtant des plaisirs aux humains inconnus,
> Darde ensemble et reçoit l'aiguillon de Venus. »

Stendhal peut se tromper. Il se ressaisit à propos de Lebrun qui s'était rebaptisé Lebrun-Pindare. « Enflure de l'expression qui d'ailleurs ne peint pas », note-t-il de l'une de ses odes, le 30 mai 1806. La verve caustique de Lebrun était pourtant redoutée. On cite de lui ce quatrain sur l'un de ces confrères :

120

« On vient de me voler....
— Que je plains ton malheur.
— Tous mes vers manuscrits.
Que je plains ton voleur ! »

Mais pourquoi oublier Millevoye ?

A-t-il été victime de Stendhal qui ne le flatte pas dans son journal où on lit, à la date du 25 mars 1805 :

> « Entre un grand jeune homme noir, dont les saluts me parurent aussi parfaits en niaiserie et en ridicule que ceux de Fleury en bonne grâce. Ce jeune homme était M. Millevoye qui, les yeux armés de lunettes, cherchait de tous côtés Ariane pour lui parler. Après quoi, il vint se mettre sur les genoux d'Armand qui s'en délivra en lui faisant place à ses côtés. Millevoye, poète estimable, suivant Ariane à qui il a fait deux jolis couplets et un médiocre. »

Le poète mourant et La chute des feuilles méritent intérêt plus que La bataille d'Austerlitz. Le Romantisme n'est-il pas contenu dans ces poèmes qui ont leur place dans toute anthologie, ainsi que Le Génie de l'homme que publie Charles Liout de Chènedollé en 1807.

Certains poètes mineurs ne sont pas sans charme. Ainsi Piis, né en 1755 et qui, après de solides études, s'était orienté vers le madrigal et le vaudeville. Lié à l'abbé de Lattaignant, il fut bientôt connu pour un auteur plein d'esprit, un esprit que ne lui refuse pas Stendhal. Son goût pour la poésie plus ou moins érotique s'est allié avec l'ambition de montrer dans L'harmonie imitative de la langue française que cette langue est susceptible d'imiter les sons de tous les instruments, les voix de tous les animaux. Le retentissement de cette oeuvre lui a valu l'appui du comte d'Artois dont il fut secrétaire-interprète. Piis disparaît au plus fort de la Terreur et resurgit sous le Directoire puis sous le Consulat dans l'administration de la police ... sous l'autorité de Fouché !

Secrétaire général de la Préfecture de Police, Piis n'en continue pas moins de versifier. Prenant pour thème d'une déclaration amoureuse l'oeil symbolique qui figurait sur les cartes des policiers :

> « Parce qu'un oeil est notre emblême
> De surveillance et de rigueur,
> Nous faut-il comme Polyphème
> A Galathée être en horreur.
> Ah ! sans compter cet oeil austère
> Dont le méchant craint le pouvoir,
> J'en ai deux qui ne peuvent taire
> Le plaisir qu'ils ont à vous voir. »

Il avait fondé un club, le Portique républicain dont le règlement excluait les membres de l'Académie française. Quand il se présenta à celle-ci les académiciens lui rendirent la monnaie de sa pièce.

Une exploration systématique de ces poètes du deuxième rayon qui remplissent les pages de l'*Almanach des Muses* permettrait d'autres découvertes non moins pittoresques qui souligneraient la fécondité de l'invention poétique sous l'Empire.

Assurément la tragédie, sous l'influence de Voltaire, s'est figée dans un moule rigoureux et n'est plus que froideur et ennui. Mais a-t-on lu *Les Templiers* de Raynouard ? Cette oeuvre ne mérite pas l'oubli dans lequel elle est tombée. Représentée pour la première fois, le 14 mai 1805, sur la scène du Théâtre Français, cette tragédie en cinq actes connut un énorme succès dont Napoléon prit ombrage. Les spectateurs établissaient un parallèle entre le procès Moreau-Cadoudal, en 1804, où il avait été prouvé que la police impériale avait eu recours à la torture, et le procès des Templiers évoqué par Raynouard. La pièce disparut de l'affiche. C'est peut-être la raison pour laquelle Stendhal n'en parle pas dans son journal.

Quelques vers admirables :

> « Mais s'ils ne cèdent pas, je reste inexorable.
> Les nommer innocents, c'est m'avouer coupable. »

Ou encore

> « Mais il n'était plus temps... Les chants avaient cessé. »

Rappelons aussi que la période voit le développement du roman noir.

Madame Radcliffe suscite des imitateurs ainsi que Lewis et son *Moine* qu'adaptera Antonin Artaud. Il y aurait beaucoup à prendre dans cette littérature gothique en un temps où l'on redécouvre le fantastique. Citons *Bororquia ou la victime de l'Inquisition*, dédié à Lucien Bonaparte par Duclos en 1803 ; *Le Cimetière de la Madeleine* de Regnault-Warin ou *l'Enfant de l'Infortune* de Willemain d'Abancourt. Boutroux en résume les thèmes dans l'*Almanach des Muses* de 1810.

> « Dans un lieu bien désert, inculte, inhabité, peignez un vieux château tremblant de vétusté. Ajoutez à cela des souterrains voûtés, humides, ténébreux, surtout ensanglantés de cadavres épars, des ossements sans nombre, des serpents venimeux, des chiens hurlant dans l'ombre... »

Et dans le romanesque, n'en est-on pas aujourd'hui à trouver des vertus aux inépuisables récits de Mme Cottin ? Rappelons enfin qu'est réédité alors un roman qui avait fait sensation sous le Directoire dont il offrait une peinture cruelle : *La dot de Suzette* par Joseph Fiévée. C'est un retour à la tradition psychologique du XVIIIe siècle. Fiévée n'est pas indigne de Laclos.

Ne passe-t-on pas trop rapidement sur les années 1800-1815 ? Sont-elles indignes de celles qui vont suivre ? Une relecture de Chènedollé, de Millevoye, de Raynouard et de quelques autres paraît s'imposer.

*
* *

« J'ai pour moi la petite littérature et contre moi la grande », fait-on dire à Napoléon. Avoir la petite littérature ne serait déjà pas si mal, mais est-il vrai que l'Empereur a persécuté la grande, comprenons Mme de Staël, Benjamin Constant, Chateaubriand et Sade ?

Simone Balayé a publié le dossier de l'affaire *De l'Allemagne* de manière exhaustive en sorte qu'il est inutile d'y revenir. C'est assurément au nom de la liberté, mais aussi d'ambitions déçues que Mme de Staël se dresse contre le pouvoir naissant de Bonaparte. Elle devient vite une opposante. Dans sa biographie de Madame de Staël, Simone Balayé écrit (p. 89) : « Le Premier Consul ne tarde pas à trouver les traces de Mme de Staël dans l'opposition qui regroupe les partisans du parlementarisme à l'anglaise et des mécontents divers, des monarchistes déçus, des généraux jaloux, maltraités ou bons républicains, Bernadotte ou Moreau. » C'était beaucoup pour Bonaparte, d'autant que Talleyrand ne cessait de dénoncer son ancienne bienfaitrice auprès de l'entourage du Premier Consul. *Delphine* aggrave le fossé en 1802. Mais Mme de Staël n'a-t-elle pas exagéré les persécutions dont elle fut l'objet ? Faut-il prendre au pied de la lettre tout ce qu'elle écrit dans ses *Dix années d'exil*, un livre qui relève autant du pamphlet que des mémoires ?

Et que dire de Benjamin Constant sinon qu'il se rallia, sans trop de problèmes, en 1815, à son « persécuteur ».

Dans les *Mémoires d'Outre-Tombe*, Chateaubriand a ramené l'histoire des années 1800-1815 à un gigantesque duel entre lui-même et Napoléon. Procureur d'un zèle souvent excessif, Henri Guillemin a montré, de façon convaincante, dans *L'homme des Mémoires d'Outre-Tombe*, ce qu'il fallait penser de « la démission » de Chateaubriand après l'exécution du duc d'Enghien : « Osant quitter Bonaparte je m'étais placé à son niveau ». La lettre de Talleyrand du 2 avril 1804 ramène l'affaire à sa juste mesure. Comme l'écrit Guillemin : « Ce n'est pas Chateaubriand qui a donné congé, c'est le pouvoir qui le signifie. » Chateaubriand écrira par la suite : « le gouvernement m'était contraire ... *Les Martyrs* me valurent un redoublement de persécutions... » Quelles persécutions ? L'absence d'un prix décennal ? Un discours de réception à l'Académie française rentré (ce qui est effectivement très dur !) ? Un exil en 1812 ? Encore cette affaire d'exil n'est-elle pas très claire. Rien qui justifie l'affirmation de Chateaubriand prétendant qu'il devait à Mme Hamelin « de n'avoir pas été fusillé ou enfermé à Vincennes par Buonaparte. »

Reste Sade. D'Ange Pitou à l'Ermite de la Chaussée d'Antin, les contemporains ont été frappés par sa détention à l'hospice de Charenton. Pourquoi fut-il arrêté ? On a prétendu qu'il était l'auteur d'un pamphlet contre Bonaparte, *Zoloé et ses acolytes* qui lui aurait valu les foudres du Premier Consul. Sade n'a pas écrit *Zoloé*. On a dit aussi que Bonaparte avait été profondément choqué par la lecture de *Justine* mais le fait se situe après l'internement de Sade. En fait Sade fut arrêté comme « auteur immoral », sur l'ordre du préfet de police Dubois à l'occasion d'un projet de publication de *Juliette*. Cet internement n'empêchera pas d'ailleurs *Justine* de circuler sous le manteau.

Enfermé à Sainte-Pélagie puis à Bicêtre, Sade fut transféré à Charenton pour « démence libertine », le 27 avril 1803. Il devait y finir ses jours sans être jugé. Telle était la procédure de l'internement administratif (héritage des lettres de cachet) visant à éviter à une famille honorable un jugement flétrissant.

Le cas de Sade n'est pas exceptionnel. Le poète Desorgues qui avait écrit :

> « Ce grand Napoléon
> Est un grand caméméon, »

y fut aussi enfermé.

Les conditions étaient douces. Avec l'appui du directeur, Coulmier, Sade monte des spectacles. Nous savons, grâce à son journal qui a été retrouvé et publié par Georges Daumas en 1970, qu'il eut à Charenton une liaison amoureuse avec une certaine Madeleine Leclerc née en 1796. Il conservait d'ailleurs des relations avec son amie Mme Quesnet qui était venue s'installer près de l'hospice. On le voit rien de comparable avec les cliniques psychiatriques chères à certains de nos modernes régimes totalitaires. A Charenton Sade jouit d'une relative liberté physique et intellectuelle.

Rappelons que sous la Révolution Chénier et Roucher furent guillotinés. Aucun écrivain n'a été exécuté sous Napoléon. François de Neufchâteau pour sa pièce *Paméla*, Destut de Tracy (le père de l'idéologie), Garat et bien d'autres, furent emprisonnés sous la Terreur, comme Sade et Laclos, Restif de la Bretonne échappant de peu à un sort identique. Marie-Joseph Chenier ne peut faire jouer *Timoléon* et plusieurs pièces furent bannies du répertoire (*Athalie* ou le *Mahomet* de Voltaire). En comparaison l'Empire paraît bien doux.

*
* *

Le procès engagé contre la littérature napoléonienne ne serait-il pas en définitive celui de la culture dirigée ?

La dictature militaire du Premier Empire n'a pas bonne presse. Aucun régime n'a passé pour avoir autant étouffé la vie intellectuelle et artistique de son temps.

Napoléon n'a-t-il pas éteint le génie à force de vouloir le discipliner ?

Prenons l'exemple de la presse. Elle a perdu toute liberté et ne publie que les nouvelles autorisées par le gouvernement. En octobre 1811 le nombre des journaux parisiens est même réduit à 4 et leurs rédacteurs sont nommés par le ministre de la Police. Du coup ces feuilles offrent une grisaille et une uniformité qui provoquent l'ennui. Seul le feuilleton de Geoffroy dans le *Journal des Débats* (devenu *Journal de l'Empire*) que lit avec avidité Stendhal, échappe à cette impression. Et Napoléon de reconnaître en décembre 1813 : « Les journaux sont rédigés avec bien peu d'esprit. »

Aux peintres sont imposés des sujets de bataille où tout est prévu, de la hauteur de la toile aux personnages qui devront y figurer. Les théâtres parisiens sont ramenés à 8 : les quatre officiels (Opéra, Opéra Comique, Théâtre Français et Odéon appelé alors Théâtre de l'Impératrice) et quatre secondaires dont le répertoire est obligatoirement limité à un genre fixe : petites pièces mêlées de couplets sur des airs de l'époque au Vaudeville ; mélodrames à l'Ambigu ; pantomines à la Gaieté ; répertoire grivois et poissard aux Variétés.

La librairie est soumise à un contrôle étroit. Les libraires doivent présenter leurs ouvrages à une commission de révision avant de les mettre en vente. C'est la police en effet qui délivre les permis d'impression et de circulation. Elle peut non seulement empêcher la diffusion d'un livre mais ruiner un libraire en saisissant son stock au moment où il soumet l'exemplaire déjà imprimé. Barba se trouvera ainsi plusieurs fois en difficulté. On devient vite prudent dans de telles circonstances. La création d'une direction générale de l'imprimerie et de la librairie aurait dû donner quelques garanties ; il n'en fut rien. La police conservait la haute main sur tout ce qui était publié. Pire : les imprimeurs devaient s'engager par serment « à ne rien imprimer de contraire aux devoirs envers le souverain et à l'intérêt de l'Etat. »

Ce conditionnement s'étend à toutes les formes d'enseignement, du catéchisme à l'Université. Nul n'échappe à l'embrigadement des esprits, de l'enfant à l'amateur d'art.

Le régime napoléonien annonce, c'est indiscutable, nos modernes dictatures et l'on peut dénoncer à l'envie la stérilité de l'art officiel et la froideur de ce classicisme qui imprègne toutes les oeuvres d'art sous la triple influence de David, Fontaine et Delille.

Mais ne faut-il pas aussi accuser le public qui fait un triomphe à Legouvé ou à Ducray-Duminil et siffle *La flûte enchantée* à l'Opéra ? Ne s'en remet-il pas à un critique comme Geoffroy qui affirme à propos du *Don Juan* de Mozart : « on n'entend rien parce qu'on entend trop.» Curieuse l'indulgence de Stendhal à l'égard de Geoffroy. Reconnaissons aussi que la guerre capte toutes les attentions. Le vrai théâtre c'est celui des opérations ; la meilleure épopée celle de la Grande Armée.

Enfin ce déclin, si déclin il y a, ne commence pas en 1800. Il remonte à la Révolution, sinon à la mort de Voltaire et de Rousseau. A quelle grande oeuvre littéraire a donné naissance la Révolution ?

Lorsque Sainte-Beuve écrit : « Les triomphes militaires de l'Empire avaient trouvé plus d'une fois, au retour, des splendeurs rivales dans les arts contemporains : telle page des *Martyrs*, une bataille de Gros ou *La vestale* de Spontini », sans doute exagère-t-il un peu, mais le bilan artistique et littéraire de l'époque napoléonienne est loin d'être négatif.

Ne l'oublions pas : Paris devient alors la capitale artistique de l'Europe. Sous l'action de Vivant Denon, le charmant auteur de *Point de lendemain*, par droit de conquête, on rassemble au Louvre (alors Musée Napoléon), dans un mouvement commencé dès le Directoire, les Rubens d'Anvers, les Van Eyck de Gand, l'Apollon du Belvédère, les primitifs italiens de Florence et de Milan, les antiques de la Villa Borghese, les oeuvres d'art de Cassel, Berlin ou Postdam. Ce fabuleux rassemblement attire une foule énorme. A l'exposition des tableaux arrivés d'Italie, il y eut 30 000 entrées. Delacroix a dit l'impression profonde que lui procura sa visite au Louvre. Déjà annoncé par *Les pestiférés de Jaffa*, le Romantisme est sorti de cette confrontation de chefs d'oeuvre.

Le Romantisme naît également en littérature. On l'oublie aussi : le *Christophe Colomb* de Lemercier qui bravait la règle des unités, donna lieu à une première bataille d'*Hernani* ; de même les recherches de couleur locale du *Tippo-Sahib* de Jouy firent un énorme scandale ; comment enfin ne pas rappeler la publication en 1804 d'*Obermann* de Senancour.

Mais il faut aller plus loin. C'est toute une génération, celle des Romantiques, qui a subi l'empreinte de Napoléon : *Servitude et grandeur militaires*, le début de *La confession d'un enfant du siècle*, l'*Ode à la Colonne*, l'oeuvre entière de Balzac comme *Le Rouge et le Noir* de Stendhal sont marqués par l'influence impériale. Les Romantiques ont été les enfants de Napoléon.

Pourquoi considérer uniquement l'époque impériale comme celle de la fin des grands genres qui marquèrent l'époque classique de la comédie à la poésie didactique, de la tragédie à l'épopée ?

L'Empire ne marque pas une fin sur le plan social et politique mais un commencement : l'avènement des notables qui vont dominer le XIXe et notre XXe siècle. Mais ce triomphe de la bourgeoisie ne signifie pas conventions et ennui, morale et rendement. Il est déjà riche de cent contradictions. Se définir par rapport à lui c'est déjà s'opposer à lui. Le Romantisme, ce triomphe de l'individualisme et de l'imaginaire que prétendent étouffer les notables puise son inspiration dans l'épopée que lui offrent les victoires d'un individu qui finira, victime du destin, nouveau Prométhée sur un rocher battu par les flots de l'Atlantique. Sans Napoléon peut-on concevoir le héros romantique ?

Comme il y eut un siècle de Louis XIV, il faut compter avec le siècle de Napoléon, un siècle qui va de Senancour à Hugo en passant par Millevoye, Balzac et bien sûr Stendhal.

POUR UNE LECTURE POLITIQUE DE
« DE L'ALLEMAGNE » DE MADAME DE STAEL

Simone Balayé

La pensée de Mme de Staël est naturellement politique. Tous ses livres, même ceux qui en ont le moins l'apparence, comme *De l'influence des passions* et ses romans, doivent être déchiffrés sous ce point de vue essentiel. Qu'on pense au titre complet de *De la littérature considérée dans ses rapports avec les institutions sociales*, à *Delphine*, où elle traite de l'émigration, du divorce, de la suppression des voeux ecclésiastiques, à *Corinne* enfin, où elle aborde l'indépendance et l'unité italiennes. Cette approche est pour elle si évidente qu'on peut se demander si elle en a tout à fait conscience.

En mai 1810, elle avait craint un mouvement d'opinion « contre ce qui vient de l'Allemand[1] », mais elle ne se doute pas que le gouvernement pourrait trouver mauvais qu'on propose comme modèle d'inspiration littéraire et philosophique à la France victorieuse les productions des pays conquis et méprisés par ses conquérants mêmes. En 1813, à Londres, quand elle prépare la publication de *De l'Allemagne* pilonnée trois ans auparavant sur ordre impérial, il est curieux qu'elle puisse écrire dans la préface où elle raconte ses démêlés avec la police impériale : « Comme j'y manifestais les mêmes opinions et que j'y gardais le même silence sur le gouvernement actuel des Français que dans mes écrits précédents, je me flattais qu'il me serait aussi permi de le publier. » (I,1). « Je m'étais interdit dans ce livre, comme on le verra, toute réflexion sur l'état politique de l'Allemagne ; je me supposais à cinquante années du temps présent. »

J'ai utilisé l'édition préparée par Mme de Pange, avec ma collaboration et publiée chez Hachette en 1958-1960. Le sujet m'intéressant depuis longtemps, j'ai utilisé des travaux personnels ; mais je dois signaler la dette importante que je dois à mon ami Norman King, professeur à l'Université de Glasgow, qui s'est attaché plus que tout autre à démontrer qu'on ne peut décomposer la pensée de Mme de Staël et d'une manière générale de ses amis du Groupe de Coppet, entre ses diverses constituantes.

(I, 3). C'était vrai et faux. Elle avait déjà situé *Corinne* avant les campagnes de Bonaparte. Or elle a procédé de même pour l'Allemagne. La description sur laquelle elle ouvre son étude tient très peu compte des bouleversements dus aux guerres récentes : annexions, regroupements forcés, nouveaux royaumes, etc. Est-ce uniquement pour éviter de parler de l'homme dont elle n'approuve pas les idées ? Il pourrait y avoir une autre raison, c'est qu'elle étudie les contrées qui ont produit une littérature neuve en Europe, l'Allemagne d'avant 1800 et non le pays récemment modifié, dont, en 1808-1810, on ne sait pas encore où il va et qui, dans les années suivantes, se modifiera radicalement et par ses propres forces.

Pour Mme de Staël, les conséquences de cette option seront désastreuses. Napoléon, qui avait déjà noté avec irritation l'absence des Français dans *Corinne*, l'a certainement remarquée dans le livre suivant. Rovigo disant que l'Empereur « ne saurait y trouver sa place », marque plus de sottise que son maître. Les allusions comme les généralités, les détails précis, les jugements, l'esprit général du livre, tout tient à l'état politique de l'Allemagne, mais aussi de la France et de l'Angleterre ; tout aboutit à exprimer de façon claire et cohérente les positions de l'auteur.

Si la commission de censure n'a pas fait montre d'une grande perspicacité, il n'en va pas de même pour Napoléon, qui surveille étroitement depuis longtemps la conduite et les écrits de cette opposante de marque[2]. Elle raconte dans la préface de 1813 comment le livre fut détruit et y épingle la lettre du duc de Rovigo, ministre de la Police, qui dit, dans la logique du régime : « Votre exil est une conséquence naturelle de la marche que vous suivez constamment depuis plusieurs années. Il m'a paru que l'air de ce pays-ci ne vous convenait point, et nous n'en sommes pas encore réduits à chercher des modèles dans les peuples que vous admirez. Votre ouvrage n'est point français. » (I,5-6). Mme de Staël dit elle-même que cela vise ce qu'elle disait de l'Angleterre et de l'Allemagne, le pays de l'Europe qu'elle considère « comme la patrie de la pensée[3] » et dont elle va jusqu'à écrire que la province française est à trois siècles en arrière[4].

*
* *

Ce serait une lecture réductrice que celle qui se bornerait à noter quelques allusions à la personne et aux actes de Napoléon et ramener l'attitude de Mme de Staël à une rancune personnelle[5]. En fait, c'est une question d'idées qui ne peuvent s'accorder.

Cette lecture politique, on ne l'a pas faite ou mal. Le temps passant, il s'est produit, après la grande influence de l'ouvrage sur le romantisme, un effacement, l'espèce de passage aux enfers que subissent tous les écrivains, aggravé par les guerres franco-allemandes et l'apparition de nouvelles idéologies aux conséquences parfois désastreuses. De là, des interprétations fausses dues trop souvent, il faut le dire, à des lectures superficielles et partiales et l'accusation d'avoir dépeint une Allemagne idyllique et bon enfant, qui ne tient pas à l'examen. L'auteur ne se souciait pas du mauvais côté des choses, il est vrai, mais plutôt de ce qui lui avait paru original et enrichissant. Mme de Staël a bien vu certains aspects du caractère allemand et les ombres au tableau, dont seules les beautés la retenaient. Elle a remarqué dans le peuple une certaine grossièreté, de l'obséquiosité voisinant avec la plus grande finesse et le plus vaste savoir ; on parlera plus loin de ses critiques sur l'apolitisme des Allemands. En un mot, elle ne peint pas l'Allemagne de Heine ni aucune autre que celle qu'elle a vue et qui l'a passionnée.

*
* *

Comment réussit-elle donc à parler du présent politique à travers des temps révolus ? On constatera en premier lieu que cette victime à venir de la censure ne la passe pas sous silence ; elle la condamne sous le prétexte de la censure autrichienne, à défaut de pouvoir s'attaquer à la française, en spécifiant que les interdits nuisent aux livres philosophiques et favorisent les livres futiles, voire même immoraux[6].

Les allusions voilées à Napoléon ne manquent pas ; les lecteurs de 1810 ne se seraient pas trompés et auraient pu faire de ces applications dont ils sont friands au théâtre. A propos de Joseph II, par exemple : « Après sa mort, il ne resta rien de ce qu'il avait établi, parce que rien ne dure que ce qui vient progressivement[7]. » Sur Frédéric II : « Un homme peut faire marcher ensemble des éléments opposés, mais à sa mort ils se séparent[8]. » Quand Mme de Staël décrit le mariage de l'empereur François auquel elle assista à Vienne, elle note la « magnificence que les siècles avaient préparée, mais qui ne coûta point de nouveaux sacrifice au peuple » (I, 125). Elle signale ainsi qu'elle n'ignore pas les sacrifices *anciens* mais qu'elle connaît les *nouveaux* qu'*on* exige des Français et des peuples conquis.

Frédéric II, roi conquérant, est mis en contraste par ses bons côtés avec Napoléon et rapproché de lui par les mauvais, le tout implicitement ; le roi d'un pays pauvre a gouverné avec probité, organisé l'administration, vécu dans une relative simplicité pour économiser l'argent de ses sujets ; il a créé une justice qui lui a survécu et introduit la liberté de pensée dans le nord de l'Allemagne (I, 221-223). Ce sont des points sur lesquels Mme de Staël n'a pas reconnu la réussite napoléonienne. Le portrait qu'elle trace de Frédéric II n'est pas tout entier à son avantage : cynisme, irrespect envers la religion, les moeurs, les femmes, etc. ; toutes manières de souligner les aspects négatifs de Napoléon. Mais le roi, grand stratège, aimant la guerre, l'a faite surtout pour sauvegarder son pays, plutôt que pour l'agrandir ; la faute grave a été « la conquête machiavélique » de la Pologne ; on ne pouvait « espérer que des sujets ainsi dérobés fussent fidèles à l'escamoteur qui se disait leur souverain[9] » ; on sent bien que sont ici visés certains escamotages « français ».

A côté d'hommes évoqués dans leur vécu historique, Mme de Staël en utilise d'autres ressuscités dans le théâtre allemand qui l'a fascinée notamment par sa manière de mettre la politique en scène. On n'évoquera donc ici que les pièces à résonance politique.

Dans le *Don Carlos* de Schiller, Philippe II[10] lui rappelle Napoléon et, pour le marquer, elle privilégie notamment la scène où le roi pardonne au duc de Médina-Sidonia la perte de l'Invincible Armada dans la tempête voulue par Dieu, alors que Napoléon avait acculé au suicide l'amiral de Villeneuve, vaincu à Trafalgar par les éléments autant que par les hommes (II, 288-289). Notons en passant qu'elle apprécie l'invention du marquis de Posa, représentant des idées nouvelles, libérales, l'homme vertueux sans lequel il n'est pas de démocratie.

Dans *Marie Stuart*, autre pièce de Schiller, la reine Elisabeth donne prétexte à évoquer l'art de la dissimulation chez les tyrans : « Il faut tromper les hommes pour les asservir ; on leur doit au moins dans ce cas la politesse du mensonge. » (II, 320). Mme de Staël souligne aussi avec finesse ce qui différencie le roi-tyran de la reine-despote et la conduite de leurs courtisans, qui, dans le second cas, voilent leur bassesse sous la galanterie. En outre, l'injuste condamnation de Marie Stuart rappelle la mise à mort du duc d'Enghien (II, 325) ; soyons sûrs que les contemporains auraient fait ce rapprochement.

Plus connu est le portrait de Charles-Quint dans *Luther* de Zacharias Werner : « Cet homme gigantesque [...] ne recèle point de coeur dans sa terrible poitrine. La foudre de sa toute-puissance est dans sa main ; mais il ne sait point y joindre l'apothéose de l'amour. Il ressemble au jeune aigle qui tient le globe entier dans l'une de ses griffes, et doit le dévorer pour sa nourriture. » (III, 134). Quand Mme de Staël, un an ou deux plus tard, commencera à décrire Napoléon, elle utilisera des images de ce genre.

Le portrait d'Attila, d'après une autre pièce de Werner, est le plus célèbre de tous[11] ; on le montre sur les champs de bataille, au milieu des ruines et des incendies[12] : « Il a comme une sorte de superstition envers lui-même ; il est l'objet de son culte, il croit en lui, il se regarde comme l'instrument des décrets du ciel ; [...] il reproche à ses ennemis leurs fautes, comme s'il n'en avait pas commis plus qu'eux tous. [...] Les mouvements de son âme ont une sorte de rapidité et de décision qui exclut toute nuance ; il semble que cette âme se porte comme une force physique irrésistiblement et tout entière dans la direction qu'elle suit. » (III, 144-145). Il est impossible que Mme de Staël n'ait pas songé à l'Autre, et l'on s'en chargea dans le public.

On retrouve Philippe II dans *le Comte d'Egmont*, « la plus belle des tragédies de Goethe » selon Mme de Staël (III, 31). L'ombre du roi se projette à travers le duc d'Albe, envoyé à Bruxelles pour briser les tentatives de ses « sujets ». Egmont, très populaire, est le chef de la lutte pour la libération des Pays-Bas espagnols, auprès du prince d'Orange. Egmont, trop confiant dans les lois de l'honneur, sera capturé par ruse et décapité à la hache. On peut encore voir ici une allusion au duc d'Enghien. Quand le duc d'Albe essaie d'expliquer son crime, Mme de Staël a ces mots : « L'assassin politique a toujours un désir confus de se justifier, [...] alors même que ce qu'il dit ne peut persuader ni lui-même ni personne. [...]

Peut-être aucun homme n'est-il capable d'aborder le crime sans subterfuge. » (III, 371). Comparant ici la fiction à l'histoire, elle ajoute : « Ainsi la véritable moralité des ouvrages démocratiques ne consiste-t-elle pas dans la justice poétique dont l'auteur dispose à son gré, et que l'histoire a si souvent démentie, mais dans l'art de peindre le vice et la vertu de manière à inspirer la haine pour l'un et l'amour pour l'autre. » (III, 37). L'écrivain a une fonction, qui n'est pas de distribuer la justice, punir les méchants, récompenser les bons ; ceci reviendrait à assigner un but moral à l'oeuvre d'art, qui ne peut en avoir[13], mais de provoquer au bien par la force de persuasion du beau.

Si le théâtre allemand a fortement impressionné Mme de Staël, c'est qu'elle assigne au théâtre une fonction importante dans l'éducation politique et morale des peuples, dans le progrès des lumières ; ainsi compris, il aurait été très utile au peuple français, mais il est demeuré la propriété d'une classe de la société et l'ironie des choses a voulu qu'il fasse son apparition dans un pays encore trop peu structuré pour le comprendre dans ses applications. L'Allemagne, grâce à des écrivains de génie, a su remonter dans le passé des peuples et le sien propre et offrir des thèmes de réflexion à un pays éclaté, pendant que, dans la France unifiée, le théâtre sérieux n'a su devenir ni national ni populaire.

Pour que cette lecture politique de *De l'Allemagne* soit tout à fait comprise, il faudrait rappeler ce qu'est le système critique de Mme de Staël, devenu en quelques années contraire à celui sur lequel elle avait d'abord vécu en France[14]. Sa réflexion lui avait fait pressentir dès les *Lettres sur J.J. Rousseau* qu'il y avait d'autres modèles que ceux qui dominaient alors, et la conduire vers la critique subjective, contraire aux jugements de valeur issus de règles extérieures aux oeuvres, élaborées à partir d'un goût absolu ; Mme de Staël aboutira courageusement, parce qu'à contre-courant, à adopter un goût relatif, à donner à chaque époque, chaque pays la place qui leur a été déniée en France au XVIIe siècle ; tout cela, l'esprit de découverte et d'invention des Lumières n'en avait pas entièrement débarrassé les Français ; à la fin du XVIIIe siècle, en partie à cause des troubles révolutionnaires, on assiste même à un retour vers les idées du Siècle de Louis XIV, qui justifie la rigidité que Napoléon impose aux consciences et les bornes qu'il met à la pensée. La politique est donc présente même où elle semblerait devoir être absente.

De ces salons parisiens persifleurs et frivoles, où l'on est moins sérieusement instruit qu'en Allemagne, de « ce besoin de penser comme tout le monde », qui peu à peu sous la Révolution, croit-elle (I, 171-172), a égaré les esprits, a finalement jailli une littérature d'une redoutable uniformité : « Dans l'empire de la littérature comme dans beaucoup d'autres, l'unanimité est presque toujours un signe de servitude. » (III, 186). D'où ces phrases aux connotations politiques elles aussi : « Le bon goût en littérature est, à quelques égards, comme l'ordre sous le despotisme, il importe d'examiner à quel prix on l'achète. » (II, 220-221). Ou bien : « Il faut en littérature tout le goût qui est conciliable avec le génie car, si l'important dans l'état social c'est le repos, l'important dans la littérature, au contraire, c'est l'intérêt, le mouvement, l'émotion, dont le goût à lui tout seul est l'ennemi » (ibid.). Le repos dans l'état social, c'est le but enfin réalisé ; le mouvement dans la littérature est un moyen d'y parvenir ; tel est sans doute le sens de cette phrase où sont réunis les contraires. « La dispute entre le bon goût et la nature me paraît à quelques égards se rapprocher de la question de l'ordre et de la liberté en politique. » On ne saurait être plus clair.

Dans un passage comme celui-ci : « On a peur de tout ce qui diffère des autres en soi-même et l'on se hâte de se conformer à la discipline morale qui fait marcher les pensées comme des soldats bien alignés » (I, 14), on remarquera la métaphore qui montre comment la guerre se retourne contre la liberté, puisque le résultat en tout domaine est la stérilité (I, 14, var.) par la contrainte et l'uniformité[15]. A propos de Jacobi, elle dit de même[16] que la loi ne peut régner ni sur la morale ni sur la poésie. Ainsi arrive-t-elle à dire bien plus qu'une lecture rapide ne le laisserait supposer. Derrière ses jugements, ses analyses, même consacrées aux phénomènes philosophiques, religieux ou moraux, on aboutit toujours à la politique.

*
* *

Il est vite apparu à Mme de Staël que la division territoriale est très nuisible à l'Allemagne en ce qu'elle l'empêche de former une véritable nation. Elle l'avait dit pour l'Italie dans *Corinne*. C'est ce même regard qu'elle jette sur l'Allemagne, dont l'avenir lui paraît beaucoup plus prometteur, ne serait-ce que par sa situation au coeur de l'Europe. Elle voit des villes libres, de petits états, deux grandes monarchies : la Prusse et l'Autriche, le tout formant « une fédération aristocratique » (I, 37), dont elle omet de dire qu'elle n'existe plus en 1810. Accoutumés « à se sentir faibles comme nation », ils se sentent « faibles aussi comme individus »[17]. Au lieu de cet ensemble hétéroclite, il faut un Etat unifié, compact pour assurer la liberté et l'équilibre de l'Europe (I, 38). Or les Allemands « négligeaient la grande puissance nationale qu'il importait tant de fonder au milieu des colosses européens » (I, 60). Cette opinion ne pouvait pas convenir à Napoléon ; il avait simplifié, il est vrai, la carte politique allemande mais au profit de l'Empire français par les annexions et l'affaiblissement des deux grands vaincus, le reste n'étant plus uni par le Saint-Empire. Qu'il ait anéanti les dernières traces de la féodalité ou tout au moins qu'il y ait concouru et qu'il ait préparé ainsi la libération de plusieurs pays, cette conséquence qu'il n'avait certainement pas prévue, Mme de Staël ne put la voir sur le moment ; elle mourut trop tôt et d'ailleurs elle ne lui en aurait su aucun gré, sachant les buts qu'il poursuivait.

Elle constate un autre clivage, religieux, celui-là, entre protestants et catholiques, les premiers dans l'Allemagne du Nord, plus éclairés, plus instruits, les seconds dans le Sud et l'Autriche, restés, selon elle, plus obscurantistes, ce qu'il faudrait nuancer[18]. On pourrait observer que ce clivage a au moins maintenu un lien entre les Etats de même religion. Mme de Staël a regretté que Charles-Quint n'ait pas adopté la réforme luthérienne (V, 66), ce qui aurait peut-être « donné naissance à des institutions libres, combinées avec une force réelle » et évité cette séparation entre la rêverie et la méditation du Nord, productrices de philosophie, de poésie, de recherches en tout genre, mais hors du monde, et l'ignorance du Sud. Le chapitre sur le protestantisme est très important pour les idées politiques de Mme de Staël qui avait espéré une France protestante en 1800. On verra (I, 36-37) comment elle parle de la recherche de la vérité et de la publication de celle-ci comme du devoir d'examiner, fondement du protestantisme, condition du progrès des lumières, « tandis que le catholicisme se vantait d'être immobile au milieu des vagues du temps » (I, 41).

Conséquence des divisions de toutes sortes, elle remarque qu'il n'y a pas de centre ; rien n'équivaut à Paris comme foyer, Paris dont l'inconvénient est d'attirer trop de provinciaux et de vider la France à son profit, mais qui contribue à répandre les lumières, à créer et soutenir un esprit public fort. En Allemagne, dit-elle, le lien manquait au faisceau et « cette division est funeste à sa force politique ». Elle le constatait dès 1803. Il leur manque essentiellement des préjugés nationaux. Leurs divisions les ont même poussés à s'attaquer mutuellement en s'appuyant sur des forces étrangères (I, 40, var. B). Elle leur oppose la fierté des Anglais, qui « sert puissamment à leur existence politique » (*ibid.*) et, faute de pouvoir désigner ceux-ci plus clairement, elle écrit : « L'énergie de l'action ne se développe que dans les contrées libres et puissantes où les sentiments patriotiques sont dans l'âme comme le sang dans les veines, et ne se glacent qu'avec la vie. » (I, 63).

Il leur manque aussi l'amour et le désir de la liberté que prêche si bien Schiller dans *Guillaume Tell,* dont elle offre une longue analyse. Par tradition, on respecte les divisions sociales, les forts et les faibles, les citoyens et les serfs. L'espèce de fédération qu'ils forment ne ressemble pas du tout « aux gouvernements fédératifs qui donnent à l'esprit public autant de force que l'unité dans les gouvernements ; mais ce sont des associations d'états égaux et de citoyens libres » (I, 58). Force est à Mme de Staël de constater que les Allemands ne ressentent pas non plus le besoin des « institutions politiques qui peuvent seules former le caractère d'une nation » (I, 60). Leur indépendance de fait les rend « indifférents à la liberté ; l'indépendance est un bien, la liberté une garantie » (I, 59). Elle relève aussi une justice féodale, lente, la modération des souverains des petits états, mais aussi chez leurs sujets un respect excessif de la puissance, surtout dans la noblesse : le peuple vaut mieux ; elle signale par exemple l'hostilité envers les coutumes étrangères, ce qu'elle va jusqu'à appeler « cette sainte antipathie », en une étrange alliance de mots (I,44). Or elle n'est pas partisan, comme on pourrait le croire à partir d'une telle expression, de l'hostilité entre les peuples, bien loin de là ; on connaît plus d'un passage — et certains sont célèbres — sur « l'enrichissement de chaque nation par les richesses des autres[19] ». Mais il lui déplaît de relever encore assez vivace l'ascendant des Français que Frédéric II avait eu le tort de favoriser, tel aussi que la politique conquérante de Napoléon risque de l'imposer.

En parcourant les pays allemands, Mme de Staël peut constater aussi que l'espèce d'indépendance dont jouissent les individus donne aux écrivains une liberté à peu près illimitée ; leur public est patient, attentif, porté à l'estime ; comme il y a peu de vie de société, de salon, donc pas de jugements frivoles comme à Paris, mais seulement une critique savante, ils vivent peut-être trop isolés, sans contrôle d'aucune sorte, dans une liberté intellectuelle absolue, qui se prête aux plus belles choses, aux plus étranges, aux plus excentriques : « Peut-être la littérature a-t-elle dû à cet isolement comme à cette indépendance, plus d'originalité et d'énergie. » (II, 33). A l'inverse de tout ce qu'on pourrait attendre, la dispersion des pouvoirs ne favorise pas les petites tyrannies locales ; et ce que Mme de Staël a pu observer à Paris, c'est la tyrannie sociale et politique qui a enrégimenté les écrivains. De quelque côté qu'elle tourne et retourne ses idées, elle revient toujours à ce point important de la liaison entre la politique et la littérature.

Elle déplore une conséquence pour l'Allemagne à ses yeux importante : les hommes éclairés se bornent à disputer dans le domaine de la spéculation, « mais ils abandonnent assez volontiers aux puissants de la terre tout le réel de la vie ». Or « ce réel, si dédaigné par eux, trouve pourtant des acquéreurs qui portent ensuite le trouble et la gêne dans l'empire de l'imagination ». Visait-elle vraiment l'Allemagne dans cette phrase (I, 61), ou la France ? les censeurs, prudents, la supprimèrent.

Cette ambiguïté, Mme de Staël la dissipe quelques pages plus loin en insistant sur la nullité des hommes éloignés des grands intérêts publics condamnés à vivre dans l'oisiveté et la servitude, au contraire de ceux qui vivent dans les pays où les institutions politiques leur permettent d'exercer les vertus militaires et civiles[20].

Ayant parcouru bien des régions, visité bien des villes, elle découvre enfin l'admirable exception qu'est à ses yeux Weimar, où se rencontrent « les avantages d'un petit pays quand son chef est un homme de beaucoup d'esprit et qu'au milieu de ses sujets il peut chercher à plaire sans cesser d'être obéi. C'est une société particulière qu'un tel Etat, et l'on y tient tous les uns aux autres par des rapports intimes. » (I, 211). « L'Allemagne, pour la première fois, eut une capitale littéraire. » (I, 213). Elle voyait réalisée là une république idéale des lettres où se trouvaient alliés des hommes d'Etat et des écrivains[21].

Elle fait passer Weimar avant Berlin, où elle voit pourtant la « vraie capitale de l'Allemagne éclairée », où l'on trouve la liberté de la presse et de la pensée, une large réunion d'intellectuels, une académie célèbre, des salons littéraires importants, mais aussi la séparation comme partout ailleurs d'avec le réel de l'existence, l'action politique. Berlin ne lui paraît pas une ville modèle et elle décrit sans concessions la société berlinoise, dont certains membres le lui rendront bien quand ils liront son livre (I, 240).

Vienne enfin lui déplaît tout à fait sur le plan social et politique. En usant de quelques précautions diplomatiques, elle en montre l'immobilité, les « règles invariables » de vie et de pensée, « un silence profond » (I, 101 et ss.), un gouvernement qui éteint les talents supérieurs au lieu de les encourager. « On peut s'en passer en effet dans les temps paisibles de l'histoire, mais que faire sans eux dans les grandes luttes ? » (I, 103). Claire allusion aux récentes défaites infligées par la France.

On voit que l'auteur de *De l'Allemagne*, était politiquement clairvoyante ; son livre mériterait une étude approfondie sur le vocabulaire et sur les procédés que Mme de Staël utilise pour réussir à exprimer sa pensée d'une manière à la fois prudente et convaincante et pour montrer comment un pays très affaibli peut quand même donner au monde une pléiade impressionnante de penseurs, de poètes, de savants, et renouveler presque totalement les idées et la création.

*
* *

La quatrième partie, la moins politique en apparence de *De l'Allemagne*, réservée à la philosophie et à la religion, qui se termine par les admirables chapitres sur l'enthousiasme, donne la clé de cette pensée si haute. Elle montre comment, de l'individu qu'on pervertit, on passe à la perversion de la société et de l'Etat, isolé par sa puissance même : « Au bout d'un certain nombre d'années les nations injustes succombent à la haine qu'inspirent leurs injustices ; [...] je ne sais comment on pourrait prouver à un homme d'Etat [...] que telle résolution, condamnable en elle-même n'est pas utile, et que la morale et la politique sont toujours d'accord ; aussi ne le prouve-t-on pas ; et c'est presque un axiome reçu qu'on ne peut les réunir. » (IV, 226-227). Mme de Staël ne rêve pas, elle a vécu dans le réel de l'administration et des finances, elle ne considère pas comme des maximes romanesques « la fidélité dans les engagements, le respect pour les droits individuels » (IV, 301). Les fautes commises par « ces grandes masses qu'on appelle des empires, ces grandes masses en état de nature l'une envers l'autre » feront souffrir la génération qui les suit (IV, 298) ; ou bien, « la majorité peut-elle disposer de la minorité, si l'une l'emporte à peine de quelques voix sur l'autre ? » (IV, 299). Si un Etat se conduit suivant son seul intérêt, la nation n'est plus que « légion », le nom que donne le démon à ses troupes (IV, 299) ; « l'exécuteur bénin » « d'un décret sanguinaire », tel qu'il lui en était apparu sous la Révolution, cet exécuteur par intérêt existe toujours sous l'Empire (IV, 305 et ss.) avec les fonctionnaires impériaux[22]. Il ne s'agit pas de montrer en Mme de Staël un prophète plus ou moins apocalyptique ; elle ne l'est pas ; elle a vécu, observé, analysé et le lyrisme de sa conclusion accentue sa fermeté : « L'espèce humaine demande à grands cris qu'on sacrifie tout à son intérêt et finit par compromettre cet intérêt à force de vouloir y tout immoler ; mais il serait temps de lui dire que son bonheur même, dont on s'est tant servi comme prétexte, n'est sacré que dans ses rapports avec la morale ; car sans elle qu'importeraient tous à chacun ? Quand une fois l'on s'est dit qu'il faut sacrifier la morale à l'intérêt national, on est bien près de resserrer de jour en jour le sens du mot de nation, et d'en faire d'abord ses partisans, puis ses amis, puis sa famille, qui n'est qu'un terme décent pour se désigner soi-même », allusion on ne peut plus claire à ce qu'elle voit dans l'Empire français.

Elle reprend tout ceci à un niveau plus élevé, au niveau idéal peut-être, dans le chapitre « Du principe de la morale dans la nouvelle philosophie allemande » (IV, 318 et ss.). Cette morale, cette philosophie deviennent l'héritage d'une « nouvelle école » dont les disciples « sont beaucoup plus près que tous les autres d'avoir de la force dans le caractère ; ils la rêvent, ils la désirent, ils la conçoivent » (IV, 279), l'expérience leur manque ; on se souvient de ce qu'elle dit de l'atmosphère étroite dans laquelle ils vivent pour la plupart et qui les gêne. Le théâtre seul a permis aux plus grands de répandre des idées nationales, patriotiques, des idées de liberté, mais l'écrivain politique — elle en excepte Fichte, or en 1810 elle ne peut même pas le nommer et il ne figure que dans une variante (IV, 79) — Fichte et ses *Discours à la Nation allemande*, prononcés en 1807-1808 à Berlin. Elle ne peut pas nommer les Allemands francophobes et patriotes, les Gentz, les Arndt, Schlegel, Stein qui, à Saint-Pétersbourg, pleurera d'émotion en écoutant la lecture des chapitres sur l'enthousiasme. Elle ne peut pas appeler les Allemands à la révolte, c'est impossible, mais ce discours figure sous-entendu dans le livre qui les célébrait et leur montrait qu'un écrivain étranger, d'un pays longtemps trop admiré par eux, essayait de les comprendre et de les faire comprendre ; le grand Humboldt l'écrivait avant 1800 à Schiller. Goethe le comprit fort bien quand il dit en 1814, à la lecture du livre, que si celui-ci avait été répandu en Allemagne quand son auteur avait décidé de le publier, en 1810-1811, on lui aurait attribué une influence dans la guerre de libération de 1813[23].

On s'élève ainsi du concret de la première partie de ce livre au niveau d'une abstraction philosophique et d'une théorie politique ; c'est là qu'on peut saisir la profondeur de la pensée staëlienne, des idées dont elle vit depuis ses premières expériences, ses premiers ouvrages, des plus modestes aux plus ambitieux, *Des circonstances actuelles pour terminer la Révolution* aux futures *Considérations sur la Révolution française*. *De l'Allemagne* est une étape capitale, chèrement payée ; que Mme de Staël en ait été consciente ou pas, importe peu. Elle aurait atteint ses buts aussi bien en pays germanique qu'en pays français, et c'est cela que le souverain ne pouvait pas tolérer. Une fois de plus, un livre d'elle était une source de souffrance, l'acte imprudent et courageux, qui demeura incompris des "chauvins" mais frappa les intelligences les plus hautes dans les deux pays.

NOTES

1. Lettre à Jordan, 17 mai 1810 dans « Camille Jordan et Madame de Staël », Sainte-Beuve, *Madame de Staël*, p.p. Maurice Allem, Paris, Garnier frères, 1932, p. 141.

2. Pour tous les détails, voir S.B., « Madame de Staël et le gouvernement impérial en 1810, le dossier de la suppression de *De l'Allemagne* » (*Cahiers staëliens*, décembre 1974).

3. Elle écrit, comme un défi, dès ses premières pages : « Nous n'en sommes pas, j'imagine, à vouloir élever autour de la France littéraire la grande muraille de la Chine, pour empêcher les idées du dehors d'y pénétrer. » La censure demanda la suppression. Goethe reprendra l'image de la muraille en 1814, quand il lira enfin le livre.

4. Elle dit que « sous le rapport des connaissances [...], si l'on se mettait à comparer les provinces de France avec l'Allemagne, on croirait que les deux pays sont à des siècles de distance l'un de l'autre », à cause de la centralisation parisienne (II, 204). On se reportera à l'article d'Etienne François, « L'Allemagne de Madame de Staël » *Le Monde*, 26 septembre 1982, qui dissimule sous ce titre journalistique une excellente étude comparée entre les deux pays, tels que Mme de Staël les connut.

5. Je renvoie à S.B., « Madame de Staël, Napoléon et la mission de l'écrivain » (*Europe*, avril-mai 1969) et au chapitre III de mon livre *Madame de Staël : lumières et liberté*, « L'écrivain et le pouvoir », Paris, Klincksieck, 1979.

6. I, 105. La suite est éloquente et notamment les pp. 111-112.

7. I, 104. La censure supprima la 1ère partie de la phrase.

8. I, 226-227. La censure supprima aussi.

9. I, 228. Supprimé par la censure.

10. Philippe II, personnage tragique dans le réel et dans la fiction, a fasciné Mme de Staël. Elle parle de lui et de son père, Charles-Quint, dans la perspective historique (III, 335-337 et une longue variante du ms. B).

11. Dès 1810, il courait sous le manteau par suite d'une indiscrétion ; il a même été publié à part avec beaucoup de fautes par Aimé-Martin.

12. Dans les *Dix années d'exil*, elle compare Napoléon au feu grégeois et le montre lui aussi sur fond de désastre.

13. Voir S.B., « Constant, lecteur de *Corinne* » (*Benjamin Constant*, actes du congrès Benjamin Constant, Lausanne, 1967, Genève, Droz, 1968).

14. Georges Poulet, « La Pensée critique de Madame de Staël » (*Preuves*, décembre 1966, repris dans *La conscience critique*, Paris, Corti, 1971, avec des changements ; S.B., « Le Système critique de Madame de Staël, théorie et sensibilité » (*Bulletin de l'Université d'Ottawa*, décembre 1971).

15. « On se soumet à de certaines idées reçues, non à des vérités, mais comme au pouvoir ; et c'est ainsi que la raison humaine s'habitue à la servitude dans le champ même de la littérature et de la philosophie. » (I, 25).

16. Elle trouve Jacobi trop bon, trop pur, lui qui croit qu'on peut se fier aux mouvements de l'âme : « Il y a mille moyens d'être un très mauvais homme sans blesser aucune loi reçue, comme on peut faire une détestable tragédie en observant toutes les règles et toutes les convenances théâtrales. [...] La loi cependant ne peut apprendre en morale, comme en poésie, que ce qu'il ne faut pas faire ; mais en toutes choses ce qui est bon et sublime ne nous est révélé que par la divinité dans notre coeur. » (IV, 344-345).

17. Madame de Staël, en 1813, fait observer qu'elle a écrit ceci à l'époque de l'asservissement, avant le grand réveil patriotique qui les a conduits à vaincre la France, aux côtés des Alliés. En 1810, elle ajoute ce qui est encore faire preuve de lucidité : « le respect pour les formes est très favorable au maintien des lois ; mais ce respect tel qu'il existe en Allemagne, donne l'habitude d'une marche si ponctuelle et si précise, qu'on ne sait pas même, quand le but est devant soi, s'ouvrir une route nouvelle pour y arriver. » (IV, 274-275). Voir aussi II, 22-25, la comparaison entre les Anglais et leur philosophie utilitariste très politisée et le refuge que trouvent les Allemands dans une philosophie dont ils ne tirent pas les conséquences terrestres. On se reportera aussi à Norman King, « The Airy form of things forgotten : Madame de Staël, l'utilitarisme et l'impulsion libérale » (*Cahiers staëliens*, décembre 1970).

18. Je renvoie à l'article déjà cité d'Etienne François.

19. C'est le passage célèbre : « Les nations doivent se servir de guides les unes aux autres », etc. (III, 352).

20. I, 65-66. Ce sont des pages d'une vigueur particulière : « Dans les pays où les hommes sont appelés par les institutions politiques à exercer toutes les vertus militaires et civiles qu'inspire l'amour de la patrie, ils reprennent la supériorité qui leur appartient ; ils rentrent avec éclat dans leurs droits de maîtres du monde : lorsqu'ils sont condamnés de quelque manière à l'oisiveté, à la servitude, ils tombent d'autant plus bas qu'ils devaient s'élever plus haut. [...] Lorsque ces hommes ne savent pas ou ne peuvent pas employer dignement et noblement leur vie, la nature se venge sur eux des dons mêmes qu'ils ont reçus. »

21. Ce qui ne l'empêchait pas de penser que ce théâtre-là était bien petit pour les capacités politiques qu'elle attribuait à Goethe. De lui, elle dit : « S'il avait eu une carrière politique, si son âme s'était développée par les actions, son caractère serait plus décidé, plus ferme, plus patriote ; mais son esprit ne planerait pas si librement sur toutes les manières de voir ; les passions ou les intérêts lui traceraient une route positive ».

22. Mme de Staël note ironiquement que « le passage excita la plus grande rumeur à la censure. On eût dit que ces observations pouvaient empêcher d'obtenir, et surtout de demander des places ».

23. Lady Blennerhassett, *Madame de Staël et son temps...* Paris, L. Westhausser, 1890, III, 522-523, d'après une lettre de Goethe, 17 février 1814.

NODIER SANS SOCIÉTÉ

Hermann Hofer

pour Hélène Rodney

Les textes du jeune Charles Nodier, né en 1780, toujours très peu lus et négligés devraient étonner : le caractère à la fois plébéien et radical de ces textes leur confère un statut particulier, unique. Notre premier romantisme, sans eux, resterait incomplet. Le manuelisme routinier en les décapitant, en les châtrant, en les condamnant par le silence ne fait peut-être qu'accentuer mieux le caractère inquiétant de ces récits — des *Proscrits* à *Jean Sbogar*, du *Peintre de Saltzbourg* aux *Tristes* — qui illustrent la fonction destructrice de l'échec de la Grande Révolution : le 10 thermidor 1794 est la date de la mort du père et de la mère de la plupart des personnages de Nodier.

Nodier, coiffé du bonnet phrygien, jeune héros de la révolution bisontine, couronné d'une auréole est l'enfant prodige des espérances jacobines avant d'être l'enfant prodigue du Directoire et le conspirateur sous le Consulat. Le fait étonne de prime abord : le jeune et poétique héros de la Révolution sera fabricant de mythes anti-révolutionnaires et ses personnages — fous, poètes, rêveurs — peuplent une anti-société où les activités de la vie normale semblent suspendues, le sens de l'activité sociale et politique aboli, détruit. Le seul romantique à vivre toutes les étapes de la France politique à partir de 1789 en France, Nodier, le seul *jeune* romantique à publier déjà aux alentours de 1800 des chefs-d'oeuvre, place sa quête du paradis perdu dans la perspective politique d'une France révolutionnaire, promesse de bonheur et de paradis. L'homme déchu, déchu de ses espoirs, est l'être moderne d'après 1794, le solitaire privé de tout. La perte de ses parents a chez lui une puissance castratrice : il n'aura pas d'enfants, l'enfant malheureux a tué en lui les ressources biologiques, la volonté d'être père. Il se venge des privations qu'il a subies et qui lui ont été imposées. Ayant perdu sa maison, sa famille et sa patrie, il se refuse à construire une maison, il se refuse à fonder une famille, il se refuse à créer une société. Il est, note Nodier dans les *Tristes*, « désabusé de la vie et de la société ». Il refuse d'être père ou architecte ou politique, solution d'un radicalisme foncier qu'ignorent ses proches parents en littérature, *Oberman* et *René*, qui, pour précaires qu'ils soient, tâchent de s'installer, de se créer des possibilités d'existence. Le héros de Senancour est constructeur de maison, le froid glacial des Alpes qu'il a choisies pour domicile devient synonyme de patrie pour l'apatride que l'histoire a craché sur les glaciers symbolisant la fin d'une histoire politique concrétisant les anciennes promesses métaphysiques. Le *René* de Chateaubriand, héros prestigieux dont l'héritage intellectuel lui fait chercher en Amérique le paradis primitif, est encore un être en marche, en route, contrairement au héros nodiériste, dépressif, mélancolique et suicidaire, aux yeux de qui la seule idée d'une existence rassurée et rassurante constituerait un compromis inacceptable et indigne. L'enfant romantique n'a ni père ni mère et il ne se fera ni reproducteur de vie ni producteur d'espoirs. Il se reconnaît attaché à des ancêtres déjà lointains, pâles spectres de quelque mythologie qui pouvait encore se nourrir des Lumières : le *Guillaume Tell* de Sedaine (1791), père et révolutionnaire jacobin, qui est précisément père parce qu'il est révolutionnaire et qui engendre des enfants pour déclarer que la révolution a vaincu et qu'elle sera les lendemains qui chantent. Il veut être père parce qu'il a le savoir rassurant d'être constructeur d'un monde qui sera le garant du bien-être de tous les enfants qui vont y naître.

La stérilité du personnage nodiériste est signe de refus et de rupture qui marquera encore bien plus tard la belle batelière dans *Trilby* ou Michel le charpentier dans *La Fée aux miettes*, personnages privilégiés, sans doute, mais qui souffrent des mêmes tares. S'ils se libèrent, c'est pour trouver dans une existence onirique une promesse de bonheur après avoir eu à subir un échec total qui les décidait à briser toutes les chaînes sociales : l'homme ici ne trouve point de bonheur, l'obstacle social lui a barré l'accès à la voie royale de la joie. Mais si, dans les oeuvres de maturité, on voit s'annoncer le triomphe de l'individu libre qui, au prix de souffrances et d'humiliations a payé sa terrible rançon, on assiste, dans les ouvrages de jeunesse, à la défaite et à la disparition d'un homme dont le mal — folie, schizophrénie, dédoublement, aliénation, obsessions — est signe de désagrégation sociale. L'étalage du moi précaire ne se fait plus comme chez Senancour ou Chateaubriand dans les devantures luxueuses d'une poésie embellissante et emberlificoteuse. S'il se crée une existence esthétique (les héros des *Proscrits*, du *Peintre de Saltzbourg* et de *Jean Sbogar* sont écrivains), c'est pour déclarer aussitôt que la poésie est dévastatrice, qu'elle est dévoratrice de vie, de substance, d'hommes. L'enfermement volontaire dans un texte est mortel : murs étouffants d'un cloître (tel qu'il en réclame effectivement dans *Les Tristes*), ils signifient une fin de vie voulue, exigée, demandée, fixation en paroles d'une vie sans valeur ni sens. Le sperme éjaculé ici n'est plus générateur de vie, mais de réflexions, de méditations. Le roman vécu et rédigé par le héros se faisant auteur devient son propre sujet : sujet impossible, anti-sujet d'un roman par fragments qui n'est pas écrit mais qui s'écrit, et qui reste fragment, ébauche, symbole de la fin d'une ère où tout pouvait être annonce d'espoir et de vie. Friedrich Schlegel plus sans doute que Constant ou Mme de Staël, plus aussi que Senancour ou Chateaubriand apparaît ici comme le cousin germain de Nodier, le frère d'armes de la même génération, l'homme dont le rôle et les intentions sont si souvent les siennes, frères qui s'ignorent comme le font souvent ceux qui se ressemblent trop. Sans doute aussi n'attendaient-ils pas le Talmudisme de Gusdorf et de sa gent moutonnière pour se découvrir et pour être découverts... Tout ici chez le jeune Charles Nodier est expression d'une fin sans rémission, et le beau lui-même n'est plus porteur de messages politiques. Il apporte un ultime message : celui de sa propre impossibilité. Il se fait miroir brisé d'un intellect pour lequel la réalisation des promesses données par les écrivains des Lumières et les Jacobins a été un rêve d'enfance. Il ne participe plus à la dialectique dynamique de l'histoire qu'il tient pour un jeu compromettant, mais se considère comme la fin ultime de la vie. Fin de roman et fin de vie coïncident, l'homme trouve sa fin dans un texte clôturant l'histoire. L'homme qui autrefois était personnage et héros de roman se prête à n'être plus que personnage secondaire, comptable ou comparse de l'histoire, accepte de s'écrire : c'est-à-dire ce que sa vie a été.

A ces personnages de Nodier ont été refusés les passeports pour ce monde. Apatrides, ils se meuvent difficilement dans une zone neutre entre le rêve et une société refusée par eux, quelle qu'elle soit. Ils sont constructeurs de vie figée dans un texte : ils donnent une signification esthétique à leur existence en en faisant un roman — tel le Proscrit, Charles Munster ou Jean Sbogar —, et alors que d'autres, chassés comme eux du paradis, se mettent à construire, faute d'Eden, un paradis terrestre, les êtres nodiéristes tournent délibérément le dos aux manoeuvres, laboureurs et architectes du Social pour s'isoler définitivement de la société, et ceci précisément à une époque d'enracinement social de plus en plus marqué. Stendhal et Balzac illustrent cette tendance et l'on imagine facilement un Balzac nodiériste, celui de *Louis Lambert* par exemple, se laisser tenter par l'idée d'un Charles Nodier *maître à moi et à nous tous* (sauf Stendhal, bien entendu) mais à qui Balzac donne encore l'accolade lors d'une séance de consécration dont Nodier n'est pas moins le champion que l'auteur du *Rouge et le Noir* (le 10 janvier 1831 dans sa « 11e lettre sur Paris » dans *Le Voleur*) : mais l'anti-chef-d'oeuvre, l'impossible chef-d'oeuvre surgi d'un rêve balzacien, l'«Avant-Propos» à la *Comédie humaine* de 1842 se passera d'une paternité nodiériste...

Ne demandons pas à Stendhal ce que nous demandons avec plaisir à Dumas et à Nerval : une leçon d'illumination nodiériste. Il pense en 1823 que l'auteur de *Trilby*, son aîné de trois années seulement, est le « vaporeux Nodier » dont l'esprit lui paraît « ennuyeux » et qui n'est plus lu : « Qui est-ce qui relit *Trilby* à Brest ou à Perpignan ? » se demande-t-il dans *Racine et Shakespeare*. Lui qui a fait de Madame Grandet dans *Lucien Leuwen* un personnage proche de Nodier (« toute sentimentale et toute émotion »), il serait étonné de trouver aujourd'hui parmi ses lecteurs quelques bedeaux dans les grandes chapelles de littérature à Paris, à Marbourg, à Berne, à Besançon (oui, même à Besançon !), à Grenoble peut-être même, non, certainement pas à Grenoble. Rassurons-nous : le cimetière nodiériste est encore trop vivant pour permettre à quelque retraité de s'y installer en gardien, mais il admettrait volontiers quelque Maigret au don divinatoire de Nerval.

Le héros des *Proscrits*, roman publié en 1802, Nodier a alors vingt-deux ans, est un jeune auteur de journal intime qui oppose à une France paysanne se mettant à ravitailler et à nourrir les armées du Consul l'inutilité de sa propre vie. Au sein même d'un monde paysan qui invite au travail, il mène une vie sans travail, une vie stérile. Il n'y a plus de sol ni à partager ni à cultiver faute de sol. Le journal intime qu'il tient n'est plus le grand livre de compte de la sensibilité bourgeoise du XVIIIe siècle où s'additionnaient sans interruption les grandes valeurs matérielles, intellectuelles et morales d'une classe qui montait. Dans son Journal, il ne note que son échec. Il en fait un rapport détaillé, cruel. Le moi proscrit est destiné à disparaître : héritier des grands sentiments de la bourgeoisie des Lumières, il n'en a pas hérité la robustesse. Ce délicat, ce fragile, premier héros de roman post-révolutionnaire qui soit marqué par la Révolution, a perdu toute raison d'être : son existence est aussi illégitime que l'était pour les Jacobins de 1789 l'aristocratie. Il a tout perdu : nom, argent, propriété, famille, il n'a plus droit à formuler la moindre revendication. L'existence illégitime de ce pur — non pas d'un criminel ou d'un aristocrate hautain ! — est une existence misérable et maudite. Cet être déchu et miséreux n'est pas digne de pitié et de miséricorde : c'est le symbole définitif de la fin définitive d'une race déjà périmée. Le Proscrit, véritable Anti-Brulard, se crée un monde imaginaire de poésie où tout vient attester la victoire du principe de la pourriture, du refus de la vie. Le siècle avait à peine deux ans, mais le stigmate par lequel il avait commencé, son symptôme alarmant venait déjà d'être baptisé par Mercier et Jacobi : nihilisme. Si Candide n'a aucune chance de se voir promu à la fonction de chef d'état ou de fondateur d'état (on lui en donne cependant beaucoup pour une éventuelle fonction de précurseur du jardin ouvrier), on imagine très facilement la grossesse de Cunégonde et sa nombreuse progéniture sans trop se soucier de la problématique que fait naître une paternité peu enviable qu'auront à se partager Candide et Voltaire... L'intouchable compagne du Proscrit, Stella, que tue un seul baiser est aussi stérile que belle : une belle âme dont la seule fonction semble consister à enivrer et à inquiéter le Proscrit, à être la nourriture de ses rêves. Le désir, l'effleurement, l'attouchement désagrègent la vie et sont des catalyseurs de catastrophes, de délires, de cauchemars, d'angoisses, de destruction, de mort. Le Proscrit et Stella ne seront Francesca et Paolo que dans un rêve du conteur dont la raison s'est aliénée : le Proscrit de Nodier est un fou laid, misérable, couvert de poussière, qui crie sa misère, mal habillé, sans descendance, mais ancêtre d'une armée de héros romantiques. Il est hanté et torturé par des spectres, visions et fantômes, symptômes de cette perte d'unité et d'équilibre dont souffrent et le Proscrit et le monde qu'il habite. Ce moderne encore inimaginable à la fin du XVIIIe siècle, héros authentique, s'engloutit, disparaît, se dévore : son sens, s'il en a un, c'est précisément de montrer l'urgence de sa disparition qui ne supporte plus d'esthétisation. Si Werther et René s'esthétisent continuellement dans leur texte et dans leur discours, le Proscrit sans nom de Nodier disparaît en silence sans laisser d'autre trace que son Journal.

La mère de Stella meurt au moment même où s'avère l'amère vérité sur son mariage avec un homme qui est allé se ranger sous les drapeaux des royalistes et le danger imminent de l'adultère. La mère meurt pour être la mauvaise conscience de sa fille et s'érige devant elle comme le monument fatal de l'éternel remords qui la paralyse. Elle mourra de cette mère comme on meurt d'un cancer : rien de ce qu'un lecteur du XXe siècle cherche ne manque dans ce diagnostic étonnant d'un auteur ayant à peine vingt et un ans quand il termine ce texte. Dans le mari absent, parti pour tuer la Révolution, on trouve tout un bilan préfreudien et nodiériste : la femme restée seule n'a pas été fécondée par ce tueur de Révolutions et de républicains qui, en partant pour défendre la cause des royalistes, a massacré son fils et laissé derrière lui une femme abandonnée que glace, que pétrifie la seule idée d'infidélité. A l'adultère elle préfère la mort, le suicide : la femme ayant admis d'être l'instrument de la réaction aura à en assumer les conséquences et mourra du serpent venimeux dont elle a accepté d'être la complice et dont elle a partagé le lit. A la seule mère qui survive, la mère du fou Lovely, revient la fonction de fossoyeur d'hommes et de femmes stériles et celle de gardienne inutile de cimetière.

L'idée de l'anti-couple a obsédé le jeune Nodier. Dans un roman qu'il publiera une année après Les Proscrits, en 1803, Le Peintre de Saltzbourg, le premier roman d'artiste du XIXe siècle français et dont on s'étonne qu'il soit si peu lu, il évoque un personnage de mère inspiratrice de mariage, qui est une mère castratrice d'hommes. S'il est encore des mariages qui se concluent, c'est qu'ils ont pour mission d'accélérer la mort, car le mariage ici est acceptation de la mort, de la folie et de la solitude. Le lieu de la mort où se consume cette solitude pour aboutir à la mort, c'est encore le couvent-vagin par lequel rentrent les personnages-foetus dans les entrailles d'une mère coupable d'avoir donné la vie. Charles Munster, le peintre, est un impuissant dont l'oeuvre picturale s'arrête avant que ne tarisse son existence physique. La mort et la disparition de l'homme sont précédées de la mort de l'artiste : le beau disparaît

150

avant que ne se concrétise le Néant dans sa virginité pure. Inutilité de l'art, l'art ayant été dépassé, dépossédé de son sens historique !

Jean Sbogar (publié en 1818 mais écrit en 1810) persiste dans la même perspective d'un nihilisme radical, même si la thématique du bandit généreux, symbole d'une « société si près de sa ruine », l'a quelque peu adoucie. La ligue redoutable des *Frères du bien commun* est une « troupe sanguinaire » : « Ennemie décidée des forces sociales, elle tendoit ouvertement à la destruction de toutes les institutions établies.» Le pouvoir néfaste de son chef Jean Sbogar s'étend sur tout être qui s'approche de lui et aucun ne lui échappe. Ni Lucile Alberti ni sa soeur Antonia qui, orphelines, vivent dans leur Casa Monteleone, isolées du monde. Nodier dit d'Antonia : « Le tombeau de ses parents étoit tout ce qu'elle connoissoit du monde, et elle ne supposoit pas qu'il y eût quelque chose à chercher au-delà. » De cette fille de dix-sept ans qu'il ne possédera jamais, il fait son épouse devant Dieu :

> « C'est ma conquête de l'éternité ; et puisque j'ai perdu mon existence, puisqu'il m'est défendu de la faire partager à une créature douce et noble comme celle-ci, je m'en empare pour tout l'avenir. Je jure, par le sommeil qu'elle goûte maintenant, que son dernier sommeil nous réunira, et qu'elle dormira près de moi jusqu'à ce que la terre se renouvelle. »

Il l'entraînera dans sa propre chute. L'approche de cet ange déchu est mortelle pour toute femme qui l'aime et sur l'âme de qui Jean Sbogar a un empire absolu. Les « Tablettes » qu'il lègue à la postérité démentent sa volonté de résistant contre Napoléon. Dans ces « Tablettes » qui constituent une philosophie des Lumières en miettes, on lit : « Si j'avois le pacte social à ma disposition, je n'y changerois rien ; je le déchirerois. » Jean Sbogar se voulait destructeur de la société : le mythe du brigand généreux et solidaire des pauvres gens lui sert de masque :

> « Une société qui tue un homme est bien convaincue qu'elle fait justice. - Immense et sublime justice rétributive que celle d'un homme qui tueroit la société. »

Liquidateur de société, Jean Sbogar, nietzschéen avant la lettre, est un incendiaire de société et de pensée visant la construction d'un édifice social :

« Il y a deux instincts très-opposés dans l'homme simple : l'instinct de conservation pour lui et pour ce qui procède de lui ; l'instinct de destruction pour tout ce qui lui est appris et commandé. La société est donc fausse. »

Affirmation catégorique que le roman lui-même n'a jamais démentie. L'homme qui ne croit pas à la société est un insatisfait, un assoiffé qui accélèrera le mouvement de sa perte de sa disparition voulue et attendue. Il ne se contente pas d'un rôle de spectateur : il se fait lui-même acteur et metteur en scène d'un drame de la disparition dont il est à la fois le héros et la victime. Nous voici bien loin du brigand que glorifie Stendhal dans les *Promenades dans Rome*... Le jeune Jean Sbogar, il est vrai, a été tenté par l'Utopie : Nodier, disciple et ami de Louis-Sébastien Mercier, a dû en rêver beaucoup avant d'aboutir à l'idée d'une bénédiction du Néant social. L'absence de société n'est pourtant pas comme dans *Les Proscrits* de 1802 l'image première du texte. Le dandy mélomane et passionné pour les arts qu'il est considère son existence de bel homme séduisant comme l'étape initiale d'un nihilisme dont il constitue la préhistoire indispensable. L'esthétique ici dans ce roman de 1818 est conçue comme l'aspect complémentaire d'un nihilisme social et politique, d'un nihilisme irrémédiable.

Jean Sbogar, ce prince du Néant, est pourtant héritier mais aussi abolisseur de traditions : Saint-Just, Babeuf et Saint-Simon ont été ses maîtres à penser, maîtres reniés plus tard par un Sbogar pour qui un communisme libertaire ou un socialisme saint-simonien ou une société révolutionnaire font partie du même actif de la faillite : ils sont à classer parmi les déchets de l'histoire, marchandises soldées des grandes espérances du passé, faux chèques qu'il est impossible de remettre à l'encaissement.

Jean Sbogar ne se survivra pas. Refusant la paternité et l'amour, Sbogar n'aura pas d'avenir faute de fils : en tuant la future mère, il a tué et son fils et la Révolution, et ses « Tablettes », actes de stérilité anti-révolutionnaires, renvoient au meurtre de l'enfant, assassinat commis avant que le fils ne soit né. A la Révolution décapitée succède le meurtre de l'enfant, l'impossible fils de la Révolution. L'enfant serait la société de demain, abhorrée comme la Révolution : il lui faut, dans son désir de mort et de destruction, le tuer pour être libre de faire l'apothéose du Néant immaculé, son éternelle Vierge Marie, l'anti-mère. Le héros nodiériste, dernier fils-bâtard de la Révolution et homme-vierge se suffisant à lui-même, invité à faire une photo de famille pour l'album de la postérité, photographierait le Néant dont la pureté désexualisée serait le garant d'une stérilité biologique que l'arrêt de l'histoire sacralise.

Balzac qui s'inquiétait de ce que l'on ne mangeât plus dans les romans de Chateaubriand aurait pu dire, plus irrité encore, à son ami Nodier, dédicataire de *La Rabouilleuse* : « Mon cher Nodier, vos proscrits ne vivent pas, n'aiment pas, ne font pas l'amour.... Pourquoi en faire des personnages de roman ? » Nous y répondrons : c'est précisément parce qu'ils ne vivent plus, qu'ils n'aiment plus et qu'ils ne font plus l'amour que Nodier leur consacre des romans.

PAROLE ET POUVOIR CHEZ LAMARTINE

Pierre Michel

> « Nous regrettons de n'avoir pas une lan-
> gue pour faire comprendre sans intermé-
> diaire les sentiments du Gouvernement
> provisoire pour la classe si intéressante de
> la population et de l'humanité que vous
> représentez. »
>
> *Réponse à une députation des sourds-
> muets exprimant leur adhésion à la Répu-
> blique.*

« Le grand philosophe », selon Cousin, est « avec le grand capitaine,
le représentant le plus complet du peuple auquel il appartient », et dans
cette triade constitutive de la civilisation romantique « le dernier mot de
tous les autres hommes ». Un mot toutefois que Cousin prostitue par un
exercice servile de la parole, qui la met « du parti du vainqueur » pour
mieux réduire au silence les vaincus, « grands hommes » ou meneurs « in-
surgés contre toute autorité »[1]. Pour Lamartine comme pour Cousin[2], la
démocratie, pour subsister, doit être gouvernée. Mais pas à ce prix :

> « Je ne suis pas de cette religion napoléonienne, de ce culte de la force
> que l'on veut depuis quelque temps substituer dans l'esprit de la nation
> à la religion sérieuse de la liberté (...). J'ai bien vu un philosophe diviniser
> ce fléau de Dieu. Je n'ai fait qu'en rire » (*Discours sur la translation des
> cendres de Napoléon*, 26 mai 1840, in *La France parlementaire*, t. II,
> p. 350)[3].

La leçon que Lamartine a tirée de l'Empire, « ce régime de silence et de
volonté unique », c'est le devoir de « la pensée et (de) la parole libres »
(*ibidem*).

155

> « La tribune est la chaire de vérité populaire ; les paroles qui en tombent
> ont la réalité et la vie. »

Texte canonique que la *Politique rationnelle* (*M. pol.*, t. I, p. 388) pour
ce qui est des rapports entre parole et pouvoir. Il fait de la parole un acte,
une mission, un évangile qui profère un « symbole politique », et dissout
le mal social.

> « Les paroles du mandataire du peuple portent plus loin et plus juste
> que la voix de l'écrivain » (*ibidem*).

Plus loin et plus juste que les chants du poète et les cris du tyran, tous
deux tournés vers leur propre génie. A eux-mêmes leur « propre publicité »,
et ramenés quand l'histoire leur manque, tel Napoléon en 1815, à un
« continuel monologue », où ils usent le temps (*H. Rest.*, t. I, p. 58).
Est-ce, profondément, la raison de la fascination réciproque de l'auteur
du *Génie du christianisme* et du Premier Consul ?

> « M. de Chateaubriand lui convenait et il devait convenir à M. de Chateau-
> briand. Leur idée était la même : M. de Chateaubriand était le Napoléon
> de la littérature » (*H. Rest.*, t. II, p. 197).

Ce n'est pas « l'écrivain » qui en Lamartine, à la différence de Chateaubriand, résiste au « conquérant » (*ibidem*). Il ne lui marchande pas sur ce
point les éloges :

> « Nul ne savait mieux la langue de ces harangues écrites qui donnent le
> mot d'ordre aux grands rassemblements disciplinés » (*H. Rest.*, t. III,
> p. 218).

Lamartine entre lui aussi dans la grande émulation du siècle entre « la
main qui tient l'épée » (*Au banquet de la ville de Mâcon*, 4 juin 1843,
Fr. Par., t. III, p. 383) et celle qui tient la plume. Son idéal, c'est, pour le
dire avec Vigny, le penseur homme d'action[4]. Et il avoue, lui aussi, « une
sympathie involontaire » pour de telles natures (*La Question d'Orient*,
28 août 1840, *Fr. Par.*, t. II, p. 361). Mais que « le courage de leur talent »
(*ibidem*) leur fasse défaut dans l'urgence de l'événement, que Bonaparte
le 18 brumaire, Napoléon pendant les Cent Jours, ne trouvent pas en eux-
mêmes « l'élan, l'éloquence et le courage civil nécessaires pour braver les
regards, les murmures, les sentiments tumultueux d'une assemblée »
(*H. Rest.*, t. III, p. 364), que le « discours de la tyrannie » ne soit que

« désordre affecté de (...) paroles, (...) geste haché » et « voix tonnante »
(*H. Rest.*, t. I, p. 47), déclasse irrémédiablement aux yeux de Lamartine,
au même titre que les hurlements de la sédition, la parole d'un tel pouvoir.
Tyrannie napoléonienne, ou tyrannie du « *système* » de Juillet, qui pourtant s'est choisi pour « champ de bataille » l'opinion (*M. Pol.*, t. II,
p. 112), l'une et l'autre ont avili la tribune, chacune à sa manière, par le
sabre ou par la presse. Alors que le siècle de l'avènement des masses à la
parole et à la liberté réclame un

> « Bonaparte de la parole, ayant l'instinct de la vie sociale et l'éclair de
> la tribune »,

un « homme complet dans l'intelligence et la vertu », un « homme résumé
sublime et vivant d'un siècle » (Cousin ou Ballanche, pour ne citer qu'eux
ne parlent pas autrement). Et cet homme, c'est l'homme politique. La
tentation napoléonienne demeure, et quelque chose aussi de la fonction :

> « Faute de cet homme, l'anarchie peut être là, vile, hideuse, rétrograde,
> démagogique, sanglante » (*Politique rationnelle, M. pol.*, t. I, p. 382).

Chateaubriand, déjà, dans le *Génie*, en appelait ainsi au grand capitaine
qu'il rêvait de convertir au pouvoir spirituel du christianisme[5]. Métamorphose réalisée dans la personne de Lamartine lui-même en 1848 : « La
première tribune du monde » s'écrie-t-il à l'adresse de la foule, « c'est la
selle d'un cheval », mais pour préciser : « quand on rentre ainsi dans le
palais du peuple, entouré (d'un) cortège de bons citoyens armés, pour y
étouffer les factions démagogiques et pour y réinstaller la vraie République » (*H.R. 48* in *M. pol.*, t. III, p. 388).

> « Lamartine, en descendant de cheval, monta à la tribune. Il annonça
> à l'Assemblée que son règne était rétabli » (*ibidem*, p. 392).

Au-delà de l'événement du 15 mai, la phrase est symbolique de l'avènement d'un pouvoir spirituel. Et de la métamorphose du poète en citoyen.
Le National a beau le « reléguer » avec affectation (...) parmi les poètes
que Platon chassait de la République » (*M. pol.*, t. II, p. 163), et, de
façon plus brutale, l'orateur du drapeau rouge lui lancer :

« Tu n'es pas fait pour te mesurer avec le peuple ! tu endormirais sa victoire ; tu n'est qu'une lyre ! va chanter » (*H.R. 48* in *M. pol.*, t. II, p. 282),

Lamartine n'est pas le « tribun chantant » que fut Béranger (*H. Rest.*, t. II, p. 219). Même s'il a été, au début de sa carrière politique, comme « un de ces instruments à fibre suspendus à la muraille d'une salle de musique » et qui « vibrent à l'unisson » de l'orchestre, à ranger parmi ces *objets introuvables* du concert politique, où ils n'ont pas « leur partition écrite » (*Critique de l'Histoire des Girondins*, in *Gir.*, t. IV, p. 393) — il faudra donc l'inventer —. Le chantre de Lisette et de l'Empereur avait été l'« un des phénomènes les plus étranges de la littérature française » (*H. Rest.*, t. II, p. 219). « Tu vas voir », réplique Lamartine au prolétaire, « si j'ai l'âme d'un poète ou celle d'un citoyen » (*M. pol.*, t. II, p. 282).— Et, sans cesse, en écho :

> « Je persiste à croire, contre tout le monde, que j'étais né pour un autre rôle que celui de poète fugitif » (*M. pol.*, t. I, p. 56) —.

Et, haranguant le peuple, « il le ramène à la raison, il l'enlève à l'enthousiasme » (*M. pol.*, t. II, p. 283), et l'arrache à ses mauvaises passions. Philosophe et poète, Homère régissant la République de Platon, comme il l'avait rêvé sur les ruines d'Athènes[6].

« Gouverner, c'est réaliser » (*Pourquoi M. de Lamartine est seul*, *Fr. Par.*, t. IV, p. 236). « L'Homme d'Etat » ou « de gouvernement », pour Lamartine, c'est « l'orateur politique ». Ni rhéteur, ni oracle, ni tribun. Friand de portraits « dans le style de Tacite (...), ce philosophe, ce poète, ce sculpteur, ce peintre, cet homme d'Etat des historiens » (*Critique des Girondins*, *Gir.*, t. IV, p. 372), Lamartine a établi dans son oeuvre historique toute une typologie de la parole politique, de ses moyens et de ses fins. Au plus bas, « les écrivains politiques », serviteurs et pourvoyeurs des « viles passions » (*H. Rest.*, t. IV, p. 357) des « populaces », dirait Hugo, la « dorée » comme la « déguenillée »[7]. Tout aussi détestés, « les rhéteurs qui entravent l'activité vitale des peuples dans des embarras de paroles » (*La Question d'Orient*, 2e article, *Fr. Par.*, t. II, p. 379). Agitateurs et endormeurs, « *sans-culotterie* » et « *avocasserie* » dans la terminologie de Saint-Simon[8]. Parole écrite, préoccupée de son texte et non de sa cause, de son parti plus que de la nation ou de l'humanité, son lieu n'est pas la tribune. « Non seulement écrite, mais raturée et limée », l'éloquence de Royer-Collard n'est « plus l'expression, mais l'algèbre même de la politique » et conviendrait mieux « à la chaire des temples ou des écoles » (*H. Rest.*, t. V, p. 198). Elle doit trouver son écho dans le silence de la méditation, comme celle du tyran cherche à produire le sien dans le silence de la patrie. C'est « oracle » (*ibidem*) que cette parole ; oracle aussi les « mots jetés » en vain « à tous les vents de son île » par Napoléon, « tribun du monde » sur son « trépied » de rocher (*H. Rest.*, t. V, p. 279, et *Discours du gouvernement à Poitiers*, 3 juillet 1851, *Fr. Par.*, t. VI, p. 401). Enigmatique, « irresponsable » (*H. Rest.*, t. V, p. 198), elle « dit, dédit et contredit » (*Fr. Par.*, t. VI, p. 401), à contretemps.

A contretemps aussi la « conversation » de Talleyrand, bonne pour « un auditoire de rois et de ministres », à l'heure où « la France allait recouvrer la voix » (*H. Rest.*, t. IV, p. 166). Il faut avoir « la flamme (...), le long souffle (...), la grande voix qui répandent l'homme de tribune » (pas le tribun, qui les possède aussi) « au dehors » (*H. Rest.*, t. III, p. 29). Car être « orateur », ce n'est pas être « éloquent », et préméditer, ordonner, colorer « à loisir » des pages qu'on déroulera « devant les assemblées ». En Chateaubriand, « ce n'est plus l'orateur politique qu'on écoute », mais seulement « l'artiste souverain » (*H. Rest.*, t. V, p. 987). Hugo, lui aussi, « le jeune émule » des « meilleures années » de Lamartine, parle « en grand artiste, non en homme d'Etat » ; pire, il s'avance vers « ce monde inconnu qui n'est sur la carte d'aucune terre habitable », vers le « *pandoemonium* » du gouvernement de « la place publique » (*Sur la révision de la Constitution*, 3e article, 22 juillet 1851, *Fr. Par.*, t. VI, pp. 425-426). C'est ici la « route des ombres » où s'égare Lamennais, « autrefois apôtre du catholicisme », puis « apôtre des prolétaires », « âme attendrie sur leur misère », et « style (...) durci de leur ressentiment » (*H.R. 48*, in *M. pol.*, t. III, p. 208). Où est donc « la volupté de l'artiste politique », « le goût des lettres, de l'éloquence, de la tolérance, de la gloire dans la liberté » qui, dans un Marrast, fait de la révolution « le jeu d'esprit d'un homme d'imagination et d'un coeur bienveillant de femme » (*M. pol.*, t. II, p. 50) ?

Mais des apôtres « grêles » ou des « tribuns » qui « doivent frapper le regard par la masse, et dominer du front la place publique » (*H.R. 48*,

M. pol., t. II, p. 280), il peut naître un « homme de gouvernement ». On doutait qu'en Hugo « le grand poète pût se transformer en grand orateur ». Réussie dans le cas de Lamartine, la métamorphose a mal abouti (*Fr. Par.*, t. VI, p. 425). Si Lamennais, « miraculeusement apaisé » par la République et mué un instant en « homme politique » avait persévéré, « la France aurait compté en lui un homme d'Etat de plus » (*M. pol.*, t. III, p. 208). Mais l'enfer de la parole politique n'est pas un enfer éternel. En est la preuve l'étrange (et presque ridicule) éloge de Michel (de Bourges) : de la bouche de cet « homme d'une éloquence sauvage[9], d'un caractère fruste », « homme de granit » avec « quelque chose de l'énergie, de la vibration et du rugissement du lion », de « cet oracle si bien drapé en costume inculte de la démocratie suprême » tombe — Que Lamartine a été « heureusement et magnifiquement trompé ! » —, le propre évangile lamartinien,

> « le catéchisme de la vraie démocratie, la séparation des bons et des mauvais éléments par une parole de lumière, de justice et de paix (...), à quelques mots près (...) la nôtre » (*Sur la révision de la Constitution*, 2e art., 21 juillet 1851, *Fr. Par.*, t. VI, pp. 419-422).

Tacite moderne, Lamartine est ainsi l'auteur d'un *Dialogue des orateurs* où par tribuns interposés il sculpte son propre portrait en « artiste politique ». Dans la *Critique de l'Histoire des Girondins*, un peu sa *Préface testamentaire*, il ordonne comme Chateaubriand sa vie selon trois carrières : la poésie, l'histoire, puis à défaut de la guerre, les « tribunes, ces champs de bataille de l'esprit humain ». Le jeune poète a rêvé de

> « cette action parlée qui confond, dans Démosthène, dans Cicéron, dans Mirabeau, dans Vergniaud, dans Chatham, la littérature et la politique » (*Gir.*, t. IV, pp. 372-374).

C'est entre eux et quelques autres que l'historien et l'homme politique distribue ombres et lumières d'une image virtuelle de l'orateur homme d'Etat où l'on est invité à reconnaître le vrai Lamartine. Les ombres, ce sont les vociférateurs de trouble, les semeurs de fièvre, enflammés « de la passion commune avant de la comprendre » (*Gir.*, t. I, p. 519), et boute-feu des masses qui ne les comprennent pas, un Saint-Huruge ou un Desmoulins. Leur physionomie égarée multiplie les passions, mais ils ont le feu, la voix, le geste. Ils se font, moins qu'ils ne sont, « l'expression permanente de la colère du peuple » (*Gir.*, t. I, p. 51), comme Marat, l'ennemi fraternel peut-être de Lamartine, si véhémentement détesté, mais en qui une très belle page des *Girondins* laisse entrevoir un Christ noir de la cause des prolétaires, dont « il voulait qu'elle s'appelât dans l'avenir de son nom » (*Gir.*, t. III, p. 113). Cœur perverti, mais cœur souffrant, que n'ont ni les « flaireurs du vent », ni les « baladins de la foule » (*Gir.*, t. IV, p. 534), ni les beaux diseurs, « intelligence limitée, parole facile » à la Barnave, « pour qui l'éloquence est un art de l'esprit et non une explosion de l'âme » (*Gir.*, t. IV, p. 28). Toute la typologie, toute la politique lamartinienne se fonde sur la distinction platonicienne entre *nous*, *thumos* et *epithumia*. Rien n'est pire pour Lamartine qu'un Isnard dont les « odes magnifiques » entraînent « l'enthousiasme jusqu'à la convulsion » (*Gir.*, t. I, p. 245), sinon peut-être un Mirabeau « enivré d'éloquence » (*Gir.*, t. I, p. 57).

Lamartine n'est pas de ces « platoniciens » contemplatifs ou dévoyés « de la liberté » (*Pourquoi M. de Lamartine est seul, Fr. Par.*, t. IV, p. 236). L'orateur est conscience, cœur, action. Un « lutteur de paroles » (*Gir.*, t. II, p. 8) comme Vergniaud, ce Lamartine de 1792, ou peu s'en faut, mais ce peu est beaucoup. Lui aussi « solitaire et triste, son imagination se répandit d'abord en poésie » (*Gir.*, t. II, p. 6). En d'autres circonstances, il eût été « le philosophe et le poète » de la démocratie (*Gir.*, t. I, p. 257). Mieux que le Danton de Michelet, il allait être « la voix de la patrie » (*Gir.*, t. II, p. 4) et de la Révolution, bientôt proscrite avec lui, et qui ne renaîtrait qu'en de « rares journées » avec Danton et Robespierre, « non pour réfuter des opinions, mais pour intimer des volontés et promulguer des ordres », dans le « silence » de la Convention (*Gir.*, t. III, p. 279), pour l'éclair de l'action.

> « Le jour de Vergniaud, c'était la parole ; le piédestal de sa beauté, c'était la tribune. Quand il en était descendu, elle s'évanouissait : l'orateur n'était plus qu'un homme » (*Gir.*, t. II, p. 8)[10].

Ni Dieu, ni César, ni tribun.

> « Le pouvoir même lui semblait quelque chose de trop réel, de trop vulgaire pour y prétendre. Il le dédaignait pour lui-même, et ne le briguait que pour ses idées » (*Gir.*, t. I, p. 257).

C'est la sempiternelle profession de foi de Lamartine. Mais « instrument d'enthousiasme » (*ibidem*), apôtre de la Révolution, *orateur du genre humain* (*Gir.*, t. I, p. 399), Vergniaud reste l'homme d'un parti. « *M. de Lamartine est seul.* »

Les Girondins n'ont su ni vouloir, ni agir, ni être un principe. « Tout périssait entre les mains de ces hommes de parole » (*Gir.*, t. III, p. 274). Robespierre, « homme d'idées plus qu'homme d'action » (*Gir.*, t. IV, p. 211), scande « les salves du canon d'alarme et (...) les coups de la hache » (*Gir.*, t. III, p. 279) par « les mots sans cesse répétés de liberté, d'égalité, de désintéressement, de dévouement, de vertu », qui ne sauraient être « à eux-seuls un gouvernement » (*Gir.*, t. IV, p. 211). Le dernier mot des *Mémoires politiques*, où Lamartine a revendiqué fermement comme sienne la « victoire des journées de juin » (*M. pol.*, t. IV, p. 3) :

> « Je suis homme de gouvernement avant d'être homme de liberté. Je l'avoue, la liberté honore tout le monde, mais n'a jamais sauvé personne » (*M. pol.*, t. IV, p. 462),

ce mot s'éclaire peut-être de celui que le Girondin de 1848 a prêté au Montagnard de 93 :

> « Non, je ne suis pas fait pour gouverner, je suis fait pour combattre les ennemis du peuple » (*Gir.*, t. IV, p. 212).

Ce fut alors Danton « le seul homme d'Etat du pouvoir exécutif », et « aussi la seule parole » (*Gir.*, t. II, p. 176). Parole d'un pouvoir qui reste celui d'un parti :

> « La Montagne l'aimait (...). Il était dans les crises, sa lumière ; dans les tumultes, sa voix ; dans l'action, sa main » (*Gir.*, t. III, p. 357).

Gouvernement monstrueux sans doute, et prêt à se dévorer lui-même. Mais gouvernement en prise sur l'événement, et l'on retrouve ici des mots-clés du vocabulaire politique lamartinien : la crise, les tumultes, la voix, la main, l'action et la lumière. Toutes les composantes, toutes les articulations, le protocole même des grandes scènes de 1848 :

> « Le peuple connaissait sa voix. Il soulevait ou apaisait la rue d'un geste. Il atterrait l'Assemblée » (*Gir.*, t. II, p. 176).

Au soulèvement et, pour jouer sur les mots, à la terreur près, c'est Lamartine. Moins « ministre » que « médiateur tout-puissant » (*ibidem*), il joue l'immense partition des voix de la multitude :

> « Il montra en lui l'agitation, la force, la férocité, la générosité tour à tour de ces masses. » (*Gir.*, t. IV, p. 159).

Comme elles « élément plus qu'intelligence », conscience ou vertu, « il fut homme d'Etat cependant » par cet « instinct politique » indépendant de l'idéal, mais qui fait comprendre « le mécanisme du gouvernement » (*ibidem*). Mais qu'est-ce, au besoin, que le mécanisme de la parole sans « le sang-froid de la vérité et l'accent de la conviction » ? Au Tribunal révolutionnaire, Danton n'est plus que « parole convulsée, geste théâtral » (*Gir.*, t. IV, p. 151). Et sa mort sur l'échafaud est une ultime mise-en-scène. « Il joua le grand homme, il ne le fut pas » (*Gir.*, t. IV, p. 159).

Danton, Robespierre ou Vergniaud ne se seraient-ils pas perdus de n'avoir pas été Lamartine ? Et Lamartine ne serait-il pas Lamartine d'avoir été Danton, Robespierre et Vergniaud ? Et pas ce Talleyrand qu'il admire mais qui n'avait

> « dans sa nature ni ce mâle courage qui lutte, appuyé sur des convictions fortes, contre les tumultes d'une assemblée, ni ce rayonnement foudroyant d'esprit qui les subjugue, ni cet accent de la voix qui est la domination de l'orateur politique » (*H. Rest.*, t. II, p. 148).

Mais ce sont là les dieux noirs de la tragédie révolutionnaire, et en 1851 Lamartine se donne d'autres garants : Manuel, « homme de gouvernement plus encore que de tribune » (*H. Rest.*, t. VI, p. 198), et cette autre idole de la « génération sérieuse et douce »[11] de la Restauration, le général Foy, « porté aux (...) formes littéraires de la parole » et puisant dans les exemples antiques « l'amour et l'accent de la liberté » (*H. Rest.*, t. V, p. 123). L'Académie après le *pandoemonium* : M. de Serres, « le génie de 1789 épuré par les expériences (...), la plus splendide parole dont l'écho ait jamais remué les assemblées » (*H. Rest.*, t. V, p. 112), Sarrans, ancien aide de camp de La Fayette, « soldat des anciennes guerres sous la république des nouvelles idées, aujourd'hui également prêt à écrire, à agir ou à haranguer » (*M. pol.*, t. II, p. 272). La politique épurée par l'histoire.

L'histoire ne saurait être seulement l'occasion de ce « succès littéraire » aux frontières de la politique que Lamartine reproche à La Guéronnière d'avoir recherché en donnant dans *le Pays* un portrait du Prince-Président qui ne peut aboutir qu'à un malentendu avec l'opinion publique (*Les candidatures, Le Pays*, 23 septembre 1851, *Fr. Par.*, t. VI, p. 518). L'*Histoire des Girondins*, elle, « remuait les coeurs (...) faisait penser les esprits » (*M. pol.*, t. II, p. 57), et portait les imaginations à la grandeur. L'histoire, c'est l'archi-texte, et comme parole, et comme discours. La politique, c'est trop souvent un infra-texte. « Texte continuel » offert « à la controverse des partis », à « l'animation et (à) la licence des discours » (*H. Rest.*, t. II, p. 209). Texte un moment épanoui, « après dix ans de silence », par « le régime constitutionnel », en un « murmure régulier et vivant » (*ibidem*). Juillet, « ce gouvernement de vaines paroles et d'odieuses intrigues », en fait un texte faussé et tronqué dans le « jeu stérile de la tribune et des feuilles publiques » (*Critique des Girondins, Gir.*, t. IV, pp. 412-413). Où est, dans la question d'Orient, le dialogue avec le pays[12] ? Le « tapage » du ministère et de la « fausse opposition » réduit « tout (leur) texte » au seul mot de *guerre*. Pauvre « texte de popularité ! » (*Le Bien public*, 21 novembre 1844, *Fr. Par.*, t. IV, pp. 94-96). Il n'est pas exagéré de souligner ainsi les occurrences si nombreuses chez Lamartine de ce mot de *texte*. Car l'enjeu, le terrain du pouvoir, c'est la parole, c'est l'opinion. « Une vaste et immense poésie d'opinion » a précédé le retour des Bourbons (*H. Rest.*, t. I, p. 190). Et l'on entend en 1839 dans la France qui « s'ennuie » des « craquements menaçants entre l'opinion » (*Sur la discussion de l'Adresse*, 10 janvier 1839, *Fr. Par.*, t. II, p. 148) et le « *système* » (*Fr. Par.*, t. IV, p. 91). Face à la « puissance exorbitante (...) de l'opinion factice » (*Sur les fonds secrets*, 24 mars 1840, *Fr. Par.*, t. II, p. 322), malgré l'intimidation par les feuilles publiques, « il faut parler ; c'est le devoir de tout homme qui pense » (*La Question d'Orient*, 28 août 1840, *Fr. Par.*, t. II, p. 359). Au dessus du « gouvernement qui administre » règne « le gouvernement de la pensée publique », avec pour code le journal populaire, pour budget et pour armée l'association, et pour ministres « les premiers écrivains du siècle ». Voilà bien le *sacre* constitutionnel *de l'écrivain*. Et Lamartine, qui rêve de disposer de fonds secrets pour policer et éclairer le peuple, lance :

> « Il y a en ce temps-ci quelque chose de plus beau que d'être ministre
> de la chambre ou de la couronne, c'est d'être ministre de l'opinion »
> (*Des publications populaires*, 6 juillet 1843, *Fr. Par.*, t. III, p. 396).

Non pas, comme M. Thiers, « ministre de la popularité » (*Fr. Par.*, t. II, p. 380), ce quelque chose comme un démagogue dans un pouvoir réglé. Ministre de l'opinion, on ne l'est qu'à la façon de Lamartine, qui jette dans l'entreprise tout ce qu'il a : « un coeur, une foi et une voix » (*Fr. Par.*, t. III, p. 396). Les pleins pouvoirs de la parole.

« Un mot de l'Occident (...) arrête » les conquêtes d'Ibrahim, étonne son génie (*Sur l'Orient*, 8 janvier 1834, *Fr. Par.*, t. I, p. 14). Comme l'opinion, le mot est une force tangible. Napoléon en 1815

> « éprouvait des défaillances de résolution et de volonté dont il ignorait la cause. Le poids de l'opinion pesait sur lui » (*H. Rest.*, t. I, p. 221)

qui avait fait de « chaque mot (...) le contre-coup et la contre-empreinte du fait ». Dans le verbe napoléonien,

> « il n'y a ni lettre, ni son, ni couleur entre la chose et le mot : c'est le mot, c'est lui » (*H. Rest.*, t. I, pp. 338-339).

Action et action oratoire, politique et rhétorique se confondent presque dans un cratylisme politique. Le « tranchant » dans la voix de Danton a « la brièveté, la promptitude et la portée d'un coup asséné sur les événements » (*H. Rest.*, t. VI, p. 345). Pâles clichés, bien sûr, mais Lamartine semble y poursuivre le mythe d'une transparence idéale de la parole. Et l'orateur n'est-il pas transparence ?

> « L'attitude, la parole, le geste de Lamartine, éclataient de sincérité » (*H.R. 48*, in *M. pol.*, t. III, p. 219).

M. Thiers, « quelquefois agitateur de tribune » (*M. pol.*, t. II, p. 113), s'attire cet étonnant compliment : « On le voyait penser à travers sa peau » (*M. pol.*, t. I, p. 282). Lainé est « l'orateur des yeux » : on lit sur son visage « sa parole intérieure » avant qu'elle ait « éclaté dans sa voix » (*H. Rest.*, t. V, p. 129). Si « le coeur est la vraie source de l'éloquence » (*H. Rest.*, t. II, p. 139), la parole politique est le spectacle du coeur. On n'en finirait pas de relever de telles banalités. Louis XVIII laisse « parler ses sentiments » (*ibidem*), la parole de Garnier-Pagès monte « du coeur aux lèvres » (*H.R. 48, M. pol.*, t. II, p. 220). Mais c'est cette théâtralité sans paradoxe de la comédie politique qui soutient les grandes inspirations historiques de Lamartine. Et à laquelle il réagit parfois avec les paradoxes de l'homme d'Etat.

> « L'éloquence en action, c'est la pitié. Le manteau sanglant de César étalé à la tribune est moins émouvant qu'une larme de femme jeune et belle présentant un enfant orphelin aux délégués d'un peuple sensible » (*H.R. 48, M. pol.*, t. II, p. 157).

Il ne manque au spectacle que la voix de Lamartine :

> « Quelle péripétie ! quel drame ! quel dénouement ! quel triomphe du coeur sur la raison ! »

Mais Lamartine reste silencieux, « arrache son coeur de sa poitrine (...) pour n'écouter que sa raison » (*H.R. 48, M. pol.*, t. II, p. 202), et la République triomphe.

« Parole sereine » contre « parole passionnée » (*H. Rest.*, t. VI, p. 157), telle est la contradiction vivante de la parole politique, qui ne doit être que sereine et ne peut être que passionnée. D'où une double typologie : passions nobles et passions viles, enthousiasme de la vérité et enthousiasme qui égare, « délire sublime » de la révolution (*H. Rest.*, t. II, p. 213) et « divagations » avinées du « faux socialisme » (*Le Conseiller du peuple*, septembre 1849). Et une même physiologie de l'orateur et du tribun :

> « le feu concentré dans les regards, les lèvres agitées par l'enthousiasme, les cheveux agités par le souffle de l'inspiration » (*H.R. 48, M. pol.*, t. II, p. 102).

A la fois une plastique, une poésie et une théologie. Plus que la poésie politique, « mélange un peu contre nature », avec un « je ne sais quoi de calme dans la passion qui fait douter si l'on chante ou si l'on harangue » (*M. pol.*, t. I, p. 304), l'éloquence est sonorité et scansion : la « voix de fer » de Flocon a « les notes métalliques de la crosse du fusil résonnant sur les dalles » (*H.R. 48, M. pol.*, t. II, p. 279), et le prolétaire au drapeau rouge tient « une carabine dont il fai(t) à chaque mot résonner la crosse sur le parquet » (*ibidem*, p. 356). Elle est le plus souvent brassage d'un fluide élémental par une « voix sympathique » (*ibidem*, p. 220), « électricité » (comme Lamartine ne cesse de le répéter) qui se propage en « frémissements muets » (*ibidem*, p. 102) ou soulève des tumultes :

> « La multitude s'accumulait, reculait, se dissolvait à leur voix puis, frémissant de nouveau à la voix d'un autre tribun, reprenait ses désordres et ses élans, se répandait (...) en poussant des imprécations, en brisant les fenêtres, en forçant les portes, demandant à grands cris le gouvernement provisoire » (*ibidem*), pp. 277-278).

L'éloquence est fondamentalement émotion, et peut déboucher sur la sédition ou sur l'apaisement, le mascaret ou l'étale de ce peuple « élément » (*Contre la peine de mort*, Pléiade, p. 501) ou « Océan » (*Jocelyn*, Pléiade, p. 720) qui déborde de la poésie lamartinienne jusque dans le spectacle révolutionnaire dont Lamartine est l'ordonnateur.

> « La multitude (...) est pathétique, elle s'intéresse avec émotion au drame personnifié dans un homme » (*H. Rest.*, t. III, p. 368).

Entre cet homme sincère et ce peuple sensible, ce qui passe, dernier mot de la politique de Lamartine, c'est

> « du coeur, du coeur et encore du coeur » (*Le Conseiller du peuple*, 15 août 1849),

la nature humaine enfin révélée à elle-même dans sa plénitude.

Physiologie, philosophie, théologie, tout est ici convoqué à l'éradication du politique :

> « Il y a des moments en révolution où la foule la plus irritée devient douce et miséricordieuse : c'est quand elle laisse parler en elle la nature et non la politique, et qu'au lieu de se sentir peuple elle se sent homme » (*Gir.*, t. I, p. 236).

Ecce homo politicus. Homme de la nature, il est l'homme des émotions morales : pitié, attendrissement, recueillement, ravissement, en harmonie avec les inspirations de l'orateur : vérité, justice, patriotisme, sérénité, « tous ces dons » de « la nature » (*H. Rest.*, t. VI, p. 157). *Natura sive Deus*[13]. La politique, alors, ce peut être quelque chose comme le péché ou la tentation. Elle n'épargne pas Lamartine :

> « Il entendait murmurer à ses oreilles, à voix sourde, des mots qui le sollicitaient à la dictature et qui le tentaient d'une véritable royauté populaire » (*H.R. 48, M. pol.*, t. III, p. 298).

167

Eritis sicut dei :

> « Il tendait ses deux bras vers Lamartine ; il l'(...) appelait le conseil, la lumière, le frère, le père, le dieu du peuple » (*H.R. 48, M. pol.*, t. II, p. 376).

Paradoxe, les « nobles tentations » de la nature (*H.R. 48, M. pol.*, t. II, p. 202) doivent parfois céder au démon du bien public, et la Régence à la République. Autre paradoxe, on peut faire de la mauvaise parole un bon usage. « Voix du désordre », la presse de Juillet a « propagé la raison publique » :

> « Elle a été (...) le *qui-vive éternel* de l'ennemi dans les ténèbres (...) ; elle a dit tout haut et toujours le dernier mot des factions » (*Sur la loi de la presse*, 21 août 1835, *Fr. Par.*, t. I, p. 178).

La presse, c'est Satan, mais aussi Lucifer. « Force de la nature », elle est « la voix (...) entendue sans cesse par tous » (*Sur l'instruction publique*, 8 mai 1834, *Fr. Par.*, t. I, p. 72), la « conversation assidue » et « persuasive » (*Lettre à La Guéronnière*, 8 avril 1851, *Fr. Par.*, t. VI, p. 279), les factions et l'immoralité introduites jusque dans le sein de la famille. Mais c'est aussi « le perpétuel dialogue des idées avec les idées », le « héros », le « sphinx », l'«apôtre » de la vérité sociale.

> « Il semble que l'expansion soit son arme, et celle du christianisme dont elle est née » (*Fr. Par.*, t. I, p. 72).

On l'entrevoit dans cette affirmation surprenante, la lutte politique, c'est un peu pour Lamartine le combat eschatologique, le lieu des conversions et des miracles. Le vocabulaire politique de Lamartine tourne autour du Bien et du Mal, de la damnation, de la réversibilité et de la rédemption.

La Chute, c'est le mensonge social. Mensonge de l'orateur, qui joue ce qu'il n'est pas, comme Danton, ou qui confond son rôle et sa nature, comme Desmoulins, « enfant cruel de la Révolution » (*M. pol.* t. I, p. 125)[14]. Usurpation, péché d'orgueil que ne commit jamais Vergniaud. Mensonge surtout de la mauvaise parole :

> « De même que l'antiquité avait des pleureuses gagées pour feindre le deuil et les larmes, le parti terroriste avait (des) furieux à froid pour

simuler la faim, les misères et les ressentiments du peuple » (*H.R. 48, M. pol.*, t. II, p. 344).

La mauvaise parole, c'est celle des partis, des « sectes ». « Imprécations », « hurlements », « vociférations » (*passim*), « langage d'épuration, de rudesse et de menaces » (*H. R. 48, M. pol.*, t. III, p. 163), « patois ordurier de l'homme de club » (*Conseiller du peuple*, septembre 1849). C'est « la fausse voix du peuple » (*M. pol.*, t. III, p. 202), la voix du faux peuple, « enfants ameutés par quelques pièces de monnaie », « hommes en haillons » et « femmes suspectes » (*H. Rest.*, t. II, p. 339), qui sont l'« écho toujours dépravé des voix populaires » (*H. R. 48, M. pol.*, t. III, p. 293). Elle éclate « en hymnes et en doctrines de mauvaises dates » (*ibidem*, p. 211), « inspirations posthumes » de 93 (*ibidem*, p. 163) ou « poésie du communisme » utopiste (*M. pol.*, t. II, p. 101).

Mais « le souffle invisible de l'esprit de révolution », l'âme charnelle de la multitude (*ibidem*, p. 98) *s'évapore* (*passim*) sous l'effet visible et sensible de « l'inspiration de Dieu dans un peuple » (*M. pol.*, t. III, p. 163). Sonore mais vide, l'« Evangile des salariés » (*ibidem*, p. 54) se dissipe aux accents de la bonne parole lamartinienne.

> « La liberté jaillit d'un million de voix !
> Et l'esprit du Seigneur qui souffle ces tempêtes
> Ondoya comme un vent sur cette mer de têtes »
> (*La Chute d'un ange*, Pléiade, 1051).

La poésie de la bonne parole, c'est une Genèse triomphant du « chaos des systèmes » (*M. pol.* t. II, p. 101) dans l'accord d'une « heure opportune » et d'une « bouche populaire » (*H. Rest.*, t. III, p. 378). Alors « les journaux, les cafés, les lieux publics, les jardins, les places, les rues » n'ont plus « qu'une voix » (*H. Rest.*, t. II, p. 364). Alors un discours peut être « le cri prophétique de l'âme du pays ». Alors « tout ce qui dépass(e) ce langage dépass(e) le temps » (*H.R. 48, M. pol.*, t. II, p. 58).

Toute une liturgie soutient la parole prophétique :

> « Une bonne, belle et divine religion, voilà la politique à l'usage des masses » (*Voyage en Orient*, t. I, p. 63).

Comme Chateaubriand et Michelet, Lamartine est sensible au rituel de la parole militante, dans le *pandoemonium* révolutionnaire, « à la nuit tombée, dans une de ces nefs récemment arrachées au culte » et où la tribune a pris « la place de l'autel » :

> « Un morne silence, entrecoupé (...) d'applaudissements et de huées (...) ; puis des discours incendiaires (....) ; les dons patriotiques (...), les bustes des grands républicains promenés (...) les chants démagogiques vociférés, en choeur, au commencement et à la fin de chaque séance » (*Gir.*, t. I, p. 41).

C'est l'office des Ténèbres, célébré de nouveau en Février, « les ténèbres de la nuit mal dissipées par quelques lueurs, la vapeur des lampes », « des ombres agitées et innombrables », « véritable tempête d'hommes où chaque vent d'idée parcourant la foule arrach(e) à chaque nouvelle vague un mugissement de voix » (*H. R. 48, M. pol.*, t. II, pp. 287-288). Mais cette fois Lamartine officie, et non Marat. Un « religieux silence » se fait. Lamartine parle,

> « lentement, comme le matelot sur la mer, pour donner le temps aux sons de parcourir ces vagues humaines.
> Il commen(ce) par attendrir et par sanctifier pour ainsi dire la multitude, afin de la préparer par un accent et par un sentiment religieux »

à ce qu'il lui fera recevoir « comme un évangile d'humanité » (*ibidem*, p. 404). Tel est le canevas idéal, recomposé ici à partir de tant de scènes réelles où, chaque fois, le miracle s'accomplit :

> « Les imprécations se changent en acclamations de confiance et d'amour » (*ibidem*, p. 286).

Par la présence et par le chant, « par le calme du front, par la cordialité du geste, par l'énergie de l'attitude » (*ibidem*, p. 268), et par des « hymne(s) de paroles » (*ibidem*, p. 372). Un courant s'établit, la parole circule, c'est le moment de la communion :

> « Quelques jeunes gens actifs, intelligents, intrépides (...) se pressent autour de lui pour communiquer ses inspirations à la foule » (*ibidem*, p. 215).

Au besoin, Lamartine, ministre du culte de la République mais toujours ministre de l'opinion, ira chercher ses diacres parmi « les orateurs les plus goûtés de toutes les opinions actives » (*M. pol.*, t. III, p. 213), dûment catéchisés par ses soins.

« Cette police à coeur ouvert » (*ibidem*) se fonde sur une véritable police de la parole.

> « Enfants de six mille ans qu'un peu de bruit étonne,
> Ne vous troublez donc pas d'un mot nouveau qui tonne »
> (*Les Révolutions*, Pléiade, p. 517).

Contre la peur des choses, peur des mots le plus souvent, un seul remède, les définir : « Nommons les choses par leur nom » (*Fr. Par.*, t. II, p. 211). Ou plutôt imposons aux choses leur être par le nom que nous leur donnons, ou le contenu que nous imposons à leur nom.

> « Le mot *socialiste* n'est pas ce qui devrait nous effrayer, mais c'est le sens qu'on lui donne en ce moment qui fait justement peur et horreur à la société » (*Conseiller du peuple*, avril 1849).

Tout pouvoir doit aspirer à un nom :

> « L'ancien régime s'était appelé le gouvernement du sacerdoce, puis le gouvernement des nobles ; la république s'était appelée le gouvernement de la foule, l'empire s'était appelé le gouvernement de l'armée ; la restauration le gouvernement des Chambres ; 1830, s'il voulait avoir un nom, devait s'appeler le gouvernement des masses » (*Préface de la Question d'Orient*, 24 septembre 1840, *Fr. Par.*, t. II, p. 416).

Nomenclature et jugement de réalité coïncident, ou le devraient. Mais le régime de Juillet n'a su être qu'une dictature de ministère. Nommer un pouvoir, c'est lui donner vie, quand on a le pouvoir de définir. Nommer une ombre, c'est la dissoudre :

> « Le socialisme, l'avez-vous défini ? Je vais vous le définir » (*Sur la loi électorale*, 23 mai 1850, *Fr. Par.*, t. VI, p. 211).

« *Contre la conspiration de la peur* », Lamartine, depuis toujours,

> « parle du peuple, mais il définit le peuple. Il parle de la démocratie, mais il définit la démocratie. Il parle de liberté, mais il définit la liberté. Il n'y a pas une de ces définitions qui ne soit appel au bon sens, à la

paix publique, au droit et au respect de tous envers tous » (2 novembre 1843, *Fr. Par.*, t. III, p. 447).

Le *bon sens* ainsi défini, les « mauvaise(s) passion(s) populaires » (*ibidem*) pourront être tenues en respect. L'*Histoire* de Michelet était peut-être une psychomachie, la politique de Lamartine est à coup sûr une lexicomachie. Le même homme dont l'« imagination plastique et pittoresque » répudie les « historiens abstraits » (*Critique des Girondins*, *Gir.*, t. IV, p. 440) peut proclamer :

> « Oui, nous nous appelons révolution ; mais la France avant tout s'appelle *nation, humanité, civilisation* » (*Sur la Question d'Orient*, 1er décembre 1840, *Fr. Par.*, t. III, p. 21)[15].

Plus, il manie une *algèbre de la politique* :

> « S'il y a plus d'éloquence (...), s'il y a plus d'action, de mouvement, de popularité, de révolutions dans la guerre, (...) il y a cent fois plus de vrai patriotisme dans la paix » (*ibidem*).

Le système lamartinien de la parole constitue une véritable théorie des ensembles, avec ses équivalences, ses inclusions, ses exclusions[16]. Le nom de *peuple* « embrasse toute la nation, mais c'est ce qu'on appelle encore la partie souffrante et prolétaire du peuple » (*Conseiller du peuple*, 15 octobre 1849). Peuple « un et indivisible comme la France » (*Sur les prochaines élections*, 23 juillet 1846, *Fr. Par.*, t. IV, p. 104). Mais aussi « vrai peuple » opposé au « faux peuple »,

> « peuple posthume (...), peuple de clubs, de place publique, de sectes folles, de conjurations ténébreuses, de tumulte, d'agitations, de manifestations, de séditions » (*Le Conseiller du peuple*, 1er novembre 1849).

Peuple de la séparation, et de la prolifération du Mal. Le dernier mot, ici encore, est à la théologie :

> « Toute individualité aboutit à la nation, toute nation à l'humanité, toute l'humanité à Dieu, et (...) le dernier mot de toute politique et de toute civilisation est Religion » (*Ibidem*, 1er juillet 1850).

Mais la religion politique lamartinienne ne peut guère opposer que de pâles litanies à ce que Romieu nommera bientôt le « cantique de haine », le *Super flumina Babylonis* des prolétaires[17]. *République* ou

172

socialisme n'y sont employés que dans « le sens honnête » (*Conseiller du peuple, Conclusion*, livre II, ch. VIII, § 1) mais pauvre du mot. Sous la haute surveillance d'adjectifs stéréotypés, Lamartine range d'un côté les « républicains modérés et civilisés » de la « République unanime, magnanime, humaine et fraternelle », de l'autre les « républicains exclusifs, impatients, violents, agitateurs, perturbateurs, vociférateurs » de la « République socialiste, (...) radicale, (...) implacable » (*ibidem*, avril 1849).

De ce « système clos de liberté surveillée »[18] doivent être expulsés les « mots malsonnants » (*Tolérance mutuelle*, 19 avril 1851, *Fr. Par.*, t. VI, p. 298) et les « mot(s) sinistre(s) » (*Réflexions sur le message*, 9 novembre 1851, *ibidem*, p. 551). Mots « incompatibles » (*ibidem*) avec le moment, avec la République, avec la France, avec la parole politique, avec la langue française :

> « *Prolétaire*, mot immonde, injurieux, païen, (...) doit disparaître de la langue, comme le prolétaire lui-même doit peu à peu disparaître de la société » (*Sur le droit au travail*, décembre 1844, *Fr. Par.*, t. IV, p. 105).

« Les oeuvres » qui doivent accompagner la proclamation du « socialisme du sentiment » (*Conseiller du peuple*, 1er mai 1849) aboliront peu à peu, et « autant que possible, le nom du prolétaire » (*ibidem*, 15 août 1849). La parole est plus radicale. Aussi bien le prolétaire est-il indéfinissable.

> « peuple sorti du peuple, nation dans la nation, race dépaysée (...), masses (...) hors de la loi commune » (*Sur le droit au travail*, *Fr. Par.*, t. IV, p. 109).

Etranger aux *mots de la tribu*. « Cela n'a de nom dans aucune langue politique », comme Lamartine le dit du « *système* » de Juillet (*La Question d'Orient*, *Fr. Par.*, t. II, p. 393). Cela ne peut rêver que « des programmes de gouvernements innomés » (*Sur la révision de la Constitution*, 3e article, *Fr. Par.*, t. VI, p. 425). La loi qui les établirait « est invisible, du moment qu'on l'écrit elle disparaît sous la main » (*Sur le droit au travail*, *Fr. Par.*, t. IV, p. 119).

Evaporés les mots fantômes, reste LE MOT. L'unité retrouvée dans un vocable :

> « Voilà la France ! son nom parmi les nations est unité » (*Conseiller du peuple*, 1er mai 1850).

La réintégration des « sectes » à la communauté nationale sera réintégration du mot de socialisme au lexique :

> « Ce nom redeviendra ce qu'il était dans l'origine : la désignation de véritables philosophies politiques, qui cherchent le possible par le bien et non l'impossible par le mal » (*Conseiller*, avril 1849).

Alors, « une seule dénomination, *le peuple* » pourra désigner, constituer « *l'unité du prolétariat et de la propriété* » (*ibidem*, 1er juillet 1850). Que soit dit « le mot du temps » (*Des publications populaires, Fr. Par.*, t. III, p. 387), le « seul mot qui corresponde à (la) situation » (*H. R. 48, M. pol.*, t. III, p. 286), et « le monde social » sera « retrouvé » (*ibidem*, p. 291). Ce « mot sauveur » (*ibidem*, p. 286), « le mot de la Providence en 1848 » (*La République*, 8 juin 1851, *Fr. Par.*, t. VI, p. 353), c'est l'universel synonyme, le « mot d'ordre » qui se dit « gouvernement provisoire tout entier » (*M. pol.*, t. III, p. 284), ou qui se dit « confiance » (*ibidem*, p. 286). Le seul mot d'ordre qui puisse se crier :

> « Encore une fois, point d'autre cri que celui de *Vive la République !* »

Cela veut dire aussi :

> « *Vive le travail ! Vive la propriété ! Vive l'ordre qui garantit tout* » (*Réponse à une députation d'ouvriers, Fr. Par.*, t. V, p. 245).

Cela se crie parfois, d'un nom devenu « comme un cri national » :

> « Vive la République ! Vive Lamartine ! A bas les communistes » (*M. pol.*, t. III, p. 291).

Et tout le reste n'est que ce « *droit de hurlement* » qui « ne peut être exercé dans aucune civilisation connue » (*Conseiller*, juin 1851).

Mais le plus grand danger pour le *mot d'ordre*, plus que son écho dans le *patois* de la subversion, n'est-ce pas le « langage d'épuration » (*M. pol.*, t. III, p. 163) que manie Lamartine lui-même ? A quoi bon signifier aux instituteurs ruraux que « la société, la propriété, le contribuable » ne les paient pas

> « pour enseigner et propager (...) les *Ça ira*, les terreurs, les lanternes, les guillotines, les drapeaux de sang, et tous les cris de guerre de la barbarie » (*Conseiller*, septembre 1849),

quand soi-même on ne cesse de dénoncer « le délire insensé, frénétique, atroce, hébété du faux socialisme et du terrorisme soi-disant républicain » (*ibidem*) ? Si aux prêches des « corrupteurs de l'âme du peuple » on riposte par des capucinades :

> « Prenez garde au matérialisme abject, au sensualisme abrutissant, au socialisme grossier, au communisme crapuleux, à toutes ces doctrines de chair et de sang, de viande et de vin, de soif et de faim, de salaire et de trafic » (*ibidem*, 15 octobre 1849),

qui ne proposent pour idéal que

> « d'avoir plus de houris dans le *phalanstère* que Mahomet n'en donne à ses croyants dans son paradis » (*ibidem*, septembre 1849).

Le mot et Lamartine sont ici trahis par les mots.

Ils vont l'être, plus gravement, par un nom. Plus encore que le mot, le nom est une force, qui vaut presque présence réelle. « Je commencerai à être parmi vous », écrit à Charette Louis XVIII, « le jour où mon nom sera associé à un de vos triomphes » (*H. Rest.*, t. I, p. 365). Plus que le mot, le nom est bruit. Celui de Barbès sonne « aux oreilles du peuple comme un tocsin » (*H. R. 48, M. pol.*, t. III, p. 183). Le nom peut parler plus haut que tout discours. Le nom de La Fayette « résumait et éclipsait tout (...). Comme orateur, il comptait peu » (*Gir.*, t. I, p. 44). Mais un nom peut être d'un grand fracas, et n'être rien :

> « On ne dira jamais (...) le siècle de Napoléon. Il n'y a qu'un nom, et ce nom ne signifie rien pour l'humanité que lui-même » (*H. Rest.*, t. I, p. 338)[19].

Le mot, Lamartine le veut « univoque et omnivoque »[20]. Le nom peut être équivoque. Pas le nom de Lamartine, « cri presque unique » d'un peuple en 1848 (*M. pol.*, t. III, p. 298). Mais « ce nom que (Lamartine) n'aime pas » (*Aux conseils généraux*, 25 août 1851, *Fr. Par.*, t. VI, p. 463), le nom de Bonaparte, miroir aux alouettes d'un peuple qui « ne retient des grandes choses que le bruit » :

> « Il dit Bonaparte, ne voulant dire certainement ni monarchie, ni despo-
> tisme, ni aristocratie, ni contre-révolution, mais voulant dire quelque
> chose de grand, de sonore, de brillant, de fort, (...) pour faire resplendir
> (...) la République » (*Bonaparte et le bonapartisme*, 11 juin 1851, *Fr.
> Par.*, t. VI, p. 356).

Pour Henri Lasserre, propagandiste zélé du Coup d'Etat,

> « la question aujourd'hui est entre un homme et un millésime. La France
> s'appellera-t-elle Louis-Napoléon ou 1852 »,

comme elle s'est appelée 93 ?[21]. Pour Lamartine, le débat est entre un nom et un mot, un homme et sa parole. Le Prince-Président « laisse peser son nom personnel sur la Constitution de son pays » (*Du peuple et du gouvernement depuis le 24 février 1848*, 30 juin 1851, *Fr. Par.*, t. VI, p. 396). Et sur le « nom de la patrie », « le mot de bonapartisme, négation et apostasie de toute République » (*Fr. Par.*, t. VI, p. 354). Mais Lamartine persiste à attendre de l'homme providentiel *le mot de la Provi-dence* :

> « Un nom vous a fait le premier président de la République ; un mot
> vous fera un des premiers citoyens de votre pays.
> Heureux l'homme qui a dans une parole la solution d'une crise et la paci-
> fication d'un peuple » (*De la grandeur d'âme comme moyen de gouverne-
> ment*, 28 avril 1851, *Fr. Par.*, t. VI, p. 334).

Et même, « si Bonaparte est le temps que la Providence (...) donne à la démocratie régulière pour s'acclimater » (*Fr. Par.*, t. VI, p. 463)[22], Lamartine promet d'aimer ce nom qui fut celui d'un « rebelle à l'esprit humain » (*Fr. Par.*, t. VI, p. 358). Si, « après avoir signifié la guerre, la force brutale, la contre-révolution et le despotisme », il signifie

> « la grande émancipation du siècle, l'avènement du peuple dans ses droits
> politiques, le gouvernement de l'opinion par la liberté, l'initiative de la
> raison dans les institutions civiles et religieuses, la paix entre les peuples,
> le progrès continu de l'esprit humain par la France » (*Fr. Par.*, t. VI,
> p. 463).

Si, en quelque sorte, Bonaparte se prononce Lamartine et non Napoléon.

Entre le Bonaparte de la parole et Napoléon-le-Petit, au soir du Deux-Décembre, « le sabre du XIXe siècle »[23] allait trancher.

NOTES

1. V. Cousin, *Cours de l'histoire de la philosophie moderne*, nelle éd., Paris, Didier-Lagrange, 1847, 2e série, t. 1, 10e leçon - *Des grands hommes*, p. 231.

2. « Démocratie et liberté ne sont pas synonymes. Toute démocratie, pour durer, doit avoir un maître qui la gouverne », *ibidem*, 9e leçon - *Des peuples*, p. 203.

3. Les références à l'oeuvre de Lamartine sont, pour la poésie, à l'édition de la Pléiade. Pour les autres textes, on a utilisé :

Histoire des Girondins, Hachette-Furne-Jouvet-Pagnerre, 1870, 4 vol., abrégé en *Gir., I à IV*, et, dans l'édition des *Oeuvres complètes*, chez l'auteur, 1860-1866 :

Histoire de la Restauration, 6 vol., abrégé en *H. Rest., I à VI*,

Histoire de la Révolution de 1848, abrégé en *H. R. 48*, repris dans *Mémoires politiques*, 3 vol., abrégé en *M. pol., I à III*.

Discours et articles sont cités d'après *La France parlementaire*, 6 vol., abrégé en *Fr. Par., I à VI*.

4. « Une âme contemplative (...) quand elle daigne donner quelques unes de ses idées à l'action la domine et l'agrandit » (Vigny, *Journal d'un poète*, janvier 1834, *Oeuvres*, Pléiade, t. 2, p. 996). « Homme d'ordre et poète », Lamartine l'est aussi, mais autrement.

5. « Dans l'ordre présent des choses, pourrez-vous réprimer une masse énorme de paysans libres (...) ; pourrez-vous, dans les faubourgs d'une grande capitale, prévenir les crimes d'une populace indépendante, sans une religion qui prêche les devoirs et la vertu à toutes les conditions de la vie ? » (*Génie du christianisme*, Pléiade, p. 1089).

6. Lamartine, *Voyage en Orient*, Paris, Gosselin-Furne-Pagnerre, éd. de 1849, 2 vol., t. 1, p. 103 sqq.

7. Hugo, lettre à Vinçard, 2 juillet 1841, *O.C.*, « édition chronologique », t. VI, p. 1211. Lamartine parle d'une « foule d'élite » (*H. Rest.*, t. IV, p. 136).

8. Saint-Simon, *Suite à la brochure « Des Bourbons et des Stuarts »*, 1822, *Oeuvres*, Anthropos, t. VI, p. 522.

9. Le *Barbare de la République*, selon une formule chère à Lamartine, est en lui tempéré par ce « quelques chose de rustique et de primitif » de l'élément gaulois (*loc. cit.*).

10. Sans doute est-ce au nom de cette « distance immense entre l'homme et l'orateur » que Lamartine souligne en Vergniaud plus que par réminiscence classique qu'il parle de lui-même à la troisième personne dans l'*Histoire de la Révolution de 1848*.

11. Hugo, *La Muse française, O.C.*, éd. chrono., t. II, p. 440.

12. Lamartine affectionne la forme dialoguée dans ses articles : « J'avais dit à mon pays (...). Le ministère vous dit (...). Je vous ai dit, moi (...) » (*La Question d'Orient*, 2ᵉ art., *Fr. Par.*, t. II, p. 380), « La Révolution dit (...). Le gouvernement professe (...). La Révolution dit (...) » (*Au journal La Presse*, 15 oct. 1843, *Fr. Par.*, t. III, p. 434). Mais, pour finir, « le gouvernement impose » (*ibidem*, p. 435), et « il n'y a plus à discuter » (*Fr. Par.*, t. II, p. 391).

13. « La nature » est pour Lamartine la « grande rhétoricienne de l'école de Dieu » (*Critique de l'Histoire des Girondins*, *Gir.*, t. IV, p. 441).

14. C'est le mot de Hobbes, *puer robustus* (*De Cive, Praefatio ad lectorem*) que l'on retrouve ici, comme derrière « le peuple, enfant cruel » de *Jocelyn* (Pléiade, p. 595). Il avait déjà été cité dans *Notre-Dame de Paris*, dans *la Démocratie en Amérique*, ou encore en 1832 par Salvandy, pour définir le « faux peuple » (*Vingt mois, ou la Révolution*, p. 367).

15. Il écrit aussi : « Louis XIV était la poésie du trône (...). Napoléon fut la poésie du pouvoir ; 92 fut la poésie du patriotisme. La Convention fut la funeste poésie du crime (...). Le gouvernement de Juillet (...) pouvait être la poésie du peuple » (*La Question d'Orient*, 3ᵉ art., *Fr. Par.*, t.II, p. 406).

16. C'est ainsi qu'« Athéisme et République sont deux mots qui s'excluent » (*Le Conseiller du peuple*, 15 octobre 1849). Voir, pour une étude plus détaillée, P. Michel, *Un mythe romantique, les Barbares*, P.U.L., 1981, pp. 302-307.

17. A. Romieu, *Le Spectre rouge de 1852*, Paris, Ledoyen, 1851, p. 9.

18. Maurice Tournier, « Le mot "Peuple" en 1848 : désignant social ou instrument politique ?», *Romantisme*, nº 9, 1975, p. 20.

19. Henri Lasserre, (*L'opinion et le coup d'Etat, Considérations sur les événements de décembre*, Paris, Charpentier, 1851, p. 80) tient, lui, que « toutes les grandes époques portent le nom d'un homme : voyez les siècles de Charlemagne, de Louis XIV, de Napoléon », et que « d'un autre côté, les temps calamiteux et funestes ne sont désignés que par une date : 1793. »

20. M. Tournier, article cité, p. 12.

21. Lasserre, *loc. cit.*

22. Le nom comme le mot sont pris dans l'histoire. Le nom de Lamartine n'a été « prestigieux » qu'un temps (*M. pol.*, t. II, p. 286) ; le nom de Bonaparte doit rester celui du « président accidentel d'une République » (*Fr. Par.*, t. VI, p. 463).

23. Romieu, *op. cit.*, p. 70.

DISCOURS ET POUVOIR DANS LES « SCENES DE LA VIE DE CAMPAGNE »

Raymond Mahieu

« *Il s'agit ici d'éclairer, non pas le législateur d'aujourd'hui, mais celui de demain.* » (Dédicace des Paysans)[1]

Les romans que Balzac a regroupés, dans son plan d'ensemble de 1845, sous le titre de *Scènes de la vie de campagne*[2] ont en commun, au travers des variations importantes que montre la série, de consacrer une très large part de leur travail descriptif et narratif à la figuration de l'organisation sociale — comme état et comme procès —, en même temps que de doubler ces représentations d'un discours profus voué à les rationaliser. Fictions de l'exercice du pouvoir, paroles sur le (ou du) pouvoir font bien de ces récits, selon les termes mêmes de l'*Avant-propos* de 1842, le texte par excellence où se lit « l'application des grands principes d'ordre, de politique, de moralité[3] ». Sur ces tableaux, édifiants ou dissuasifs, tout comme sur les maximes et raisonnements qui les accompagnent, il semble que tout soit dit, au moins provisoirement et qu'il soit vain d'y revenir encore. Et cependant, cette saturation critique laisse subsister, au coeur même de l'objet interrogé, d'insistantes questions. Ces romans, dont il nous est possible de cerner ce que, dans leurs multiples strates de signification, ils nous disent du réel en tant qu'investi par le pouvoir (ou les pouvoirs), en qui nous pouvons mesurer la plénitude complexe d'une certaine adéquation à la société de la parole romanesque qui s'impose à elle, paraissent en effet rester silencieux sur ce qui permet de concevoir cette prise de parole comme une prise de pouvoir. Or, si l'on ne se résout pas à éluder cet autre passage de l'*Avant-propos* où Balzac affirme que le mérite, et la raison d'être, de l'écrivain est au prix d'une « décision quelconque sur les choses humaines[4] », on n'échappe pas non plus à la nécessité de rechercher selon quelles modalités cette décision s'exerce. Sur ce point, la suite du texte nous égare plus qu'elle ne nous instruit : convoquer Machiavel et Hobbes (et quelques autres) comme modèles de l'entreprise revient surtout à rappeler que si *le Prince* ou le *Léviathan* ont pu incarner cette « science que les hommes d'Etat appliquent », il n'en a jamais été de même, qu'on sache, pour la *Comédie humaine*.

En dépit, peut-être, des apparences, le problème ne se situe pas seulement dans un en-dehors du texte romanesque. On s'en aviserait d'ailleurs mieux si le système de références en trompe-l'oeil adopté par Balzac ne tendait pas à occulter ce qui différencie son oeuvre de celles derrière lesquelles il se range. Ce sur quoi le discours préfaciel s'interroge ici, contrairement à ce que, pris à son propre jeu, il semble suggérer, ce n'est pas un discours, mais un ensemble fictionnel où le discours, ni plus ni moins que les autres types d'énonciation qui y coexistent, a statut de fiction. L'efficace à laquelle celle-ci peut prétendre reste bien entendu à considérer dans le champ social où elle s'aventure, et la question du pouvoir du roman concerne bien, au premier chef, le romancier, en tant qu'à ses risques et périls il en fait l'enjeu de toute son activité. Mais on peut avancer qu'elle intéresse aussi le roman, que, retournant vers lui et le travaillant de l'intérieur, elle y génère, dans une reprise par l'imaginaire, une thématique spécifique. Aux conjectures (car il ne s'agit jamais de rien d'autre) émises par l'écrivain dans l'ordre de l'institutionnel répondraient ainsi, dans l'ordre du fictionnel, des figurations nécessairement déplacées.

Celles-ci trouveront leur forme la plus évidente (ce qui ne signifie pas transparente) dans ces personnages de littérateurs qui habitent la *Comédie humaine* et qui, à travers un jeu complexe de médiations, révèlent toujours quelque chose du sens et des possibilités de prise sur le réel que Balzac assigne à son oeuvre. Dans les *Scènes de la vie de campagne*, cependant, pas de d'Arthez, de Dinah de La Baudraye ou de Canalis ; tout au plus un Blondet, mais au repos, délivré de la servitude des « tartines » journalistiques[5]. Tout se passe comme si le centrement (le décentrement) qu'impose la série sur un ailleurs du monde balzacien déterminait une redistribution hiérarchique des pratiques sociales aboutissant à l'exclusion des activités artistiques, et notamment de l'exercice de la littérature. Quelle que soit la fécondité de cette hypothèse, qui mériterait un examen auquel on ne peut songer ici, il faut en tout cas constater que, à la campagne, on n'«écrit» pas. En revanche, on y parle. Et la parole s'y figure de manière telle qu'elle peut être considérée comme une de ces thématisations que déterminent les certitudes et incertitudes de l'auteur quant au rôle joué par son oeuvre. Réflexion détournée, qui est en même temps retour, y gagnant, du coup, en pouvoir signifiant. C'est que, accordant aux paroles de l'ordre une part importante dans l'énoncé rapporté, les *Scènes de la vie de campagne* proposent avec insistance une fiction du discours de l'autorité dont il est permis de penser qu'elle a quelque rapport avec le discours sur l'autorité de la fiction qui se tient à leur périphérie.

Est-ce à dire que cette relation puisse être traitée comme celle, parfaitement symétrique, de deux termes simples et homogènes ? Si l'on peut supposer à l'appareil d'accompagnement du texte romanesque une relative cohérence, il en va tout autrement du côté des récits. Affirmer que le discours du pouvoir s'y parle, c'est peut-être sacrifier à l'évidence ; c'est, surtout, suggérer une redoutable réduction à une impossible unité. A s'en tenir à ce qui se dit dans le champ du diégétique, sans prendre en compte les multiples manifestations de la doxa balzacienne, comment ne pas se heurter à la dispersion du sujet énonciateur et, partant, à l'hétérogénéité au moins partielle du sens ? Sur ce qu'est la vie sociale et ce qu'elle devrait être, on n'entend pas dans les *Scènes de la vie de campagne* se proférer une parole unique, mais, originés diversement, des propos inégalement accordés. Et s'il peut en résulter un effet de cohérence doctrinale, ce n'est que moyennant une assimilation, en forme de coup de force, du discours fragmenté du narrateur aux fragments de discours de certains personnages, élus au gré d'un arbitraire inavoué ou inconscient. Livrées à elles-mêmes, les paroles du pouvoir tombent dans la précarité que leur imposent leurs divergences. A s'en accommoder, on y gagne sans doute d'échapper, au moins pour un temps, aux paris hasardeux à quoi obligeait un protocole de lecture hanté par l'idée d'une cohésion démonstrative, obsédé par la postulation d'une vérité établie dans le texte, identifiable ou susceptible de reconstitution : dans les débats où s'affrontent l'ingénieur Gérard et le curé Bonnet, lequel jouer contre l'autre ? Et au nom de quoi ? Mais se soustraire, non sans soulagement, à ces tourniquets, c'est aussi s'exposer à une perte, non pas tant du côté de ce que les *Scènes de la vie de campagne* peuvent nous signifier à propos du monde auquel elles renvoient (et qui n'est pas exclusivement affaire de discours, loin s'en faut) que dans le rapport qu'on leur suppose au projet que le romancier dirige vers la société. Par son relatif éclatement, la parole figurée mettrait en cause son adéquation à la parole unique dont elle procède, dans la mesure où, à une plénitude affirmée, elle ne serait plus à même d'articuler qu'une image décomposée de l'indécidable : à ce compte, le détour par le fictif se révélerait une opération singulièrement déficitaire. Ce risque d'insignifiance, on ne le conjurera, en fait, qu'à la condition de dégager la notion de discours fictionnel de ce qu'il véhicule et de lui reconnaître, lui restituant ainsi une unité opératoire, la seule propriété constante qu'il offre : celle d'une forme de présence du langage.

A ce titre, dans les trois romans, la parole rapportée − quel que soit son objet (la propriété, la justice, la morale), quelle que soit aussi la fonction à laquelle elle est destinée (consigne, élucidation, souhait, regret) − entre dans des systèmes d'oppositions où non seulement elle retrouve son unité générique, mais où, de surcroît, elle se réinvestit de sens. Deux paradigmes, principalement, permettent cette récupération. D'une part, le discours d'autorité, au moins dans certaines performances dont les meilleurs exemples apparaissent dans le *Médecin de campagne* et le *Curé de village*, se désigne comme un certain type de plein langagier, face à un vide, le silence − avec lequel il entretient des rapports remarquablement révélateurs. D'autre part, en tant que modèle spécifique d'énonciation, le discours se trouve, dans les trois livres, mis en compétition avec les formes proprement narratives : si les règles générales de ce genre de cohabitation, toujours problématique, ne s'y voient pas vraiment subverties, il conviendra cependant de constater qu'en l'occurrence la rivalité se conjugue avec de surprenantes interactions. Ainsi, sous quelque angle qu'on la considère, la parole figurée accède, hors de toute spéculation sur sa portée immédiatement idéologique, à un certain pouvoir de signification tributaire de sa position dialectique dans une construction régie par l'imaginaire. Qu'on puisse, et qu'on doive, retourner de là à une réflexion sur l'idéologique, on peut déjà l'avancer, quitte à le réaffirmer plus pertinemment à l'issue d'un examen plus détaillé.

« (...) *car il est d'éclatants silences.* » (Le Médecin de campagne, p. 598)

Dans la première édition du *Médecin de campagne*, parue sans nom

d'auteur, n'était signée de Balzac que l'épigraphe, extraite du texte :
« Au cœurs blessés, l'ombre et le silence ». C'était suggérer, et même
revendiquer, une lecture qui fondât comme sens majeur du roman l'absence de la parole, ou au moins sa suspension. Et il est vrai que Benassis,
retiré symboliquement aux confins de la Grande Chartreuse, est d'abord
l'homme d'un silence indéfiniment entretenu et que, comme l'a justement
dit P. Barbéris, le récit s'est édifié à partir de son secret[6]. Et pourtant,
sans concession au goût du paradoxe, il est concevable de lire dans l'histoire de la réorganisation de la vallée la progressive conquête d'une certaine parole, refoulant lentement le silence premier, comme s'il était cons-
titutivement lié à l'état originel de misère. Il n'est pas indifférent, sous ce
rapport, que le premier acte civilisateur du médecin soit d'exclure de la
communauté ces crétins qui se définissent précisément comme n'ayant
« jamais entendu ni parlé aucune espèce de langage » (pp. 401-402) : à
y bien regarder, la symbolique du geste compte au moins autant que les
motivations hygiénistes invoquées. A partir de là, comme libérée d'une
hypothèque, la vallée pourra entrer dans la dynamique du développement
qu'expose la longue relation de son guide, en même temps qu'elle deviendra l'objet, et le lieu, d'une appropriation langagière.

Telle quelle, l'affirmation est menacée par le malentendu, et appelle
donc des précisions. D'abord, considérer que le mouvement d'expansion
de cette société fictive est, entre autres, un fait de langage n'équivaut
pas à y voir le fait du langage : trop de propos de Benassis attribuant son
influence à la force démonstrative des faits plus qu'à l'effet contraignant
de son verbe, tout comme l'absence de traces textuelles d'une rhétorique
de la persuasion ou de l'injonction, obligent au contraire à penser que ce
n'est à coup sûr pas dans sa fonction conative que se manifeste prioritai-
rement le discours du pouvoir. Ensuite, il est certain que l'émergence de
ce dernier, tout en intéressant la sphère paysanne, se produit à l'extérieur
d'elle. On parlait dans la vallée avant l'arrivée de Benassis, et il ne semble
pas que les conditions nouvelles du développement aient sensiblement
modifié un système qui possédait déjà de tradition, à côté de pratiques
simplement fonctionnelles, des formes qualitativement marquées[7] ; par
ailleurs, la diffusion de la légende napoléonienne, et des cérémonials de
langage qu'elle suscite, s'est produite dans le pays alors même qu'il n'était

pas sorti de son état végétatif. Mais justement, ce n'est pas des récits de Goguelat qu'il s'agit ici.

Ce qui est nouveau, et ne pouvait, dirait-on, se figurer qu'en ce point déjà très avancé du roman où se révèle dans toute son ampleur le succès de l'oeuvre civilisatrice, c'est que l'ordre social parle, et de ce lieu même (au sujet de, à partir de) où il s'est installé. Dans la vallée régénérée, Benassis peut désormais réunir autour de sa table, pour y célébrer une sorte de fête de la maîtrise, un groupe d'hommes d'autorité, à la fois restreint et assez diversifié pour suggérer une emprise complète sur la société où il s'est constitué[8]. Dès lors, les relatives incohérences qui peuvent naître de la variété des opinions représentées (et à quoi obligent au demeurant les lois de la mimésis) comptent moins que l'effet d'accomplissement produit par un débat d'idées saturant apparemment le réel, ouvert canoniquement et conclu de façon topique[9]. Par ailleurs, il est significatif que la composition de l'assemblée corresponde au moins tendanciellement à celle de ces sociétés-types de lecteurs auxquelles Balzac songeait en 1830 pour une entreprise de librairie[10] : cette spécularité est importante, dans la mesure où elle fait comprendre que la réussite de l'oeuvre d'organisation ne se joue pas seulement sur le plan du diégétique, mais intéresse tout autant le sort du roman comme opération d'écriture. Pour rendre lisible l'histoire de la vallée — on dirait, plus correctement, pour pouvoir écrire le roman de la vallée —, il s'imposait sans doute que celle-ci disposât, en la personne des détenteurs du pouvoir, de la compétence langagière partagée, de leur côté, par l'écrivain et ses lecteurs.

Triomphe du plein ? Il faut ici revenir au silence. Car au moment où Benassis préside à la célébration qu'on a vue, il reste encore le dépositaire d'un secret dont il ne se délivrera que plus tard dans son tête-à-tête avec Gonestas. On peut pressentir que cette disposition du récit, qui revient, en somme, à exhiber dans un même mouvement une positivité et ce qui la nie, est plus qu'une rencontre contingente. Pour que ce soupçon se transforme en hypothèse sérieuse, il n'y a qu'à confronter cette situation avec celle que donne à lire le *Curé de village*. Bien que ce roman se centre moins systématiquement et moins didactiquement que le *Médecin de campagne* sur l'aventure d'une transformation sociale, et qu'il n'en vienne à la retracer qu'au terme d'un long parcours narratif, ce qu'il

184

expose de l'état originel de Montégnac et des phases de son expansion suffit à faire comprendre à quel point l'avènement du discours d'autorité est profondément lié à la nouvelle naissance du bourg. Sans qu'on rencontre ici une figuration élaborée de ce qui aurait été le silence premier d'une paysannerie limousine abandonnée à l'« incapacité »[11], il y est nettement signifié que cette communauté malade est un corps à qui la parole manque : le démontre la nature de l'action menée par le précurseur de la réforme, l'abbé Bonnet, qui tient tout entière dans une prédication, à proprement parler inapte à organiser, mais présentée comme la condition d'une réorganisation[12]. A l'autre bout de l'évolution, l'installation à Montégnac d'un ordre du langage — ce qui revient à dire d'un langage de l'ordre — non seulement désignera, mais, davantage, constituera en soi l'étape décisive de la réussite. Rappelant inévitablement un tableau déjà vu dans le *Médecin de campagne*, une scène aura pour fonction, parmi d'autres, d'inscrire cette consécration de la parole pleine, tout en laissant percevoir un vide creusé sous elle.

A nouveau, et plus nettement encore vers la fin du récit, alors que le procès de développement du village est, sinon pleinement engagé, du moins clairement tracé dans l'avenir, et sans réversion possible, se retrouvent dans une salle à manger un certain nombre de représentants des divers pouvoirs ; et le débat qui s'y développe, selon un rituel très comparable à celui observé dans le premier roman[13], connote à nouveau, à travers la dispersion idéologique, la volonté — et la capacité — de dire l'ordre social. Ce n'est pas que les propos échangés, pas plus que dans la vallée dauphinoise, soient donnés comme possédant une valeur directement opératoire : il s'agit bien, comme l'indique fortement le titre du chapitre, de « La révolution de Juillet jugée à Montégnac[14] », c'est-à-dire d'une sorte de colloque, spéculatif, et non d'une délibération débouchant sur une pratique. En Limousin aussi, la parole d'autorité commente plus qu'elle ne commande. Mais c'en est assez pour qu'elle donne lieu à une représentation de la maîtrise qui, ainsi qu'on l'a vu pour le *Médecin de campagne*, n'importe pas moins pour le roman que pour ce qu'il raconte. Si tant est que le *Curé de village*, sans préjudice des multiples significations qui s'y tressent, puisse être tenu pour la relation d'une expansion réussie, cette relation ne trouve ses moyens qu'à partir du moment où la communauté de Montégnac, longtemps maintenue à l'horizon de la narration comme un objet saisissable sur le seul mode de l'évocation, se mue elle-même en sujet de l'énonciation, se trouve désormais habitée par le langage du pouvoir. Mais cet accomplissement, à son tour — et c'est en cela que la superposition des deux romans est la plus révélatrice — se réalise une nouvelle fois sur un manque. Sous la saturation du discours s'accuse ici un silence, celui de Véronique Graslin, dont le récit a fait, à coup de lacunes provocantes et d'indices insistants, l'incarnation de la parole impossible. Présence contre absence : le modèle se retrouve, ne souffrant de variations qu'apparentes. Qu'au moment du repas de Montégnac la châtelaine se soit déjà, dans une remarquable ellipse du texte[15], confessée au curé Bonnet, alors que le médecin, dans la même circonstance, conserve toujours par devers lui ce qui ne peut être dit, ne change rien, puisque l'acte sacramentel a eu simplement pour effet de répartir sur deux personnages pour ainsi dire jumelés la fonction de détention du secret. Quant au mutisme où Véronique s'enferme durant le repas, et qui contraste avec la prolixité de Benassis, il se trouve intégralement compensé par la participation au discours collectif qu'assure l'ecclésiastique, double parlant de sa pénitente[16].

A supposer, comme on y semble autorisé, qu'il existe bien, dans le *Médecin de campagne* comme dans le *Curé de village*, une corrélation lisible entre le déploiement d'un certain type de langage et la forclusion d'un autre, on pourra trouver la vérification de cette règle, au moins par l'absurde, dans les *Paysans*. Ce roman, qui apparaît sous tant de rapports comme un négatif des deux premiers, donne en effet une image des relations du discours au silence à ce point cohérente dans la déformation qu'elle en devient démonstrative. Sans vouloir suivre à la trace, dans les tours et détours d'une narration particulièrement enchevêtrée, les manifestations multiples de ces mutations, on s'en tiendra ici à l'examen d'une scène bien circonscrite, qui offre l'avantage, pour la confrontation, de reproduire une situation désormais familière : celle du débat mené autour d'une table par un groupe de personnages investis d'autorité[17]. Sur un schéma identique, tout est différence, et jusqu'à la perversion. Chez Benassis, dans une réunion de « physionomies diverses (...) sur lesquelles se peignaient également le contentement de soi, du présent et la foi dans l'avenir », « tous envisageaient gravement les choses humaines » (p. 500) ;

à Montégnac, des « âmes pleines de qualités exquises (reconnaissaient) leur parenté » et, se sentant « dans un milieu sympathique », prenaient plaisir à discuter « en se trouvant tous de bonne foi » (p. 813) : harmonies perdues, auxquelles répond au château des Aigues une cacophonie permanente. Plus d'ordonnance sereine dans le déroulement de la rencontre, mais une succession dysphorique des différentes phases du repas, auquel un convive important, Blondet, s'est piteusement présenté en retard, que vient ensuite troubler l'irruption de deux inquiétantes figures paysannes (le jeune Mouche et son grand-père Fourchon), et qui s'achève enfin, sans se conclure, dans un désordre d'allées et venues. Sur ce fond dégradé s'inscrivent des altérations plus graves : l'incohérence des propos, l'éclatement des registres où ils se tiennent (du sérieux au superficiel en passant par l'incongru) ; plus troublante encore, la façon dont, comme pour clôturer la scène, s'attribuent étrangement des marques de disqualification à celui des locuteurs — l'abbé Brossette — qui semblait pourtant, en vertu de ses affinités idéologiques avec le discours du narrateur, devoir être ménagé par lui[18]. Cette dévalorisation (à la limite cocasse) d'un modèle positif n'affecte pas seulement le tableau d'une unité en voie de désintégration, mais s'étend à d'autres séries signifiantes qui lui sont articulées. C'est ainsi que les correspondances définies plus haut se retrouvent, mais en termes emportés dans un dysfonctionnement généralisé. D'un côté, à la concordance entre le cérémonial du discours et l'aboutissement proche du récit (et de l'oeuvre qu'il raconte) fait place ici un transfert de la scène vers le début du roman, inévitable, au demeurant, et par là même instructif : le pouvoir n'est en état de se parler que là où il éprouve le sentiment d'être fondé à le faire, c'est-à-dire, en l'occurrence, à ce stade encore peu avancé de la décadence du grand domaine où ses propriétaires peuvent toujours s'en croire les maîtres effectifs. D'un autre côté, le renversement des valeurs frappe aussi la liaison de la parole au silence et fait qu'à l'image dévaluée de l'une s'associe une image dérisoire de l'autre. Le secret est certes un thème capital des *Paysans* ; mais il ne se loge pas — et c'est là tout le neuf du roman — dans la sphère de l'autorité instituée, travaillant au contraire dans les couches sociales qui la contestent, bourgeoisie et paysannerie provisoirement alliées. Quant aux occupants des Aigues, s'il leur est enjoint de rester muets, c'est seulement sur la situation de vaudeville que le récit expose d'entrée, le traditionnel triangle dont le narrateur lui-même, dès le premier chapitre, dénonce comme à plaisir la totale insignifiance[19]. Fausse piste, faux secret : par où se redouble l'effet de fausseté du discours qui le recouvre.

« *C'est derrière le mensonge que se tapit la vérité (...)* » (Le Curé de village, p. 825)

Abandonnant pour un temps ce monde des *Paysans* où toute l'économie du pouvoir parlé se voit déréglée, il faut revenir aux deux romans de la positivité, pour reconsidérer ces scènes dans lesquelles se disait le couronnement d'une évolution heureuse. Figures d'un accomplissement ? Sans doute ; mais non de l'achèvement. Au propre comme au figuré, ces fêtes du verbe ne sont pas le dernier mot du texte. Après elles, en effet (et, d'une certaine façon, contre elles) se déploient, dans le *Médecin de campagne* comme dans le *Curé de village*, d'autres manifestations de la parole, conduites dans un système autre : celui du récit. Autant se remarquaient les concerts parallèles des voix de l'autorité, autant se détachent, tout aussi parallèles, des narrations qui leur succèdent et qui, en tant que métarécits, circonscrits par des appareils introducteurs et conclusifs qui leur donnent toute la netteté de contours possible, les concurrencent au même niveau textuel de l'énonciation fictive. La confession de Benassis, celle de Véronique Graslin, malgré les variations dans le décorum que leur impose la mimésis, malgré la fonction diégétique inégale qu'elles assument (celle-ci fermant définitivement la série événementielle, celle-là la relançant une dernière fois), apparaissent en tout état de cause, dans l'ordre du langage, comme une revanche du narratif[20]. Mais il y a plus. Pour concevoir dans toute son étendue la contradiction déterminée par les mises en évidence successives de deux régimes formels rivaux, il convient encore de constater que, dans l'un et l'autre roman, l'opposition nouvelle suscitée au discours recoupe, sans aucunement la recouvrir, celle, déjà analysée, que lui apportait le silence, dans la mesure où les deux récits en cause ont précisément pour rôle de combler le vide de la parole exclue.

Doit-on en inférer que cette proscription n'en était pas une, mais devait plutôt se comprendre comme une autorisation, voire comme une

188

obligation, à terme ? Répondre par l'affirmative, comme il est licite, ne prive nullement de sa substance la première contradiction, mais, bien au contraire, la réactive. Car, si l'on admet que le creux du silence n'est si bien dessiné que pour se voir apporter un contenu qui s'y ajuste parfaitement, il reste que l'appel au plein, alors même qu'il s'inscrit avec une intensité maximale, ne trouve pas de réponse dans la plénitude simultanément signifiée du discours. Tout se passe donc comme si le texte tendait ici à mettre en lumière une défaillance constitutive de cette forme langagière qui, dans son état le plus accompli, échouerait à dire ce qui compte le plus, en dernière instance, pour le sort du roman, et devrait abandonner cette fonction à un usage narratif de la parole. Que cette démonstration, et les hiérarchies qu'elle détermine, coïncident avec des contraintes propres au genre romanesque est évident : le rendement de l'organisation herméneutique, par exemple, supposait que les récits venant résoudre des énigmes longuement élaborées n'apparussent que le plus tard possible, occupant par là même une position privilégiée ; semblablement, les systèmes d'échanges symboliques sous-jacents aux deux romans, qui situent leurs transactions dans le domaine de l'agir, ne pouvaient trouver leur régularisation ultime que dans des énoncés narratifs nécessairement situés aux lieux stratégiques où le texte se referme[21]. Mais ces convergences, loin d'affaiblir la portée d'oppositions exemplaires, nous rappellent opportunément que le discours représenté, fût-il donné comme triomphant, reste soumis aux lois de l'économie romanesque.

La question qui se pose à partir de là est de savoir si, en régime d'imaginaire, la parole fictive de l'ordre est bien ce qui désigne le mieux l'ordre dans (et de) la fiction. Pour en faire douter, et engager à reconnaître ailleurs cette fonction capitale dans le projet balzacien, il n'y a pas que les conjonctions flagrantes qui viennent d'être étudiées, mais aussi, sans doute plus facilement repérables dès lors qu'existe un modèle, une série de combinaisons textuelles, aussi étendue que variée. Renonçant à les passer systématiquement en revue, on n'en retiendra que deux, à la fois comparables aux dispositifs analysés, en ce qu'elles mettent à nouveau en jeu des métarécits, et assez profondément divergentes pour permettre de mesurer l'ampleur du procès qui subordonne, au nom du pouvoir romanesque, le discours du pouvoir à la narration.

Le premier cas, le plus complexe et le plus évident, est aussi le plus connu, puisqu'il s'agit de la légende napoléonienne racontée par Goguelat aux paysans dauphinois : assez riche de sens pour s'être vu longuement exploré par la critique, le passage mérite également l'attention dans le champ d'interrogation qui est le nôtre. Il faut d'abord relever sa position dans l'architecture du *Médecin de campagne*, où il occupe exactement l'espace ménagé entre le dîner des notables et le tête-à-tête de Genestas et Benassis, ce qui revient à l'établir, avant même la confession du médecin, comme une première réussite patente de l'énonciation narrative opposée au discours. Par ailleurs, il est essentiel de rappeler la fonction sociale que le roman attribue à ces récits épiques, et qui est d'être la religion du peuple[22]. Entendons bien : ce qui, dans un système d'organisation sans doute subalterne, non seulement en symbolise l'unité, mais, bien davantage, en assure la cohésion et la permanence. Au rebours des histoires qui « font rêver », comme le dit bien la Fosseuse (p. 520), ce sont là récits qui font vivre, animent et portent ; et ce qu'ils portent, c'est tout un peuple[23]. On n'en saurait dire autant des cérémonials du discours. Or, cette comparaison est lourde de conséquences, et oblige à s'aviser d'un véritable renversement : au rendez-vous du pouvoir et du langage, force est de constater que celui-ci ne se présente pas sous les apparences que l'on pouvait attendre, et que là où il importe que la parole opère comme force d'ordre et comme rationalisation des aspirations d'une communauté, c'est la narration qui assure la fonction qu'on aurait pu croire dévolue au discours.

Il n'en va pas autrement dans un épisode moins célèbre, situé dans le *Curée de village*, et qui, bien qu'assez discrètement inséré dans le tissu romanesque, a cependant pour rôle de poser, et de résoudre, la question centrale de la vocation du curé Bonnet. Curieusement, celui-ci, en répondant à l'interrogation de l'abbé de Rastignac, se cantonne d'abord dans un propos explicatif qui ne semble pas échapper à l'ordre du discours, et récuse même explicitement l'hypothèse qu'il y ait en l'occurrence matière à raconter : « Ma vie est donc simple et sans le plus petit roman. » (p. 730). Mais il s'avère que l'exposé laissait un reste, puisque, apparemment clôturée, la parole se relance. « Cependant si vous voulez une confession entière, je vous dirai tout. » (*ibid.*) Or, ce « tout », c'est précisément un récit, l'histoire d'une entrée en religion qui signifiait en même temps la fuite d'un Père impossible à tolérer. Nul doute qu'il y ait à méditer là-dessus ; pour notre compte, il nous suffira de constater que, sans éclat mais non sans vigueur, ces pages font percevoir une insuffisance du discours là même où il prétendait au monopole, et son effacement devant une forme narrative décidément plus apte à fonder en raison une destinée.

Cette prévalence de la voix qui relate sur celle qui explique revêt donc toutes les apparences d'une sorte de loi. Mais on perdrait sans doute beaucoup à en limiter la portée au simple établissement d'une échelle de valeurs, et à en borner le champ d'application aux seules situations (en forme de couplages) repérables au niveau de la parole fictive. Car il semble bien, d'abord, que la subordination récurrente du discours au récit doive être comprise moins comme une infériorité de position que comme une dépendance fonctionnelle ; et que, de surcroît, cette dépendance engage, au delà du succès des narrations secondes, celui de la narration d'ensemble où elles s'inscrivent — qui ne paraît à même de déléguer son autorité qu'à proportion de son aptitude au déploiement heureux. Autrement dit, il n'y aurait image possible d'un langage du pouvoir (et par là signe d'un pouvoir du langage) que dans un roman capable d'aboutissement. L'hypothèse réclame à tout le moins une contre-épreuve, dont la charge reviendra, une fois encore, aux *Paysans*. Les vicissitudes par lesquelles y passe la parole de l'ordre, continûment disqualifiée, ne devraient-elles pas, en effet, se corréler aux perturbations considérables qu'y subit, pour son compte, la machine narrative, et qui vont jusqu'à un blocage laissant l'oeuvre à l'état de chantier ? C'est dès la première partie que le roman manifeste une incapacité patente à se développer en un mouvement continu, régressant à mesure qu'il avance dans le diégétique, dans une prolifération paralysante d'analepses ; comme si, quelque obstination qu'on y mette, quelque chose se soustrayait sans cesse à la mise en procès linéaire, imposait une multiplication indéfinie des points de la durée et de l'espace à partir desquels une histoire peut se constituer en totalité signifiante. Mais, dès lors que cette impuissance spécifique du récit peut se comprendre comme la marque d'une résistance du réel au langage qui cherche à se l'approprier, il semble que les effets que cette résistance détermine, d'abord éprouvés au niveau de l'activité narratrice, s'étendent nécessairement au sous-système du discours d'ordre représenté, en tant qu'il lui revient de désigner la maîtrise langagière : non seulement celle, ponctuelle et mimétiquement signifiée, de tel sujet fictionnel, mais, simultanément et indissociablement, celle du roman lui-même. A la défaillance de celle-ci, première, mais enfermée dans l'implicite, répond alors la défaillance de celle-là, dérivée mais figurable, et à ce titre figurant doublement, pour elle-même et pour celle qui, en dernière instance, la conditionne.

« *On cherchera querelle au romancier de ce qu'il veut être historien, on lui demandera raison de sa politique.* » (Avant-propos à la Comédie humaine, p. 14)

Il est un texte de Balzac qui, à la condition de l'examiner d'un oeil assez soupçonneux, peut contribuer à faire percevoir en quoi les images que les *Scènes de la vie de campagne* se donnent du pouvoir tel qu'il se joue dans le champ du langage valent pour leur auteur : il s'agit de la préface, supprimée ultérieurement, de l'édition originale du *Curé de village*. Ces pages de la frustration montrent en effet assez bien, avec toute la mauvaise foi d'un surgissement du refoulé (lui-même destiné à une prompte censure[24]), que le romancier éprouve quelque peine à se penser dans son double rôle de guide spirituel et d'artiste, en d'autres mots, à assumer conjointement la parole d'autorité et la pratique d'un genre fictionnel narratif. Qu'y lit-on ? Que si le roman est livré à ses lecteurs tel qu'il est, c'est sans répondre au « plan de l'auteur », qui, quoique préoccupé du « petit nombre de ceux à qui les Lettres sont encore chères », a dû rechercher l'intérêt du « gros public » (p. 637). Que, en raison de la pression exercée par ces destinataires encombrants, on trouve à la fois trop et trop peu dans le texte : trop, parce que pour près de la moitié[25] celui-ci n'est que « préliminaires du vrai livre » ; trop peu, parce que le contenu de ce « vrai livre » est, dans une proportion considérable, absent, repoussé dans un écrit fantomatique que l'auteur réserve à ceux qui « sympatiseront avec les pensées longuement méditées qui ont dicté *Le Curé de village* » (p. 638). Suit une énumération de ce qui a été ainsi soustrait (par exemple « l'exposition des doctrines de la monarchie pure »), terminée par un « etc. » qui suggère un déficit infini. Sur les noms qui peuvent se donner à l'excès et au manque déplorés par Balzac, l'hésitation ne sera pas longue : trop de récit, pas assez de discours.

Voilà pour le jugement émis à partir de cette position de pouvoir intellectuel où l'auteur se situe, et d'où il semble en effet que le discours interminable qui serait à énoncer ne trouvera jamais le lieu d'une énonciation autre que lacunaire. Cependant, pour son compte, le romancier qui se fait aussi entendre dans la préface paraît moins disposé aux regrets. Au total, s'avoue-t-il, l'ouvrage « a son sens, l'histoire y est complète », ce qui permet au moins à l'idéologique de se profiler : « (...) peut-être est-ce assez qu'on (...) entrevoie. » (p. 639). Cette dernière supposition conduit, en fait, à inverser les données du problème que posait une pensée obsédée de totalité. Balzac aura beau prétendre qu'« il ne s'agissait pas tant ici, de même que dans toutes les *Scènes de la vie de campagne*, de raconter une histoire que de répandre des vérités neuves et utiles » (p. 637) ; en tant que praticien, devant un livre auquel il se sent en droit de décerner un satisfecit mesuré, il retrouve dans son commentaire les équilibres que nous avions découverts dans les romans. Car, face à un discours qui rêvait la plénitude du discours, c'est la construction narrative qui atteint au plein du récit, dans un ouvrage qu'il faut bien reconnaître comme « complet relativement à ce qu'on appelle aujourd'hui le Drame » (p. 637, qui satisfait à « l'ordre dramatique », auquel il n'inflige aucune « solution de continuité » (p. 638). En somme, le « beaucoup trop » devient ici un « juste assez », et cette adéquation d'une réalisation à un programme — de nature esthétique — se révèle finalement comme la condition même qui, faisant que le roman ait pu s'écrire dans sa continuité formelle, assure pour le discours qu'il porte la possibilité de se faire entendre. Ainsi, le commentaire préfaciel, dans une sorte d'échange de bons procédés, retourne au texte fictionnel l'hommage que celui-ci lui avait rendu en emblématisant dans une série de scènes l'état de maîtrise du langage nécessaire à la pratique littéraire : c'est ici au discours de reconnaître, au moins tacitement, ce qu'il doit à un mode d'énonciation d'abord déclaré subalterne.

L'ironie de Benassis attribuant à ses propos et à ceux de ses invités le pouvoir de « régl(er) le sort du monde » (p. 515) ne se réduisait donc nullement à une simple marque de modestie ; lui répondait au demeurant l'ironie d'un texte où s'accusait la subordination de ce discours triomphant. On voit à présent à quel point les contradicitons qu'agence le travail du roman peuvent être tenues pour homologues à celles que découvre le romancier dans son travail ; et jusque dans la façon dont elles se dépassent. C'est peut-être dans ce que ses livres lui donnent à lire que l'écrivain est à même de concevoir au mieux de quelle manière il peut prétendre à cette « décision quelconque sur les choses humaines » dont il rêve, en comprenant que cette manière, justement, n'est pas quelconque, mais définie par le système formel où il a choisi d'oeuvrer. Si le pouvoir est au bout du récit, dans le monde raconté, il n'en va pas autrement, pour Balzac, dans le monde où il raconte ; et il l'a d'ailleurs si bien perçu que toute son oeuvre, en dernière instance, témoigne, par son existence même, pour cette conviction. L'intéressant est que, de l'intérieur, ses romans les plus expressément voués à signifier l'ordre aient désigné cet ordre comme celui du romanesque, légitimant du même coup leur prétention à l'efficacité sociale.

NOTES

1. Voir la *Comédie humaine*, éd. publiée sous la direction de P.-G. Castex, Bibl. de la Pléiade, t. IX, p. 49. Toutes les citations de Balzac se réfèrent à cette édition. Les indications de pages fournies dans le corps du texte renvoient plus particulièrement au tome IX.

2. Ce recours au plan de 1845, qui n'intègre pas, comme on le sait, *Le Lys dans la vallée* aux *Scènes de la vie de campagne*, est un choix délibéré. Il s'appuie à la fois sur le sentiment général que les hésitations de Balzac à rattacher ce roman à la série trahissent la conscience d'une hétérogénéité qui se constate sous quantité de rapports, et sur la nécessité circonstantielle de constituer un objet d'analyse cohérent, sans pour autant désavouer l'écrivain. Qu'il soit, dans le *Lys*, question de pouvoir, et qu'on y rencontre du discours, comment le nier ? Mais les termes dans lesquels la question de leurs rapports s'y pose implique un type d'organisation textuelle profondément différent de celui des trois autres romans. Ainsi, du reste, pour bien d'autres questions.

3. *La comédie humaine*, I, p. 19.

4. *Ibid.*, p. 12.

5. Blondet se retrouve bien dans son état d'écrivain au dernier chapitre des *Paysans*, mais il est alors loin de la Bourgogne. Dans la foulée, et par scrupule, on règlera le cas, rencontré dans le même roman, de Gourdon jeune, le poète de Soulanges (IIe partie, chap. 1). Disons simplement que ce personnage, quand bien même on voudrait le prendre au sérieux (ce que rend difficile la dérision féroce apportée par Balzac à la description de la « première société » de la petite ville), remplit de toute manière un rôle inscrit exclusivement dans un système de pratiques symboliques urbaines.

6. Voir *Balzac et le mal du siècle*, Gallimard, 1970, II, p. 1827 : « (...) Balzac n'a commencé à décrire l'oeuvre du réformateur que le jour où il a su qu'il ferait de Benassis un homme dont il faudrait finir par dire le secret. »

7. On songe ici aux cérémonies funèbres des hautes vallées, qui donnent lieu à un « Chant » rituel obéissant à une rhétorique très codifiée. Voir les pp. 450 sq.

8. Voir la première partie du chap. III, pp. 499 à 515.

9. Description initiale méthodiquement menée du cadre et des convives (pp. 499-500) ; dernière réplique de Benassis en forme de clausule : « Maintenant, messieurs, que nous avons réglé le sort du monde, parlons d'autre chose. » (p. 515).

10. Voir R. Chollet, « Un texte en quête de personnages », dans *Balzac, l'invention du roman*, Belfond, 1982 (pp. 221-222). Notre analyse recoupe ici, quoique différemment orientée, les réflexions de l'auteur sur la « hantise » du destinataire que connaît Balzac en 1830.

11. « Sur tous ces terrains sans destination, est écrit le mot *incapacité*. » (p. 707)

12. Cf. p. 709 : « (...) ce fut la parole (...) qui gagna cette bataille civile, en changeant le moral de la population. »

13. Le passage en cause va des pp. 810 à 825. On retrouve ici, à l'ouverture, la présentation systématique des personnages et du décor ; et, symétriquement, une clôture nettement marquée. La phrase du narrateur qui signale la fin du débat (« Sur ce cri du curé, la conversation changea. ») est aussi la dernière de la scène : c'est qu'il n'y a rien à ajouter...

14. Ce titre n'apparaît pas, en fait, dans notre édition de référence, qui suit la division en cinq chapitres de l'édition Furne ; mais on le trouvait dans l'édition originale de 1841, où le roman se subdivisait en vingt-neuf chapitres, ultérieurement regroupés.

15. Annoncé par Véronique (« J'irai demain vous faire une confession générale. »), le geste ne sera pas raconté. Le récit passe, sans plus en dire, au « surlendemain » (p.791). C'est là une des plus intéressantes situations de non-dit du roman.

16. Cette assimilation fonctionnelle apporte, du même coup, des éléments de solution au problème que pose le décentrement du titre par rapport à celle qui fait figure de personnage principal. Par l'aveu, le monde de Véronique serait devenu, rétroactivement et prospectivement celui du curé Bonnet.

17. La réunion coïncide avec le chap. 5 de la première partie (pp. 108 à 128). Notons que ce qu'on pourrait nommer la densité idéologique des propos est ici moins élevée que dans les cas précédemment examinés. Mais cette dilution est elle-même significative.

18. Nous avons suggéré ailleurs (« La vérité du romanesque, ou quand l'imaginaire écrit l'Histoire », *Handelingen van het XXXIIIste Vlaams Filologen Congres*, Anvers, 1981 ; voir pp. 219-220) que diverses caractérisations apportées à ce personnage imposent l'idée d'une ambivalence préjudiciable à la consistance qu'il requiert : ainsi de marques sexuelles erratiques, qui le connotent tour à tour dans le registre du militantisme viril (il est un « soldat », p. 125) et dans celui d'une féminité imprévue (voir surtout l'étonnante formule, p. 126, — « Toute épée aime son fourreau » — où l'épée n'est pas l'abbé...).

19. Balzac évoque, à la fin du chapitre, l'attente probable par le lecteur de « ce qui se trouve à la fin de tant de livres modernes, un drame de chambre à coucher » (pp. 64-65). L'ironie du paragraphe indique à suffisance le manque d'intérêt d'une voie où le roman ne s'engagera pas.

20. Au sens strictement linguistique (nous renvoyons à Benveniste), les situations de parole de l'un et de l'autre devraient sans doute être considérées comme de discours ; toutefois, comme ces confessions, pour l'essentiel, relatent une suite d'événements, et qu'elles le font en recourant à des formes propres à l'histoire (l'aoriste), on y verra avant tout des récits, de type autobiographique.

21. Même si nous n'y faisons qu'une allusion rapide, il est évident que la situation d'échange est capitale dans les deux romans ; et particulièrement dans le *Curé de village*, où on la retrouve sans cesse, sous des formes très variées.

22. Benassis le dit très clairement : « Napoléon (...) est une *religion*, grâce à deux ou trois vieux soldats du pays revenus dans leurs foyers, et qui, pendant les veillées, *racontent* fabuleusement à ces gens simples les aventures de cet homme et de ses armées. » (p. 414 ; nous soulignons).

23. Voir la phrase de Genestas : « Monsieur, avec des récits pareils, la France aura toujours dans le ventre les quatorze armées de la République (...) » (p. 538).

24. On sera d'autant plus sensible à la disparition de la préface que le *Curée de village* était, des trois romans analysés, le seul à avoir bénéficié d'un commentaire de ce genre, qui se référait d'ailleurs (dans le premier paragraphe) au projet d'ensemble de la série.

25. Balzac ne se livre pas à ces estimations quantitatives ; mais, à suivre ses indications, on trouve dans l'édition Pléiade un rapport de 108 pages de préambule contre 124 de « vrai livre ».

BALZAC, LE PRIX MONTYON ET LA GUILLOTINE
(« Le Curé de village »)

Nicole Mozet

> « La ville de Limoges était en ce moment agitée par le drame violent d'une exécution en province, spectacle rare auquel prêtaient un intérêt extraordinaire et le crime et le criminel. » (Début du deuxième feuilleton du *Curé de village* dans *La Presse* du 2 janvier 1839)[1]

Dans la présentation du *Curé de village* que j'ai faite en 1975 pour les éditions Folio, j'ai essayé de montrer, à la suite de Pierre Barbéris, que l'utopie économico-religieuse fabriquée par Balzac dans *Le Curé de village* était trop subversive pour le prix Montyon, et pas seulement à cause de l'éloge de Charles X[2], mais surtout parce que, en donnant peu à peu à l'ingénieur Gérard la préséance sur l'abbé Bonnet, elle inversait la hiérarchie de l'esprit et de la matière.

D'autre part, dans le dernier chapitre de ma thèse sur *La Ville de province dans l'oeuvre de Balzac*[3], j'ai étudié la topographie du roman, qui fait de tout espace, aussi bien du côté de Limoges que de celui de Montégnac, un texte à déchiffrer.

Ces analyses étaient sans doute nécessaires pour donner à ce roman très méconnu sa véritable dimension et lui rendre son poids de sérieux politique et philosophique. Mais elles laissent dans l'ombre des zones textuelles non moins importantes, en particulier tout ce qui relève directement de la fiction. Pourtant, même dans un roman, il n'est pas banal de mourir guillotiné. Hymne à la gloire des saints, des sages et des bâtisseurs, *Le Curé de village* est aussi une oeuvre profondément morbide, accumulant les histoires de corps malades ou suppliciés : petite vérole de Véronique enfant, maladies de peau de Graslin et de Catherine Curieux, pieds « chauffés » par Farrabesche, le cilice de Véronique à Montégnac, etc. Jean-François Tascheron, exécuté publiquement à Limoges un jour de marché, est évidemment le personnage le plus représentatif de cette lignée.

Dans *Le Curé de village*, pour reprendre un terme qu'il utilise souvent pour situer ses oeuvres par rapport à celles de ses prédécesseurs, Balzac a « refait » à la fois *Le Dernier Jour d'un condamné*, qu'il cite, et *Le Rouge et le Noir*, dont il ne fait pas mention. Par comparaison avec tous les autres textes de la guillotine, y compris celui de Stendhal, le roman balzacien se montre singulièrement sobre dans ses effets, refusant tout recours au macabre descriptif, dont pourtant l'auteur d'*Annette et le criminel* avait autrefois largement usé dans son roman de 1824. Une confrontation avec *Le Secret de l'échafaud* de Villiers de L'Isle-Adam est très instructive à cet égard, car le Velpeau du conte, pour les intérêts de la science, se place devant l'échafaud de façon à voir le mieux possible, tandis que, dans le roman, l'abbé Bonnet s'évanouit sans avoir rien vu : « Le pauvre curé de Montégnac fut emporté sans connaissance au pied de l'échafaud, quoiqu'il n'eût pas aperçu la fatale machine[4]. » Dans *Le Curé de village*, l'impact fantasmatique de l'objet guillotine, invisible mais omniprésent, n'en est pas moins considérable. Ce n'est pas parce que le sang ne coule pas qu'il n'est pas fait appel à l'imagination et à la sensibilité du lecteur, avec une insistance et une gravité qui ne peuvent qu'accroître la portée révolutionnaire du roman.

Dans ce récit où tous les pouvoirs sont récusés l'un après l'autre, comme pour laisser la voie libre au savoir technologique, l'absence du personnage du bourreau – l'homme de pouvoir par excellence – est particulièrement symbolique. Car les bourreaux ne manquent pas dans l'oeuvre de Balzac, à commencer par le Sanson des *Mémoires* et d'*Un épisode sous la Terreur*, ou le Tristan des *Contes drolatiques* et de *Maître Cornélius*. Il y a aussi, bien entendu, la nouvelle intitulée *El Verdugo*, le bourreau.

Dans *Le Curé de village*, surtout dans le premier état du texte, l'effacement de l'exécuteur laisse le premier rôle à l'homme d'Eglise, l'abbé Bonnet. La série de feuilletons parue dans *La Presse* du mois de janvier 1839, et qui s'intitulait déjà *Le Curé de village*, méritait beaucoup plus ce titre que le roman que nous lisons aujourd'hui[5]. C'était l'histoire d'un condamné à mort rebelle au repentir, dont la révolte publique, le jour de l'exécution, ne manquerait pas de dévoiler l'impuissance de l'Eglise, au grand désespoir de l'évêque de Limoges. Il est en effet évident pour tout le monde, étant donné les circonstances du crime et l'attitude du condamné, que le jeune homme a été trop heureux en amour pour se résigner facilement à mourir. Mais le modeste curé de village réussit là où avaient échoué les prêtres de la ville, et Tascheron « mourut bien »[6]. Ce petit texte, de la dimension d'une nouvelle et aux allures de parabole évangélique, se clôt sur l'épisode de la restitution du trésor volé. La leçon est claire : seul le retour à la véritable religion du Christ, telle que la pratique l'abbé Bonnet, peut enrayer la contagion de cette terrible maladie sociale qu'est la criminalité. De même qu'il a pacifié le canton de Montégnac, traditionnellement hors-la-loi, Bonnet a été le seul à dompter — par la douceur — l'âme sauvage de Jean-François Tascheron.

Dans l'économie de la narration, bien pensante ou non, la mort, violente ou non, constitue habituellement un dénouement, comme dans cet avant-texte de 1839, au terme duquel la morale est sauve. En effet, même si l'on peut regretter que l'Eglise ait dû recourir au plus humble de ses représentants pour obtenir la soumission du condamné révolté, sa réputation n'est que très légèrement entamée, d'autant que la personnalité exceptionnelle de l'abbé Bonnet explique suffisamment les échecs du trop vieil aumônier de la prison, l'abbé Pascal, ou du trop jeune abbé de Rastignac. Mais, dans *Le Curé de village* de 1841, par une métamorphose qui a valeur de révolution, la mort de Tascheron devient commencement. C'est aussi l'enseignement qui ressort de l'enquête génétique, toujours pleine de surprises en ce qui concerne les textes balzaciens, mais spécialement fructueuse en l'occurrence. Le 30 juin 1839, rien qu'en donnant une suite à son premier récit, Balzac bouleverse radicalement la signification de la mort et de la révolte de Tascheron, car Véronique ne recherche rien d'autre que la réhabilitation de son amant. Au seuil de sa propre mort, par une confesssion publique que son entourage ressent intensément comme scandaleuse, presque obscène, elle ose enfin proclamer la vérité. Son calvaire à elle est terminé. Et de nouveau l'Eglise, en la personne de l'archevêque qui couvre ce qu'il ne peut empêcher, est acculée à sauver les apparences d'un pouvoir illusoire. Véronique ne se repent nullement d'avoir aimé Tascheron, elle se désespère seulement qu'il soit mort à cause d'elle :

> « Moi seule au monde savais qu'il n'y eut ni préméditation, ni aucune des circonstances aggravantes qui lui ont valu son arrêt de mort ! Cent fois j'ai voulu me livrer pour le sauver [...] » (p. 867, Ki Wist p. 103)

Judith malgré elle[7], Véronique s'accuse de n'avoir aimé que pour tuer :

> « J'avais été chargée par mon père, moi privée d'enfant, d'en conduire un à Dieu, je l'ai conduit à l'échafaud ; ah ! versez sur moi tous les reproches, accablez-moi, voici l'heure ! » (p. 868, Ki Wist, p. 103)

En parlant, Véronique commet le même sacrilège que Jean-François par ses dénégations et ses rugissements insensés, parce qu'ils manifestent l'un et l'autre, avec la même violence, le regret du bonheur perdu[8]. La mort de Véronique est finalement aussi impie que celle de Mme de Mortsauf, à la fin du *Lys dans la vallée*, exhalant dans son agonie le regret des voluptés qu'elle s'est refusées. Ces deux héroïnes n'usent de l'institution ecclésiastique que pour la subvertir complètement, en rendant public ce discours de la sexualité que l'Eglise a soigneusement canalisé dans les coulisses de ses confessionnaux. Ce faisant, d'ailleurs, elles n'accomplissent rien d'autre que ce qui est le fondement même du propos romanesque : révéler l'intime. On a tort de se moquer des anathèmes qu'ont jetés sur les romans nombre de prédicateurs, qui ne dénonçaient que des dangers bien réels, avec une lucidité partagée par les plus conscients de leurs adversaires[9]. Au moment des aveux de Véronique, le texte de Balzac ne laisse planer aucun doute sur le sentiment véritable de l'archevêque, qui ne peut que désapprouver et le crime et l'inconvenance d'une révélation dans laquelle s'inscrit une revendication mal dissimulée :

> « En disant ces paroles, ses yeux étincelaient d'une fierté sauvage. L'archevêque, debout derrière elle, et qui la protégeait de sa crosse pastorale, quitta son attitude impassible, il voila ses yeux de sa main droite. » (p. 868, Ki Wist p. 103-104)

Ainsi, même dans *Le Curé de village* de 1839, si on met ensemble les trois séries de feuilletons, apparaît déjà avec une grande netteté le divorce radical entre les intérêts de la morale, qui se nourrit d'oubli et de silence, et les besoins du roman, qui exige, bien plus encore que la police, que la vérité soit clairement énoncée. *Le Curé de village* est le modèle d'une narration énigmatique, parsemée d'indices indéchiffrables pour qui n'est pas informé du dénouement.

C'est pour l'édition originale de 1841 que Balzac, par une dernière et décisive mutation, a transformé son roman quasi policier en un « grand poème technicien », pour reprendre l'expression de Pierre Barbéris[10]. Le thème n'était qu'amorcé dans les derniers feuilletons de 1839, mais d'une façon déjà très claire, qui établissait nettement un lien de causalité entre la mort de Tascheron et la renaissance de Montégnac :

> « Ma vie publique est une immense réparation des maux que j'ai causés. J'ai écrit mon repentir en traits ineffaçables sur cette terre, il subsistera presqu'éternellement. Il est dans les champs fertilisés, dans le bourg agrandi, dans les ruisseaux dirigés de la montagne dans cette plaine, autrefois inculte et sauvage, maintenant vaste et productive. » (p. 868, Ki Wist p. 104)

Le terme de repentir prête à confusion, parce qu'il désigne la faute et le regret, mais sans en préciser la nature. C'est le même terme qu'emploie l'archevêque à la page suivante, mais dans un sens moins ambigu. Quand c'est Véronique qui parle, tout laisse penser qu'elle ne se considère coupable que de la mort de son amant, et en particulier du silence qu'elle a gardé au moment du procès[11]. André Lorant, dans le commentaire qu'il fait à propos de ce repentir, va jusqu'à accuser le personnage de faire preuve d'un certain « orgueil »[12]. Tout en partageant cette interprétation, je regrette que le critique lui ait refusé toute signification idéologique, en fuyant délibérément du côté de la psychologie : « Balzac, dit-il, respecte le caractère du personnage, qui s'exprime contrairement aux intentions apologétiques de l'auteur. » L'argument vaut-il aussi pour Mme de Mortsauf ? Mme de Berny aurait alors bien mal lu en s'offusquant de la violence des paroles que l'héroïne du *Lys* prononce sur son lit de mort, et cependant Balzac a accepté de corriger son texte pour en atténuer la virulence. Par conséquent, si Véronique Graslin prononce dans *Le Curé de village* des paroles peu compatibles avec une rigoureuse orthodoxie religieuse, il est logique d'en déduire que le romancier n'avait plus ce désir de prêcher qu'on lui prête trop volontiers, et qu'il a lui-même affiché parfois avec beaucoup de complaisance. Dans ses lettres à Mme Hanska, l'insistance sur le thème religieux n'est-elle pas surtout destinée à tromper sa correspondante ? Il est d'autant plus important de constater que Mme Hanska ne s'est pas laissé abuser, et que son hostilité à l'égard de Véronique est irréductible. De même qu'en 1834, dans *Le Prêtre catholique*, Balzac a esquissé l'histoire du passage de l'intellectuel archaïque – le prêtre – à l'intellectuel moderne, à savoir l'écrivain, de même a-t-il tenté, dans *Le Curé de village*, d'imaginer le remplacement de la charité chrétienne par une forme de justice sociale fondée sur le développement économique. C'est exactement le contraire de ce qu'il prétend avoir fait le 10 mai 1840 dans une lettre à Mme Hanska :

> « *Le Curé de village* est l'application du repentir catholique à la civilisation comme *le Médecin* est l'application de la philanthropie, et le premier est bien plus poétique et plus grand. L'un est l'homme, l'autre est Dieu. » (*LH*, t. I, p. 676).

Ainsi, à moins de prendre ce texte au pied de la lettre, et de préférer ce témoignage très contestable à celui du roman lui-même, il y a bien progression du *Médecin de campagne* au *Curé de village*, mais celle-ci passe par l'ingénieur Gérard, qui, grâce aux millions de Véronique, dispose de moyens d'action beaucoup plus importants que le Bénassis du *Médecin de campagne*.

Mais c'est mal poser le problème que de réduire la religion au repentir ou à la charité, fût-elle celle d'un abbé Bonnet. Le christianisme représente d'abord, comme toutes les religions, une manière particulière de définir et de représenter le sacré. Dans cette optique, la principale référence religieuse du roman se trouve sans doute là où on ne pense généralement pas à aller la chercher : du côté de l'échafaud sur lequel Jean-François Tascheron fait le sacrifice de sa vie. En effet, à partir du moment où cette mise à mort n'est pas un aboutissement catastrophique mais un commencement – l'origine du récit autant que de l'aventure utopique –, il est difficile de ne pas y voir une contrepartie de la mise en croix[13], elle aussi annonciatrice d'une ère nouvelle. C'est en ce sens que *Le Curé de village* est un grand roman religieux. Mais le larron a pris la place du fils de Dieu.

Les deux grands textes romantiques de la peine de mort, *Le Dernier Jour d'un condamné* de Hugo et *L'Ane mort et la femme guillotinée* de Jules Janin, remontent tous les deux à 1829. A la veille des grands débats parlementaires du début de la Monarchie de Juillet sur l'abolition de la peine de mort, ils enregistrent à leur manière la mutation des mentalités liée à ce que Michel Foucault a appelé la « naissance de la prison »[14].

A partir de 1830, en réaction contre les excès du roman noir, le texte romanesque répugne à faire couler le sang. Dans *Le Rouge et le Noir*, Stendhal condense l'exécution de Julien en une seule phrase :

> « Tout se passa simplement, convenablement, et de sa part sans aucune affectation[15]. »

Mais cette volonté de discrétion ne va pas sans une certaine hypocrisie, parce que, si une autre littérature, moins élaborée, comme celle de *La Gazette des tribunaux*, n'existait pas ailleurs, le roman ne pourrait pas se passer d'un exposé plus complet. Si Stendhal, à l'occasion d'une exécution publique, peut s'offrir le luxe de la distanciation et éviter de faire couler le sang, c'est que le sang de la guillotine coule ailleurs sans retenue, sur la scène du mélodrame par exemple[16]. Il bénéficie lui aussi, quoique indirectement, de ces bas appétits qu'il fait semblant de ne pas vouloir exciter. Comment expliquer autrement la séquence finale de Mathilde s'appropriant la tête de Julien ? Néanmoins, cette élision du récit manifeste également un travail au plan de l'imaginaire[17] dont il est important de mesurer les enjeux.

L'oeuvre romanesque de Balzac, peut-être plus diversifiée que celle de Stendhal, surtout lorsqu'on y intègre les romans de jeunesse et les contes drolatiques, permet des rapprochements très éclairants pour la question qui nous intéresse. On retrouve en effet la guillotine presque aux deux extrémités de l'itinéraire balzacien, à plus de vingt ans de distance, dans *Annette et le criminel* (1824) et dans *La Cousine Bette* (1846).

On peut considérer l'essentiel du passage d'*Annette* concernant l'exécution de Jacques de Durantal[18] comme un texte très archaïque, aussi bien du point de vue de l'écriture que pour son contenu, car c'est bien encore à un « spectacle primitif » qu'il renvoie, selon la définition qu'en donne Michel Foucault dans *Surveiller et punir* (p. 14).

Au contraire, dans *La Cousine Bette*, au moment où le baron Hulot est pris avec Valérie Marneffe en flagrant délit d'adultère, la même scène est vécue par lui sur le mode du rêve éveillé[19].

Il est clair que ce n'est pas tout à fait la même société de référence qui correspond à chacun de ces deux textes. Un pas décisif a en effet été franchi en 1832, lorsqu'il a été décidé que les exécutions n'auraient plus lieu dans la journée, mais à l'aube. Désormais, la guillotine se cache. En revanche, jusqu'en 1825 environ, chaque département ou presque possédait sa guillotine et son bourreau. C'est l'époque où il y avait encore en moyenne, pour l'ensemble du pays, une exécution quotidienne. Après 1830, les chiffres diminuent de plus de la moitié[20], et, bien que les exécutions soient restées publiques jusqu'à la fin du Second Empire, le lieu du supplice se déplace de plus en plus vers la périphérie des villes. Il est très significatif que ce soient les partisans de l'abolition qui réclament également, comme un moindre mal, que la chose se passe à huis-clos à l'intérieur des prisons. C'est-à-dire que, à défaut de pouvoir empêcher l'acte, on s'efforce du moins d'interdire le spectacle : c'est là une attitude positiviste devant la mort en général et la peine de mort en particulier, qui est encore en gros celle de notre société moderne. Bien entendu, cela n'empêche pas que continue de se manifester une curiosité morbide et fascinée, qui coexiste très bien avec cette volonté de discrétion : l'article « exécution capitale » du *Larousse du XIXe siècle*, tout en réclamant le secret, cite in extenso, sur plusieurs colonnes, le récit détaillé d'une exécution publique par Maxime Du Camp[21]. Lequel, à l'abri de son alibi moraliste et professionnel, regardait tout son soûl tout en stigmatisant ceux qui faisaient comme lui à titre d'amateurs :

> «Toutes les lumières des maisons étaient éteintes ; à peine ça et là quelques lueurs errantes apparaissaient aux fenêtres des cabarets, où des curieux privilégiés avaient trouvé, à prix d'argent, un bon endroit pour bien voir. La foule, singulièrement grossie, s'agitait dans l'ombre. Elle est ignoble cette foule, il n'y a pas d'autre mot pour la qualifier.»

Par un déplacement significatif, et dont on trouverait évidemment bien d'autres exemples, ce qui était sacré est devenu obscène.

Le Curé de village se situe à mi-chemin entre ces deux attitudes, et c'est ce qui fait sa force et son originalité. Car on y trouve encore un récit d'exécution, au cours duquel est effectivement éliminé, sinon un homme, du moins un personnage :

> « Le surlendemain, jour du marché, Jean-François Tascheron fut conduit au supplice, comme le désiraient les âmes pieuses et politiques de la ville. Exemplaire de modestie et de piété, il baisait avec ardeur un crucifix que lui tendait M. Bonnet d'une main défaillante. On examina beaucoup le malheureux, dont les regards furent espionnés par tous les yeux : les arrêterait-il sur quelqu'un dans la foule ou sur une maison ? Sa discrétion fut complète, inviolable. Il mourut en chrétien, repentant et absous.
> Le pauvre curé de Montégnac fut emporté sans connaissance au pied de l'échafaud, quoiqu'il n'eût pas aperçu la fatale machine. » (p. 739)

Mais, dans le roman limousin, le vrai texte de la guillotine est ailleurs, dans les multiples et indélébiles *traces* laissées par cette exécution, par un curieux phénomène de contagion : Denise Tascheron baisse les yeux en parcourant les rues de Limoges, par crainte de rencontrer des regards qui ont vu tomber la tête de son frère. Les lieux mêmes sont pestiférés, conservant à jamais l'empreinte du drame :

> « En passant sur la place d'Aine, Véronique éprouva une sensation violente, son visage se contracta de manière à laisser voir le jeu des muscles, elle serra son enfant sur elle par un mouvement convulsif que cacha la Sauviat en le lui prenant aussitôt, car la vieille mère semblait s'être attendue à l'émotion de sa fille. » (p. 747)

L'essentiel est donc de l'ordre de l'imaginaire, et l'effet en ce domaine est d'autant plus grand que le spectacle lui-même a été plus rapide. En effet, le fonctionnement de la guillotine[22] semble avoir eu la particularité d'introduire un décalage formidable entre le caractère expéditif de l'accomplissement et l'importance de l'acte si vite commis[23]. C'est la scène traumatique parfaite, destinée à se répéter indéfiniment, sans la moindre variante, dans la mémoire de ceux qui demeurent. Le temps d'un éclair, le présent a basculé dans le passé par le même geste qui a précipité le corps sous le couperet. On est à la limite de l'hallucination, mais avec la certitude de l'irrémédiable et de l'irréversible, qui sont les signes indéniables de la réalité. En dépit des intentions humanitaires qui ont présidé à son installation, la guillotine est brutale, à cause de sa rapidité et de son efficacité, alors que l'intervention d'un homme, toujours faillible ou corruptible, laisse au condamné et aux spectateurs l'espoir d'un miracle de dernière heure. La littérature abonde d'exemples de mal décapités, de mal pendus et même de mal fusillés. Dans *L'Ane mort* de Janin, on trouve même un mal empalé, qui raconte en personne l'histoire de son supplice manqué, avec ce commentaire :

> « Je veux bien croire, dit-il, que cet Italien a été pendu, puisque moi-même j'ai été empalé[24]. »

Mais on chercherait en vain, je pense, l'exemple d'un rescapé de la guillotine. Pour toutes ces raisons, la machine à exécuter se prête admirablement au processus de métaphorisation et de symbolisation que l'on voit en oeuvre dans *Le Curé de village*, où elle est partout présente sans être jamais décrite. Car c'est quand on ne la regarde pas, comme l'abbé Bonnet, qu'on la voit le mieux.

Dans *Le Curé de village*, l'échafaud de la place d'Aine prend le relais du Calvaire, mais, par une sorte de paradoxe, la religion elle-même sert de point de départ et se rend complice de cette entreprise de redéfinition du sacré qui ne peut aboutir qu'à la négation de l'institution religieuse. Jusqu'aux contradictions internes du christianisme qui jouent leur rôle dans ce travail difficile, dans la mesure où c'est une religion qui mortifie la chair mais exalte le corps, aussi bien dans le dogme de la transubstantiation que dans les mystères de l'incarnation et de la résurrection. De même que l'abbé Bonnet ne fait peut-être que son devoir de prêtre en réclamant le corps de Jean-François le lendemain de l'exécution, afin, dit-il, qu'il puisse se lever parmi ses frères au jour du Jugement dernier, de même suffit-il à Véronique de détourner légèrement les gestes de la religion pour rendre à son amant un extraordinaire culte compensatoire, destiné en réalité à lui rendre vie, c'est-à-dire à nier sa mort et son supplice :

> « Cette âme repentante et qui aurait animé une longue vie utile à ce pays respirera donc longtemps parmi vous. » (p. 868)

En bien des endroits, le roman va très loin dans l'amalgame de l'amour humain et de l'amour de Dieu, au point que l'on est amené à se demander en dépit de quelques précautions oratoires de la part de l'auteur, d'ailleurs assez timides, si c'est avec le corps du Christ ou avec celui de Jean-François que communie Véronique au moment de mourir, dans une exaltation telle qu'elle entraîne la conversion de Roubaud, le médecin panthéiste, passionnément amoureux d'elle. Du point de vue idéologique, le déplacement se révèle considérable, parce que c'est toujours *contre* l'Eglise, en définitive, que l'abbé Bonnet et a fortiori Véronique choisissent le parti de Jean-François, qui est celui du Peuple : « Je suis née du peuple et veux retourner au peuple » (p. 747), dit Véronique en quittant Limoges pour Montégnac. A Montégnac, sous ses fenêtres, elle retrouve le corps de son amant, à côté duquel elle reposera elle-même, grâce à la « tendre pitié » de sa mère et à l'arbitraire du romancier, qui décide que cette réunion posthume ne fit pas scandale à Montégnac[25] :

> « Personne ne trouva étrange que Mme Graslin fût ensevelie auprès du corps de Jean-François Tascheron ; elle ne l'avait pas demandé ; mais la vieille mère, par un reste de tendre pitié, avait recommandé au sacristain de mettre ensemble ceux que la terre avait si violemment séparés, et qu'un même repentir réunissait au Purgatoire. » (p. 871)

De tout ce qui précède, il découle, me semble-t-il, que *Le Curé de village* n'est à aucun degré un roman bien pensant, et que les jurés du prix Montyon avaient d'excellentes raisons de ne pas voter pour lui. En effet, si la mort de Jean-François Tascheron est injuste, si son exécution a quelque chose de monstrueux, il faut bien en conclure que c'est parce qu'il est *innocent*. Si l'on s'en tient aux faits, il l'est pourtant beaucoup moins que Julien Sorel, puisque deux personnes sont effectivement mortes de sa main. Mais le texte de Balzac se montre sur ce point d'une extraordinaire indifférence, surtout à l'égard de l'avare, sorte de père Grandet au petit pied, comme si la thésaurisation constituait un crime infiniment plus grave[26] que celui de l'ouvrier porcelainier. Quant à la servante, son dévouement est souligné, mais la responsabilité de sa mort est rejetée du côté d'une législation inadéquate, ce qui est encore une façon de disculper Tascheron et de mettre en cause la guillotine :

> « [...] le meurtrier s'était trouvé dans l'obligation de la tuer pour supprimer son témoignage. Ce calcul, qui détermine presque toujours les assassins à augmenter le nombre de leurs victimes, est un malheur engendré par la peine capitale qu'ils ont en perspective. » (p. 683).

C'est donc à cause du maintien de la peine de mort qu'est morte Jeanne Malassis, la seule des deux victimes qui puisse susciter quelque compassion. Car l'existence de Pingret était trop improductive, même pour lui-même, qui vivait dans le dénuement le plus absolu, pour engendrer le moindre regret. Quant aux héritiers, une fois le trésor récupéré, ils n'ont aucune vergogne à laisser voir une sorte de reconnaissance à l'égard de leur bienfaiteur involontaire et à réclamer sa grâce à retardement :

> « Eh bien, on aurait dû faire grâce à ce pauvre homme, disait Mme des Vanneaulx. L'amour et non l'intérêt l'avait conduit là : il n'était ni vicieux ni méchant. — Il a été plein de délicatesse, dit le sieur des Vanneaulx, *et si je savais où est sa famille, je les obligerais.* C'est de braves gens, ces Tascheron. » (p. 743).

L'opinion publique, elle aussi, se passionne pour le mystère des pots à or brisés, mais sans accorder la moindre attention à leur défunt propriétaire. C'est également le cas du jury des assises, particulièrement sensible à l'argument de Graslin, qui propose d'épargner l'accusé pour augmenter les chances de retrouver le trésor. Aussi la condamnation n'est-elle obtenue que d'extrême justesse, par adjonction de la cour à la minorité du jury. Mais le plus étrange, et qui constitue à mes yeux un véritable brevet d'innocence accordé par l'auteur à son personnage, c'est que Balzac éprouve le besoin de prêter à Jean-François, au moment du verdict, une réaction universellement connue pour être celle d'un innocent :

> « Lorsque son arrêt lui fut prononcé, Tascheron tomba dans une fureur assez naturelle chez un homme plein de force et de vie, mais que les magistrats, les avocats, les jurés et l'auditoire n'ont presque jamais remarquée chez les criminels justement condamnés. » (p. 694).

Jean-François Tascheron est le seul ouvrier de *La Comédie humaine* qui ne soit pas en position de comparse. Il était en effet presque impossible, dans un roman des années 1830 ou 1840, de donner un rôle de premier plan à un ouvrier sans le faire changer de condition sociale. C'est la gageure qu'a tentée George Sand dans *Le Compagnon du Tour de France*, mais elle aussi, dans *Horace*, fait de l'ouvrier Paul Arsène un artiste de génie. Dans *Le Curé de village*, Balzac adopte une autre solution, à la fois radicale et originale, en tuant son personnage au seuil de son récit. De cette façon, il élimine toute narration directe, en particulier les dialogues, et l'histoire d'amour devient touchante du seul fait de son dénouement tragique. C'est assurément une forme d'auto-censure, que Balzac lui-même a éprouvé le besoin de compenser par l'introduction de Farrabesche, qui est un assassin comme Tascheron, mais qui n'a pas été condamné à mort. Contrairement à Tascheron, il élève son fils et finit par retrouver la femme qu'il aime. Mais Farrabesche n'est le héros que d'un récit second. D'ailleurs, le sacrifice romanesque de l'ouvrier porcelainier, dont Balzac ne veut faire ni un Julien Sorel, ni un Rastignac plébéien, est largement contrebalancé par les avantages qui lui sont accordés au plan symbolique[27]. Nous avons vu que l'amant de Véronique contrairement à bien des personnages de *La Comédie humaine*, et non des moindres, ne meurt pas pour rien, et que son exécution est plutôt avènement que liquidation.

Ce qui s'achève avec la mort de Jean-François Tascheron, en cette année 1829 qui est celle du *Dernier Jour d'un condamné*, mais qui marque aussi le crépuscule du règne de Charles X, ce n'est pas tellement la vie d'un homme de vingt-trois ans destiné à ressusciter dans les oeuvres de sa maîtresse, c'est surtout un type de société, fondée sur le patriarcat. Déjà, dans *Le Rouge et le Noir*, la bâtardise morale de Julien était fortement soulignée. Mais le divorce entre Jean-François et son père est beaucoup plus radical qu'entre le vieux Sorel et son fils, parce que la psychologie n'y a aucune part, et qu'aucun sentiment de haine ou d'avidité n'anime le patriarche de Montégnac. Contrairement au père de Julien, celui-ci refuse d'aller voir son fils en prison, laissant sa femme et sa fille accompagner seules l'abbé Bonnet. Denise, de son côté, refuse de recevoir de l'argent de son père pour payer l'avocat de son frère :

« – Non, non, fit Denise, il n'est plus votre fils. Ce n'est pas à ceux qui l'ont maudit, mais à ceux qui l'ont béni de récompenser l'avocat. » (p. 739).

En quittant la France pour une Amérique mythique[28] où la loi paternelle puisse s'exercer sans entraves, par enfermement dans une enclave catholique en pays protestant[29], la famille Tascheron se désolidarise complètement du fils coupable, frappé d'un anathème qui équivaut à un second verdict de mort. Il est impossible de ne pas voir dans cet exil collectif, choisi pour des raisons purement idéologiques[30], un doublon romanesque de l'embarquement de Charles X à Cherbourg, « ce Roi qui, selon l'abbé Bonnet, vient d'emporter avec lui les vrais principes du gouvernement » (p. 815). Là encore, il faut se garder d'une interprétation hâtive, mettant exactement sur le même plan l'écrivain et son personnage. Certes, cette « loi nouvelle, [selon laquelle] le père n'est plus responsable du fils » (p. 722), Balzac la récuse aussi bien que les Tascheron, et son utopie économique peut être considérée comme l'équivalent de l'aventure colonisatrice des parents de Jean-François. Mais il refuse la solution imaginaire de l'exil, exactement comme Denise Tascheron qui finit par revenir à Montégnac pour ne pas mourir de chagrin comme sa mère et une de ses belles-soeurs. Elle revient aussi par fidélité à la mémoire de son frère, dont elle élèvera le fils.

Car Jean-François n'est pas seulement le fils prodigue et renié. Il est aussi le fondateur d'une nouvelle dynastie, puisqu'un fils lui est né le jour de son exécution, qui est évidemment le futur propriétaire du nouveau Montégnac. L'importance du personnage de Francis Graslin, presque inexistant au plan romanesque, mais essentiel du point de vue symbolique, devient évidente quand on se souvient que Balzac a hésité pour lui entre deux tuteurs, Granville[31] et Gérard[32]. Choisir Granville, c'était boucler la boucle, revenir au roman religieux de la faute et du pardon dont j'ai décrit la première esquisse au début de cette communication. Dans ce dénouement inattendu, puisque Granville est directement responsable de la mort de Jean-François, on peut voir le désir du romancier de redonner une certaine cohérence idéologique à un texte difficile, qu'il a senti peu à peu se transformer, et peut-être lui échapper, par le travail d'écriture. Mais lorsque le texte a pris sa forme définitive pour l'édition originale de 1841, ce qui était auparavant au second plan — la dimension économique du roman — est passé soudain, sans contestation possible, au devant de la scène. Cette nouvelle cohérence imposait un autre dénouement, qui ne pouvait plus être un simple retour au passé, même sous la forme d'un geste de pardon. Dans un Montégnac en pleine expansion, confier encore Francis Graslin à Granville, même à un Granville transformé par la mort de Véronique, c'était livrer le fils de Jean-François à une double mort romanesque et idéologique, et mettre délibérément l'oeuvre de Véronique sous le signe de l'échec. Au contraire, choisir l'ingénieur Gérard, c'est opter pour l'avenir et le développement.

Mais Gérard lui-même n'est qu'un intermédiaire, car, in extremis, après Véronique, Catherine Curieux et la vieille Sauviat − dont le rôle est capital dans tout le roman −, une nouvelle femme est introduite, ou plutôt réintroduite dans le circuit romanesque. Il s'agit de Denise Tascheron, qui, épousant Gérard, passe directement de l'état de soeur à celui de mère. Et ce n'est pas le côté le moins utopique du roman que ce rêve de matriarcat, qui apparaît sous bien des formes dans les textes balzaciens postérieurs à 1840, y compris dans une des oeuvres les plus délaissées de *La Comédie humaine*, *L'Envers de l'histoire contemporaine*, dans laquelle on voit une communauté bienfaisante vivre et agir sous les ordres maternels et souverains de Mme de La Chanterie. Soulignons que la date de 1840, qui correspond en gros à la rédaction définitive du *Curé de village*, marque une coupure fondamentale dans la production balzacienne en ce qui concerne le rapport au passé et à l'Histoire : alors que, avant cette date le thème archéologique − ou, si l'on préfère, la nostalgie de la « loi ancienne » −, était prépondérant dans beaucoup des plus grands romans, de *La Recherche de l'Absolu* à *Béatrix*, et toujours associé à une image paternelle très puissante, comme celle du père Grandet ou du vieux marquis d'Esgrignon du *Cabinet des Antiques*, ce thème archéologique disparaît entièrement des romans postérieurs à 1840, ou n'y figure plus que pour être nié, comme dans *Pierrette*. Quant aux *Paysans*, qui est le roman du Père défaillant, un peu comme *La Cousine Bette*, il retrace toutes les étapes de la défaite irrévocable de l'archéologie, dans tous les sens du terme : c'est le roman de la bande noire et de la destruction systématique − l'anti-*Curé de village*, par conséquent. Néanmoins, il raconte aussi, comme *Le Curé de village*, l'histoire d'un père tué le jour où il lui naît un fils. Mais le fils Michaud est mort-né.

En 1841, presque en même temps que *Le Curé de village* et *Le Compagnon du Tour de France*, parut un roman de Mlle Ulliac-Trémadeure que l'Académie française jugea digne du prix Montyon. Il s'appelait *Claude Bernard ou le gagne-petit*[33]. Le premier chapitre, qui s'intitule « Le Curé de village », est peut-être une référence au roman de Balzac, de même qu'il y a quelques pages sur le compagnonnage qui semblent une réponse indirecte à George Sand. L'allure du récit montre beaucoup d'intelligence et de finesse, mais la morale est en béton, avec une volonté farouche d'interdire tout ce qui peut ressembler à un changement de classe sociale. Le problème de « retourner au peuple », comme Véronique Graslin, ne se pose pas, puisque l'essentiel est de ne pas quitter le peuple, sous aucun prétexte, et surtout pas par le biais de l'instruction. Le jeune Claude, qui manifestait beaucoup de goût pour les études, a failli succomber à cette tentation fatale, mais son père est heureusement mort à temps pour l'obliger à gagner sa vie et celle de sa famille en reprenant sa meule de rémouleur. Dans *Claude Bernard*, les rêves sont toujours mauvais, qu'ils soient rêves de savoir, d'aimer, de partir ou simplement de s'amuser. L'imagination est forcément du côté du démon. Autant dire que nulle guillotine ne se profile à l'horizon, mais la prison apparaît néanmoins, au dénouement, presque en filigrane, dans le récit de Joseph, le moins recommandable des trois frères. Même pour un innocent, elle représente la honte suprême, au même titre que la bâtardise :

> « — Mais j'étais innocent, mon frère !
> — La prison laisse un sceau ineffaçable, même sur le front de celui qu'elle a reçu à titre de vagabond, de vagabond volontaire ! Je ne veux pas revenir sur le passé ; loin de là, Joseph, je veux l'oublier. Oublie-le à ton tour, et garde-toi d'éveiller le soupçon, de jouer avec l'opinion publique ! Elle punit durement et à toujours ceux qui osent la braver ! Que la faute de Tiennette, que la tienne, mon frère, restent ignorées. » (éd. de 1863, p. 366).

Avec son ouvrier amoureux de la femme d'un banquier, avec son bâtard installé au château de Montégnac en qualité de propriétaire et ses deux amants enterrés côte à côte, on se demande comment l'idée a pu effleurer Balzac un seul instant qu'il avait la moindre chance de décrocher un prix de vertu en prônant, sous couvert de repentir productif, l'adultère et le meurtre ! L'histoire de Farrabesche et de Catherine Curieux est déjà plus édifiante, car ils ne sortent pas de leur classe d'origine et tiennent davantage compte de l'opinion publique, mais elle perd sa transparence du seul fait d'être réfractée par les yeux coupables de Véronique. Par la combinatoire des récits et le kaléidoscope des opinions contradictoires, qui déstabilisent complètement les assises de l'énonciation, *Le Curé de village* est vraiment trop complexe pour être honnête...

NOTES

1. Ki Wist, p. 6, et Pléiade, t. IX, var. a de la p. 682. Les références au texte définitif du *Curé de village* renvoient à l'édition établie par André Lorant pour le tome IX de la Pléiade. Le texte préoriginal paru dans *La Presse* en 1839 est cité d'après l'édition de Ki Wist, Bruxelles, 1961. Dans ce cas, pour plus de commodité, je signale également la variante correspondante dans le volume de la Pléiade.

2. Le 15 mars 1841, Balzac écrit à Mme Hanska à propos du *Curé de village* : « Vous verrez les quelques lignes en faveur de Charles X qui empêchent que ce livre n'ait le prix Montyon. » (*LH*, t. II, p. 7)

3. SEDES-CDU, 1982.

4. Le texte du manuscrit est un peu plus explicite : « Le pauvre curé de Montégnac fut emporté sans connaissance au pied de l'échafaud, il fit une grave maladie qui dura six mois, quoiqu'il n'eût même pas aperçu le fatal instrument, car son paroissien et lui furent placés de manière à tourner le dos à la machine. » (Ki Wist, *Les Manuscrits de premier jet d'Honoré de Balzac*, Bruxelles, 1964, p. 70, et var. c de la page 739).

5. Chaque roman de Balzac est le produit d'une campagne d'écriture plus ou moins tumultueuse, au cours de laquelle le projet initial est toujours modifié par le travail du texte se faisant. Pour ce qui est du *Curé de village*, l'écart est particulièrement grand entre le point de départ et le résultat final, parce que la religion, sujet tabou, entraîne forcément des phénomènes de déplacements et d'autocensure. Il faut donc souligner que son titre n'est que le reflet du premier état du roman, lorsque, le 15 novembre 1838, Balzac pouvait écrire à Mme Hanska : « [...] dans ce livre vous m'adorerez en qualité de *père de l'Eglise*. Ce sera du Fénelon tout pur [...] » (*LH*, t. I, p. 630). En revanche, le 1er octobre 1840, l'écrivain reconnaît que son livre a changé, et il plaide le manque de temps pour prévenir les critiques de sa correspondante : « Dans une vingtaine de jours paraîtra *Le Curé de village*, mais tronqué, je n'ai pas le temps d'achever ce livre, il manquera précisément tout ce qui concerne le *Curé*, la valeur d'un volume que je ferai pour la seconde édition. » (*LH*, t. I, p. 685).

6. Texte de *La Presse* : « Il mourut bien, en chrétien repentant et absous. » (Ki Wist, p. 43, variante non reprise dans la Pléiade). Texte définitif : « Il mourut en chrétien, repentant et absous. » (p. 739).

7. Au moment du procès, dans l'imagination des habitants de Limoges, la femme inconnue était perçue comme profondément maléfique, ainsi qu'en témoigne la référence à Médée de la p. 696.

8. Cf. ce diagnostic de l'abbé Pascal à propos de Tascheron : « Cet homme a trouvé son paradis ici-bas » (p. 697).

9. Cf. ce texte de George Sand concernant les romans de Walter Scott : « Ces romans-là, malgré leur exquise et adorable chasteté, sont tout aussi dangereux pour les jeunes têtes, tout aussi subversifs du vieux ordre social, que romans le doivent être pour être romanesques et pour être lus avidement par toutes les classes de la société. » (*Le Compagnon du Tour de France*, PUG, 1979, p. 222). Dans le roman moralisant qui obtint le prix Montyon à la place du *Curé de village*, et qui s'appelle *Claude ou le gagne-petit* –, j'en parlerai plus longuement à la fin de cette communication – il y a un passage très intéressant quant à la relation du mal et de la fiction, car c'est le personnage le plus antipathique, Joseph, qui est le meilleur conteur : « Il avait en effet un talent tout particulier pour tenir en suspens ses auditeurs, et comme il avait beaucoup vu et couru longtemps le monde, il savait des choses dont, jusqu'à lui, personne n'avait eu à Crécy la plus légère idée » (éd. de 1863, p. 363). Et la réhabilitation de Joseph passe par son renoncement à raconter.

10. Préface du *Curé de village*, Le Livre de poche, 1972, p. XXIII.

11. A rapprocher des questions dont elle presse Farrabesche pour savoir si Jean-François aurait supporté la vie du bagne, à la p. 788.

12. P. 869, note 1. C'est aussi l'opinion de Mme Hanska, qui estime que la conduite de Véronique n'est « ni humaine, ni même féminine » : « Je puis comprendre le repentir, mais avec une fausse expiation d'un crime qu'au fond de son coeur elle ne considérait pas comme tel. » (Lettre de Mme Hanska à son frère Adam Rzewuski, citée par Ki Wist, *Le Curé de village, manuscrits ajoutés*, Bruxelles, 1957-1959, p. 65.)

13. Dans la seconde partie du roman, Véronique est explicitement comparée au Christ sur la croix, vu par les yeux douloureux de sa mère (p. 851).

14. Michel Foucault, *Surveiller et punir. Naissance de la prison*, Gallimard, 1975.

15. *Le Rouge et le Noir*, Garnier, 1973, p. 487. M. Castex rappelle en note cette remarque du *Courrier Anglais*, dans laquelle Stendhal dénonce « les appétits de ce bon peuple de Paris, que *La Gazette* et *Le Courrier des tribunaux* n'ont fait que provoquer, pour les dégoûtants détails de cour d'assises et les horreurs sanguinaires de la place de Grève qu'ils prodiguent. »

16. Cf. Roger Bellet, « Le sang de la guillotine et la mythologie de Jean Hiroux (1830-1870», *Romantisme* nº31 (Sangs), 1981.

17. Cf. l'article de Frank Bowman sur « La circulation du sang religieux à l'époque romantique » : « [...] on ne peut pas dire que la symbolisation supprime le physique ; au contraire, il y a approfondissement des deux au niveau de l'imaginaire. » (*Romantisme*, nº 31, p. 35).

18. Garnier Flammarion, 1982, pp. 368-371.

19. Pléiade, t. VII, pp. 303-304. Lucienne Frappier-Mazur a longuement étudié ce texte dans son chapitre sur la métaphore d'agression, en soulignant le rapport entre le rêve de castration et le rêve de décapitation (*L'Expression métaphorique dans la Comédie humaine*, Klincksieck, 1976, p. 333-335).

20. Ces évaluations sont tirées de l'ouvrage de J.M. Bessette, *Il était une fois... la guillotine*, éditions alternatives, 1982.

21. *Revue des Deux Mondes*, 1er janvier 1870.

22. Cf. les deux articles de Daniel Arasse sur la guillotine : « La guillotine et la Terreur, ou la Révolution consacrée », *Corps écrit*, 2 (Champ du sacré), et « La guillotine ou l'inimaginable. Effet d'une simple mécanique », *Revue des sciences humaines*, 1982-3 (La machine dans l'imaginaire, 1650-1800).

23. Cf. cette non-description d'une exécution capitale dans une nouvelle de Charles Rabou intitulée *Le Ministère public* (1832) : « Une minute après, Pierre Leroux fit divorce avec sa tête, cela fut pratiqué avec une telle dextérité que plusieurs de ceux qui étaient venus pour assister à un spectacle furent obligés de demander à leurs voisins si la chose était déjà faite, et alors ils jurèrent bien qu'on ne les prendrait plus à se déranger pour si peu. » (*Contes bruns*, éd. des autres, 1979, p. 235).

24. J. Janin, *L'Ane mort et la femme guillotinée*, Nouvelle bibliothèque romantique, Flammarion, 1973, p. 94.

25. Le fait est pourtant suffisamment insolite pour que Balzac ait éprouvé le besoin de préciser dans le texte de *La Presse* que « La disposition de sa tombe ne fut connue qu'à Montégnac. » (Ki Wist, p. 106, et var. a de la p. 872) Cette indication, sans doute un peu trop révélatrice, est supprimée au niveau de l'édition originale.

26. A vrai dire, l'argument est porté au compte d'« esprits forts », de tendance saint-simonienne : « Quelques gens prétendus progressifs, méconnaissant les saintes lois de la Propriété, que les saints-simoniens attaquaient déjà dans l'ordre abstrait des idées économistes, allèrent plus loin : « Le père Pingret était le premier auteur du crime. Cet homme, en entassant son or, avait volé son pays. Que d'entreprises auraient été fertilisées par ses capitaux inutiles ! Il avait frustré l'Industrie, il était justement puni. » La servante ? on la plaignait. » (p. 695, passage ajouté sur épreuve). Un texte comme celui-là pose un problème de fond en ce qui concerne l'analyse idéologique du roman, parce qu'il est presque impossible de déterminer le sujet de l'énonciation. Il s'agit en effet explicitement d'un groupe dont l'auteur prend soin de se désolidariser. Toutefois, à considérer le roman dans son ensemble, n'est-ce pas exactement la même leçon qui s'en dégage ? Il faut également tenir compte du fait qu'en 1839, surtout dans un roman religieux, le rapport au saint-simonisme ne pouvait guère s'exprimer qu'en termes de négation, ou de dénégation.

27. Au plan moral aussi, dans une opposition très stendhalienne entre la passion et la bonne éducation : « – D'ailleurs, ce n'est pas un homme comme il faut, reprit la Parisienne exilée, c'est un ouvrier. – Un homme comme il faut en eût bientôt fini avec l'inconnue ! » répondit Mme Graslin. » (p. 697-698).

28. C'est la même Amérique où Mongenod est allé refaire sa fortune dans *L'Envers de l'histoire contemporaine*, tout en élevant sa fille dans l'idée de devenir la femme de M. Alain, l'ami de son père.

29. « [...] mon père a fondé un village dans l'Etat de l'Ohio. Ce village est devenu presque une ville, et le tiers des terres qui en dépendent sont cultivées par notre famille, que Dieu a constamment protégée : nos cultures ont réussi, nos produits sont magnifiques, et nous sommes riches. Aussi avons-nous pu bâtir une église catholique, la ville est catholique, nous n'y souffrons point d'autres cultes, et nous espérons convertir par notre exemple les mille sectes qui nous entourent. La vraie religion est en minorité dans ce triste pays d'argent et d'intérêts où l'âme a froid. » (p. 842-843).

30. « Le sentiment qui dictait cette expatriation était si violent dans ces âmes simples , peu habituées à des transactions avec la conscience, que le grand-père et la grand-mère, les filles et leurs maris, le père et la mère, tout ce qui portait le nom de Tascheron ou leur était allié de près, quittait le pays. Cette émigration peinait toute la commune. » (p. 721-722).

31. Le texte de 1839 se termine sur ces lignes : « M. de Granville, prié par elle d'accepter la tutelle du jeune Graslin, resta pendant quelques jours au château, presque malade et silencieux. Un matin la vieille Sauviat lui apporta, sans lui dire une parole, un beau portrait de Véronique. » (Ki Wist, p. 106, et var. b de la p. 872).

32. Voici la fin du roman dans le texte définitif : « Gérard, nommé tuteur de Francis Graslin, et obligé par le testament, d'habiter le château, y vint ; mais il n'épousa que trois mois après la mort de Véronique, Denise Tascheron, en qui Francis trouva comme une seconde mère. » (p. 872)

33. Pour éviter l'homonymie avec le savant, l'ouvrage fut réédité en 1863 sous le titre de *Claude ou le gagne-petit*, avec un « avertissement des éditeurs » dans lequel on apprend que, outre le prix Montyon, le roman a été primé par la Société pour l'instruction élémentaire, adopté à Paris pour les écoles d'adultes et choisi à Nantes pour une école d'apprentis. L'évêque de Montpellier en a fait souscrire 25 exemplaires pour les petits séminaires de son diocèse.

L'ARTISTE ET LE POUVOIR : UN « TOPOS » DE LA LITTERATURE ROMANTIQUE ?

Jacques Birnberg

1) En guise de préambule : la quasi-inexistence du sujet

Le sujet proposé pour la présente communication était bien intitulé : « points de vue romantiques sur les rapports de l'artiste avec le pouvoir ». Mais entre le moment où l'on est invité à soumettre un projet et celui où ce projet prend corps, il se produit des modifications que la recherche impose et il nous semble que le nouveau titre rend avec plus d'exactitude le sujet traité.

En tout cas, dès le début la communication portait un sous-titre — « de Tebaldeo Freccia à Ferrante Palla » — que nos organisateurs n'ont pas reproduit et qui fournissait pourtant à trois égards le cadre de l'exposé. En premier lieu, il signalait que notre recherche serait essentiellement axée sur les points de vue tels qu'ils s'expriment dans les belles lettres, à travers les différents genres, — poésie, drame, fiction. Ensuite, il indiquait implicitement que cette recherche serait limitée à la production littéraire des années 1834 - 1839. Enfin, l'italianité des noms cités dans le sous-titre était évocateur des effets de distance dans le temps et dans l'espace, première caractéristique des formes de présence significatives du thème dans la littérature française des années trente[1] — l'on sait assez que le temps romanesque de la *Chartreuse* est un 19e siècle mâtiné de 16e pour que la distanciation joue aussi bien dans le roman de 1839 que dans la pièce de 1834. En outre, sur le plan sur lequel nous nous plaçons, il nous importait tout autant que la consonance étrangère de ces noms suggérât que la question des rapports artiste/pouvoir peut se poser au niveau du romantisme européen.

Notons que si en 1834, Musset fait publier un drame projeté et suggéré par George Sand[2], la même George Sand clôt l'année 1839 par la publication d'une étude d'un intérêt considérable pour notre propos, étude parue dans la livraison du 1er décembre de la *Revue des Deux Mondes* sous le titre « Essai sur le drame fantastique : Goethe - Byron - Mickiewicz ». Deux des sources d'inspiration les plus fréquemment citées de la littérature romantique française comme de la littérature romantique européenne sont Shakespeare et Byron. C'est dans le théâtre de Shakespeare que les romantiques européens trouvent des formes adéquates — nouvelles par rapport à celles des littératures des siècles classiques — qui leur permettent d'exprimer avec vigueur les passions exaltantes, engendrées et propagées par la Révolution de 1789[3]. Si chez Byron, les rapports de l'artiste et du pouvoir n'apparaissent que médiatisés à travers l'isolement, le rejet du héros par la société, ils se produisent épisodiquement dans plus d'une pièce de Shakespeare[4]. Par conséquent, nous avions adopté comme hypothèse de travail que les oeuvres littéraires françaises des années trente dans lesquelles ce thème se manifeste et qui sont celles que la postérité a retenues — *Stello* (1832), suivi de *Chatterton* (1835), *Lorenzaccio* (1834), *Illusions perdues* et *la Chartreuse de Parme* (1839) — pouvaient ne constituer que la partie visible de l'iceberg, celle qui signalait une préoccupation intensifiée par la révolution de Juillet et que l'on pourrait retrouver en profondeur dans la masse de l'imprimé de ces années-là. Après tout, présenter penseur et pouvoir en antagonistes n'était pas chose nouvelle dans la littérature française. L'idée d'un sacerdoce auquel Dieu élit les poètes et qui fait de ceux-ci les juges des rois, en même temps que la cible de l'hostilité et des persécutions du vulgaire remonte au moins à la Pléiade, avait pris chez les écrivains du siècle des lumières des formes nouvelles, celles d'un sacerdoce laïque et s'était développée en se diversifiant encore dans la littérature du 19e siècle, tant dans celle du courant contre-révolutionnaire et antiphilosophique que dans celle qui se voulait l'héritière des encyclopédistes[5]. Pourtant, ce thème vaste et fécond n'a pas engendré celui qui pouvait logiquement en découler. Dans la mesure où nous avons réussi à prendre connaissance de la production littéraire française des années trente, nous devons constater que notre hypothèse de départ ne s'est pas vérifiée ; les rapports artiste/pouvoir ne constituent nullement une préoccupation majeure des écrivains de cette génération-là. Si nous avons adopté le terme d'*artiste* plutôt que ceux de poète ou de penseur, ce n'est pas seulement parce qu'il nous permettait d'associer un peintre comme Tebaldeo à un poète médecin et homme d'action comme Ferrante Palla, mais c'est que le mot a prévalu à l'époque romantique par opposition parfois à celui courant au dix-huitième siècle d'*homme de lettres*[6].

Sur la base des lectures que nous avons pu faire, il nous semble que les rapports de l'artiste et du pouvoir ne constituent au mieux qu'un motif plus ou moins significatif et presque toujours tributaire du thème topique, lui, du topos par excellence de la littérature romantique, celui de la situation exceptionnelle et de la solitude byronienne de l'être d'élite, qu'il soit mage ou homme d'action ou une combinaison des deux. Les héros chantés dans de nombreuses oeuvres poétiques des années vingt et trente sont autant de reproductions du type du créateur révolté contre une condition aliénante, et à ce titre procèdent de *Manfred*, et à travers lui du premier *Faust*[7].

L'épopée d'Eloa, premier des anges déchus du romantisme français, peut être interprétée comme l'allégorie de la révolte contre la tyrannie divine, mais les commentateurs attribuent à cette révolte un caractère ontologique, hérité du *Caïn* du poète anglais et qui met en jeu la théologie de Vigny, non les préoccupations qu'il manifeste sept ans plus tard dans *Stello*[8].

D'Eloa à Cédar, en passant par l'artiste débauché Jacques Rolla, les figures byroniennes allégorisent l'aliénation éprouvée par les êtres d'exception au contact de la société des hommes, mais sans une présence significative du motif du pouvoir[9]. L'inanité et la corruptibilité du pouvoir comme celle des autres institutions humaines sont effectivement traitées en allégorie satirique dans le second *Faust*, mais celui-ci n'a paru dans l'original qu'en 1832 et n'a donc guère pu exercer d'emprise sur les lettres françaises de la même décennie[10].

Dans les belles lettres françaises des années 1834-1839, seules en fin de compte les oeuvres citées auparavant comportent un traitement thématique de la situation de l'artiste vis-à-vis du pouvoir. Les exemples ne manquent pas de romans sentimentaux (Hortense Allart, *Settimia*, 1836), de Bildungsromane (Guttinguer, *Arthur*, 1837), de récits autobiographiques (Hippolyte Raynal, *Malheur et poésie*, 1834), d'oeuvres à thèse (Monborne, *Une Victime*, 1834 ; Altaroche, *Contes démocratiques*, 1838), qui peuvent parfois poser la question de la condition sociale du créateur — celui-ci peut apparaître opprimé par la société, qu'elle soit aristocratique ou bourgeoise, — mais les démêlés de ce créateur avec les autorités, dans les rares cas où ils se produisent (chez Raynal notamment) ne constituent qu'une illustration des lacunes de l'organisation sociale, sans atteindre une quelconque exemplarité.

Même dans la production littéraire plus ou moins directement affectée par les Trois Glorieuses, dans la riche littérature dite frénétique des années 1830-1833, — dont, en principe, nous n'avions pas à tenir compte dans les limites que nous nous étions assignées —, le sujet des rapports entre artistes et pouvoir — qui semblerait d'actualité au lendemain d'une Révolution, en particulier chez ces écrivains antibourgeois par excellence placés entre « l'Art souverain idéal et la Boutique triomphatrice réelle » — ce sujet ne s'est pas imposé aux exégètes et ne se manifeste guère dans un recueil récent des textes les plus typiques de cette littérature[11]. A propos du petit cénacle, l'éditeur de cette anthologie écrit dans l'introduction : « Bien sûr, on fait un peu de politique mais surtout pour émettre les propos les plus cyniques contre les bourgeois à menton glabre (...) la seule doctrine de ces jeunes loups semble être l'exaspération[12]. »

Reste alors l'immense domaine de l'imprimé en dehors des trois genres, — poésie, drame, fiction —, pris d'abord en considération ; c'est un domaine dans lequel nous n'avons guère fait que des incursions. La décennie commence par un essai de Balzac consacré aux *Artistes*[13]. Balzac affirme d'abord le destin hors pair du créateur : « Un homme qui dispose de la pensée est un souverain. Les rois commandent aux nations pendant un temps donné, l'artiste commande à des siècles entiers[14] », puis, essaie d'expliquer le dédain, le mépris dans lequel les artistes étaient tenus par un monarque absolu, tel Louis XV et plus encore par les autorités et par la société contemporaines. Napoléon seul a fait exception, qui « connaissait assez ses obligations d'empereur, pour offrir des millions et une sénatorerie à Canova ». Balzac se demande à quoi tient le fait que les artistes sont présentement négligés : « Faut-il en demander la raison au gouvernement constitutionnel ? à ces quatre cents propriétaires, avocats ou négociants rassemblés qui ne concevront jamais qu'on doive envoyer cent mille francs à un artiste (...) Faut-il en vouloir aux économistes qui demandent du pain pour tous et donnent le pas à la vapeur sur la couleur (...) ? (...) ou l'industriel doit-il être blâmé de ne pas comprendre que les arts sont le costume d'une nation (...) ? ». On voit que si pour un moment Balzac s'est intéressé à l'attitude du gouvernement vis-à-vis des artistes, son étude passe rapidement à l'ostracisme social qui les frappe : les « hommes d'argent ne conçoivent pas ces hommes de pensée... » Nous avons tâché de montrer en considérant l'artiste tour à tour comme créateur et comme créature qu'il était déjà lui-même un grand obstacle à l'agrégation sociale. Tout repousse un homme dont le rapide passage au milieu du monde y froisse les êtres, les choses et les idées. La morale (...) : « *Un grand homme doit être malheureux*[15]. »

Comme les romantiques des années vingt, eux-mêmes héritiers d'une longue tradition, Balzac exprime sa conviction que les artistes exercent un sacerdoce d'inspiration divine et que de tout temps, les groupes dominants craignent et rejettent ceux chargés de leur inculquer des vérités nouvelles[16]. Ainsi, bien que le gouvernement soit accusé de ne pas exercer le mécénat que les artistes seraient en droit d'espérer de sa part, cette défaillance — à laquelle se limite ce que l'auteur a à dire sur l'attitude du pouvoir à l'égard des artistes — n'est qu'un aspect de l'isolement des *grands hommes* au sein de la société.

La *Revue des Deux Mondes*, où publient un grand nombre de romantiques, ne traite pas davantage au cours des années trente du sujet qui nous occupe. Emile Deschamps lui consacre quelques pages de ses *Esquisses morales*, pour affirmer que poètes, philosophes, historiens pourraient mieux exercer les fonctions publiques que quiconque, mais qu'ils devraient soigneusement s'en abstenir, car ils le feraient au dépens de leur *spécialité* qui est la gloire littéraire. Ils ne doivent participer à la vie publique qu'à la manière de Byron ou de Voltaire. En revanche, la société devrait accorder la pairie aux vieux écrivains et subventionner les jeunes[17]. Ces considérations, qui ne constituent pas l'essentiel des *Esquisses*, mises à part et exception faite de *Stello*[18], il ne semble pas que ce sujet ait retenu d'autres collaborateurs de la RDM.

On peut se demander si Deschamps occupe la position la plus conciliante qu'un écrivain pouvait adopter vis-à-vis du régime orléaniste. Ceux qui ont soutenu la monarchie des banquiers « sont demeurés dans les faubourgs médiocres de la littérature : tout ce qui brillait a fulminé contre eux », constate Paul Bénichou[19]. Il y en eut pourtant, mais ils se sentaient bien isolés, en effet. Un essayiste juste-milieu écrivait en 1837 : « Les avocats et les gens de lettres, représentants de la publicité, forment encore la classe la plus hostile et la plus dangereuse : elle se renouvelle sans cesse, comme les idées et les intérêts ; les avocats et les gens de lettres qui ne font pas de l'opposition se taisent ; un bien petit nombre hasarde sa popularité au service du pouvoir[20]. » Lorsque cet auteur écrit à propos des lettres : « Un gouvernement qui les respecte se montre ingénieux dans ses prévenances et trouve mille manières de les honorer. François Ier et Louis XIV ont laissé de bons modèles dans l'art d'encourager le génie[21] », il ne semble pas dire autre chose que Balzac dans son essai de 1830, mais sans doute ne se font-ils pas la même conception du génie.

Comme l'auteur précité, le légitimiste Alfred Nettement croit aussi que le gouvernement peut agir sur la littérature, remettre dans le droit chemin cette littérature qui s'est « fourvoyée », mais il faudrait pour cela que ce gouvernement soit *moral*, c'est-à-dire tout le contraire du gouvernement qu'entend servir Edouard Alletz[22].

A part quelques voix isolées, qui a laissé entendre au cours de cette période que le gouvernement pouvait être autre chose que l'exécutif de la médiocratie bourgeoise anti-artistique ? Les réformateurs, bien sûr, et en tout premier lieu les saint-simoniens. Leurs théories sur la fonction utilitaire de l'art, d'un art mis au service de la société a tôt fait d'hérisser les romantiques et leur a valu peu de disciples durables dans les milieux littéraires et artistiques. Il y aurait là matière à une autre étude, de volume au moins égal à celle que nous présentons et pour laquelle se poserait au point de départ la question du degré d'appartenance ou d'opposition des saint-simoniens au romantisme[23].

Parmi les mémorialistes et les auteurs épistolaires que nous avons lus, aucun ne manifeste de préoccupations sérieuses au sujet des rapports qu'ils peuvent avoir personnellement ou que les artistes peuvent avoir avec le pouvoir en France, qu'il s'agisse de leur action sur ou contre les gouvernements ou réciproquement de ce qu'ils espèrent ou redoutent de la part des autorités[24]. Eugène Delacroix, dont le journal s'interrompt entre 1824 et 1847[25], ne semble pas attacher d'importance à ses avatars avec le pouvoir. C'est Baudelaire qui, dans le *Salon de 1846*, raconte l'entretien qu'en 1822 ou 1823 le directeur des Beaux-Arts, Sosthènes de La Rochefoucauld, a eu avec un Delacroix fort peu réceptif aux suggestions d'édulcorer son art que lui faisait le directeur. Ce dernier vexé, l'aurait ostracisé pendant des années[26]. C'est en employant les ressources de sa palette, pourra-t-on dire, que Delacroix a choisi de magnifier le sujet de l'artiste persécuté par le pouvoir, notamment dans son tableau du *Tasse en prison*, sujet auquel, aux dires de l'éditeur du *Journal*, il aurait travaillé dès 1819 et auquel il serait revenu ensuite en 1825, 1827, et 1844[27].

Ce qui frappe dans les *Mémoires* de Hector Berlioz, c'est le récit du mépris dans lequel la société provinciale, réactionnaire et bigote, tenait l'art et les artistes, — un texte qui illustre les raisons pour lesquelles l'isolement de l'artiste en France a été perçu comme un problème social bien plus que comme un problème politique[28].

En tout cas, sur l'aspect politique des rapports des artistes avec le pouvoir en France, nous n'avons rien relevé de significatif dans les correspondances des auteurs les plus susceptibles de s'intéresser à un motif présent dans leurs oeuvres[29]. On trouve, notamment dans la correspondance de George Sand, des professions de foi politiques fort détaillées et les jugements les plus critiques de la politique orléaniste, mais, en ce qui concerne notre sujet, c'est l'absence de tout développement approfondi qui est caractéristique[30].

Pour terminer ce préambule, notons qu'au cours des années 1824-1828, il a été beaucoup question d'art et d'artistes dans le salon d'Etienne Delécluze, bien connu des beylistes et beaucoup question aussi de politique dans son journal, mais les rapports des penseurs et créateurs avec le pouvoir ne font l'objet d'aucune des conversations rapportées par le diariste et ses propres réflexions ne s'y attachent que marginalement, au niveau des détails et anecdotes pittoresques[31].

2) Pourquoi notre sujet, enfanté et développé à Paris, y est resté notoirement ignoré.

Nous ne croyons pourtant pas avoir poursuivi un fantôme, puisque ce thème de *Stello* fonctionne encore comme motif significatif à tout le moins dans *Lorenzaccio* et dans *la Chartreuse de Parme*. Seulement, dans la littérature romantique française de la première décade orléaniste, force nous a été de constater que ce thème et ce motif ont un caractère marginal. Marginal dans la littérature française, ce thème apparaît au contraire comme primordial dans une littérature dont les principales oeuvres voient également le jour à Paris, en 1834 et 1835 et qui de ce fait aurait pu influencer le climat intellectuel de la France, à savoir la littérature polonaise.

Les affaires polonaises – les suites malheureuses de la défaite, après une résistance de près d'un an, de l'insurrection varsovienne de novembre 1830, laquelle s'était d'abord élargie en révolution nationale contre l'autocratie russe – retentissaient dans une France enfiévrée par la Révolution de Juillet avec sans doute plus de force qu'elles ne le font à nouveau depuis 1980 (toutes proportions gardées, compte tenu de l'immense développement des techniques de communication) et avec un décalage remarquablement bref pour l'époque[32]. Dès 1831, les Français peuvent prendre connaissance de *la Grande Semaine des Polonais* ou histoire des sept mémorables journées de la Révolution de Varsovie, de Charles Hoffman, traduit du polonais[33] ou du cycle d'articles sur *l'Histoire de la Révolution polonaise* de Michel Podczaszynski, que fait paraître la *Revue des Deux Mondes*, dans ses livraisons des mois d'automne[34].

C'est dans ce climat de sympathie générale pour la Pologne qu'arrivent les Polonais de la grande émigration et parmi eux les écrivains qui, à partir de l'amère expérience de la défaite, vont créer un nouvel âge d'or de la littérature polonaise, qui vont lui donner une vitalité que cette littérature n'avait plus connue depuis la Renaissance. Trois des chefs d'oeuvre de la littérature romantique polonaise paraissent en l'espace d'un an, en 1834 et 1835, à Paris : *Pan Tadeusz* (Monsieur Thadée) d'Adam Mickiewicz, *Kordian* de Juliusz Slowacki et *Nieboska Komedia* (la Comédie infernale) de Zygmunt Krasinski. Si la première de ces oeuvres a pu être définie comme une épopée héroïque et lyrique, les deux dernières sont des drames romantiques dans le plein sens du terme et ces deux drames ont comme thème central le défi lancé par le poète, héros du drame, à un pouvoir oppressif et hostile.

En outre, la même année 1834 a vu paraître la traduction en français du plus important des drames romantiques polonais que le même Adam Mickiewicz avait créé et fait paraître en 1832, *Dziady - Czesc trzecia* (*les Aïeux - 3e partie*)[35], qui constitue en fait un drame autonome et qui a inspiré les deux autres auteurs à l'égal des sources communes aux romantiques auxquelles tous trois avaient puisé, dans les oeuvres de Shakespeare, de Goethe et de Byron. Or, ce drame, lui aussi, a comme thème central la révolte du poète contre un pouvoir abusif. Des trois poètes, seul Mickiewicz avait été traduit en français et restera seul à l'être au cours des années trente[36]. Le poème qui marque le coup d'envoi de la littérature romantique polonaise, poème sur lequel s'ouvre le premier recueil de Mickiewicz, *Ballades et romances*, paru à Wilno en 1822, « Romantycznosc » était traduit en France dès 1830, sous le titre de « Romantisme »[37]. *Konrad Wallenrod* que Mickiewicz, lors de son séjour forcé en Russie, réussit à publier à Moscou en 1828, sans éveiller d'abord les suspicions de la censure tsariste, avait également été traduit en français la même année 1830[38]. Ce poème dramatique a été compris en France comme un récit ou un roman historique, alors qu'il s'agit d'un poème byronien dans la veine du *Corsaire*, mais dans lequel le héros est une première incarnation du poète révolté contre l'oppresseur de sa nation et justifie tous actes, – jusqu'à la trahison et au crime inclus –, si de tels actes sont une forme de légitime défense du peuple opprimé contre la force qui l'écrase[39]. Montalembert avait traduit en 1833 le *Livre des Pélerins polonais*, ouvrage souvent signalé comme source d'inspiration de Lamennais et des menaisiens[40].

Voilà le poète, dont *les Aïeux (3e partie)* constitue « une transfiguration poétique des faits dont il avait été le témoin et la victime[41] », pour reprendre les termes de Jan Parandowski -, son incarcération et le procès qui lui fut intenté, fin 1823, ainsi qu'à d'autres jeunes gens de Wilno, membres d'une société patriotique ; le procès s'acheva au bout d'un an par leur condamnation à la déportation - Mickiewicz ne devait jamais revoir son pays. L'action du drame se déroule dans la cellule du couvent des basiliens où il avait été enfermé. Le héros de la pièce dépouille le vieil homme, si l'on peut dire, le romantique qu'il avait été dans les parties II et IV des *Aïeux*, composées encore en Pologne par le poète avant son arrestation ; dans ces deux parties, le héros, Gustave, poète et porte-parole de l'auteur qui avait éprouvé les mêmes malheurs, exhale le désespoir dans lequel l'ont plongé les préjugés sociaux, qui, comme Werther, l'ont privé de celle qu'il aimait et s'exalte, nouveau René, à cultiver sa mélancolie[42]. Dans la 3e partie, le prisonnier renonce à sa personnalité passée et substitue symboliquement le nom de Konrad à celui de Gustave. « Les scènes se succèdent de façon surprenante ; les unes sont simples, tels les réunions de prisonniers dans la cellule de Konrad, les conversations quotidiennes exprimées dans des vers admirables, les propos riches et vivaces de ces hommes jeunes, toujours prêts à mêler le rire aux larmes (...) D'autres se passent dans le bureau ou le salon du sénateur Nowosilcow, qui avait pris l'initiative de ces arrestations. Il n'est pas besoin d'être Polonais, écrit Parandowski, pour sentir l'horreur de ces prisons et de ces châtiments, où l'homme coupable du seul crime, l'amour de sa patrie, est jugé par l'usurpateur et selon une loi qui le prive de ses droits les plus sacrés. Partout où sont connus les mots "tyran" et "oppression", ces pages seront comprises (...) Le moment culminant du drame est le monologue de Konrad, appelé la "grande improvisation", son dialogue et sa lutte avec Dieu (...) Konrad demande à Dieu "l'empire des âmes" ; comme Dieu, il veut exercer sur les hommes un pouvoir capable de les élever et de les libérer[43]. » Les commentateurs comparent Konrad au Prométhée d'Eschyle. Sans doute, le poète, voleur de feu, est-il l'égal du Créateur, dans son aptitude à communiquer le sentiment du divin, mais il est aussi impuissant à changer le cours des choses que Konrad à vaincre seul le despotisme dont il veut libérer les hommes. L'aumônier de la prison, l'abbé Pierre, qui exorcise Konrad de ses démons, a la vision d'une mission que Dieu confie à la Pologne, celle de présider par son martyre à la résurrection des nations opprimées. Une interprétation possible du sens du drame, c'est que la parole poétique, impuissante par elle-même, peut inspirer un peuple à lutter non seulement pour sa libération, mais pour celle de tous les hommes et qu'elle doit s'effacer devant cette lutte[44].

Le *Kordian* de Slowacki prend doublement la relève du drame de Mickiewicz : premièrement, l'action de la pièce qui porte en sous-titre "la conspiration du jour du couronnement", est liée dans le troisième acte à des événements historiques postérieurs de six ans à ceux des *Aïeux (3e partie)* — un complot ourdi pour tuer le tsar Nicolas 1er, lors des cérémonies de son couronnement comme roi de Pologne en 1829, mais dont les éléments sont déjà en partie ceux de l'insurrection de novembre 1830 ; en deuxième lieu, comme l'écrit le traducteur en français des oeuvres de Slowacki, « son Kordian ressemble beaucoup d'abord au Gustave, ensuite au Konrad de Mickiewicz : ils partent tous deux de la même idée et ne diffèrent qu'en ce point essentiel que Kordian est homme d'action tandis que Konrad reste dans les sphères mystiques et idéales »[45]. En effet, Kordian est un jeune poète[46] qui, comme René, promène sa mélancolie et son ennui de vivre à Londres et en Italie, où le déçoivent tour à tour les amantes sur le plan sentimental et, dans une audience que lui accorde le pape, l'attitude de celui-ci vis-à-vis de la Pologne sur le plan politique. Au sommet du Mont-Blanc, ce nouveau Manfred a la vision de la mission historique qui l'attend — celle de libérer son peuple du joug de la tyrannie. Au troisième acte, le poète-conspirateur se heurte aux opportunistes et, cherchant à agir seul, échoue.

Les deux poètes romantiques polonais empruntent aux jacobins de la première République la détermination d'agir, par la violence au besoin, pour libérer leur peuple de l'oppression, mais, comme le constate un des spécialistes polonais de cette littérature romantique, les romantiques révolutionnaires ont en outre le sens du tragique qui faisait défaut aux jacobins — ils étaient conscients des défaites qu'ils essuieraient et de ce qu'ils seraient sacrifiés pour assurer la survie de la collectivité et contribuer par un tel sacrifice à une renaissance éventuelle de la patrie dans un avenir indéterminé[47].

Zygmunt Krasinski est tout le contraire d'un jacobin. Né dans une famille de magnats, fils d'un général haut fonctionnaire du tsar, il a douloureusement vécu l'antagonisme entre les idées de son père et celles de l'élite intellectuelle polonaise. Ce qu'il a pu connaître de l'insurrection des canuts lyonnais en novembre 1831 a aggravé sa répulsion pour l'action des masses, pour la souveraineté populaire. Si, comme Vigny, il était attaché aux valeurs de la vieille aristocratie, comme Vigny aussi, il la savait condamnée, tant par ses propres fautes que par l'évolution historique. Aussi, son drame de 1835, *la Comédie infernale* (ou *la comédie non divine*, traduction plus littérale) est dans la littérature européenne un des poèmes les plus denses qu'ait pu inspirer l'expérience de la guerre civile au dix-neuvième siècle. Il constitue une condamnation sans appel des divagations et des chimères du romantisme mièvre qui caractérise les imitateurs de René ou de Manfred. Le comte Henri, le héros du drame, appelé *le mari* dans la première partie, sacrifie le bonheur de sa famille, rend sa femme folle, perd son fils à la voix de la sirène poétique. Le même personnage, guéri par le malheur de sa vocation poétique, se retrouve à la tête du camp aristocratique, encerclé et condamné à la défaite par les forces bien supérieures de la révolution et décide de leur tenir tête, non tant par bravade mais parce que les chefs révolutionnaires, personnages symbolisant l'opportunisme, l'arrivisme, l'avidité, mais aussi la lucidité, la conscience de la nécessité de transformer un monde injuste, n'ont à proposer aucune solution acceptable pour un homme d'honneur. C'est ainsi que ce drame, écrit dans une perspective bien différente des deux autres, porte comme eux sur les rapports nécessaires entre la poésie, l'action et le pouvoir.

Il existait donc à Paris une littérature qui avait puisé aux mêmes sources que le romantisme français, qui, comme lui magnifiait le sacerdoce du poète, exaltait en celui-ci le surhomme et le guide, par tradition catholique et universaliste poussait les artistes à une justification mystique de leur mission[48], mais, en outre, galvanisé par le patriotisme d'une nation opprimée, concevait cette mission en termes d'un combat contre le pouvoir oppresseur.

Cette littérature n'a pourtant guère eu de portée auprès des Français des années trente, si nous exceptons le milieu mennaisien et celui des dissidences saint-simoniennes, dans lesquels Mickiewicz et lui seul a eu une certaine audience. George Sand le constate à regret : « Quant à cet acte des *Dziady* d'Adam Mickiewicz, je crois pouvoir affirmer qu'il n'a pas eu cent lecteurs français et je sais de belles intelligences qui n'ont pas pu ou qui n'ont pas voulu le comprendre[49]. »

Comparant *Faust*, *Manfred* et *les Aïeux*, Sand affirme la supériorité du poème de Mickiewicz :

« La donnée de Mickiewicz me semble la meilleure. Il ne mêle pas le cadre avec l'idée, comme Goethe l'a fait dans *Faust*. Il ne détache pas non plus le cadre de l'idée, comme Byron dans *Manfred*. La vie réelle est elle-même un tableau énergique, saisissant, terrible, et l'idée est au centre[50]. »

228

Sur la méconnaissance mutuelle de Mickiewicz et des romantiques français qu'il a rencontrés et fréquentés au cours de ces mêmes années trente à Paris, Jean Fabre a écrit quelques fortes pages[51]. Il s'est surtout attaché à montrer que l'héritage des lumières et l'illuminisme martinien ont conféré à la poésie de Mickiewicz une vigueur et une densité philosophique à laquelle n'atteint pas la production lyrique française avant Baudelaire[52].

Pour nous, l'intérêt de cette confrontation entre les drames polonais et les lettres françaises des années trente réside dans la démonstration que nous croyons pouvoir faire que le motif du combat d'un poète homme d'action inspiré par le patriotisme contre un pouvoir despotique ne se manifeste avec les mêmes qualités d'énergie, d'intensité et de profondeur que dans l'oeuvre d'un seul auteur, qui, bien qu'aux antipodes de la religiosité et du mysticisme de Mickiewicz, mais romantique comme le Polonais, procède comme lui de la tradition des lumières[53], et s'est senti de même profondément solidaire des aspirations à la liberté d'un peuple opprimé sous un joug étranger.

3) Un sujet météorique dans les lettres françaises de 1834/39

Ce n'est donc pas la simple antinomie des deux catégories — artiste, pouvoir —, mais leur dynamique conflictuelle qui contribue à conférer au drame romantique polonais les qualités de vitalité, de mordant que le temps n'a pas encore amoindries[54].

Dans la littérature française, cette dynamique conflictuelle existe aussi, mais fonctionne dans un décor[55] qui contraste avec celui des drames polonais. Contrairement au romantisme polonais, où les oeuvres dramatiques ont été les plus marquantes, le genre, qui — comme on le sait — a donné des chefs d'oeuvre en France dans la période envisagée est le roman. Aussi, est-ce sans surprise que nous constatons que le motif des rapports artiste/pouvoir se manifeste dans les contes philosophiques que compose Vigny, puis dans les romans des deux maîtres du genre.

Lorenzaccio fait exception, non seulement parce que c'est un des rares drames français où cette dynamique conflictuelle apparaît à l'état presque pur, — c'est-à-dire sans transiter tout à fait par le thème de la malédiction sociale qui pèse sur l'artiste —, mais aussi parce que de l'immense production théâtrale de ces années-là[56], c'est à peu près le seul drame à avoir gagné en vitalité avec le temps.

Contrairement aux drames de Mickiewicz, Slowacki, Krasinski, où le décor est destiné à réduire les effets de distance dans le temps et dans l'espace, la dynamique conflictuelle des rapports artiste/pouvoir n'opère que dans les seules oeuvres françaises où ces effets de distance sont assurés : la chambre de Louis XV, celle de Robespierre ou la maison de John Bell en 1770, dans *Stello*, Florence en 1537 ou l'Italie de la *Chartreuse*. Si Vigny tend à rendre le décor plus familier en passant du Chatterton de *Stello* à celui de la pièce de 1835, où John Bell se transforme en prototype de l'industriel orléaniste, le conflit entre artiste et pouvoir perd lui aussi de son acuité politique pour se diluer dans le thème de l'ostracisme social de l'artiste[57].

Le décor de *Lorenzaccio*, lui, a par contre bien des points en commun avec celui des drames polonais, dans la mesure peut-être où le lecteur français de 1834 aurait éprouvé un sentiment de dépaysement, puisque la démesure des hommes de la Renaissance le plonge dans un monde où « la prose des circonstances » n'a pas encore étouffé « la poésie du coeur », si nous pouvons risquer cette paraphrase d'une fameuse antithèse de Hegel[58]. Comme la Pologne, le peuple de Florence subit non seulement l'oppression sociale, mais la tyrannie politique et la domination étrangère. Toutefois, ces trois éléments communs ne sont pas les plus significatifs du décor historique de *Lorenzaccio*. Le franc succès que les diverses mises en scène de ce drame[59] lui ont valu s'est accompagné d'un regain d'intérêt de la part des critiques et des exégètes. Peu de pièces ont été aussi méticuleusement analysées. Or, si bon nombre de commentateurs s'accordent à favoriser une lecture politique de la pièce, ils mettent l'accent sur les procédés créateurs d'ambiguïté qui permettent à Musset d'amalgamer la Florence des Médicis et la France de Louis-Philippe[60]. Dans un drame où l'histoire est traitée à travers d'ironiques antithèses : visages et masques[61], virilité du débauché byronien et féminité de Florence prostituée[62], pouvoir et impuissance de la parole[63], les rapports entre artiste, société et pouvoir ne peuvent également faire l'objet que d'une représentation ambiguë et en fin de compte dévalorisante de chacune de ces entités. Les contradictions entre les lectures données par d'éminents spécialistes prouvent à coup sûr l'ambiguïté des données du drame.

Du point de vue du conflit entre un artiste patriote et un pouvoir oppressif et corrompu, le personnage de Tebaldeo peut-il faire le poids, peut-il, sinon évoquer la haute figure de son illustre compatriote du 14e siècle, Dante Alighieri, du moins se comparer à un Conrad, un Kordian ou un comte Henri ? La réponse serait presque affirmative, si l'on s'en tenait à la démonstration bien étayée de Bernard Masson, dans son ouvrage de 1974[64]. Cet exégète a établi l'importance des *Mémoires de Benvenuto Cellini* comme une des sources d'informations de Musset, à côté de celles antérieurement connues. Or, l'orfèvre florentin devait d'abord avoir un rôle non négligeable dans la pièce. M. Masson a reproduit dans son édition de 1978 les scènes disjointes du manuscrit autographe, conservées à la bibliothèque Spoelberch de Lovenjoul, à Chantilly[65]. Ce qu'il y a de remarquable dans ces deux scènes, c'est que dans la première Benvenuto Cellini tient fièrement tête au duc, qui tente de le corrompre mais échoue et peste de ne pouvoir obtenir la soumission du récalcitrant et que dans la seconde, Tebaldeo Freccia tient de même tête à Lorenzo qui échoue également dans sa tentative de corruption. Que de telles scènes aient été écartées de la version imprimée du drame semble indiquer que Musset n'a pas voulu faire jouer aux personnages d'artistes un rôle qui correspondait à cette sorte de demi-indépendance que les plus illustres d'entre eux s'étaient acquise dans les cités italiennes de la Renaissance. Dans la version définitive, Tebaldeo n'est encore qu'un artiste ignoré que Lorenzo embauche dans la scène 2 du 2e acte, surtout pour faire pièce, semble-t-il, au commissaire apostolique Valori, qui avait d'abord offert de prendre le jeune peintre chez lui. L'interprétation que Masson donne de cette scène confère à Tebaldeo une importance que les commentateurs n'avaient guère discernée. Nous en citons quelques extraits : « Le nom/de Tebaldeo/ n'est pas, comme on l'a cru souvent de l'invention de Musset : il appartient tout ensemble à l'histoire de la peinture et de la poésie italiennes de la Renaissance. Antonio Tebaldeo, poète de tradition pétrarquiste, (...) doit à son amité pour Raphaël de figurer dans le Parnasse — l'une des quatre grandes fresques de la chambre dite de la Signature au Vatican — aux côtés d'illustres poètes de l'Anti-

231

quité, Homère, Virgile, Ovide. Raphaël lui a même consacré un portrait de grande réputation (...). En donnant à Freccia le nom de ce poète pour prénom de baptême et, pour ainsi dire de vocation, Musset mettait définitivement et d'une manière intentionnelle le jeune artiste dans la mouvance raphaëlique. On sait le rayonnement de ce peintre auprès des écrivains romantiques. On n'ignore pas non plus la passion durable de Musset pour la personne et l'oeuvre de Raphaël... Ce rêve d'une vie à l'ombre et au service des grands peintres, Tebaldeo a été créé et modelé tout exprès pour l'incarner un court instant... Désormais, Tebaldeo (...) prend une stature nouvelle : il tient tête crânement à son tentateur... Bien mieux que ne l'eût fait Benvenuto Cellini, trop réel, trop "hâbleur", trop bretteur aussi, bref trop à l'unisson d'une Florence de boue et de sang dont le dramaturge dénonce à l'envi les tares, le jeune peintre raphaë-lique incarne avec éclat la passion exclusive de l'art, l'idéalisme généreux, le mysticisme contemplatif, où Musset n'est pas éloigné de voir l'unique port où l'on soit à l'abri des remous et des périls de haute mer[66]. » Et Masson d'ajouter que comme Stendhal a affirmé avoir copié la Sanseve-rina du Corrège, Musset eût pu dire qu'il avait copié Tebaldeo de Raphaël. Dans le même ouvrage, comparant Tebaldeo et Lorenzo, Bernard Masson s'avance encore davantage : « (...) Musset entendait incarner en Tebaldeo une sorte de double idéal de Lorenzo, tel que celui-ci eût pu être, si d'aventure renonçant à la route dangereuse et inutile de l'action, il eût jeté son énergie dans la contemplation et la création artistiques[67]. »

Un autre exégète et spécialiste du théâtre, Anne Ubersfeld, s'est inscrite en faux contre cette interprétation. L'analyse textuelle qu'elle donne de la même scène fait de Tebaldeo un artiste famélique, qui est à vendre au plus offrant et la scène 6 de l'acte II, dans laquelle Tebaldeo fait le portrait du duc à demi-nu prouve qu'il s'est laissé acheter. Mme Ubersfeld fait remarquer à propos des offres successives du commissaire et de Lorenzo : ni l'un ni l'autre « ne pensent à acquérir le tableau de Tebaldeo, mais sa production à venir ; bien plus qu'au mécénat aristo-cratique, ce rapport de production fait penser à l'achat bourgeois des artistes par les maisons d'édition et les galeries de tableaux ... Ici le texte dramatique ne peut pas ne pas renvoyer à son référent historique (...)[68]. » Voilà qui nous ramène à l'amalgame de deux situations conjoncturelles dans lesquelles se manifeste, selon Mme Ubersfeld, « la *dépendance* de l'artiste, (...) qui a été pesé et jugé léger[69]. »

Peut-être, cette analyse procède-t-elle trop entièrement de la théâtralité du drame, bien évidente pour nous, mais qui ne l'était pas en 1834, alors que Musset n'envisageait pas de faire jouer la pièce. Claude Duchet, lui, range Tebaldeo parmi « ceux qui croient, un moment tout au moins à une efficacité, à une vertu de la parole », auxquels s'opposent les pragmatiques comme Lorenzo, qui citent le « words, words » de Shakespeare et savent que « le langage ne saurait être un rapport à la vérité (...)[70]. » Tebaldeo, mis en échec par la maïeutique cynique de Lorenzo, ne serait donc pas dans ce contexte un insincère.

Tenant compte des scènes disjointes, nous ne pouvons guère adopter un point de vue aussi décapant que celui soutenu par Mme Ubersfeld, mais il serait certes difficile d'accorder à Tebaldeo la même importance qu'au héros de la pièce. D'autre part, Lorenzo est aussi poète. Musset a effectivement procédé à un dédoublement entre le poète et l'homme d'action, mais un homme d'action qui s'exprime comme un poète. Dans la 3e scène de l'acte III, Lorenzo met en garde le républicain Strozzi : « la liberté, la patrie, le bonheur des hommes, tous ces mots résonnent à son approche / celui de l'orgueil du penseur qui se croit prédestiné à lutter contre la tyrannie / comme les cordes d'une lyre ; c'est le bruit des écailles d'argent de ses ailes flamboyantes ». Or, cette image est celle de la tentation qu'emploie Tebaldeo résistant aux offres de Lorenzo dans la scène non retenue[71]. Il est difficile de refuser à la confession de Lorenzo dans la 3e scène de l'acte III la qualité d'un cri du coeur. Musset a donc conçu un héros poète en lutte contre le pouvoir, mais il a aussi tenu à dénoncer l'inefficacité de tout art et de toute morale dans un tel combat[72] — ce en quoi d'ailleurs ses positions ne diffèrent guère de celles des dramaturges polonais. Par contre, son drame, dans le cadre de l'amalgame déjà décrit est une oeuvre purement critique et ironique et non une oeuvre d'exaltation à un combat de libération nationale. Là réside la différence essentielle entre *Lorenzaccio* et les drames polonais. Le héros de Musset reste byronien — il est aussi détaché de son peuple et de sa patrie que son auteur l'est tant de la Florence de 1537 que de la société bourgeoise de 1833.

La seule autre oeuvre des lettres françaises des années trente où se trouvent combinés les trois éléments qui semblent indispensables pour créer une dynamique conflictuelle des rapports des artistes et du pouvoir, à savoir oppression sociale, tyrannie politique et domination étrangère est la *Chartreuse de Parme*. Nous comprenons mieux à présent les raisons pour lesquelles le médecin poète et hors-la-loi Ferrante Palla a immédiatement frappé comme une création tout à fait originale un des meilleurs lecteurs que le roman de Stendhal ait pu avoir en 1839, Honoré de Balzac. Dans l'article bien connu, exceptionnel et exceptionnellement généreux qu'un romancier ait pu consacrer au 19e siècle à un confrère, citons les quelques lignes où Balzac explique que la vigueur moindre et l'intérêt plus restreint de ses propres personnages tiennent à un fait de civilisation, que les conditions de la France orléaniste, où il arrive pourtant qu'on meure sur une barricade, ne valent pas pour la création du pathétique et du dramatique celles de l'Italie de la même époque : « Je loue avec d'autant plus d'enthousiasme cette création de Palla Ferrante, que j'ai caressé la même figure. Si j'ai sur monsieur Beyle l'insignifiant avantage de la priorité[73], je lui suis inférieur pour l'exécution. J'ai aperçu le drame intérieur, si grand, si puissant du républicain sévère et consciencieux aimant une duchesse qui tient au pouvoir absolu. Mon Michel Chrestien, amoureux de la duchesse de Maufrigneuse, ne saurait avoir le relief de Palla Ferrante, amant à la Pétrarque[74] de la duchesse de Sanseverina. L'Italie et ses mœurs, l'Italie et ses paysages, le château de Sacca, les périls, la misère de Palla Ferrante sont bien plus beaux que ne le sont les maigres détails de la civilisation parisienne. Quoique Michel Chrestien meure à Saint-Merry et que Palla Ferrante s'évade aux Etats-Unis après ses crimes, la passion italienne est bien supérieure à la passion française (...). Dans une époque où tout se nivelle plus facilement sous l'habit de garde national et sous la loi bourgeoise que sous le triangle d'acier de la République, la littérature manque essentiellement en France, de ces grands obstacles entre amants qui devenaient la source des beautés, des situations neuves, et qui rendaient les situations dramatiques...

Dans aucun livre, si ce n'est dans *les Puritains*[75], il ne se trouve une figure d'une énergie semblable à celle que Monsieur Beyle a donnée à Palla Ferrante (...)[76]. »

Balzac ne saurait mieux marquer que l'énergie et l'intérêt dramatique sont fonctions d'un décor qu'il lui est impossible de construire avec les éléments de la France louis-philipparde. Il est significatif, aussi, que, bien que *les Secrets de la princesse de Cadignan*, titre définitif de *la Princesse parisienne* aient pour personnage principal un penseur, un créateur, d'Arthez, que la même duchesse de Maufrigneuse réussit à séduire, ce n'est pas à ce poète que Balzac a pensé en cherchant dans l'oeuvre qu'il est en train de composer un équivalent de Ferrante Palla. Pas davantage n'a-t-il pensé au « grand homme », autre poète dont les tribulations avec la classe dominante de la Restauration et avec l'appareil du pouvoir dont elle dispose, constituent pourtant une des rares apparitions dans la fiction des années trente du motif des rapports de l'artiste avec le pouvoir, dans le cadre des institutions post-révolutionnaires. La première question qui se pose est celle de savoir si l'on peut conférer à Lucien Chardon, qui se fait appeler de Rubempré, la qualité d'artiste au sens fort que les romantiques donnaient à ce terme. De bons commentateurs la lui refusent[77]. Le narrateur l'appelle souvent un poète[78] ; ses amis du Cénacle ne se privent pas de l'appeler ainsi[78] ; mais tous le font plutôt pour excuser ses faiblesses et lorsque l'un d'entre eux analyse ces faiblesses, il conclut que Lucien n'a pas la trempe d'un artiste, mais « le brillant et la soudaineté de la pensée » caractéristiques du journaliste[79]. Aussi est-ce le journaliste que la haute société cherche à soudoyer puis à éliminer par des machinations de basse police[80]. Les exégètes ont beau trouver chez Lucien bien des traits que Balzac a puisés dans les souvenirs de sa propre jeunesse, nul ne voit en lui un artiste aux prises avec le pouvoir ou brisé par la société, mais un arriviste qui échoue par manque de caractère[81]. Georg Lukacs a vu dans cette oeuvre bien avant Maurice Bardèche « l'épopée tragi-comique de la capitalisation de l'esprit[82] ». Il affirme que « comme type / Lucien / est diamétralement opposé au poète tel que Balzac lui-même le conçoit, et dont il a livré un modèle dans ce roman, sous la forme d'un autoportrait, en la personne de d'Arthez[83] ». Si d'Arthez peut en effet apparaître comme le véritable artiste des *Illusions perdues*, il est significatif que non seulement Balzac ne pense pas à le faire mourir sur une barricade, comme le saint-simonien Michel Chrestien, mais qu'il en fait dans *les Secrets de la Princesse de Cadignan* un homme politique, arrivé à la députation en 1832[84].

Les rapports entre artistes et pouvoir peuvent être favorables aux premiers, mais la faveur du pouvoir va rarement aux véritables artistes et ceux qui en profitent ont beaucoup à y perdre en tant qu'artistes. C'est le cas sous Charles X du peintre Pierre Grassou, peintre des bourgeois, que la cour favorise, parce qu'il choisit des sujets qui font bien politiquement et parce que la cour ne comprend rien à la peinture[85]. Cette nouvelle de 1840 prouve que Balzac n'a pas changé d'avis sur ce qu'il écrivait de l'incompétence des Bourbons en matière d'art dans son essai de 1830. C'est le cas aussi de Wenceslas Steinbock — les encouragements qu'il reçoit à ses débuts de son beau-père, le baron Hector Hulot, un des personnages les plus corrompus de l'administration orléaniste, ne servent qu'à le dévoyer et à tarir en lui les forces créatrices[86].

Ainsi, dans la Comédie humaine, les rapports entre artiste et pouvoir apparaissent sous la multiplicité d'aspects qui les caractérise dans la société française et ne constituent à chaque fois que des motifs secondaires, auxquels Balzac savait ne pas pouvoir conférer les qualités dramatiques et épiques de l'épisode de Ferrante Palla. On peut se demander si le romancier n'a pas senti la contradiction entre sa thèse de 1830 — « un grand homme doit être malheureux » et les fins heureuses que peuvent faire dans la société bourgeoise d'authentiques artistes comme l'écrivain d'Arthez[87] ou le peintre Joseph Bridau[88].

Dans la Comédie humaine, l'artiste se trouve plus généralement en situation conflictuelle avec la société qu'avec le pouvoir. Dès l'essai de 1830, les rapports avec le pouvoir n'ont constitué qu'un point secondaire des considérations auxquelles se livre Balzac sur le rôle de l'artiste dans la société bourgeoise[89]. Vigny, au contraire, en a fait le thème central des récits qu'il rassemble en 1832 sous le titre de Stello. L'épisode du poète Gilbert, condamné à mourir de faim par suite de l'indifférence de Louis XV, celui du suicide de Chatterton, celui de l'exécution d'André Chénier n'étaient pas originaux — ils avaient connu une certaine vogue au début de la Restauration[90]. Il n'en est pas moins frappant que pour une fois « les Consultations du docteur Noir » — sous-titre de Stello, portent bien sur le thème de l'attitude du pouvoir vis-à-vis des artistes ou plus précisément sur la manière de laquelle le pouvoir persécute ou abandonne ceux dont il devrait respecter le caractère élitaire. Que Vigny ait été mal informé ou qu'il ait manifesté plus d'intérêt pour les légendes que pour les réalités historiques[91], le problème traité est cette fois politique, comme l'a marqué François Germain : « Considérant quels rapports s'établissent entre le poète et les gouvernements, Vigny en vient à con-

damner l'essence même du Pouvoir qu'il oppose à l'essence de la Poésie[92] . »
Le même commentateur, faisant l'historique de ce thème chez Vigny,
montre qu'il s'agit là d'une préoccupation nouvelle, explicable par la
déception éprouvée par le poète à cause de l'évolution du régime orléaniste. Germain est d'ailleurs le seul des critiques que nous avons consultés
à faire une analyse de l'oeuvre en fonction de l'ensemble des idées politiques du poète. Ses prédécesseurs insistaient sur ce qu'ils prenaient pour
l'aspect dominant de la pensée de Vigny, sa volonté d'isolement par
rapport au pouvoir, seule attitude qu'il convient au poète d'adopter[93] .
M. Germain conclut avec plus d'exactitude qu'eux que *Stello* condamne
le séidisme politique, l'engagement aveugle : contre le fanatisme des
convictions, Vigny préconise l'autonomie de la conscience et pense que
le poète, paria social, est plus apte que tout autre à comprendre cette
leçon[94] . C'est bien le réprouvé social, le paria, dont la société ne peut
comprendre le rôle essentiel, celui de « chercher aux étoiles quelle route
nous montre le doigt du Seigneur » – réponse de Chatterton au lord-maire
de Londres[95] – que Vigny met en valeur dans le drame de 1835. Le rôle
du pouvoir incarné dans le lord-maire s'y efface derrière celui des riches,
qui cherchent à exploiter et à écraser ceux qu'ils dominent, qu'ils soient
ouvriers, femmes ou poètes. En plaçant le pouvoir et le poète à deux
pôles antinomiques, Vigny a créé une allégorie des rapports de ces deux
entités, mais une allégorie tellement distante des réalités historiques,
tellement exsangue, qu'elle résultait en une pure leçon de morale, sans
prise aucune sur la complexité des référents. Dès que le poète a voulu
transposer au théâtre l'un des trois épisodes de son oeuvre, il lui a fallu
donner de la consistance à ses personnages et l'allégorie s'est évaporée
dans un drame social. C'est pourquoi la vigueur et l'énergie que Fabre
admire dans les héros des drames polonais et Balzac dans ceux de la
Chartreuse ne caractérisent guère les victimes sur lesquelles s'apitoie
Vigny.

Il ne reste en fin de compte dans la littérature française des années
trente que le roman de Stendhal que l'on pourrait comparer de ce point
de vue aux drames polonais. D'abord, parce que le décor de ce roman
comporte les éléments qui font la force des drames polonais ; il ne s'agit
pas seulement d'éléments purement politiques, tels l'oppression de la

classe dominante, le despotisme personnel et la domination étrangère. Comme les poètes polonais pour leur peuple, Stendhal manifeste une connaissance intime du peuple italien, de sa mentalité, de sa manière de vivre, de la complexité des rapports entre les différents groupes sociaux qui le composent et, aussi, de son habitat, des traditions culturelles, artistiques et musicales, et du degré de pénétration de la culture et des arts à travers les diverses couches de la société italienne. Ces éléments, dont bon nombre sont absents des récits philosophiques de Vigny, on les trouve, par exemple, dans le drame de Mickiewicz. La finesse avec laquelle Stendhal a su percevoir, analyser et intégrer les composantes de la politique italienne dans ses oeuvres a fait l'objet d'une littérature élogieuse d'un volume déjà considérable[96]. La description que Michel Crouzet avait donnée de la conception stendhalienne de l'incivisme italien donne la mesure de ce qu'il y a à la fois de typique et d'exceptionnel dans le caractère de Ferrante Palla : contrairement à ses compatriotes, il a une forte conscience du contrat social, mais il peut compter sur leur indulgence et sur leur complicité dans l'exécution de ses vols et de son crime[97].

Fabrice a comme Ferrante Palla une âme d'artiste et une imagination folle[98]. Comme dans le drame de Musset, le héros-poète est dédoublé, en celui dont la lutte contre le despotisme se situe sur un plan personnel, dans la mesure où le despotisme politique pourrait contrarier son aptitude au bonheur personnel[99] et celui dont le bonheur consiste à faire mourir le tyran. Mais dans la *Chartreuse*, ce dédoublement ne nuit pas à la dynamique conflictuelle du couple antinomique poète/pouvoir. Le despotisme autrichien comme celui de Ranuce-Ernest ont le don de galvaniser les énergies de tous ceux qui ont du coeur, hommes, femmes et plus particulièrement celle du poète-patriote, dont l'énergie se communique aux autres personnages[100].

Enfin, dans le rapprochement que nous nous permettons d'esquisser entre ce roman et les drames romantiques polonais, accordons à la symphonie de Stendhal le mérite de valoriser la poésie et les arts, là où les poètes polonais ont tendance à sous-estimer l'apport de leurs oeuvres à l'incessant combat pour la suppression des tyrannies. Avec *la Chartreuse de Parme*, la littérature française possède une oeuvre qui marque à la fois avec vigueur et exactitude la place de l'art et des artistes chez un peuple opprimé, domaine qu'on aurait pu croire réservé aux littératures des pays luttant pour leur libération.

NOTES

1. Nous sous-entendons désormais *du 19e siècle* à chaque emploi de cette locution.

2. La part prise par George Sand est décrite dans toutes les bonnes éditions. Nous nous sommes surtout servi des notes de celle procurée par Bernard Masson dans la collection du Trésor des Lettres françaises, Paris, Imprimerie Nationale, 1978. Voir son Introduction, pp. 9,10.

3. Maria Janion, *Goraczka romantyczna (la Fièvre romantique)*, Varsovie, PIW, 1975, p. 393.

4. Pour prendre le premier exemple venu, les comédiens, qui, manipulés par Hamlet, mettent en représentation le crime commis par le roi et la reine devant toute la cour rassemblée et se font ignominieusement chasser pour tout salaire.

5. Paul Bénichou, *Le Sacre de l'écrivain, 1750-1830*, Paris, Corti, 1973, passim ; en particulier, pp. 14, 39, 46, 62, 132-133.

6. Cf. Emile Deschamps, « Esquisses morales », *Revue des Deux Mondes*, 1831, t. 2, pp. 277-281 ; déjà chez Senancour, *écrivain* prévaut sur *homme de lettres*, selon Bénichou, *op. cit.*, p. 207 ; voir surtout dans le même ouvrage les pages 421, sqq.

7. André Dabezies, *Le Mythe de Faust*, A. Colin, 1973, pp. 110, 111 ; la filiation avait déjà été notée par Goethe lui-même – voir à ce sujet le commentaire de Sand, art. cité, RDM, t. XX, p. 598.

8. Max Milner, *Le Diable dans la littérature française*, t. I, Corti, 1960, pp. 380-383, où il cite Georges Bonnefoy, *La Pensée religieuse et morale d'Alfred de Vigny* ; voir aussi P. Bénichou, *op. cit.*, pp. 357-361, dont la lecture un peu différente nous ramène au topos du sacerdoce de la poésie, de l'ange incarnant le poète.

9. Sur « la patente marginalité du poète », dont « l'époque romantique loin de l'attribuer aux seules transformations politiques (...) rend responsable la divinité », voir Jean-Luc Steinmetz, *La France frénétique de 1830*, Paris, Editions Phébus, 1978, pp. 16, 17.

10. Pour les dates de composition et de parution du second *Faust*, nous nous référons à Henri Lichtenberger, qui en a fait paraître une traduction dans la collection bilingue Aubier-Montaigne, Paris, 1980 - cf. pp. XIII, LV ; également Dabezies, *op. cit.*, pp. 128, 130-131.

11. J.L. Steinmetz, *op. cit.*, passim ; la citation est tirée de l'ouvrage de P. Bénichou, p. 420 ; même absence de notre sujet dans l'énumération des thèmes de la littérature frénétique donnée par Max Milner, dans *le Romantisme*, t. I, *1820-43*, Arthaud, 1973, coll. Littérature française, t. 12, pp. 121-143, ainsi que chez Bénichou, *op. cit.*, p. 432.

12. J.L. Steinmetz, *op. cit.*, p. 12 ; Bénichou, de même, signale le caractère inefficace des déclarations jacobines des Jeune-France, op. cit. , pp. 433-434.

13. Paru en trois parties dans *la Silhouette* des 25 février, 11 mars et 12 avril 1830, selon Jean A. Ducourneau, *Oeuvres complètes*, t. XXVI, Paris, Bibliophiles de l'Originale, éd. du Delta, 1976, pp. 590-591.

14. *Op. cit.*, p. 108.

15. *Op. cit.*, pp. 109-114. Au début de 1831, Beyle en dit tout autant dans une lettre à Adolphe de Mareste, à propos de la distribution des croix : « jamais un gouvernement, quel qu'il soit, ne peut protéger sincèrement que la littérature *plate, id est* élégante et *vide d'idées.* Les *idées* sont le croquemitaine des gens au pouvoir » (*Correspondance*, éd. V. Del Litto, Pléiade, t. II, 1967, p. 217. Lettre n°942 datée de Corfou, 17 décembre 1830, redatée par l'éditeur : Trieste, 17 janvier 1831). Si Balzac livre ses réflexions à la fin du règne de Charles X, Stendhal, lui, se montre désabusé, alors que Louis-Philippe n'était pas roi depuis six mois.

16. *Oeuvres complètes, op. cit.*, p. 115.

17. RDM, 1831, t. 2, pp. 277-281.

18. Première publication dans les livraisons du 15 octobre, 1er décembre 1831 et avril 1832 de la RDM, avant de paraître chez Gosselin - cf. éd. F. Germain, Classiques Garnier, 1970, pp. IV-V.

19. *Op. cit.*, p. 421.

20. Edouard Alletz, *De la démocratie nouvelle* ou de la Nature et de la Puissance des classes moyennes en France, Paris, F. Lequin, p. 40 (BN : Lb^{51}. 2675).

21. *Op. cit.*, p. 74.

22. *Etudes critiques sur le feuilleton-roman*, Paris, le Perrodel, t. II, 1846, pp. 59-60.

23. La littérature sur le saint-simonisme des années trente est riche. L'opposition entre saint-simonisme et romantisme a été décrite par Sébastien Charléty, dans son *Histoire du saint-simonisme*, Paris, Paul Hartmann éd. 1931, p. 111 ; par Pierre Barbéris, « les saint-simoniens » dans P. Abraham & R. Desné (éds), *Manuel d'histoire littéraire de la France*, t. IV, 1ère partie, Editions sociales, 1972, pp. 613-614 ; par Paul Bénichou, *Le Temps des prophètes*, Gallimard, 1977, pp. 318-323 ; pour une esquisse des rapprochements qu'il y aurait lieu de faire entre saint-simoniens et romantisme, voir Georges Gusdorf, *Fondements du savoir romantique*, Payot, 1982, pp. 163-165 ; Jacques Viard, « Pierre Leroux et les romantiques », *Romantisme*, n° 36, 1982, pp. 27-50.

24. Nous en exceptons, bien sûr, les lettres que Beyle écrit en sa qualité de consul et notamment celles où il signale les tribulations qu'il éprouve aux débuts de sa carrière de consul, tant avec les autorités étrangères qu'avec celles de son pays (*Correspondance*, t. II, *op. cit.*, lettres n° 927, 928, 942, 948, 952, 955, 958, 964, 965, 969, 978, 979).

25. Excepté le journal du voyage au Maroc, en 1832.

26. Eugène Delacroix, *Journal*, Paris, t. I, Plon, 1932, éd. A. Joubin, p. 159 ; Baudelaire, *Oeuvres complètes*, Gallimard, t. II, 1976, éd. Cl. Pichois, pp. 429-430. Hélène Toussaint minimise cet incident. Cf. son Catalogue de l'exposition *La Liberté guidant le peuple de Delacroix*, Editions de la Réunion des Musées nationaux, Paris, 1982, p. 4. Notons que le même personnage intervint en faveur de Hector Berlioz, selon les *Mémoires* de ce dernier, *1803-1865*, Paris, Calmann-Lévy, T. I, 1926, p. 56.
On sait ce que Stendhal pensait du « noble vicomte » (cf. *Journal de Delécluze* - 1824 - 1828, éd. Robert Baschet, Bernard Grasset, 1948, p. 74, note) et Delécluze lui-même, pp. 245-246.

27. Delacroix, *Journal, op. cit.*, p. 4, note.

28. Cf. *Mémoires de Hector Berlioz, op. cit.*, ch. X, pp. 50-52.

29. Dans toutes ces correspondances, on pourrait relever le genre de propos marginaux, dont un exemple, tiré d'une lettre de Stendhal, a été donné dans la note 15.

30. Mentionnons pour mémoire l'expression naïve du mépris de l'artiste pour tout culte royaliste dans la lettre bien connue d'un Flaubert pas encore âgé de douze ans à Ernest Chevalier (lettre du 11 septembre 1833, *Correspondance*, éd. J. Bruneau, Pléiade, t. I, 1973, pp. 12-13).

31. Il se peut, bien sûr, que l'éditeur, Robert Baschet, ait éliminé de son choix des passages se rapportant à notre sujet, comme il admet dans l'introduction : « on s'est résolu à écarter force développements inspirés par la seule actualité politique » - *op. cit.*, p. 8. Nous ne faisons pas entrer en ligne de compte plusieurs détails et propos banals, rapportés ou tenus à l'occasion des obsèques de Girodet, pp. 58, 61, des cérémonies de réception d'artistes et de remise de décorations par les monarques, Bonaparte ou Charles X, pp. 107-112 (Delécluze signale toutefois l'indifférence de Charles X pour les beaux-arts), des avatars de Béranger avec le pouvoir, p. 175, de l'assassinat de Paul-Louis Courier, p. 185 ou encore du *Sacre de Charles X* de Lamartine, p. 219, de l'opportunité politique du *Génie du Christianisme*, pp. 367, 370. Ce que Delécluze écrit de la bigoterie

qui a joué dans l'omission de la remise des prix aux enfants de Talam, p. 288 ou des efforts faits pour mettre un terme à l'exil de David et que le pouvoir faisait échouer, pp. 293-294, aurait pu donner lieu à des considérations plus sérieuses, mais le diariste reste dans l'anecdote.

32. La bibliographie de la présence des affaires polonaises dans le patrimoine français a été établie méticuleusement, notamment par Jan Lorentowicz, dans *la Pologne en France*, dont le tome premier, consacré à la littérature, a paru à la librairie ancienne Honoré Champion en 1935.

33. Par Ladislas Plater - un in-8°, 48 pp. Cf. Karol Estreicher, *Bibliografia polska*, Wydawnictwo Akademii Umiejetnosci, Cracovie, 1874, t. II, n° 67.

34. Fernand Baldensperger, dans les notes de son édition de la Correspondance de Vigny, illustre le retentissement de la révolution polonaise en France, en signalant qu'un correspondant de Vigny, G. Papion du Château, ami de Nerval, avait publié le 1er janvier 1832, un cycle de chants, intitulé les *Messéniennes polonaises*, « pour lesquelles il pouvait donner en supplément au recueil qui suivit des lettres de Chateaubriand, Lamartine, Nodier, Berryer, etc., qui permettent de juger les sympathies polonaises de la France intellectuelle » (*Oeuvres complètes* d'Alfred de Vigny, Correspondance, 1ère série (1816-1835), Louis Conard, 1933, p. 301).

35. *Dziady ou la Fête des Morts*, Poème traduit du polonais d'Adam Mickiewicz, 2e et 3e parties (trad. en prose sans le nom du traducteur : J.H. Burgaud des Marets), Paris, Clétienne, 1834 (référence : J. Lorentowicz, *op. cit.*, p. 22, n° 230).

36. Sauf erreur, le drame de Slowacki n'a été traduit en français qu'en 1870, par Wenceslas Gasztowtt, dans son édition en deux tomes des *Oeuvres complètes* (Librairie du Luxembourg - BN : Ym 711-712) et la traduction française du drame de Krasinski n'a été publiée intégralement que dans les *Oeuvres complètes* éditées en 1869/70 par Ladislas Mickiewicz ; avant cette date, la bibliographie polonaise *Nowy Korbut*, (sous la direction d'Irmina Sliwinska, t. 8, Varsovie, PIW, 1969, p. 138) ne signale que des traductions fragmentaires. Lorentowicz mentionne une série de « Notices sur les poésies de Jules Slowacki » parues dans la *Revue européenne* en 1832 et en tiré à part en janvier 1833 (*op. cit.*, n° 2328 et 2338)

37. *Adam Mickiewicz - 1798-1855* - Hommage de l'Unesco à l'occasion du centième anniversaire de sa mort, Gallimard, 1955, p. 262 (bibliographie compilée par Piotr Gregorczyk). Jean Fabre préfère en rendre le sens par « romanticité » (*Lumières et romantisme*, Klincksieck, 1980, p. 315).

38. *Adam Mickiewicz, op. cit.*, eod. loco.

39. Voir entre autres le commentaire de Jan Parandowski dans *Adam Mickiewicz, op. cit.*, pp. 13,14 et de Jean Fabre, dans « Adam Mickiewicz et l'héritage des lumières », texte de 1958, repris dans *Lumières et romantisme, op. cit.*, pp. 330, 331.

40. Publié chez Renduel, éditeur d'écrivains romantiques ; le même volume contient un *Hymne à la Pologne* de Lamennais (*Adam Mickiewicz, op. cit.*, p. 263) ; sur la signification de la crise polonaise dans l'évolution de Lamennais, cf. Louis Le Guillou, « Lamennais », dans *Manuel d'Histoire littéraire de la France*, t. IV, 2ème partie, Editions sociales, 1973, pp. 16-18.

41. *Adam Mickiewicz, op. cit.*, p. 23.

42. Jean Fabre, *Op. cit.*, pp. 322-323.

43. *Adam Mickiewicz, op. cit.*, pp. 22, 23, 24.

44. C'est celle que Jean Fabre formule au début de l'étude déjà citée, p. 303.

45. Né en 1809, le jeune rival de Mickiewicz (lequel était né en 1798) avait publié le drame sous le couvert de l'anonymat, comptant bien qu'il passerait, dans les milieux de l'émigration qui lui paraissaient hostiles, pour une oeuvre de son aîné - c'est ce qui ressort d'une lettre à sa mère, citée par le traducteur, Wenceslas Gasztowtt, dans la préface de l'édition de 1870, *op. cit.*, t. II, p. 4.

46. Acte I, sc. 2, *op. cit.*, p. 33.

47. Maria Janion, « Prometeusz, Kain, Lucyfer », in *Goraczka romantyczna, op. cit.*, pp. 397, 402.

48. Cyril Wilczkowski, « Littérature polonaise », dans R. Queneau (éd.), *Histoire des littératures*, t. II, Pléiade, 1968, p. 1362.

49. Art. cité, p. 594.

50. *Ibid.*, p. 627.

51. *Lumière et romantisme, op. cit.*, pp. 326, 327 et 355, 356.

52. *Ibid.*, pp. 340-344.

53. C'est à propos de l'enthousiasme éprouvé par le jeune Mickiewicz à la lecture de *De l'Esprit* que Fabre a fait un rapprochement pertinent de la formation du Polonais avec celle du jeune Beyle, *op. cit.*, p. 313.

54. Nous pensons, par exemple, aux réactions passionnées du public varsovien assistant aux représentations des *Aïeux (3e partie)* en 1968, réactions qui avaient terrifié les autorités au point qu'elles ont interdit le spectacle, déclenchant ainsi des manifestations estudiantines férocement réprimées.

55. Au sens large, englobant environnement et circonstances.

56. Cf. Charles Beaumont Wicks et Jerome W. Schweitzer, *The Parisian Stage - Alphabetical Index of plays and authors* - Part III (1831-1850), University of Alabama Press, 1961, qui répertorie plus de sept mille pièces jouées dans 48 théâtres différents de Paris. Au cours du colloque, on nous a reproché de ne pas avoir tenu compte de *Léo Burckart*, pièce dans laquelle le héros serait à la fois poète et homme d'action, en lutte avec le pouvoir, puis exerçant le pouvoir. Mais qu'il s'agisse du héros de la version de 1838 (celle de Nerval et de Dumas) ou de celui de la version de 1839/1852 (celle remaniée par Nerval seul), nous constatons que ce pamphlétaire devenu homme d'Etat, à qui un des personnages attribue d'abord du génie, pour le dénigrer ensuite, a été défini par Nerval dans la préface de 1852 comme « un honnête homme, ami de la justice et du progrès », ce qui n'en fait pas exactement un poète ou un artiste, comme on pourrait le dire d'un Machiavel. Cf. Gérard de Nerval, *Oeuvres complémentaires*, édition Jean Richer, vol IV, *Théâtre*, t. 2, *Léo Burckart*, pp. 233-234, 220-221.

57. C'est en tout cas la lecture qu'en donne un auteur digne d'estime, D.O. Evans, dans sa thèse de 1923, *le Drame moderne à l'époque romantique (1827-1850)*, Genève, Slatkine Reprints, 1974, pp. 255-256.

58. Au regret de certains commentateurs, qui déplorent que Musset, au lieu de faire une critique allusive du régime orléaniste, n'ait pas produit un drame franchement social. Voir, par exemple, de Jeanne Bem, « *Lorenzaccio* entre l'histoire et le fantasme », *Poétique*, n° 44, novembre 1980, pp. 452-453, où il est question de « rapports masqués » ou inexacts, de « manque de l'histoire », de « code un peu inadéquat ». Là ne réside d'ailleurs pas l'essentiel du propos de Jeanne Bem.

59. Dès 1896, mais surtout depuis 1952. Pour l'historique de ces représentations, voir Bernard Masson, *Musset et le théâtre intérieur*. A. Colin, 1974, 3e partie et du même l'édition déjà citée dans la collection du Trésor des Lettres françaises, Imprimerie nationale, 1978, pp. 325, sqq.

60. Cet approche est caractéristique de l'article de H.J. Hunt (« Alfred de Musset et la Révolution de Juillet : la leçon politique de *Lorenzaccio* », *Mercure de France*, t. 25 (1), 1934, cité par B. Masson, *Musset et le théâtre intérieur, op. cit.*, p. 79), des ouvrages de Jean Pommier (*Variétés sur Alfred de Musset et son théâtre*, Nizet, 1945) et d'Henri Lefebvre, (*Alfred de Musset, dramaturge*, l'Arche, 1955). Bernard Masson voit dans la pièce « le drame existentiel de la personne en quête de son accomplissement » dans lequel « la politique devient un élément médiateur, le lien et le milieu privilégié d'une confrontation dramatique entre l'individu et la société » (*Lorenzaccio ou la difficulté d'être*, Minard, Archives des Lettres modernes, 1962, (6), p. 39). Le même auteur qui avait choisi de présenter « l'Approche des problèmes politiques dans *Lorenzaccio* de Musset » au colloque *Romantisme et politique* de l'E.N.S. de Saint-Cloud en 1966, y décrit un Musset « historien scrupuleux et documenté qui cultive l'anachronisme et la dissonance » (A. Colin, 1969, p. 305), pour reprendre la thèse de Jean-Claude Merlant sur le procès que Musset fait à toute société politique (*ibid.*, p. 315).

61. Voir James Dauphiné, « Le "Masque" dans *Lorenzaccio* », *Europe*, 583/584, nov. - déc. 1977, pp. 61-68.

62. Voir la remarquable étude de Marie Maclean, « The Sword and the Flower : the Sexual Symbolism of *Lorenzaccio* », *Australian Journal of French Studies*, Melbourne, vol. XVI, 1979, pp. 166-181.

63. Cf. James Dauphiné, art. cité, p. 62 ; Claude Duchet, « Théâtre et sociocritique : la crise

de la parole dans deux pièces de Musset », *Sociocritique*, Paris, Nathan, 1979, pp. 147, sqq.

64. *Musset et le théâtre intérieur, op. cit.*, 1ère partie, ch. I.

65. *Lorenzaccio*, éd. cit., pp. 319-324.

66. *Musset et le théâtre intérieur, op. cit.*, pp. 43-45.

67. *Ibid.*, p. 218.

68. « Le Portrait du peintre », *Revue des Sciences humaines*, XLII, 1977, p. 44.

69. *Ibid.*, p. 47.

70. *Sociocritique, op. cit.*, p. 151.

71. *Lorenzaccio*, éd. cit., p. 323.

72. Du rejet par Musset de tout esthétisme, David Sices, qui tient compte des scènes non retenues, a donné une analyse qui nous semble plus pondérée que celle des commentateurs français : voir *Theater of Solitude - The Drama of Alfred de Musset*, Hanover, New Hampshire, The University Press of New England, 1974, pp. 161-167.

73. Allusion peu compréhensible : si Balzac pense à *la Princesse parisienne*, paru en feuilletons dans *la Presse* d'août 1839 (cf. H.J. Hunt, *Balzac's Comédie humaine*, Londres, The Athlone Press, 1959, p. 209) et où est décrite la flamme de Michel Chrestien pour la duchesse de Maufrigneuse, il n'a pas cette priorité, puisque *la Chartreuse* était mise en vente au mois d'avril et que Balzac avait été prié de faire chercher son exemplaire fin mars (*Correspondance de Stendhal*, Pléiade, t. III, 1968, p. 277/lettre n° 1632/) et pas davantage s'il pense au *Grand homme de province à Paris*, dont ni la composition ni la parution ne précèdent celles de la *Chartreuse* (cf. les éditions d'*Illusions perdues*, procurées par Pierre Citron, Garnier-Flammarion, 1966, p. 22 et par Antoine Adam, Classiques Garnier, 1967, p. IV).

74. Peu de lecteurs emboîteront de nos jours le pas à Balzac, lorsqu'il décrit la scène entre la duchesse et Ferrante Palla, au ch. 21, en termes d'amour platonique. Quand nous lisons qu'« Au bout d'un moment, Ferrante s'évanouit presque de bonheur », nous sommes tentés de rapprocher cette litote de celle de la rencontre de Clélia et de Fabrice au ch. 25.

75. de Walter Scott.

76. *Oeuvres complètes d'Honoré de Balzac*, t. 24, Paris, Club de l'Honnête Homme, p. 241.

77. Notamment Maurice Bardèche qui écrit : « Car Lucien n'est pas un poète, il se croit un poète, c'est tout différent. A cause de cela, *Illusions perdues* ne nous apprend rien sur la situation du poète dans la littérature fondée sur la spéculation » (*Une lecture de Balzac*, Paris, Les Sept Couleurs, 1964, p. 134).

78. *Illusions perdues*, éd. P. Citron, *op. cit.*, pp. 234, 235, 238.

79. *Ibid.*, p. 237.

80. *Ibid.*, pp. 422, sqq. ; M. Bardèche, *op. cit.*, p. 133.

81. C'est le cas, entre autres de Charles Affron, *Patterns of Failure in La Comédie Humaine*, Yale U.P., 1966, ch. 4 et, dans une approche plus symbolisante, celui de la « mythologie de la Chute » que Jean-Claude Lieber donne dans la présentation de l'édition du roman aux Presses de la Renaissance, Paris, 1977, p. XVII.

82. *Balzac et le réalisme français*, Maspero, 1967, p. 50 ; Bardèche, *op. cit.*, p. 141.

83. Lukacs, *op. cit.*, p. 54.

84. *Oeuvres complètes illustrées de Balzac*, fac-similé de l'édition Furne de 1844, Bibliophiles de l'originale, t. 11, 1966, p. 93.

85. « La toilette du Chouan, condamné à mort en 1809 », *Oeuvres complètes illustrées*, t. 11, *op. cit.*, p. 70.

86. Personnages et situation tirés de *la Cousine Bette*, roman de 1846.

87. Bardèche doute toutefois de cette qualité, cf. *Une lecture de Balzac, op. cit.*, p. 134.

88. Certains exégètes font de Delacroix le prototype de ce personnage : Antoine Adam, dans l'introduction à son édition des *Illusions perdues*, Classiques Garnier, 1967, p. XXVII ; H.J. Hunt, *op. cit.*, p. 339.

89. Le thème du rôle de l'artiste est présent dès le début dans *Gloire et malheur*, une des premières « Scènes de la vie privée » de 1830, intitulé depuis *la Maison du chat qui pelote*.

90. Fernand Baldensperger le déclare dans les notes de son édition des *Oeuvres complètes*

(Conard, 1925, p. 419), à propos de Chatterton et il ajoute : « le poète français est d'ailleurs en 1832, et le restera en 1835, au moment où sa pièce reprendra le même thème, assez médiocrement informé au sujet de son émule d'Outre-Manche. » La vogue qu'ont connue ces personnages est décrite par Paul Bénichou, *Le Sacre de l'Ecrivain* op. cit., pp. 331-332.

91. Cf. F. Germain, Introduction à *Stello*, Classiques Garnier, *op. cit.*, pp. XXIX.

92. *Ibid.*, p. XVI.

93. F. Baldensperger, *op. cit.*, p. 424 ; Pierre Flottes, *La Pensée politique et sociale d'Alfred de Vigny*, Paris, les Belles Lettres, 1927, pp. 123-124 ; D.O. Evans, *Le Roman social sous la Monarchie de Juillet*, P.U.F., s.d. (1930), p. 40.

94. F. Germain, *op. cit.*, p. LXIII.

95. *Stello, op. cit.*, p. 64 et *Chatterton*, acte III, sc. 6.

96. Balzac tout le premier dans l'article cité ; que les oeuvres consacrées à l'Italie que Stendhal compose sous la Restauration soient politiques au premier chef, cela a été fortement marqué, notamment par M. Del Litto, qui au congrès d'Auxerre est revenu sur la place de la politique dans le réalisme de Stendhal (*Stendhal-Balzac Réalisme et cinéma*, Grenoble, Presses universitaires, 1978, p. 10). Sur les modalités de la présence de la politique dans l'oeuvre de Stendhal, ce que Michel Crouzet en a dit au colloque *Romantisme et politique* nous a semblé fort utile pour notre propos (« L'apolitisme stendhalien », *op. cit.*, pp. 228-230).

97. Sur les origines du personnage, voir les notes d'Antoine Adam, dans son édition du roman, Classiques Garnier, 1973, en marge des chapitres 6, 21 et 24, pp. 670, 692, 697.

98. Shoshana Felman, *La "Folie" dans l'oeuvre romanesque de Stendhal*, José Corti, 1971, p. 69.

99. Cf. Michel Guérin, *La Politique de Stendhal*, PUF, 1982, p. 150.

100. Il inspire le plan d'évasion de Fabrice au ch. 21.

POUVOIRS ET ENERGIE DANS « L'ABBESSE DE CASTRO »

Béatrice Didier

La dynamique des *Chroniques italiennes* provient essentiellement de ce qu'elles relatent l'histoire de l'énergie d'un individu à l'intérieur d'un système où les pouvoirs se manifestent de façon particulièrement oppressante. Cette lutte de l'énergie individuelle et des pouvoirs collectifs est représentée dans un récit qui a ses lois, selon des procédés qui risquent d'être pour l'écrivain aussi oppressants que les pouvoirs pour le héros, dans la mesure où Stendhal se trouve suivre à la fois des schémas narratifs donnés par les textes italiens, et certaines modes de son époque. C'est à travers ces pouvoirs de la tradition littéraire que doit triompher l'énergie de l'écrivain et les forces vives de l'écriture. Nous aimerions étudier ici cet affrontement des pouvoirs et de l'énergie dans le texte, sous cette forme diverse mais finalement unique, puisque le héros, même s'il a des origines historiques, est un « être de papier » dont l'énergie à vivre se confond avec l'énergie à écrire de Stendhal. Cette énergie ne peut exister et se manifester que parce qu'elle est structurée par cet affrontement même avec des formes sociales et esthétiques. Sans exclure les autres chroniques italiennes, nous privilégierons cependant l'*Abbesse de Castro* dont l'ampleur, l'achèvement, la perfection permettent à ces mécanismes de l'écriture et de la société, présents certes dans les autres textes, de se manifester avec leur force et leur intérêt extrêmes.

I

Le préambule de l'*Abbesse de Castro* est consacré à l'examen des forces en présence et le lecteur superficiel pourrait trouver que l'écrivain prend les choses de loin ; puisqu'il commence par analyser l'origine des divers pouvoirs dans les villes italiennes. Après les républiques, vinrent les tyrans. « Le nouveau tyran fut d'ordinaire le citoyen le plus riche de la défunte république, et pour séduire le bas peuple il ornait la ville d'églises magnifiques et de beaux tableaux ». C'est déjà montrer comment l'origine du pouvoir remonte à l'argent et comment le pouvoir a pour fonction essentielle d'empêcher la parole du peuple de se manifester. Non seulement la parole du peuple, mais l'écrit : « Parmi les historiens de ces petits Etats, aucun n'a osé raconter les empoisonnements et assassinats sans nombre ordonnés par la peur qui tourmentait ces petits tyrans ; ces braves gens étaient à leur solde[1]. »

Les brigands apparaissent donc comme l'expression de la révolte populaire, comme une forme de l'opposition à la tyrannie : « Les brigands furent *l'opposition* contre les gouvernements atroces qui, en Italie, succédèrent aux républiques du Moyen-Age » : l'intention et presque l'accentuation de l'écrivain se marquent par cette italique qui, du coup, actualise la phrase, ce n'est plus une opposition abstraite et générale au pouvoir, cela veut dire, grâce au soulignement, le parti de l'opposition ; brusquement s'établit le rapprochement entre la Restauration et la tyrannie, les « brigands » héroïques et l'opposition libérale[2]. Alors s'est exprimée une écriture, qui, bien différente de la chronique officielle des historiens dit la vérité politique, sous forme de libelle ou d'écrit populaire : « Ce peuple si fin, si moqueur, qui rit de tous les écrits publiés sous la censure de ses maîtres, fait sa lecture habituelle de petits poèmes qui racontent avec chaleur la vie des brigands les plus renommés. Ce qu'il trouve d'héroïque dans ces histoires ravit la fibre artiste qui vit toujours *dans les basses classes* et, d'ailleurs il est tellement las des louanges officielles données à certaines gens, que tout ce qui n'est pas officiel en ce genre va droit à son coeur. » Ainsi l'écrivain en faisant l'histoire des brigands se range résolument du côté du peuple, de cette énergie populaire qui est spontanément « artiste ». En voulant être peuple, Stendhal certes entonne un hymne à la créativité populaire qui n'est pas absolument nouveau à son époque, mais qui a son importance en ce début de l'*Abbesse*, puisque du même coup, Stendhal exprime dans quelle direction va s'exercer sa création littéraire. Si *l'Abbesse de Castro* est bien autre chose que le récit du procès que lui lèguent les manuscrits italiens, c'est précisément parce que l'écrivain y introduit l'histoire d'un « brigand », fils de brigand : Jules Branciforte.

Avec un nom dont les sonorités mêmes évoquent la force et le caractère vivace, Jules va donc incarner cette énergie qui est celle même des brigands, du peuple, de l'opposition - cette énergie qui ne peut se manifester que grâce à la situation politique italienne, et qui risque de s'assoupir sous des monarchies. Car l'énergie de Jules va être suscitée par la rudesse même de la provocation du seigneur Campireali : « La franchise et la rudesse, suites naturelles de la liberté que souffrent les républiques, et l'habitude des passions franches non encore réprimées par les moeurs de la monarchie, se montrent à découvert dans la première démarche du seigneur de Campireali[3]. »

Divers pouvoirs s'opposent, et c'est dans cette opposition que l'énergie individuelle trouve son compte. La famille Campireali est « puissante » et Stendhal insiste à plusieurs reprises sur cette puissance ; même après la mort du seigneur de Campireali et de son fils, la mère est encore capable d'imposer que sa fille devienne abbesse, grâce à ses intrigues. Mais Jules, lui, n'est pas non plus absolument seul ; son énergie individuelle ne lutte pas, isolée, contre un pouvoir tout puissant ; ce serait une représentation simpliste du jeu des forces, bien contraire à la complexité de la politique des villes italiennes, complexité dans laquelle se complaît Beyle et où le romancier trouve aussi son compte. Jules, s'il ne détient pas de pouvoir par lui-même, a des appuis très efficaces dans ce contre-pouvoir que constituent les brigands : « La forêt de la Faggiola, à cheval sur la route de Naples par Albano, était depuis longtemps le quartier général d'un gouvernement ennemi de celui de Sa Sainteté, et plusieurs fois Rome fut obligée de traiter, comme de puissance à puissance, avec Marco Sciarra, l'un des rois de la forêt[4]. » Le pouvoir des brigands possède à la fois ces deux caractéristiques nécessaires : la force et l'organisation. Ils ont un pouvoir ; mais ils n'ont pas *le* pouvoir ; et c'est parce que leur puissance demeure occulte, marginale, qu'elle est le lieu de l'énergie, sans risquer de s'endormir dans la pesanteur des institutions. Certes Jules, par la force de ses armes, acquerra un pouvoir, mais en quelque sorte à l'extérieur, et c'est pourquoi on peut espérer qu'il conserve jusqu'au bout l'énergie, quoique l'on sache finalement très peu de choses sur ce qu'est devenu Jules à la fin de la nouvelle : le lecteur ne voit plus qu'Hélène.

Le pouvoir que conquiert Hélène – car elle aussi va en obtenir – plus institutionnel, est plus dangereux, et risque davantage de détruire son énergie, ou plutôt elle n'accepte ce pouvoir que du jour où sa force vitale

247

s'est usée. Car l'histoire d'Hélène, c'est bien l'aventure d'une héroïne qui perd progressivement son énergie, par l'effet du désespoir. La puissance, chez elle, est une revanche de cette perte du désir. « Après six mois de réclusion et de détachement pour toutes les choses du monde qui suivirent l'annonce de la mort de Jules, la première sensation qui réveilla cette âme déjà brisée par un malheur sans remède et un long ennui, fut une sensation de vanité[5]. » Dans la lettre finale, Hélène rappelle comment cette accession au pouvoir le plus hiérarchisé, le plus institutionnalisé qui soit : le pouvoir ecclésiastique, amène la dégradation complète de l'âme : « Cette place (d'abbesse) ne fut, pour moi, qu'une source d'ennuis ; elle acheva d'avilir mon âme ; je trouvai du plaisir à marquer mon pouvoir souvent par le malheur des autres ; je commis des injustices[6]. »

Le pouvoir ecclésiastique est peut-être celui qui est le plus fascinant pour le romancier, parce que le plus absolu, celui qui prétend régner sur les corps et sur les âmes, et l'histoire de l'Italie offre suffisamment d'exemples de cette domination pour que Stendhal puisse alimenter sa réflexion et sa création. On remarque dans les *Chroniques italiennes* cette prédominance thématique de l'univers ecclésiastique, sensible un peu partout, et davantage encore dans l'*Abbesse, Trop de faveur tue, Suora scolastica, le Couvent de Baiano*. Peut-être parce que dans cet univers, le conflit entre énergie individuelle et pouvoir institutionnel est sans merci.

Mais l'institution ecclésiastique est elle-même travaillée par ce qui est bien, au total, le pouvoir suprême : l'argent. Sans lui, sans le chantage qu'exerce la mère, jamais Hélène n'aurait pu être Abbesse. Le vieux Cardinal a beau gémir : « Mais la simonie, Madame !... l'effroyable simonie[7] ! » il n'en cède pas moins devant l'argent de la signora de Campireali : il n'a pas exactement vendu des sacrements ; du moins s'est-il laissé corrompre pour une nomination ecclésiastique. Si l'argent a un tel pouvoir, est une sorte de super-puissance dans l'église, bien entendu, on retrouve son efficacité dans tous les milieux, et l'on peut dire que l'argent, dans l'*Abbesse de Castro* est un élément essentiel de la narration ; on le voit figurer à tous les moments importants. On pensera que dès le départ, l'action n'existerait pas sans lui, puisque l'humiliation initiale de Jules est due à son manque d'argent. C'est par l'argent que la mère agit, et l'on sait que toute l'histoire est finalement menée par elle. Son argent décide du départ de Jules, non certes directement, parce que ce héros de l'énergie ne saurait se laisser acheter, mais indirectement : « Le prince s'était cru obligé de dire, pour faire réussir la négociation, que c'était lui qui croyait convenable d'assurer une petite fortune de 50 000 piastres au fils unique d'un des plus fidèles serviteurs de la maison Colonna[8]. » C'est encore par son argent que la mère essaie de sauver la fille en faisant creuser le souterrain, dépensant de « grosses sommes »[9]. Mais c'est l'argent qui avait fait éclater le scandale dont Hélène était victime, puisque personne n'aurait eu vent de son accouchement secret sans les « quelques poignées de sequins nouvellement frappés à la monnaie de Rome »[10] donnés au médecin qui les donne à son tour à la femme du boulanger. Prix du silence, l'argent, par un renversement qui appartient à la technique du récit (en particulier policier) la plus assurée, devient l'origine de la parole, des bavardages funestes.

Ce pouvoir de l'argent, lui-même symbole des pouvoirs, est si manifeste que l'écrivain fait ses comptes dans les marges. Non seulement le texte lui-même est envahi par des calculs, et Hélène commence sa lettre : « Mère très respectable, Tous les ans tu me donnes 300 000 francs...», mais, sur l'exemplaire Chaper, Stendhal a pris la peine d'établir l'équivalence entre les francs et les écus (54 000 écus = 300 000 francs). Instrument d'échange, l'argent devient, en fait, un instrument de pression, et qui fonctionne à tous les niveaux de la société, y compris à l'intérieur des classes sociales qui possèdent le pouvoir, qui possèdent l'argent, mais qui sont toujours sensibles à cet accroissement de pouvoir que donnerait un accroissement de richesse.

A cette force insinuante de l'argent, s'ajoute, dans le récit, la violence. Le pouvoir se marque par les forces armées à une époque où chaque groupe social peut lever une troupe. Il faudrait montrer le rôle des « bravi » dans la nouvelle - institution à laquelle Stendhal donne une importance très grande, comme expression de cette force des pouvoirs. Car ce qui permet l'intérêt et la complexité de la narration, c'est précisément que le pouvoir n'est pas un, que toute famille, tout individu suffisamment puissant peut avoir à son service des « bravi ». L'opposition des brigands et des « bravi » est nettement marquée au début de la chronique : les brigands relèvent de la force spontanée, populaire, désintéressée, les bravi au contraire sont des mercenaires au service des puissants. « Au XVIème siècle, le gouverneur d'un bourg avait-il condamné à mort un pauvre habitant en butte à la haine de la famille prépondérante, souvent on voyait les brigands attaquer la prison et essayer de délivrer l'opprimé. De son côté, la famille puissante, ne se fiant pas trop aux huit ou dix soldats du gouvernement chargés de garder la prison, levait à ses frais une troupe temporaire ». Cet affrontement armé semble à Stendhal beaucoup plus favorable au développement de l'énergie des individus que la civilisation contemporaine ; c'est avec mélancolie et ironie qu'il ajoute : « De nos jours on a le duel, l'ennui, et les juges ne se vendent pas ; mais ces usages du XVIème siècle étaient merveilleusement propres à créer des hommes dignes de ce nom[11]. »

Les « bravi » réapparaissent aux moments les plus pathétiques de la chronique, aux moments où il y a affrontement armé, attaque. C'est Ugone, un des *bravi*, qui sera chargé de porter la lettre ultime à Jules ; c'est enfin avec sa « dague dans le coeur », qu'Ugone retrouve l'Abbesse, une fois qu'il a accompli sa mission. L'arme du soldat a servi, paradoxalement, à tuer celle qu'elle aurait dû défendre, lors de cette conclusion où l'énergie d'Hélène se retourne contre elle-même, dans un vertige d'auto-destruction.

L'argent, la force armée ? Il est encore un autre moyen du pouvoir qui va être utilisé dans le récit, c'est la torture. Lors du procès, la résistance à la torture est un test de l'énergie des individus. Mesdames Victoire et Bernarde avouent immédiatement à la seule vue des supplices infligés à César del Bene qui lui, au contraire, fait preuve d'un héroïsme qui contraste avec la lâcheté que son maître a manifestée pendant tout le récit.

On notera l'insistance avec laquelle, sans pourtant se complaire à des descriptions, Stendhal rappelle le rôle de la torture dans les moeurs de l'époque. Il faut dire que beaucoup des *Chroniques* tirent leur origine des pièces d'un procès. Peut-être aussi, par rapport au déroulement du récit, la torture marque-t-elle le point extrême de l'affrontement entre le pouvoir absolu des institutions et l'énergie de l'individu. On se rappelle la force surhumaine de Béatrix Cenci, suspendue par les cheveux[12], et, une fois la condamnation prononcée, allant sans défaillance à l'échafaud, l'énergie de la fille ne pouvant être atteinte par le pouvoir institutionnel des pères. On se souvient aussi, dans le *Couvent de Baïano*, de la scène du poison. Certes, à devenir texte, écrit, le récit idéalise l'affreuse réalité, et l'écrivain tire de ces scènes un effet esthétique indéniable, où la beauté de la victime est soulignée par l'horreur du supplice, et le contraste est marqué par la phrase du vicaire : « Jamais peut-être âme plus inflexible ne fut logée dans une enveloppe plus belle ... Quel dommage ! ces yeux ! ces cheveux[13] ! »

On voit donc l'importance de cet affrontement continuel de l'énergie de l'individu et du pouvoir dans les *Chroniques*. On voit aussi qu'il vaut mieux parler de « pouvoirs » au pluriel, Stendhal se plaisant à souligner combien dans l'Italie du Moyen-Age et de la Renaissance, les pouvoirs sont multiples et souvent opposés ; et ces forces contraires lui apparaissent comme un stimulant de l'énergie individuelle, amortie, lentement épuisée par la médiocrité de nos gouvernements modernes. Mais jamais l'opposition de l'énergie individuelle et du pouvoir n'est fixée une fois pour toutes, et l'histoire même d'Hélène prouve bien comment l'équilibre est toujours instable, ou plus exactement dynamique. Hélène, d'abord opposée au pouvoir de ses parents, devient ensuite une complice du pouvoir ecclésiastique en étant abbesse, et cela correspond à une sorte de suicide moral. Mais, avec le procès, elle redevient une victime du pouvoir. C'est grâce à cette instabilité de l'antithèse pouvoir/énergie que progresse la nouvelle, qu'un récit complexe est possible, que s'opèrent des regroupements des personnages, que l'espace s'organise.

II

Ce jeu de force décide d'abord de la répartition et même de la psychologie des personnages. Il y a une foule de personnages secondaires qui travaillent pour un camp ou pour l'autre et dont la présence est soigneusement notée ; ils créent cette atmosphère de complot perpétuel dans laquelle Stendhal se meut avec la plus grande alacrité. Le complot est, en effet, me semble-t-il, un schéma narratif particulièrement fécond. Peut-être faut-il retrouver l'origine de ce schéma dans les traumatismes mêmes de l'enfance, et remarquer combien déjà dans la *Vie de Henry Brulard* l'atmosphère familiale est lourde de ces intrigues, de ces alliances, de ces équilibres de forces. Certes le complot est un schéma narratif suffisamment riche pour qu'un romancier l'utilise, sans même qu'il rappelle en lui des échos si profonds et si lointains (mais la réactivation des

251

souvenirs n'est pas si ancienne et *Henry Brulard* ne précède que de peu la période de rédaction des *Chroniques*). On sait comment ce jeu des alliances organisera le système beaucoup plus complexe des personnages dans la *Chartreuse de Parme*.

La logique du récit implique qu'il ne soit fait mention que de personnages qui serviront à sa progression. Autrement dit, tout personnage doit être soit un allié du pouvoir, soit un instrument de la lutte contre le pouvoir. Pas de personnage neutre, ce serait une inutilité. Les personnages secondaires servent d'espion et d'intermédiaire : Jules « sut par le vieux Scotti, son ami, que Fabio était sorti de la ville à cheval (...) Plus tard, il vit le seigneur de Campireali prendre, en compagnie de deux prêtres, le chemin de la magnifique allée de chênes verts qui couronne le bord du cratère au fond duquel s'étend le lac d'Albano. Dix minutes après, une vieille femme s'introduisait hardiment dans le palais de Campireali, sous prétexte de vendre de beaux fruits ; la première personne qu'elle rencontra fut la petite cameriste Marietta, confidente intime de sa maîtresse Hélène[14]. » Il y a une chaîne d'êtres qui servent ou qui détruisent les intrigues des héros. Nécessité de tout récit ? Certes, mais Stendhal se complaît à décrire cette chaîne, à lui donner corps.

C'est peut-être aussi que cette multiplication de personnages secondaires (qui sont toujours plus que de simples figurants) permet de montrer une progression d'une lutte secrète. Car le secret est évidemment la condition première du complot, et si l'énergie cherche à saper le pouvoir institutionnel, c'est forcément dans un premier temps par des voies souterraines. « Dans les circonstances où il ne convenait pas aux Colonna d'agir ouvertement, ils avaient recours à une précaution fort simple : la plupart des riches paysans romains, alors comme aujourd'hui, faisaient partie de quelque compagnie de pénitents. Les pénitents ne paraissent jamais en public que la tête couverte d'un morceau de toile qui cache leur figure et se trouve percé de deux trous vis à vis des yeux. Quand les Colonna ne voulaient pas avouer une entreprise, ils invitaient leurs partisans à prendre leur habit de pénitent pour venir les joindre[15]. » On voit comment ce masque de pénitent a pu fasciner Stendhal : il permet de voir sans être vu : c'est le vieux rêve de l'anneau d'Angélique[16], rêve qui lui aussi prend peut-être ses origines dans le désir enfantin d'échapper à l'odieuse surveillance, et qui s'exprimera encore dans ces vœux ultimes que formuleront les *Privilèges*.

Dans cette lutte de l'énergie des héros contre les pouvoirs institutionnels de la famille, de l'église, ils sont continuellement obligés de recourir au déguisement. Dans l'*Abbesse de Castro* ces épisodes sont si nombreux qu'on ne peut manquer de penser que le romancier y trouve grand plaisir. Jules et Hélène « se déguisèrent en moines de Saint François. Hélène était d'une taille élancée, et, ainsi vêtue, semblait un jeune frère novice de dix-huit ou vingt ans[17]. » Le déguisement permet ce ressort dramatique puissant qu'est chez le personnage, et chez le lecteur la peur du dévoilement. Bien entendu Jules et Hélène croisent le seigneur de Campireali et son fils Fabio....

Dans l'attaque du couvent, Jules se déguise en courrier[18]. Fabrice Colonna lui avait conseillé de se déguiser ainsi que trois de ses compagnons en marchands[19]. Le déguisement trompe non seulement sur la profession, mais sur le sexe. Jules se déguise en femme. « Jules trouva le moyen de s'introduire dans le couvent ; on pourrait conclure d'un mot qu'il se déguisa en femme[20]. » Inversement, Hélène et Marietta se déguisent en ouvriers. Déguisement qui ne parvient pas vraiment à abuser la perspicacité goguenarde des soldats[21].

L'aboutissement suprême du déguisement est le changement de nom. Quand on sait de quelle importance fut pour Stendhal le problème du nom, sa difficulté à signer du sien, ses hésitations devant de multiples pseudonymes, on peut penser que le changement de nom du personnage représente chez lui plus qu'une simple ficelle - d'ailleurs un peu usée - de la technique narrative. Dans toute la seconde partie de la chronique, Jules devient le colonel Lizzara[22]. Mais ce qui est plus intéressant pour la technique du récit, c'est de voir l'ambiguité et le retournement de tous les procédés. Car ce déguisement suprême de Jules qui l'amène au changement de nom est à l'origine à la fois d'une nouvelle énergie, conquérante et militaire du héros, mais aussi de la dégradation de l'énergie d'Hélène.

Déguisement, mensonge, erreur sur l'identité sont susceptibles d'effets absolument contraires suivant qu'ils seront employés pour permettre l'expression de l'énergie des individus ou pour faciliter la pesanteur du pouvoir. C'est toute la différence qu'il y a entre le déguisement et le costume. Différence qui se trouve symbolisée par ce combat où s'affrontent Orsini et Colonna. Balthazar Bandini est « entouré de quatre bourreaux vêtus de rouge[23] » tandis que Jules est masqué de ce morceau de toile qui cache le visage des pénitents. La victoire est à l'énergie contre le pouvoir, à Jules contre Fabio, au masque contre le costume. Le masque peut toujours s'enlever et celui qui porte le masque sait qu'il le porte. Tandis que le costume colle à la peau. La perte d'énergie d'Hélène est à la fois la cause et la conséquence de ce costume de religieuse et d'abbesse. Le déguisement permet la progression de la lutte de l'énergie ; le costume au contraire institutionnalise le pouvoir.

Le mensonge, si important dans toute l'organisation de la chronique, est susceptible également de prendre des valeurs opposées. Fabrice Colonna avait fait à Jules un éloge du mensonge dynamique, si l'on peut dire, nécessaire dans la lutte, dans le maquis, dans la guérilla, le mensonge héroïque dont la torture ne parvient pas à triompher : « Voici le mot d'ordre de ma compagnie : Ne dire jamais la vérité sur rien de ce qui a rapport à moi ou à mes soldats. Si dans le moment où vous êtes obligé de parler, vous ne voyez l'utilité d'aucun mensonge ! dites faux à tout hasard, et gardez-vous comme d'un péché mortel de dire la moindre vérité. Vous comprenez que, réunie à d'autres renseignements, elle peut mettre sur la voie de mes projets[24]. » Mensonge dynamique, mensonge de combat encore, lorsque Jules « arriva au galop à la porte du couvent, faisant grand bruit et criant qu'on ouvrît sans délai à un courrier envoyé par le cardinal[25] ».

A l'opposé, la nouvelle, dans toute sa seconde partie, est lourde de ces mensonges qui dégradent l'énergie : « Nous allons assister à la longue dégradation d'une âme noble et généreuse. Les mesures prudentes et les mensonges de la civilisation, qui désormais vont l'obséder de toutes parts, remplaceront les mouvements sincères des passions énergiques et naturelles[26]. » On retrouve ici l'antithèse chère à Rousseau entre l'énergie primitive et l'usure polie des sociétés. Le mensonge tactique de la lutte a une brièveté, une immédiateté ; le mensonge des sociétés a, au contraire, toute une durée qui est celle même des institutions. C'est cette durée du mensonge qui lui permet de provoquer l'usure de l'énergie. Hélène le dira dans sa lettre finale : « Mon esprit, fort affaibli, fut assiégé par douze années de mensonge[27]. »

Au mensonge des institutions, s'est ajouté ce mensonge des fausses

254

lettres de Jules. Peut-être cette falsification de l'écriture même, apparaît comme particulièrement coupable à un écrivain : « J'examinais cette écriture, je reconnaissais ta main, mais non ton coeur. Songe que ce premier mensonge a dérangé l'essence de ma vie, au point de me faire ouvrir sans plaisir une lettre de ton écriture[27]. » Il faudra une revanche finale de l'écriture et que ce soit une lettre, celle d'Hélène, qui rétablisse la vérité, après que tant de lettres aient tissé un réseau mortel de mensonges.

Le personnage de la mère est à l'origine de tous les mensonges ; elle est l'auteur des fausses lettres et elle a veillé à enfermer dans un filet d'erreurs les deux héros. Jules « croyait Hélène mariée depuis longtemps ; la *signora* de Campireali l'avait environné, lui aussi, de mensonges[28]. » Elle est l'exemple d'une énergie entièrement mise au service du pouvoir : pouvoir de la famille, de l'église, de la société, mais qui sait aussi faire servir ces pouvoirs dans son sens ; jusqu'à ce brusque retournement final où elle va dépenser une énergie prodigieuse pour libérer sa fille de cette prison où pourtant elle l'avait enfermée. Ce personnage est un des plus curieux et des plus puissants qu'ait inventé Stendhal. Il l'a créé de toutes pièces. Rien dans le manuscrit italien 171 ne pouvait lui en donner l'idée, non plus d'ailleurs que du dénouement final qui est comme toute l'histoire, l'oeuvre de la mère. Avec ce raffinement de supercherie propre à Stendhal, l'écrivain fait mine de traduire le manuscrit, lorsqu'il s'en éloigne et invente une réflexion « pleine de naïveté » qu'il attribue au chroniqueur romain : « Parce qu'une femme se donne la peine de faire une belle fille, elle croit avoir le talent qu'il faut pour diriger sa vie, et parce que lorsqu'elle avait six ans, elle lui disait avec raison : Mademoiselle, redressez votre collerette, lorsque cette fille a dix-huit ans et elle cinquante, lorsque cette fille a autant et plus d'esprit que sa mère, celle-ci emportée par la manie de régner, se croit le droit de diriger sa vie et même d'employer le mensonge[29]. » Elle devient une force supérieure dans la nouvelle, qui prend en main les événements, les organise, et dont l'énergie et le pouvoir croissent en raison même de la dégradation de l'énergie d'Hélène. Son pouvoir ne cesse que lorsque, au dénouement, Hélène reprend pour quelques instants sa volonté propre.

La nouvelle est profondément structurée par ces rapports de force, et ce lien de la mère et de la fille semble un axe organisateur particulièrement important. D'abord parce que les deux personnages se trouvent en présence du début à la fin du récit, et parce qu'elles paraissent exercer un pouvoir direct ou indirect sur tous les autres personnages ; c'est donc dans ce couple de forces mère-fille que l'on peut trouver le dynamisme propre au récit. Dans la première partie de la nouvelle, Hélène est capable de s'opposer à sa mère, parce qu'elle est animée par cette énergie supérieure de l'amour ; dans la seconde partie, au contraire, elle ne croit plus que Jules soit vivant, son amour faiblit, le pouvoir maternel domine. Si bien que le rapport de puissance mère-fille dans la nouvelle est lié à un autre rapport de force, celui d'Hélène et de Jules, puis d'Hélène et de l'évêque. On remarquera en effet que les liens amoureux sont représentés dans cette chronique en des termes de rapports de pouvoir et d'énergie. Mais là aussi on assiste à des retournements dans l'équilibre des forces qui font l'intérêt psychologique et dramatique de la nouvelle. Au départ, Jules est dans une situation inférieure dans le contexte de la société, parce qu'il est pauvre. Mais l'énergie de son amour va triompher de cette infériorité initiale. Alors il prend un pouvoir dominant qui rétablit la traditionnelle supériorité de l'homme. Il faut une « intervention surnaturelle », le son de l'*Ave Maria* au moment où Hélène va s'abandonner à Jules pour que celui-ci renonce à la posséder, et se contente du serment d'Hélène : « Tu juras sur cette croix, qui est là devant moi, et sur ta damnation éternelle, qu'en quelque lieu que tu pusses jamais te trouver, que quelque événement qui pût jamais arriver, aussitôt que je t'en donnerais l'ordre, tu te remettrais à ma disposition entière, comme tu y étais à l'instant où l'*Ave Maria* du Monte Cavi vint de si loin frapper ton oreille[30]. » Le pouvoir de Jules reste entier, quoique les conséquences en soient différées.

Dans la suite, le pouvoir de Jules et celui de sa mère vont se disputer Hélène. Mais si Hélène retombe sous le pouvoir de sa mère, c'est parce que l'énergie l'abandonne momentanément, annonce de cet abandon de douze années qui suivra : elle avoue tout à sa mère. « Autant que je puis me rappeler, il me semble que mon âme, dénuée de toute force, avait besoin d'un conseil. J'espérais le rencontrer dans les paroles de ma mère... J'ai trop oublié, mon ami, que cette mère si chérie avait un intérêt contraire au tien[31]. »

On retrouve également dans l'aventure de l'abbesse et de l'évêque l'importance de cette question d'un équilibre des forces au sein du couple. Mais tout est bien différent, puisqu'il n'y a aucune énergie chez l'évêque, et que l'énergie vitale qui se confondait avec l'amour de Jules, s'est presque éteinte chez l'Abbesse. Le pouvoir d'Hélène sur lui se traduit exclusivement par le mépris, par les injures dont il est fait mention à plusieurs reprises. La déposition d'un témoin est formelle : « Madame le traitait comme un domestique ; dans ces cas-là, le pauvre évêque baissait les yeux, se mettait à pleurer, mais ne s'en allait point[32]. » Dans sa lettre finale, Hélène déclarera : « J'allais jusqu'à le battre de toutes mes forces[33]. »

Les équilibres d'énergie, les pouvoirs qu'elle donne ou qu'elle permet de combattre structurent donc profondément le récit ; ils influent sur son déroulement. Mais encore ils organisent l'espace-temps dans lequel il prend place. Deux types d'espace s'opposent : celui de l'enfermement et celui de la liberté. La maison contient déjà une menace d'enfermement de l'énergie par le pouvoir. Hélène est dès le départ quelque peu prisonnière de son palais. La mère qui d'abord était une alliée, quand elle est devenue une geôlière risque d'y exercer un pouvoir particulièrement tyrannique. La nourrice apprend à Hélène qu'elle a été découverte et que : « Les ordres les plus sévères étaient donnés pour qu'elle fût transportée de vive force au palais Campireali, dans Albano. Hélène comprit qu'une fois dans ce palais sa prison pouvait être d'une sévérité sans bornes, et que l'on parviendrait à lui interdire toutes les communications avec le dehors[34]. » Elle préfère encore le couvent. Comme elle, le lecteur sait déjà grâce à l'attaque de Jules et de ses soldats, que le couvent tient du château fort et possède une architecture quasi militaire. La description qui a été donnée du couvent est bien caractéristique de ce que nous essayons de démontrer. Le plan du couvent a été donné, non pas du tout pour créer un tableau pittoresque, mais en référence à l'énergie combattive de Jules, à mesure que se développe son plan d'attaque : « Il s'agissait de passer par force ou par adresse la première porte du couvent ; puis il fallait suivre un passage de plus de cinquante pas de longueur. A gauche, comme on l'a dit, s'élevaient les fenêtres grillées d'une sorte de caserne où les religieuses avaient placé trente ou quarante domestiques, anciens soldats[35]. » Jules trace le plan du couvent sur le sable pour expliquer le déroulement des opérations à ses hommes, il ajoute : « Il est vrai qu'il y a d'énormes bras de fer ou valets, attachés au mur par un bout, et qui lorsqu'ils sont mis à leur place empêchent les deux vantaux de la porte de s'ouvrir[36]. » Les modes de clôture deviennent un élément essentiel. Sans cette fermeture réelle et symbolique, l'énergie de Jules n'aurait pas à se manifester. Le couvent-château fort est l'image même du pouvoir avec sa pesanteur, ses interdits.

Le rétrécissement progressif de l'espace d'Hélène, son enfermement dans la prison du couvent correspondent à la période où le pouvoir a triomphé sur l'énergie. « Après cet aveu, on enferma l'abbesse dans une chambre du couvent de Castro, dont les murs, ainsi que la voûte, avaient huit pieds d'épaisseur ; les religieuses ne parlaient de ce cachot qu'avec terreur[37]. » Et finalement : « l'abbesse fut condamnée à être détenue toute sa vie dans le couvent de Sainte-Marthe où elle se trouvait » Le renversement s'opère immédiatement, et par conséquent le rebondissement de l'intrigue : « Mais déjà la *signora* de Campireali avait entrepris pour sauver sa fille, de faire creuser un passage souterrain[38]. » Toute la fin du récit, si romanesque, est marquée par ce retournement. Celle qui avait voulu l'enfermement va travailler à la libération. La signora Campireali enfermait sa fille, en vertu de son pouvoir et de son respect des pouvoirs ; maintenant elle va agir contre le pouvoir. Mais il est trop tard, et l'on sait qu'Hélène ne veut plus sortir de sa prison.

A côté de l'espace de l'enfermement, il y a au contraire dans la chronique ces espaces où l'énergie peut se déployer librement, loin des pouvoirs, et d'abord la forêt. La forêt de la Faggiola est le lieu où s'assemblent les soldats de Colonna. La forêt est le refuge de la révolte contre le pouvoir, et du carbonarisme de tous les âges. Le bandit du XVIème siècle est l'ancêtre du libéral du XIXème. Il y a aussi un autre espace de la liberté dans la nouvelle, mais il s'agit d'un espace paradoxal : celui où les conquêtes militaires de Jules vont pouvoir se donner libre cours. Lieu ouvert, certes, mais lieu d'exil où Jules porte un autre nom, celui qui lui a été donné par ordre de la mère d'Hélène. Espace trompeur puisqu'il est en fait celui des Flandres, de la bataille d'Aachen, et qu'il passe pour être ce nouveau Mexique mythique où le héros aurait trouvé la mort.

Entre la liberté de la forêt et la prison du couvent, il faudrait analyser le rôle du jardin qui tient de la forêt une certaine liberté de grand air et de verdure, mais qui est prisonnier, lui aussi, des clôtures, jardin du combat, jardin qui devient pour Hélène le symbole même de l'amour de Jules. « C'était dans le jardin de ce couvent que Jules avait répandu son sang pour elle[39]. » Et c'est ce qui la détermine à retourner dans ce couvent, où pourtant elle sera prisonnière.

III

Il est une possibilité de communication entre la prisonnière de l'espace clos, et le brigand errant dans les espaces ouverts, c'est la lettre. La lettre qui est, dans tout le texte, le symbole et le porteur de l'énergie que le pouvoir ne peut tout à fait contenir. C'est aussi ce qui a déterminé la décision d'Hélène : « Au couvent de Castro elle aurait, pour recevoir et envoyer des lettres, les mêmes facilités que toutes les religieuses[39]. » Le rôle des lettres est capital dans tout le déroulement de la chronique ; leur texte est souvent reproduit intégralement[40] et elles sont de l'invention de Stendhal. La seule lettre qui soit reproduite dans le manuscrit italien 171, est , tout au contraire, une lettre émanée du pouvoir, une lettre que le Cardinal Sisto écrit sous l'ordre du Pape[41]. Cette lettre, Stendhal l'a supprimée de son récit. Tout à l'inverse, il a inventé des lettres de Jules et d'Hélène, héros de l'amour et de l'énergie ; en revanche, il n'y a point de lettres de l'abbesse et de l'évêque : elles n'auraient pu être que des pièces à verser au procès, donc finalement servir le pouvoir. Et c'est le rôle de la lettre, au contraire, de manifester l'énergie individuelle contre le pouvoir établi ; les lettres sont de dissidents, et, de la part de Stendhal, c'est bien montrer par cette représentation symbolique de l'écriture à l'intérieur de la chronique, que l'acte d'écrire doit se situer du côté de l'énergie et non pour servir le pouvoir.

C'est l'argent non l'écrit qui trahit et qui sert de pièce à conviction au procès. Tandis que les lettres d'Hélène et de Jules n'avaient pas pu être saisies par le père (et cela grâce à la mère qui alors était une alliée) la monnaie neuve du boulanger va dévoiler l'accouchement de l'abbesse ; mais le sursaut d'énergie finale s'exprime dans une lettre, autant que dans un acte, ou plutôt le coup de poignard qu'Hélène se donne n'est que la conclusion de sa lettre qui sera la dernière communication entre elle et Jules. Faire de fausses lettres, c'est commettre le péché contre l'esprit, ou plutôt contre l'énergie que commettent ceux qui pensent que tous les moyens sont permis pour faire triompher leur pouvoir. Mais Stendhal ne donne pas le texte de ces fausses lettres de Jules, comme s'il lui répugnait de participer à une imposture ; il termine au contraire la chronique sur une lettre vraie, la lettre la plus vraie qui soit puisqu'elle révèle la vérité profonde et cachée d'un être.

L'écriture est, en effet, liée à l'énergie, parce qu'elle est une forme d'énergie. Le narrateur propose — ou menace — d'arrêter son récit dans les moments où l'énergie faiblit, en particulier au moment capital de la fin de la première partie de l'histoire d'Hélène : « Elle revint donc tristement au couvent de Castro, et l'on pourrait terminer ici son histoire ; ce serait bien pour elle, et peut être aussi pour le lecteur. Nous allons assister à la longue dégradation d'une âme noble et généreuse[42]. » La vitesse du récit va se trouver aussi liée à l'énergie des héros. En effet le narrateur passe vite sur les périodes de basse tension : « Nous passerons rapidement sur dix années d'une vie malheureuse[43] », tandis que, par exemple, la bataille où Jules pénètre dans le couvent et qui ne dure que peu de temps est racontée dans tous les détails. On pourrait presque énoncer une loi de la physique du récit : sa vitesse est inversement proportionnelle à la quantité d'énergie qui s'y exprime.

Le narrateur semble si peiné d'avoir à raconter l'histoire de cette perte d'énergie qu'à plusieurs reprises il imagine ce qu'aurait pu être le récit sans cette dégradation, et cela, presque dès les commencements de la chronique : « Combien n'eût-il pas été plus heureux pour Hélène d'être reconnue en ce moment ! Elle eût été tuée d'un coup de pistolet par son père ou son frère et son supplice n'eût duré qu'un instant[44]. » Lors de la tentative d'enlèvement, dans le couvent, Branciforte eût pu être victorieux : « Un seul mot à la petite Marietta eût suffi pour le succès : elle eût ouvert une des portes donnant sur le jardin[45]. » Et la démarche auprès du prince Colonna, démarche dont l'échec va inaugurer le processus de dégradation, aurait pu tourner tout autrement : « Quoi qu'en voulût dire le prince Colonna, cette démarche d'Hélène n'était point mal avisée. Si elle fût venue trois jours plus tôt à la Petrella, elle y eût trouvé Jules Branciforte[46]. » Paradoxe : si elle eût consenti au mariage, du moins avec Octave Colonna, elle eût peut-être retrouvé l'énergie de son amour pour Jules : « Si elle eût consenti à ce mariage, Hélène arrivait bien rapidement à la vérité sur Jules Branciforte[47]. » Et cette lettre finale d'Hélène où ressuscite son énergie, reprend de façon pathétique ce rêve d'une existence qui eût pu être autre : « Je mourrais de douleur dans tes bras, en voyant quel eût été mon bonheur si je n'eusse pas commis une faute[48]. » Mais déjà elle avait dit à sa mère dont elle refuse le secours : « Il eût mieux valu me laisser poignarder par mon père[49]. » Et la lettre d'Hélène poursuit ce récit à l'irréel : à l'annonce de la mort de Jules, Hélène avait pensé aller à Madrid, puis au Mexique « où l'on disait que les sauvages t'avaient massacré ; si j'eusse suivi cette pensée... nous serions heureux maintenant[50]. » Et le cri final : « Qu'eût-ce été, grand Dieu ! si j'eusse reçu tes lettres, surtout après la bataille d'Achenne[51]. »

Si l'on comprend bien la nostalgie d'Hélène, on peut cependant se demander pourquoi le narrateur a reconstitué avec une telle patience, une telle insistance ce qu'eût pu être un autre récit : celui du triomphe de l'énergie amoureuse, celui où elle n'eût subi aucune atteinte, aucune dégradation. Pour donner liberté au lecteur d'imaginer ? Mais il s'agit d'une liberté trompeuse, puisque le texte est là qui raconte bel et bien cette dégradation. Comme dans *Jacques le Fataliste*, c'est au moment même où le narrateur semble griser son lecteur de ces possibles narratifs, qu'en fait il marque son pouvoir sur lui : le récit ne peut être finalement que celui qu'a écrit Stendhal. Mais si le lecteur, malgré son énergie inventive, est finalement soumis au pouvoir du narrateur, celui-ci n'était-il pas soumis à son tour, à un autre pouvoir : celui de la réalité historique, celui de ce document qu'est le procès de l'abbesse, et le texte du chroniqueur ? Or il se trouve que cette soumission du narrateur au chroniqueur italien se manifeste précisément pour la partie de l'*Abbesse de Castro* qui correspond à la dégradation de l'énergie, c'est-à-dire la liaison avec l'évêque et le procès. « Maintenant ma triste tâche va se borner à donner un extrait nécessairement fort sec du procès à la suite duquel Hélène trouva la mort[52]. » Encore l'examen des textes montre que Stendhal en use fort librement. Mais toute la première partie de l'*Abbesse*, et la lettre finale où renaît l'énergie des commencements n'étaient pas dans le manuscrit 171, et la liberté que le narrateur feignait d'avoir à l'égard de son modèle, était encore beaucoup plus grande qu'il ne le disait, puisque ce modèle n'existait pas[53] : il pouvait donc s'amuser, avec les apparences d'un scrupule d'érudit, à noter ses prétendues libertés : « Nous ne suivons point l'auteur original dans le long récit des entrevues successives que Jules obtint d'Hélène[54]. » Ou encore : « J'ai supprimé plusieurs élégances de ce genre dans la lettre que je viens de traduire[55]. » Inversement, dans la partie où Stendhal suit le chroniqueur italien, il a tendance pour excuser ses libertés, à faire croire au lecteur que ses sources sont beaucoup plus encombrantes qu'elles ne le sont en réalité : « Je crois devoir passer sous silence beaucoup de circonstances qui, à la vérité, peignent les moeurs de cette époque, mais qui me semblent tristes à raconter. L'auteur du manuscrit romain s'est donné des peines infinies pour arriver à la date exacte de ces détails que je supprime[56]. » Et les précisions sont trompeuses : « Ce procès, que j'ai lu dans une bibliothèque dont je dois taire le nom, ne forme pas moins de huit volumes in-folio[57]. » Il s'agirait, en fait, des volumes du procès des Carafa[58].

L'écriture stendhalienne s'invente des contraintes dont triomphe son énergie ; il faudrait aussi montrer comment cette liberté à l'endroit de la chronique italienne se double d'une autre liberté à l'endroit de modèles narratifs — par exemple le roman noir, mais nous devons remettre cette étude à plus tard[59]. Le récit n'eût pas été possible sans l'affrontement de l'énergie des héros à la pesanteur des pouvoirs. L'écriture stendhalienne ne serait pas ce qu'elle est si sans cesse n'éclatait son énergie face à tous les modèles, énergie qui crée celle des héros, et peut susciter celle du lecteur, toujours menacé au XIXème comme au XXème siècles d'être trop docile aux pouvoirs.

NOTES

1. *L'Abbesse de Castro, Chroniques italiennes, O.C.,* Cercle du Bibliophile, t. 18, p. 119-120.
2. Cf. les travaux de H.F. Imbert (*Les métamorphoses de la liberté* et de M. Crouzet (*Stendhal et l'italianité*).
3. *O.C., ibid.,* p. 133.
4. *O.C.* t. 18, p. 129.
5. p. 220.
6. p. 247.
7. p. 224.
8. p. 218.

9. p. 239.

10. p. 233.

11. *O.C.*, t. 18, p. 122-123.

12. p. 71.

13. p. 465.

14. *O.C.*, t. 18, p. 151.

15. *O.C.*, t. 18, p. 160.

16. Voir l'excellente analyse de Kurt Ringger, Stendhal, *L'âme et la plume*, éd. du Grand Chêne, 1982.

17. *O.C.*, t. 18, p. 157.

18. *Ibid.*, p. 208.

19. p. 173.

20. p. 178.

21. p. 211.

22. p. 216.

23. p. 163.

24. p. 173.

25. p. 198.

26. p. 214.

27. p. 246.

28. p. 219.

29. pp. 214-215.

30. p. 178.

31. p. 178.

32. p. 227.

33. p. 148.

34. p. 214.

35. p. 193.

36. p. 195.

37. p. 237.

38. p. 238.

39. p. 214.

40. Voir ma préface aux *Chroniques*, G.F.

41. *O.C.*, t. 19, p. 224.

42. *O.C.*, t. 18, p. 214.

43. *O.C.*, t. 18, p. 218.

44. p. 158.

45. p. 208.

46. pp. 212-213.

47. p. 219.

48. p. 245.

49. pp. 244-245.

50. p. 246.

51. p. 248.

52. p. 229.

53. Ou du moins n'est pas le manuscrit 171 qui relate le procès.

54. p. 186.

55. p. 191.

56. p. 226.

57. p. 239.

58. Cf. V. del Litto, p. 493.

59. Nous reviendrons, dans un prochain colloque stendhalien, à la question de l'influence du roman noir dans les *Chroniques italiennes*.

LE DISCOURS DU POUVOIR DANS « LAMIEL »

Keith A. Reader

Aucun titre de communication ne saurait être exempt d'équivoques. Le nôtre, pourtant, en fourmille à un tel point que dès le début une triple interrogation s'impose. Qu'entendons-nous par « discours » ? Que signifie au juste le « pouvoir » dans ce roman ? Qu'est-ce enfin que *Lamiel* — ce tout dernier texte stendhalien que Michael Wood a qualifié de : « *a set of ideas and scenes and characters in search of a novel, and looking in rather unpromising places* » ? (« Un groupe d'idées, de scènes, et de personnages à la recherche d'un roman, dans des endroits qui souvent ne promettent pas grand-chose » — in *Stendhal*, p. 189).

Il est effectivement vrai que l'inachèvement de *Lamiel*, et la difficulté d'établir un texte correct qui en résulte, ont pratiquement entraîné l'exclusion du roman du canon stendhalien. Cela ne devrait pas pourtant empêcher une lecture sérieuse du texte, qui (tout morcelé qu'il est) en dit long sur les rapports du discours et du pouvoir dans la France de son époque. L'anarchie de la fin que Stendhal aurait envisagée — une hécatombe parmi les ruines du Palais de Justice, où Lamiel aurait péri pour l'amour d'un bandit dans le genre Robin-des-Bois — n'est que l'exemple le plus frappant de l'anarchie dont le texte est imprégné, et qui en rend l'étude sous l'angle des rapports entre le discours et le pouvoir d'autant plus intéressante que ces rapports sont souvent très équivoques, et sujets à se détendre de façon invraisemblable.

Voilà donc l'ébauche d'une réponse à deux des questions que nous avons posées. Le « pouvoir » dans *Lamiel* ne saurait être précisément situé ni défini, et l'intérêt du roman, jusque dans son inachèvement et l'invraisemblance de la fin proposée, y réside dans une certaine mesure. Passons maintenant à une question qui se fera sûrement entendre ailleurs

265

au cours de ce congrès - celle du sens du mot « discours ». Nous en avons retenu deux acceptions qui se conjuguent de manière à jeter de la lumière sur le texte. D'une part, la notion, très répandue depuis le travail de Barthes ou de Foucault, d'un vocabulaire, une position d'énonciation, et souvent un tissu d'auto-références qui « tresse » le tout ensemble — tout cela ne dominant pas (le texte ou la société) sans contestation, et obligeant donc à en recourir à plusieurs stratégies (celles-ci soient-elles de « diplomatie » ou de force) pour imposer sa propre légitimité. D'autre part — et ici il nous semble être un peu plus proche de Stendhal lui-même — une façon de parler qui est en quelque sorte *empruntée*, que le sujet assume de l'extérieur, et que l'on peut donc contraster avec l'*expression* au sens où l'entend Michel Crouzet dans ce passage important :

> « Dans la conception ''symptomale'' de la vérité, qui demande pour tout ''mot'' qui le dit, et non ce qu'il dit, quelle ''valeur'' et non quelle vérité il prononce, tout parle, tout est langage, mais ce sont des états affectifs ou actifs qui parlent, qui se confessent, des expériences qui se disent ; le langage exprime l'être tout entier, mais uniquement comme un moment ou une *passion*. » (in *Stendhal et le Langage*, p. 371).

Nous voilà bien proches de la distinction établie par Husserl (dans *L'Idée de la Phénoménologie*) entre le *signe-Ausdruck* (le signe comme ex-pression d'une certaine intériorité), et le *signe-Anzeichen* (le signe comme indice, comme désignation). Cette distinction a été travaillée et subvertie par beaucoup de travaux modernes (notamment ceux de Jacques Derrida), mais il n'empêche qu'elle a été fondamentale à toute une époque de pensée sur le discours et le langage, et que c'est elle — comme le démontre admirablement Crouzet — qui soustend en grande mesure la façon dont Stendhal pense et déploie ces concepts. Le « discours », dans cette acception (contrastée si l'on veut avec l'« expression »), serait donc l'utilisation d'un vocabulaire ou d'une manière de parler préexistante, un peu comme on revêtirait un habit de confection. Ce contraste perce très clairement dans *Le Rouge et le Noir*, où l'« expression » de la véritable tendresse entre Madame de Rénal et Julien Sorel ne se fait jour qu'au terme de toute une série de « discours » assumés par le héros (dont l'hypocrisie légitimiste, l'« amour fou », et le « napoléonisme » conquérant).

On voit maintenant que ces deux acceptions du mot « discours » en réalité n'en font qu'une ; la distinction réside dans la position de laquelle on voit le phénomène, selon qu'on le considère de l'extérieur (les différents groupes et couches dont chacun « propose » son discours) ou de l'intérieur (les personnages qui essaient de s'orienter et de se retrouver dans ou contre les divers discours, pour parvenir – éventuellement – à une certaine « expression » authentique). Il faut, autrement dit, comme si souvent chez Stendhal, maintenir l'individu et la société dans une tension équilibrée qui ne cessera pas de déboucher sur la contradiction.

Passons maintenant à l'intrigue de *Lamiel*, et tout d'abord au contexte social et historique du roman. Celui-ci est fait pour confondre toute tentative facile de classification. Le cadre (du moins au début) est un pays hanté depuis toujours par le cléricalisme et l'esprit de réaction – la Normandie, et de surcroît la Manche, région de cette province la plus touchée par la chouannerie. Ici, dans le monde « péquenot » de Carville, il ne se passe jamais rien – sauf la Révolution de 1830... Même pas, car la rumeur de ce grand tumulte ne nous parvient qu'à travers la paranoïa de la Duchesse de Miossens et la crainte chétive de son vieux serviteur. La confusion chronologique où le lecteur risque fort de se trouver au début d'une première lecture du roman provient surtout de l'état d'ébauche de celui-ci, mais nous serions en droit de supposer, d'après l'exemple même de *La Chartreuse de Parme*, que même terminé le texte nous aurait laissés épisodiquement un peu perplexes sur ce plan. (Il serait d'ailleurs fort intéressant d'explorer ce paradoxe en plus de détail : comment se fait-il que, romancier historique et réaliste du premier ordre, Stendhal se laisse si souvent prendre dans des pièges, des brouilles, ou des équivoques de chronologie, et quelles sont les conséquences du fi qu'il semble si souvent faire de cette histoire à laquelle il montre en même temps une telle sensibilité ?)

Le pouvoir à Carville en 1830 reste donc là où il a toujours été : entre les mains de la noblesse et du clergé – ou du moins c'est ce que nous sommes tout d'abord tentés de croire. Car cette noblesse et ce clergé, malgré leur mainmise quasi-totale sur le village, ne sont que des épigones de ce qu'ils voudraient être. Madame de Miossens (comme le duc de Sanseverina-Taxis, comme tant d'autres personnages stendhaliens) est

267

hantée dès le début par une seule obsession, celle de son *rang*. Stendhal nous dit :

> «... elle avait dû passer toute sa jeunesse à désirer les honneurs qu'une duchesse recevait encore dans le monde du temps de Charles X. Ces désirs n'ont rien ôté à la duchesse de Miossens qui n'avait pas infiniment d'esprit pour les choses de fond et enviait le moyen d'accepter les honneurs. » (in *Lamiel*, p. 878).

La position chronologique de la narration est révélatrice. La duchesse qui comme la famille de Malivert dans *Armance* doit attendre longtemps pour les honneurs ou les titres qui sont son dû, est coincée historiquement ; elle n'aura pas plus tôt reçu ces honneurs que la Révolution de Juillet lui enlèvera sa position de classe dominante. Son ridicule, qui se manifeste surtout dans sa crainte excessive de la Révolution et du jacobinisme, provient en grande partie de sa position historique. Là où l'Octave d'*Armance* est constitué comme figure tragique, Madame de Miossens, comme pour illustrer la célèbre boutade de Marx dans *Le Dix-Huit Brumaire de Louis Bonaparte*, représente cette même noblesse sous son aspect de farce.

Le clergé ne se prête pas moins à un ridicule fortement politisé. Du Saillard, le curé du village, accueille une mission destinée aux « nobles ayant peur de 1793 et bourgeois enrichis visant au bon ton » (*Lamiel*, p. 884), et dont la stratégie principale est de faire détonner derrière l'autel des pétards afin de faire croire à une manifestation diabolique. Une blague, bien sûr, aux frais du clergé et de la superstition basse-normande ; mais la description de l'assistance est faite pour rappeler que toute cette frime recèle une réalité politique des plus instables — que dans la société française de l'époque les autels cachent vraiment des pétards ... Pour qu'apparaisse un représentant moins grotesque de l'ordre religieux, nous devons attendre le chapitre VI et le jeune abbé Clément, qui « sentait bien que, malgré lui et à son corps défendant, il avait beaucoup d'esprit » (*Lamiel*, p. 932). On serait tenté de penser à un Julien Sorel moins calculateur, d'autant plus que vers la fin du texte on le rencontre de nouveau à Paris — indice probable d'une promotion quelconque, bien que la narration telle qu'elle existe ne nous offre aucune explication de sa présence dans la capitale.

Mais l'intérêt principal que présente pour nous ce jeune abbé est la façon dont son importance vis-à-vis de Lamiel est essentiellement définie par un élément dont la signification sur le plan du pouvoir est primordiale, et que Clément est de par son état obligé de réprimer sans arrêt - la *sexualité*. La féminité et l'intelligence supérieure du personnage central font que plus que dans tout autre roman stendhalien sexualité et pouvoir sont étroitement liés, et l'instabilité de la société autour de 1830 ne peut qu'accentuer ce facteur. Il peut sembler bizarre de commencer notre étude de ce phénomène par un personnage dont la vie sexuelle est par définition inexistante, mais ce sont justement les évasions et les équivoques auxquels se livre constamment l'abbé qui nous font sentir à quel point la sexualité de Lamiel — jeune bâtarde, et par là même déclassée et marquée du signe de la transgression érotique — va être un élément fondamental dans ce roman :

> « Mais qu'est-ce que c'est que séduire, monsieur le curé ?
> — C'est de la part d'un homme, parler trop souvent et avec intérêt à une jeune fille.
> — Mais par exemple reprit Lamiel, avec malice, est-ce que vous me séduisez ? Non pas, grâce au Ciel, reprit le jeune prêtre épouvanté, et une extrême rougeur succédant à la pâleur mortelle qui depuis quelques instants s'était emparée de sa figure, il saisit la main de Lamiel avec vivacité, puis repoussa de loin la jeune fille avec un geste féroce qui parut bien singulier à celle-ci. » (*Lamiel*, p. 940).

La particularité de Clément est de contrebalancer cette naïveté dans le domaine de l'expérience vécue par une conscience particulièrement aiguë des effets sociaux et politiques des tabous sexuels (cf. le fait qu'il dit qu'en France l'adultère « fait la gloire suprême des jeunes gens et ... marque les rangs entre eux » - (*Lamiel*, p. 941). C'est donc à la fois par son « pucelage » d'autant plus professionnel que Lamiel le trouble à tout instant, et par sa forte conscience des effets d'un phénomène qu'il ne connaît qu'indirectement, que Clément présente un intérêt particulier pour nous. On pourrait en effet dire que le « discours du pouvoir » duquel il est le plus proche est, non pas celui de la légitimité bourbonienne dont il semble n'avoir cure, mais celui du pouvoir sexuel, qui de par l'attrait qu'il exerce sur lui se signale comme le pouvoir capital du roman.

Etroitement lié avec le pouvoir sexuel (nous le savons déjà grâce à Foucault, Lacan, et autres Deleuze) est le *pouvoir du verbe*. La curiosité dévoratrice de Lamiel, comme nous le montre son « interview » avec Clément, s'articule en grande mesure autour de ce que c'est que l'amour et la sexualité (bien que cette dernière expression ne figure pas dans le texte). Clément est à même de répondre à cette question dans un discours théologique et moralisant, qui ne satisfait nullement sa jeune ingénue. Son dépucelage par l'intermédiaire du rustre Jean Berville est une démarche lexicographique (soulignée par le fait que ce dernier est « une espèce de prévot pour répéter les leçons » (*Lamiel*, p. 970) — le « professeur » de Lamiel, ou plus précisément un « pion » qu'elle finit bien par damer...). Se posant des tas de questions, à la fois catéchistiques (« y a-t-il un enfer éternel...? » - p. 941) et érotiques (« ... le jeune homme auquel elle demanderait ce que c'est que l'amour » - p. 945), elle décide de satisfaire sa curiosité par une « leçon de choses » au fond du bois. La déception du résultat (« Il n'y a rien d'autre ? dit Lamiel. — Non pas que je sache répondit Jean » - p. 972) la mène à une question finale qui se rapproche de celles que se posent si souvent les héros et héroïnes de Stendhal, et dont l'exemple le plus célèbre est celui de Fabrice se demandant à l'issue de Waterloo s'il a vraiment assisté à une bataille :

> « Lamiel s'assit et le regarda s'en aller (elle essuya le sang et songea à peine à sa douleur).
> Puis elle éclata de rire en se répétant :
> "Comment, ce fameux amour, ce n'est que ça" » (*Lamiel*, p. 973).

Cette auto-interrogation des personnages stendhaliens, après telle ou telle expérience décevante, a souvent été commentée par des critiques, surtout (cf. Georges Blin) sur le plan de la psychologie existentielle. Mais il nous paraît également loisible de l'aborder du point de vue de la société et des rapports de pouvoir à l'intérieur de celle-ci, la question à ce moment étant moins « Qui suis-je ? » que : « Quelle est l'importance que la société attache à cette expérience ? » Les tabous dont la sexualité est entourée, la fascination qu'à partir de là elle exerce, le fait même que — exactement comme un jeune homme de l'époque, exactement comme les compagnons de débauche d'Octave dans *Armance* — Lamiel *paie* l'« agent » de son dévergondage, tout montre la haute valeur sociale de la sexualité. Mais le monde borné de Carville ne saurait jeter plus de lumière sur la question. L'amour-sexualité comme *expression* (pour reprendre la distinction que nous avons établie au début) ne perce jusqu'ici que dans les balbutiements effarouchés de l'abbé Clément, et ce serait une exagération considérable que de qualifier les « cochonneries » fonctionnelles de Berville de « discours ». Entre un homme qui n'existe (dans l'intrigue) que pour et par sa sexualité, et un autre qui n'existe que pour la réprimer, Lamiel aperçoit toutefois un monde de pouvoir sexuel — d'expression et de discours conjugués ou contradictoires — qu'il lui faudra aller plus loin que Carville pour connaître.

Avant de voir comment elle envisage de quitter son petit monde provincial, il nous faut faire acte de l'importance dans ce monde du personnage le plus clairement conscient de l'ambiguïté du discours et du pouvoir — le docteur Sansfin. Médecin, il représente la couche la plus éduquée de la bourgeoisie provinciale. Bossu, il essaie de vaincre son sentiment d'infériorité par des conquêtes amoureuses (évidemment étroitement liées pour lui à l'idée du *pouvoir* qu'il se voit capable d'exercer malgré son physique répugnant). C'est donc l'*ambition*, personnelle et politique (on aurait du mal dans son cas de démêler les deux), qui le motive ; et à partir de là il n'est guère étonnant que quand éclate la Révolution de 1830 il ne sait pas de quel côté jeter son dévolu :

> « Mais il était de l'intérêt du docteur de ne se trouver à Carville qu'au moment où l'on y apprendrait le résultat définitif de la révolte de Juillet.» (*Lamiel*, p. 959).

Cette indécision s'explique par des facteurs bien objectifs. L'arrivisme de Sansfin le porterait sans doute du côté de la révolution et de cette monarchie de Juillet sous laquelle devaient prospérer tant de carrières bourgeoises (dont celle d'Henri Beyle lui-même...). Mais il est trop identifié avec Madame de Miossens et le milieu du château pour pouvoir se lancer sans équivoque dans cette voie-là. Les injures qu'il souffre de la part des laveuses (chapitre III) sont bien sûr d'ordre sexuel, et montrent ainsi l'étroit rapport entre sexualité et pouvoir dans le roman ; mais qu'elles aient également un aspect social et de classe, c'est la réaction de Sansfin lui-même qui nous le garantit :

> « Canaille ! canaille infâme ! s'écriait le docteur entre ses dents. Infâme canaille que ce peuple ! Et dire que je ne prends jamais un sou de tous ces coquins-là, quand la Providence me venge en leur envoyant quelque bonne maladie ! » (*Lamiel*, p. 896).

Sans aller jusqu'à prétendre que dans cette réplique se fasse entendre comme un préécho du fascisme grinçant et rudement bénévole de Céline, on peut clairement saisir l'ambiguïté où se trouve le docteur, parmi les seuls représentants de sa classe à Carville et tellement embrouillé dans les complexités de la politique sexuelle qu'il n'arrive même pas à décider si c'est la dame du château ou la jeune ingénue déclassée qu'il devrait essayer de séduire... On ne voit pas de possibilité pour lui d'*expression* affective, tellement il est accaparé par l'ambition ; et il n'existe pas non plus de discours du pouvoir clairement défini. Il reste donc un personnage fuyant, n'arrivant dans le texte que nous possédons à conquérir aucune des femmes qu'il convoite, ni même (comme son prédécesseur du Poirier dans *Lucien Leuwen*) à monter au rang de député. Mais il n'en reste pas moins conscient du pouvoir du verbe dans la société de son époque, et c'est son côté *pygmalionesque* qui sort surtout dans ses rapports avec Lamiel. Ceci est surtout frappant dans la « conversation du lierre » :

> « — Eh bien, reprit le docteur, l'esprit naturel que le hasard vous a donné, c'est le beau chêne ; mais, tandis que vous croissiez, les Hautemare vous disaient chaque jour douze ou quinze sottises qu'ils croyaient eux-mêmes, et ces sottises s'attachaient à vos plus belles pensées comme le lierre s'attache aux chênes de l'avenue. Je viens, moi, couper le lierre et nettoyer l'arbre. En vous quittant, vous allez me voir de votre fenêtre, descendre de cheval, et couper le lierre des vingt arbres à gauche. Voilà ma première leçon donnée, cela s'appellera la règle du lierre. Ecrivez ce mot sur la première page de vos heures, et toutes les fois que vous vous surprenez à croire quelque chose de ce qui est écrit sur ce livre-là, dites-vous le mot *lierre*. Vous parviendrez à connaître qu'il n'y a pas une des idées que vous avez actuellement qui ne contienne un mensonge. » (*Lamiel*, p.926).

Ce mnémonique, digne d'un comte Mosca, met vivement en scène l'importance dans ce roman de l'*éducation*, qui est le moyen par lequel tous les amants de Lamiel, actuels ou virtuels, se prennent à leur tâche. La ruse dans les petites affaires quotidiennes prêchée par Sansfin aidera Lamiel, plus tard, à monter toute seule à Paris et à y survivre avec beaucoup plus d'habileté que Julien Sorel lorsqu'il y débarque pour la première fois. On peut, si l'on veut, y voir une espèce de démarche « micropolitique » ; incertain du choix à faire dans le domaine « macropolitique », se sentant entre les Bourbons et la Monarchie de Juillet un peu flotter à la dérive, Sansfin ne manque pas d'habileté ou de savoir-faire dans le domaine « micropolitique », pour petit que soit l'avantage qu'il en tire dans le texte tel qu'il nous est venu. Et c'est, comme nous allons voir, autour de ce thème fondamental de l'éducation que le restant de nos considérations sur le discours, le pouvoir, et l'expression trouveront à s'articuler.

Le rôle éducateur de Sansfin se voit clairement dans la « conversation du lierre ». Celui de l'abbé Clément lui incombe de par sa position, bien que d'une manière fort différente qu'il voudrait dans son for intérieur. Il peut paraître bizarre de qualifier l'inculte Jean Berville d'« éducateur », mais c'est justement son manque de subtilité, de complexes, et de véritable savoir dans le domaine amoureux qui en font, pour Lamiel qui entrera bientôt dans une société où la « valeur d'échange » de sa sexualité primera, un des meilleurs « professeurs » qui soient. Même la Merlin, la cabaratière du coin, sert d'éducatrice à Lamiel, en prononçant le mot « bête » à propos des Hautemare. A partir de ce moment-là, Lamiel se sent délivrée d'une grande anxiété à leur égard. Exactement comme pour l'amour (comparaison que fait la jeune ingénue elle-même - p. 907), c'est le « mariage » du mot et de la chose — on dirait du signifiant et du signifié — qui importe pour elle. Rien d'étonnant donc à ce qu'il soit nécessaire d'entreprendre une certaine fonction éducatrice pour qui veut se faire bien voir de notre héroïne.

Fédor, le jeune duc de Miossens, utilise ainsi ses supérieures connaissances verbales pour fasciner Lamiel. Il gagne son admiration par l'explication du mot « machiavélique » (*Lamiel*, p. 981), que cite Michel Crouzet pour appuyer sa thèse que « toute bonne pédagogie beyliste est une élucidation du langage qui précise la validité stricte de chaque terme » (in *Stendhal et le Langage*, p. 312). L'ironie ici réside dans le fait que, bien que ce soit Fédor qui dispose du pouvoir explicatif, c'est Lamiel qui ne manquera pas de se révéler le personnage du livre le plus « machiavélique », du moins au sens large du terme. Le vert de houx dont elle se défigure, obtenant ainsi à la fois la sécurité dans son voyage en diligence et la preuve de l'amour de Fédor pour elle, en est un exemple bien frappant. Ce qui est surtout intéressant de notre point de vue, c'est la façon dont tous les déguisements, déceptions , et autres stratagèmes auxquels elle recourt pour séduire ou berner son prétendant, accentuent et utilisent — voilà qui est en effet machiavélique — la différence de classe entre elle-même et Fédor. Il lui est déjà arrivé de se rendre compte qu'elle est en quelque sorte déclassée — bien dans sa peau ni auprès de ses parents adoptifs, ni dans le château de Madame de Miossens qui lui laisse :

> « .... un dégoût profond de trois choses, symboles pour elle de l'ennui le plus exécrable : la haute noblesse, la grande opulence et les discours édifiants touchant la religion. » (*Lamiel*, p. 962).

Une fois sortie de ce château, elle n'a de cesse qu'elle ne se soit habillée en paysanne — geste purement théâtral, mais qui lui apporte un soulagement indéniable ... Pourtant, la bêtise et l'étroitesse d'esprit auxquelles elle est condamnée lui répugnent, et dans le milieu auquel elle se trouve maintenant appartenir :

> « ... elle se trouvait condamnée tout le long du jour aux idées les plus vulgaires de la prudence normande, exprimées dans le style le plus énergique, c'est-à-dire le plus bas. » (*Lamiel*, p. 965).

Autrement dit, et pour situer son dilemme sur un plan aussi bien linguistique que social, Lamiel n'est à son aise ni avec les *discours* spirituels du château, ni avec l'*expression* lourde et banale de son « oncle » (Cette distinction, fondamentale chez Stendhal, se retrouve notamment dans son incapacité de préférer la « sincérité » républicaine dite caractéristique des Etats-Unis au discours hypocritement brillant d'un salon légitimiste à Paris). Rien d'étonnant donc à ce qu'elle se trouve parfaitement capable de jouer toutes sortes de jeu de classe aux frais du jeune duc, qui n'ayant jamais envisagé de quitter sa classe autre que sexuellement est facilement son dupe. Dans la diligence de Rouen, elle se défend contre les commis-voyageurs répugnants avec un discours non seulement préféministe, mais aussi empreint d'une condescendance et d'une hautaine aggressivité tout à fait « aristocratique » :

> « Ces mains qui essaient de serrer les miennes sont des mains de maréchal-ferrant, et, si vous ne les retirez à l'instant, je vais les écorcher avec mes ciseaux" ; ce qu'elle fit, au grand étonnement des commis voyageurs. » (*Lamiel*, p. 985).

La contrepartie de cette démarche, c'est la journée où elle oblige le jeune duc de porter le deuil d'un soi-disant « cousin » à elle, marchand de fromage ; les réflexions de Fédor méritent que nous les soulignions :

> « Enfin, se disait-il le lendemain en allant au rendez-vous qui, ce jour-

là, était dans une cabane de sabotiers d'un bois voisin, que l'on nie encore les progrès du jacobinisme : me voici portant le deuil d'un marchand de fromage » (*Lamiel*, p. 977).

La révolution de 1830, rappelons-nous, s'était fait accepter par une bonne partie de l'aristocratie française précisément comme moyen d'enrayer les progrès du « jacobinisme »... Le propos de Fédor nous renvoie donc à la situation socio-politique qui sert de toile de fond au roman, et nous indique une forme de « pouvoir » qui arrive à se faire valoir partout dans cette société instable et perturbée. C'est *le pouvoir sexuel féminin*, important partout dans la fiction française du dix-neuvième siècle mais un atout particulièrement marqué dans *Lamiel*. La fiction nous a montré que les perturbations dans la constitution et l'expression de la sexualité féminine peuvent entraîner des perturbations sociales d'ordre plus global, que ce soit dans le Yonville claustrophobe de *Madame Bovary* ou dans le Paris somptueusement orgiastique de *La Peau de Chagrin*. Par elle nous savons également que la « valeur d'échange » de la sexualité féminine sert très souvent à faciliter un certain brassage social indispensable à la toile réaliste (l'oeuvre de Zola - surtout *Nana* - et celui du romancier anglais Charles Dickens - surtout *Bleak House* - sont des textes fondamentaux à cet égard). Pour une évaluation du « discours de pouvoir » dans *Lamiel*, l'importance de cette idée réside, non seulement dans le fait que le personnage principal est du sexe féminin, mais dans l'instabilité sociale au milieu de laquelle elle se déplace. Lamiel attire — avec ou sans consommation — un jeune prêtre, deux jeunes nobles (le second, ce Comte de Nerwinde outrageusement décadent, ne figurant qu'à ses débuts dans le texte que nous avons), un espèce de « paysan parvenu », et divers commis-voyageurs et autres saligauds parisiens, pour ne rien dire de son mentor bossu. Et c'est pratiquement toujours elle qui a le dessus dans ses rapports avec ses messieurs, qu'elle s'en gausse ou qu'elle s'en attendrisse. On a déjà vu un exemple autrement plus fin et plus évolué de ce pouvoir féminin, chez Gina dans *La Chartreuse de Parme*. Ce sur quoi nous voulons attirer l'attention ici, c'est que le personnage et le pouvoir de Lamiel servent à focaliser à la fois l'instabilité d'une société marquée à tous ses niveaux par le grotesque et l'indécis, et la manière dont la féminité peut permettre de franchir toutes sortes de barrières sociales et de détenir un pouvoir considérable dans un monde où le (ou la) borgne est roi (ou reine). (L'auto-défiguration de Lamiel avec le vert de houx fait d'ailleurs valoir cette dernière figure).

Pour ce qui en est du discours du pouvoir, nous pouvons donc dire que la facilité avec laquelle Lamiel imite, mimique, ou tout bonnement se gausse de divisions de classe qu'elle sait également exploiter à ses heures constitue un discours tout aussi puissant que les autres mis en scène par la société et dans le texte. L'expression qu'aurait cachée ce discours, hélas, ne nous est pas parvenue. Il serait légitime de constater que la progression narrative la plus typiquement stendhalienne serait du discours jusqu'à l'expression (tournure qui réunirait la dimension « existentielle » d'un Georges Blin et la dimension « linguistique » d'une Shoshana Felman). Pour Julien Sorel dans sa cellule de condamné, pour Fabrice et Clélia soustraits à tous les regards, jusqu'aux leurs propres, cette progression s'accomplit jusqu'au bout. Pour Lamiel, comme dans des circonstances bien différentes pour Lucien Leuwen, la progression est enrayée par l'incomplétion du texte. Ce n'est que par l'*énergie* ininterrompue dont elle témoigne dans son déploiement et son utilisation des « discours du pouvoir » que nous pouvons deviner ce que, pour Lamiel, aurait pu être l'expression qui se serait cachée derrière.

Les références au texte de *Lamiel* sont tirées de l'Edition de la Pléiade (*Romans et Nouvelles*, vol. II).

« ARMANCE », AMBITION ET POUVOIR

Maria Angels Santa d'Usall

Armance est le premier roman de Stendhal. Le temps de son écriture
—1826— coïncide presque avec le temps de la fiction dans le roman
—1825. Cette écriture se réalise quand l'écrivain est en train de souffrir
une de ses grandes crises amoureuses : la fin de sa liaison avec Clémentine
Curial. Cela peut sans doute servir à expliquer certaines caractéristiques
sentimentales des principaux personnages du roman. La part de la biographie est facile à déceler en suivant le fil des problèmes psychologiques de
l'auteur. Or, cela n'est pas évidemment le plus important dans le roman
stendhalien. Octave deviendra une sorte de double, un personnage qui
permettra d'exorciser certaines crises, certaines douleurs. Néanmoins le
texte d'*Armance* devient beaucoup plus significatif quand à travers ses
personnages, à travers son écriture il traduit quelque chose de plus que de
simples conflits de type sentimental et personnel. Stendhal écrit *Armance*
après avoir vécu ses aventures amoureuses avec Angela Pietragrua, avec
Métilde Dembowski et avec Clémentine Curial. De 1811, moment où se
place le commencement réel de l'amour avec Angela, à 1826, date
d'*Armance* et de la rupture avec Clémentine, Stendhal se sent plus ou
moins pris dans les filets de l'amour. Les autres sentiments semblent
relégués au second plan. Nous savons par la lecture de son *Journal* et
de sa *Correspondance* que la passion amoureuse ne s'est jamais trouvée
toute pure dans l'âme de l'écrivain. D'autres passions y ont coexisté. En
1819, quand il écrit à Métilde Dembowski, il en parle d'une façon précise.

> « Je n'ai eu que trois passions en ma vie : l'ambition de 1800 à 1811,
> l'amour pour une femme qui m'a trompé de 1811 à 1818, et, depuis
> un an, cette passion qui me domine et qui augmente sans cesse[1]. »

Stendhal lui-même place donc la période la plus forte de sa passion pour l'ambition avant la grande période des amours. D'une façon plus ou moins large, cela correspond à son étape napoléonienne. La vie et l'oeuvre de l'Empereur constituaient un moment propice pour éveiller les ambitions. Napoléon tombe définitivement en 1814, uniquement trois années après l'instant où Stendhal place la fin de sa passion pour l'ambition. Nous n'ignorons pas la difficulté de partager la vie d'un homme, d'un siècle, d'un écrivain en périodes. Sans doute s'agit-il d'un classement commode quoique cela ne corresponde pas exactement à la réalité. L'ambition a existé dans l'âme de Stendhal, elle a été pendant longtemps sa compagne et son influence s'est laissé sentir beaucoup plus tard, quand l'écrivain reconnaît en avoir terminé avec cette passion. Il est difficile pour nous d'oublier que *Le Rouge et le Noir* peut être considéré entre autres choses comme le roman d'un ambitieux. Il est trop facile de faire l'assimilation de Stendhal à Julien Sorel ; ce qui est clair c'est que beaucoup de traits de l'écrivain se reflètent dans son héros. Octave est un héros antérieur à Julien Sorel ; avec lui pour la première fois Stendhal se plonge dans un univers de roman. Quelque quinze années se sont écoulées depuis le moment où lui-même avouait à Métilde Dembowski son faible pour la passion de l'ambition. Cette passion-là, on peut la suivre avec plus ou moins de rigueur à travers le *Journal* et la *Correspondance*. Pour la première fois Stendhal va trouver l'occasion de l'introduire dans l'univers d'un roman. Nous ne voulons pas affirmer par là que le thème le plus important d'*Armance* soit l'ambition. Il existe d'autres thèmes, qui ont été longuement étudiés et qui méritent notre intérêt. Mais il est certain qu'Octave est l'enfant d'un homme qui a profondément senti la tentation de l'ambition et quelques-unes de ses caractéristiques fondamentales s'expliquent précisément à cause de cette passion dominante. Nous pouvons penser que si Stendhal n'avait pas été préoccupé par l'ambition tout au long de dix longues années, Octave de Malivert ainsi que les autres personnages d'*Armance* auraient eu une autre manière d'être, une autre manière d'exister.

La passion de l'ambition se présente liée à la passion de la gloire. Les premières années où Stendhal tient son *Journal* cette idée revient à plusieurs reprises. Il s'agit d'une idée qu'il ne peut pas partager avec ses amis ou avec ses connaissances. Une idée qui mûrit dans son âme en silence. L'image de tous les héros qui dans l'époque napoléonienne étaient arrivés à jouir d'une gloire facile est présente à son esprit car elle influence

son choix. La gloire, la renommée sont souvent sa préoccupation fondamentale. Il faut arriver à avoir un nom, à avoir quelque chose de solide
devant la postérité. Si Stendhal cache dans son for intérieur sa passion
pour la gloire c'est qu'il se rend compte que les gens, le monde ne par-
donnent pas à l'homme qui arrive à occuper un poste important, à l'homme qui a accès à la gloire. Beaucoup de réflexions contenues dans son
Journal en témoignent. L'homme est par nature envieux. La gloire des
autres le gêne, surtout si ces autres sont vivants. On peut être moins
jaloux d'un mort. Malgré sa jeunesse, il a à peine 21 ans, il se rend compte
des passions qui remplissent l'âme humaine et des mécanismes qui les
dominent.

> « Il y a une chose dont on ne loue jamais les morts et qui est cependant
> la cause de toutes les louanges qu'on leur donne : c'est qu'ils sont morts.
> 20 mars 1804[2]. »

C'est cette conscience aiguë de l'incompréhension et de la jalousie
de ceux qui l'entourent qui le mène à cacher cette passion-là, à la maintenir en silence et à la développer en solitude. Ce développement en solitude
est peut-être l'un des traits de la sensibilité romantique. Stendhal a peur
de ne pas trouver parmi les gens qu'il fréquente la compréhension nécessaire. Il veut se connaître parfaitement soi-même et veut garder cette
passion dominante dans son intimité.

> « Bien compter avec mes passions.
> La première, la plus forte, l'unique, this of fame ; n'en parler à personne,
> la satisfaire en silence. 2 mai 1805[3]. »

C'est en solitude et en silence qu'il veut jouir de sa gloire, au moins
pour le moment.

> « Le bonheur de la passion de la gloire gagne à la solitude, mais toutes
> les autres passions s'y perdent, leur bonheur devient bien plus difficile.
> 22 septembre 1804[4]. »

Octave de Malivert va hériter du caractère du jeune Henri Beyle du
Journal. Le silence et la solitude accompagnent Octave pendant la plupart
des moments de sa vie. Silence qu'il rompra quelquefois quand il croit la
mort proche mais dans lequel il se replongera dès qu'il sera obligé de

revivre dans le monde. Solitude au milieu d'un salon plein de monde, solitude quand il est aussi physiquement seul enfermé dans un cabinet... Est-ce l'amour de la gloire qui pousse Octave au silence et à la solitude ? Les critiques ont beaucoup parlé de son impuissance comme motif fondamental de son incapacité à s'intégrer dans la société et de son incapacité à parler[5].

Octave ressent l'orgueil de l'honneur du nom, a conscience de son honneur, du poids que la classe sociale à laquelle il appartient a mis sur ses épaules. Cette classe ne représente plus ce qu'elle était. Pour Octave l'honneur du nom est un devoir, de là la répétition du mot « devoir », mais il ne s'agit pas d'un plaisir. La gloire, la véritable gloire pouvait combler Octave, cependant dans le monde où se développe la vie du jeune vicomte de Malivert il n'existe pas de place pour la véritable gloire, pour la gloire dont rêve Stendhal. Les rapports véritables ont été faussés, la mince gloire à la portée d'Octave ne peut pas le satisfaire, ne peut combler le vide de ses désirs.

Pour Stendhal la gloire est à ce moment-là la seule passion capable de donner un sens à l'existence. Amoureux d'Adèle, de Victorine ou de Mélanie, il n'oubliera jamais ce sujet-là, il y trouvera la force de continuer son chemin[6]. La gloire est pour Henri Beyle une raison de vivre. Il en fait une analyse assez clairvoyante.

> « La gloire remplit l'âme d'un orgueilleux plaisir : on se croit immortel, infini ; tous les pas qu'on fait pour y parvenir sont des jouissances. La gloire des écrits et celle des actions, différentes. La première peut jouir des avantages de la solitude, la seconde est dispensée d'attendre. La première est rarement contemporaine (...) La seconde donne le plus haut point de bonheur que cette passion puisse procurer. 19 mars 1806[7]. »

Octave de Malivert quand il désire fuir Armance, incapable de lui confesser son amour, après s'être rendu compte qu'il l'aimait véritablement à cause des paroles de la duchesse d'Aumale, cherchera la gloire de l'action dans la guerre d'indépendance de la Grèce. Pour un moment, comme le jeune Beyle, le jeune Malivert cherchera dans les armes l'oubli. Cependant la misanthropie la plus profonde qui submerge l'âme du jeune vicomte va l'empêcher d'être capable de surmonter sa peine et de se décider à suivre le chemin de la gloire des actions. Il sera trop heureux de l'événement qui va l'obliger à se battre et qui lui permettra de rester en France.

Quelque chose de cet amour de la gloire qui domine Stendhal a passé chez Octave. Octave de Malivert nous est présenté comme un aristocrate qui lit beaucoup, il ne se contente pas de lectures ternes ; il est considéré par la plupart de ses contemporains comme un philosophe. Parmi les idéologues dont la lecture est évoquée figure Tracy. Nous savons que Stendhal avait lu attentivement Tracy. Beaucoup d'idées de cet auteur passent dans son oeuvre. Or, ce qui mène Stendhal à lire Tracy est l'amour de la gloire. Nous pouvons penser que Malivert a été aussi attiré par Tracy par les mêmes raisons.

> « L'amour de la gloire reprend le dessus : il m'a fait lire Tracy. 12 décembre 1805[8]. »

Cet amour de la gloire ne va pas répondre aux mêmes caractéristiques dans l'âme d'Octave. Stendhal peut se réfugier dans la gloire pour vivre, pour tout supporter. Ce sentiment-là l'aidera à accepter l'idée de vieillesse.

> « Il n'y a qu'un moyen de faire supporter la vieillesse : c'est la gloire et une âme ardente[9]. »

Dans l'amour de la gloire Stendhal trouve la force d'échapper à l'idée de suicide.

> « Sans l'étude, ou, pour mieux dire, l'amour de la gloire qui a germé dans mon sein malgré lui, je me serais brûlé la cervelle cinq ou six fois. 18 janvier 1805[10]. »

Le suicide tentera Stendhal plusieurs fois tout au long de sa vie. Nous voyons à travers le *Journal* qu'il ne s'en est pas libéré dans sa jeunesse. L'idée de suicide est un des thèmes majeurs de ses romans. Il est difficile d'établir jusqu'à quel point la mort de Julien Sorel n'est qu'un suicide recherché. Mais là où le suicide devient plus clair c'est dans *Armance*. Les biographes ont cherché des événements de la vie de Stendhal qui justifient d'une certaine manière la hantise du suicide. Quand Clémentine Curial l'abandonne, Stendhal est plongé dans une crise sentimentale qui l'amènera à considérer cette idée comme une possibilité. Des traces en restent dans *Armance* où Octave est obsédé

281

plusieurs fois par le suicide. Finalement ni l'étude ni l'amour d'Armance ne réussiront à lui faire oublier son angoisse fondamentale. Et il cherchera sur les côtes de Grèce, de cette Grèce qu'il avait envisagée un moment de libérer, la mort, la mort donnée par sa main. Rien ne délivrera le héros littéraire de son destin. Cela était peut-être une manière pour l'écrivain de se libérer lui-même de cette obsession.

La passion de la gloire est une des manifestations de l'ambition. Stendhal a beau nous dire plus tard, dans l'âge adulte, quand il envisagera ces premiers écrits de jeunesse, dont le *Journal* fait partie, d'un autre oeil, qu'il n'est pas ambitieux et ne l'a jamais été.

> « Réellement je n'ai jamais été ambitieux, mais en 1811 je me croyais ambitieux[11]. »

Le mot ambition revient constamment dans son *Journal*, le mot ambition expliquera plus tard l'attitude de Julien et certaines attitudes des héros de *La Chartreuse de Parme*, l'ambition plane sur *Armance*, l'ambition a poussé le jeune Stendhal à briguer un poste dans l'administration napoléonienne. Lucien Leuwen nous montrera les manigances auxquelles peuvent s'adonner les politiciens dans un monde marqué tout à fait par l'ambition, de la même manière que la jeune Lamiel sera la personnification féminine de ce sentiment.

Ambitieux, Stendhal l'a été, il a trouvé dans cette passion la force de continuer droit dans sa voie. La puissance de ce sentiment arrivera quelquefois à lui faire oublier la force de l'amour.

> « Enfin le samedi soir, dînant par extraordinaire avec Mélanie, je devais être le plus heureux des hommes par l'amour ; il me sembla entièrement éteint, et peu à peu je devins d'une ambition forcenée et presque furieuse. J'ai honte d'y penser, je me trouvais de plain-pied avec les actions les plus ambitieuses que je connaisse. 7 janvier 1806[12]. »

Il sait que ce sentiment va le porter à se considérer comme un perpétuel insatisfait, à rechercher toujours ailleurs le bonheur.

> « Avec l'ambition que j'ai, je croirai peut-être toujours que le bonheur est là où je ne suis pas, comme cela je ne serais tranquille qu'après avoir joui de tout. 14 mars 1806[13]. »

Le même sentiment se trouve chez Octave. Il est incapable de trouver le bonheur, malgré sa situation. Il possède tout ce qu'il faut pour être heureux, mais pour lui le bonheur va être ailleurs. Quand il ne peut pas rompre le mépris d'Armance, le bonheur se centre sur la jeune fille ; dès qu'il devient son fiancé, le moindre doute, le plus petit soupçon suffit pour le détourner de ce bonheur si difficilement acquis. Cette incapacité au bonheur le mènera à chercher dans l'ailleurs suprême sa réalisation. La mort sera pour Octave la seule solution.

Comme Stendhal, Octave va se voir tenté par l'ambition en fréquentant le salon de Mme de Bonnivet. Il se trouvera au milieu de gens qui sont des ambitieux. L'auteur nous en prévient dans la maxime qui précède le chapitre IV.

> « Cromwell, je te le recommande, repousse l'ambition : c'est par ce péché que sont tombés les anges : comment donc l'homme, image de son Créateur, peut-il espérer réussir par cette voie[14] ? »

Cette citation résume quelques-unes des caractéristiques de l'ambition chères à Stendhal. La naissance de l'ambition serait due non à une idée préconçue, mais à une souffrance qui se produit au contact des autres, souffrance qui oblige le héros stendhalien à se mettre à part ou au-dessus[15]. Octave se met à part, son ambition naît du contact avec les autres, d'un contact négatif qui l'oblige à s'isoler, comme il arrive pour les anges déchus. En même temps, comme cela a été signalé par Jean-Pierre Richard[16], l'ambition chez Stendhal est accompagnée d'un élément aérien, suivant la définition de Bachelard. Nous n'allons pas insister sur l'image de Julien Sorel et l'aigle à l'ombre de l'évocation de Napoléon. Elle est suffisamment connue. Stendhal répète la même idée dans son *Journal*.

> « Il me semble toujours entendre, dans les moments où j'ai besoin d'aller et où je ne le puis pas, une voix d'en haut qui me crie : "Tu veux voler et n'as point d'ailes, rampe !". 3 mars 1805[17]. »

Le personnage d'Octave est un personnage aérien. On a fait plusieurs fois la comparaison entre le roman de *La Princesse de Clèves* et celui d'*Armance*. Les critiques s'appuient sur des textes de Stendhal lui-même où il avoue sa prédilection pour ce petit roman. Il est certain qu'*Armance* a une rigueur presque janséniste, la même rigueur que nous retrouvons dans *La Princesse de Clèves* ; cette rigueur est évidente surtout dans le personnage d'Octave. La froideur d'Octave, son impassibilité dues en principe à son impuissance rappellent celles d'un héros très influencé aussi par la mystique janséniste. Il s'agit d'Hippolyte dans la tragédie racinienne *Phèdre*. Hippolyte est un personnage aérien. Sa passion pour les chevaux et son amour pour la chasse en sont les manifestations les plus claires. Il en va de même pour Octave. Il utilise pour se déplacer le cheval ; à un ange qui n'a pas d'ailes le cheval peut donner la sensation de voler, la sensation de se déplacer au moyen des ailes qu'il emprunte aux autres. La chasse ou les promenades en forêt, au grand air, sont les occupations favorites d'Octave dans sa fréquentation du grand monde. Cette ambition d'Octave, enfermée en lui-même, si profonde et si intense qu'elle n'arrive pas à se traduire à cause de la division qui existe entre le tout et le rien dans l'âme du protagoniste, se manifeste à travers ces signes aériens qui font de ce personnage un échantillon de l'esprit de Stendhal à l'époque.

Ces caractéristiques aériennes sont aussi à la base de la conscience de supériorité qui est commune aussi bien à Stendhal qu'à Octave. Stendhal méprise dans son *Journal* d'abord et plus tard dans ses ouvrages autobiographiques l'avis du grand nombre. Octave méprise aussi la société qui se trouve autour de lui.

> « Son dégoût pour les hommes était profondément enraciné dans son âme ; heureux, ils lui inspiraient de l'éloignement ; malheureux, leur vue ne lui était que plus à charge. Il n'avait pu que rarement essayer de se guérir de ce dégoût par la bienfaisance. S'il y fût parvenu, une ambition sans bornes l'eût précipité au milieu des hommes et dans les lieux où la gloire s'achète par les plus grands sacrifices[18]. »

Seule Armance lui semble digne de parler avec lui. Il s'agit d'un autre être d'exception qu'il a trouvé sur son chemin.

Le mépris stendhalien pour l'homme lui vient certainement des habitudes familiales comme il l'avoue[19], mais aussi de l'idée de génie et d'incompréhension des autres. Le grand nombre, la masse, lui semble incapable de comprendre les sentiments beaux, de comprendre ce qu'il ressent[20]. Le vulgaire et lui sont à jamais brouillés. Il va traduire ce sentiment dans le personnage d'Octave. Octave est un personnage extraordinaire. Tout au long du roman son auteur a le soin de nous le faire apparaître comme quelqu'un qui est très au-dessus du reste des hommes. Geneviève Mouillaud signale que dans *Armance* il existe trois types de personnages[21] : les « êtres vulgaires », les « êtres d'exception » et les êtres intermédiaires, qui ne peuvent être rangés ni d'un côté ni de l'autre. Armance et Octave font partie des « êtres d'exception ». Ils traduisent d'une certaine manière l'ambition fondamentale de Stendhal de se montrer supérieur aux autres, de se montrer au-dessus du vulgaire. Néamoins il faut avouer que cette supériorité ne sera pas utile aux héros stendhaliens, ni à Stendhal lui-même. Malgré cette conscience claire de sa propre valeur, Octave, comme l'écrivain lui-même, sera incapable de trouver le bonheur. Il est peut-être trop différent pour arriver à partager avec ce monde vulgaire le bonheur simple des petites gens. Il y a un rêve de solitude qui plane tout au long d'*Armance*. Armance rêve de partir avec Octave pour cacher qu'il s'est marié avec une femme sans fortune, quand elle envisage un moment la possibilité de devenir son épouse malgré sa situation économique. Quand cette situation économique ne pose plus de problème, le rêve de solitude continue : les deux « êtres d'exception » vont envisager la possibilité d'abandonner le monde et de cacher ailleurs leur bonheur. La réponse définitive à ce rêve de solitude est la mort solitaire d'Octave et la fuite d'Armance dans un couvent. Il traduit l'orgueilleuse fierté de celui qui se sent supérieur, de celui qui se sait différent et qui préfère renoncer à toute relation avant de s'abaisser à des rapports vulgaires, médiatisés.

Nous savons que dans la tragédie classique il y a le héros ou les héros tragiques et les personnages qui forment le monde, plus ou moins proches du héros tragique. De même dans *Armance* nous découvrons plusieurs autres personnages qui remplissent la même fonction et qui éveillent chez nous plus ou moins de sympathie selon leur caractère et leur rapport avec le héros. L'étude de l'ambition et du désir de pouvoir n'est pas difficile chez ces personnages. Souvent elle se présente très claire et sans beaucoup de nuances. Elle ne pose pas les problèmes que nous trouvons quand nous envisageons cette même étude chez Octave et

285

Armance. En réalité nous trouvons l'ambition et le désir de pouvoir d'une manière nette, précise, exprimés de la même sorte que dans le monde des êtres ordinaires.

M. et Mme de Malivert ne sont pas des êtres ambitieux au sens propre du mot. Surtout pas Mme de Malivert. En ce qui concerne M. de Malivert on peut dire qu'il s'agit peut-être d'un personnage un peu plus ambitieux, mais sans exagération. Les deux époux vont concentrer leur ambition sur un point déterminé. L'objet de leur ambition est Octave. Octave pour qui ils désirent ce qui pourra lui convenir le mieux. Si Octave ne reproche pas cela à sa mère, il le fera à son père.

> « Le commandeur, mon père lui-même ! ils ne m'aiment pas ; ils aiment le nom que je porte, ils chérissent en moi un prétexte d'ambition[22]. »

M. de Malivert voit en son fils la possibilité de réalisation ; il sait qu'il est son héritier et le voudrait digne du nom qu'il porte. L'ambition de M. de Malivert se manifeste à travers quatre attitudes qu'il prend devant le monde :

a) Conscience de l'honneur du nom, conscience qu'il transmettra à Octave.
b) Ambition qui va s'épanouir devant la loi d'indemnité.
c) Désir politique.
d) Désir d'intégration d'Octave dans la société nouvelle afin d'obtenir un poste important, d'accord avec sa position, dans cette société.

M. de Malivert est un vieux gentilhomme qui croit fermement au « noblesse oblige[23] ». Il est possédé par la fierté de son nom, mais il est préoccupé par la perte de sa fortune à cause de la révolution. Il est tourmenté par l'idée qu'Octave devra faire un mariage de raison, vendre en quelque sorte son nom pour acquérir l'argent dont la révolution l'a dépossédé. Il désire que son fils soit capable de reconstruire pour son nom et sa famille le destin avantageux qu'ils avaient toujours eu.

Il pense, donc, à marier Octave. Or, une autre possibilité dont il est question tout au long du roman et qui devient un incident fondamental dans l'intrigue, va s'ouvrir devant lui. C'est le passage de la loi d'indemnité à la Chambre.

> « Le marquis ne voyait dans l'indemnité que le moyen légal de mettre

à nouveau, pour lui-même et pour son fils, la fortune à la hauteur du nom[24]. »

Cette affirmation correspond à la vérité. M. de Malivert lui-même le confirme.

> « Ainsi je ne suis plus un gueux, c'est-à-dire tu n'es plus un gueux, ta fortune va se trouver de nouveau en rapport avec ta naissance, et je puis maintenant te chercher et non plus te mendier une épouse[25]. »

A la différence de sa mère, M. de Malivert cherche à satisfaire son désir, son ambition aussi bien que celle de son fils. La mère ne pensera qu'à l'avenir du jeune homme. Le père a besoin de se sentir justifié.

Si Mme de Malivert a presque renoncé aux vanités mondaines (voilà une autre caractéristique qui répond bien à une morale de type janséniste), ce n'est pas le même cas pour M. de Malivert. Il y a chez lui un certain désir de jouer un rôle politique, de détenir une parcelle de pouvoir. Pour cette raison il ne permet pas à sa femme de vendre ses diamants[26].

S'il ne peut pas jouer ce rôle, il voudrait que son fils en fût capable. A nouveau, Octave devient le point de mire des ambitions du père. Cependant le père est clairvoyant. Il se rend compte qu'Octave n'a pas beaucoup de dispositions pour jouer un rôle politique important. Il a un caractère trop extraordinaire, trop bizarre. Il ne veut pas s'adapter et faire carrière dans le monde politique. M. de Malivert sait bien que son fils est un « original »[27]. Octave connaît parfaitement les désirs de son père en ce qui le concerne et pour cela quand il veut partir pour la Grèce il fera appel à son sentiment de l'honneur, et à son désir de gloire ambitieuse pour obtenir son acquiescement.

Mme de Malivert est consciente de l'étrangeté de son fils. De toutes manières elle pense qu'il possède les qualités nécessaires pour répondre à ce qu'on attend de lui.

> « Octave est appelé à la chambre des Pairs, il y sera un noble représentant de la jeunesse française, et par son éloquence conquerra de la considération personnelle[28]. »

287

D'ailleurs elle a la force suffisante pour mépriser la faveur de la cour si cela est nécessaire. Mme de Malivert devine que l'avenir de son fils n'est pas là précisément. Avec une mentalité très féminine elle a une ambition par dessus tout : c'est celle de trouver le bonheur pour son fils. Elle sait que cela est de loin le plus important. Avec cette attitude Mme de Malivert répond à ce détachement du monde et de ses vanités qui établit la différence entre elle et son mari.

Nous avons vu qu'Octave assimilait l'ambition de son père envers lui à l'ambition de son oncle le Commandeur. Il faut reconnaître qu'en principe il a raison. Il existe une différence fondamentale. Tandis que les désirs de son père sont des désirs nobles qui répondent aux idées de la vieille noblesse, les idées du Commandeur répondent à un rêve de fortune et d'ambition personnelle qui dégradent les idées de la noblesse. Plus qu'aucun autre personnage le Commandeur représente la dégradation des idées nobles de l'aristocratie.

Il faut considérer aussi que le rôle du Commandeur sera absolument décisif dans la vie et la destinée d'Octave et d'Armance. L'ambition funeste de disposer de l'argent d'Octave pour jouer à la Bourse[29] le décidera à s'interposer sur le chemin des amoureux. Il n'arrêtera pas jusqu'au moment où il arrivera à détruire le bonheur d'Armance et d'Octave. Il attend la rupture entre les jeunes gens comme la solution à ses problèmes économiques.

> « Il bâtissait déjà pour la rupture du mariage d'Octave les suppositions les plus décisives sur les intrigues de l'hiver, les distractions du bal, les propositions avantageuses qu'il pourrait faire faire à la famille[30]. »

Nous savons que le Commandeur ne réussira pas à arrêter le mariage, mais il va réussir, comme conséquence de sa machiavélique action, de commun accord avec le chevalier de Bonnivet, à le briser, car Octave poussé par la fausse lettre, y mettra fin à travers le suicide.

Octave devient donc, d'une façon différente dans chaque cas, l'objet de l'ambition des membres de sa famille. Et précisément ne pas pouvoir échapper à cela marquera la fatalité de sa destinée.

Octave sera aussi utilisé pour satisfaire une certaine ambition de Mme de Bonnivet. Il se laisse choyer mais il n'en sera pas dupe. Octave est

288

clairvoyant. Il regarde les manigances de Mme de Bonnivet en spectateur. Mme de Bonnivet est un personnage complexe et fort intéressant. Comme la plupart de ceux qui entrent dans le monde d'*Armance* il a plusieurs clés.

> « Je suis personnellement très disposé à penser que Mme de Bonnivet est un personnage composite auquel Mme de Broglie, protestante et fille de Benjamin Constant, ne l'oublions pas, et Mme Swetchine, catholique romaine et catéchumène de Joseph de Maistre, auraient toutes deux fourni des traits[31]. »

Comme le signale Imbert[32] elle sert à l'écrivain, ainsi que le chevalier de Bonnivet, à faire la critique de certaines attitudes religieuses de l'époque. Mme de Bonnivet chercherait dans une nouvelle religion, différente de la traditionnelle, une manière d'acquérir un certain pouvoir, une manière de détenir une certaine influence sur les âmes et la société. Elle va essayer de prouver son pouvoir de suggestion avec Octave. Il suit le jeu mais il connaît parfaitement les desseins de sa cousine.

> « Octave commençait à soupçonner que madame de Bonnivet, avec la prétention suprême de ne songer jamais au monde et de mépriser le succès, était l'esclave d'une ambition sans bornes[33]. »

Octave se rend compte que l'ambition de sa cousine va l'orienter vers la poursuite du pouvoir, mais d'un pouvoir supérieur au simple pouvoir politique, elle aspire à un pouvoir de type spirituel qui pourrait l'égaler à Dieu[34]. Le pouvoir est un sentiment dont Stendhal connaît bien la valeur, il ne le méprise point en ce qui le concerne. Les gens vont chez les Bonnivet en cherchant l'appui du mari, personnage influent[35]. Il est respecté à cause de cette influence. Mme de Bonnivet n'est pas indifférente à ce sentiment qu'on porte à son mari ; elle va essayer par tous les moyens d'exercer une influence dans la vie sociale. Elle va surtout le faire dans l'ordre religieux, bien qu'elle ne néglige pas la promotion sur le terrain politique.

> « Le feu roi avait promis le cordon bleu à M. de Bonnivet[36]. »

Elle attend surtout la promotion dans l'ordre du Saint-Esprit. Stendhal nous le dit à plusieurs reprises[37]. Sur la nature de ce pouvoir, Stendhal ne se trompe point. Il en a parlé dans d'autres ouvrages.

> « Les pauvres gens qui peuplent la Trappe sont des malheureux qui n'ont
> pas eu tout à fait assez de courage pour se tuer. J'excepte toujours les
> chefs qui ont le plaisir d'être chefs[38]. »

Le pouvoir va être comparé par l'écrivain au bonheur d'aimer.

> « Quel moment que le premier serrement de main de la femme qu'on
> aime ! Le seul bonheur à comparer à celui ci est le ravissant bonheur
> du pouvoir, celui que les ministres et rois font semblant de mépriser[39]. »

Dans les *Souvenirs d'égotisme* il parlera du pouvoir comme de la
« seule chose réelle[40]. »

Selon Imbert, la force secrète qui pousse Mme de Bonnivet à prendre
des allures religieuses et mystiques est le pouvoir.

> « Le pouvoir ! Voilà bien la raison secrète de ces menées religieuses !
> (...) Les entrepreneurs de religion dans *Armance* sont avides de domina-
> tion. Rois sans divertissement. Pis encore, rois sans sujets[41]. »

Comme Mme de Bonnivet, le chevalier de Bonnivet utilisera la
religion pour exercer le pouvoir. Il ne va pas hésiter à employer toute
sorte de moyens.

> « Tous les soirs, à Andilly, le chevalier faisait la prière en commun avec
> les quarante ou cinquante domestiques attachés aux personnes qui logeaient
> au château ou dans les maisons de paysans arrangées pour les amis de la
> marquise. Cette prière était suivie d'une courte exhortation improvisée
> et fort bien faite[42]. »

Aucun mobile altruiste ne pousse le chevalier de Bonnivet. Il cherche
à utiliser la religion comme moyen de contrôle des âmes. Un faux esprit
évangélique le pousse à agir ainsi. Les critiques n'ont pas manqué de le
relever.

> « Ces Bonnivet, la marquise et le chevalier se donnent la comédie. Mais
> cette comédie n'exclut nullement l'intérêt. Ils se servent de la religion
> pour leurs ambitions personnelles ou celles de leur classe. La religion
> devient ainsi le plus vil des instruments de conservatisme social. Il s'agit
> de tenir en main les domestiques[43]. »

Si M. et Mme de Malivert montraient une face noble dans leur désir
d'ambition et de pouvoir, centré sur Octave, aussi bien le Commandeur

que Mme de Bonnivet et le chevalier de Bonnivet montrent l'image pitoyable d'une ambition sans bornes et d'un désir injustifié de pouvoir. Ils prétendent arriver au but qu'ils se sont fixés en employant tous les moyens à leur portée, sans analyser leur moralité.

Si Armance et Octave ressentent la tentation de l'ambition et du pouvoir, il s'agit d'une ambition et d'un pouvoir qui n'ont rien à voir avec ceux qu'envisageaient les autres personnages. La traduction en actes de ces désirs sera complètement différente. Tandis que les derniers personnages que nous venons d'analyser montrent le côté vulgaire de ces passions-là, il faudra chercher aussi bien dans la jeune fille que dans le jeune homme le côté élevé de ces sentiments.

La caractéristique essentielle d'Armance est la fierté. Elle est une jeune fille pauvre, elle en a conscience et met un grand soin à ne pas réaliser des actions qui puissent la placer dans une situation défavorable. Elle essayera par tous les moyens de conserver son honneur, de se maintenir dans une position noble, indifférente aux critiques. Elle méprise l'opinion du monde qui l'entoure. Armance se sait un être d'exception. Comme tel, elle portera ses regards vers le seul être de cette société qui soit comme elle, au-dessus du vulgaire. Armance est pauvre, mais lorsque Armance commence à aimer son cousin, Octave aussi est pauvre, même s'il a pour lui le nom et le prestige de sa maison. Armance voit tout à coup Octave devenir riche. Devant la richesse de la personne aimée, le problème de sa pauvreté se fera plus fort, problème qui disparaîtra au moment où Armance héritera une petite fortune. Quand cet événement se produit, la froide attitude d'Octave la surprend. En réalité il existe une structure circulaire dans les rapports d'Armance et Octave avec l'argent. Lorsque le vicomte de Malivert apprend que la loi d'indemnité lui apportera deux millions, Armance se sent éloignée de son cousin par son attitude altière, attitude qui n'est pas très différente de celle de toujours mais qu'elle attribue alors à sa richesse. Cela provoque chez elle une certaine froideur, qui ne passe pas inaperçue et qui sera interprétée d'une manière défavorable pour Armance.

> « Voyez cette petite sotte d'Armance, ne s'avise-t-elle pas d'être jalouse de la fortune qui tombe des nues à M. de Malivert ? Dieu ! que l'envie sied mal à une femme[44] ! »

291

Octave, toujours prêt à croire tout ce qui peut le blesser le plus, va céder à la tentation de penser que tels sont les véritables sentiments de sa cousine. Il faut qu'il surprenne une conversation avec son amie pour qu'il se rende compte qu'il s'était trompé à propos d'Armance.

> « Que veux-tu ? Il est comme tous les autres ! Une âme que je croyais si belle être bouleversée par l'espoir de deux millions[45] ! »

Chez Armance il y a le mépris de ces millions, uni au mépris pour le cousin, capable de changer devant la richesse. Elle ne peut pas supporter l'idée qu'il partage l'âme vulgaire de la plupart des hommes qu'elle fréquente dans le salon de Mme de Bonnivet[46]. L'ambition la plus profonde d'Armance est celle d'être aimée d'Octave et ces millions constituent un des obstacles devant lesquels elle va se trouver. Armance ne va pas lutter. La caractéristique de l'ambitieux est la lutte pour parvenir à ses fins. Chez Armance et Octave l'ambition est un sentiment si noble qu'il va les paralyser, arrêtera l'action. Armance ne lutte pas. Elle cherchera un détour pour ne pas montrer sa faiblesse. A cause de cela lorsque les deux jeunes gens se seront expliqués, elle élèvera entre son cousin et sa personne un obstacle fictif, celui de son mariage.

> « Elle pensa au baron de Risset, ancien chef vendéen, personnage héroïque, qui paraissait assez souvent dans le salon de Mme de Bonnivet, mais qui y paraissait pour se taire[47]. »

Il s'agit d'un vieux noble, dont le nom est aussi ancien et héroïque que celui des Malivert, et qui présente en outre l'avantage de son silence. Armance ne veut pas déchoir par son choix, même si celui-ci est fictif.

Dans les rapports entre Octave et Armance il existe plusieurs problèmes. Il ne faut pas négliger celui du caractère d'Octave. Cependant le problème qu'elle ressent comme le plus fort est celui de sa pauvreté. A cause de lui, Armance va se replier dans son orgueil.

> « Si j'étais née avec de la fortune et qu'Octave eût pu me choisir pour la compagne de sa vie[48]...»

Même quand Mme de Malivert va la supplier de devenir sa bru, Armance n'oubliera pas son orgueil, son honneur.

« Est-ce une fille pauvre et sans famille, se disait Armance, qui doit tomber dans ces sortes d'oublis[49] ? »

Après le malentendu qui les a un instant séparés au moment de la loi d'indemnité, Armance apprend à mieux connaître son cousin et sait qu'il ne supporte pas les indélicatesses qui se rapportent à l'argent. Le rêve d'Octave est le rêve inverse de celui de l'ambitieux pur. Il désire fuir, ne pas se vendre, demeurer libre comme l'air.

> « Je puis vivre avec cinq francs par jour, et sous un nom supposé il m'est possible en tout pays de gagner le double de cette somme, en qualité de chimiste attaché à quelque manufacture[50]. »

Fuir sa classe, aller se cacher parmi les gens simples, parmi les bourgeois, demeure l'un des rêves d'Octave qu'Armance partagera. Puisqu'ils ne peuvent remplir leurs désirs de totalité dans le monde aristocratique dans lequel ils sont obligés de vivre, ils préfèrent s'en aller à l'autre bout du monde. Les exigences de totalité se manifestent ici d'une façon claire.

Armance verra résoudre son problème de pauvreté par un petit héritage.

> « Elle héritait d'une fortune agréable et qui pouvait la rendre un parti sortable pour Octave[51]. »

Mais presque la même incompréhension qui au moment de l'indemnité l'avait séparée d'Octave va encore se lever entre eux.

> « Ce jour-là, au dîner, on parla de la fortune que le hasard venait d'envoyer à Armance et elle remarqua que cette annonce était sans doute peu agréable à Octave, qui, sur cet événement, ne lui dit pas un mot. Ce mot qui ne fut pas prononcé, si son cousin le lui eût adressé, n'eût pas fait naître dans son coeur un plaisir égal à la centième partie de la douleur que son silence lui causa[52]. »

Armance est, par certains aspects, le roman du silence, de l'amour silencieux, incapable de s'exprimer. Combien de problèmes, combien de malentendus pourraient se résoudre à travers la parole ! Malgré sa disponibilité, malgré son amour, Armance ne réussira pas à faire parler son cousin. Le silence deviendra son seul confident. Armance pourra réaliser son ambition fondamentale : devenir la femme d'Octave. Mais cela sera temporaire, momentané. En réalité Octave trompe Armance. Leur mariage, faute d'explications, faute de paroles, n'est pas un véritable mariage. La seule solution pour Armance sera de rechercher, comme Mme de Clèves, un refuge dans un couvent pour son destin malheureux. La femme et la mère vont s'enterrer vives avec le secret d'Octave. Il parle quand il est trop tard et rien ne peut rendre le bonheur à Armance.

Nous avons déjà insisté sur l'idée qu'Octave est un personnage racinien, aimant les extrêmes, personnage en qui se résume la maxime du tout ou du rien. Ne pouvant assouvir une ambition démesurée, il préfère ne rien désirer.

> « Mais Octave ne désirait rien, rien ne semblait lui causer ni peine ni plaisir[53]. »

Pour y arriver, il essayera de se fermer les portes de l'amour, pour y arriver, il se fermera aussi les portes d'une brillante carrière sociale. Comme Mme de Clèves, Octave a peur de vivre car il a peur de souffrir. Il préfère ne pas sentir, s'emmurer dans son moi solitaire. A l'image de Stendhal, ses passions, il les vivra en solitude. Il sait que se jeter dans le monde le fera souffrir. Pour éviter la souffrance, il s'enfermera dans le non-désir, la non-ambition, le refus du pouvoir, de ce même pouvoir que désirent pour lui ses parents.

Octave a une formation de polytechnicien.

> « A peine âgé de vingt ans, Octave venait de sortir de l'école polytechnique[54]. »

Tout en étant l'enfant d'un noble il a été formé dans les idées philosophiques et scientifiques. Nous avons constaté sa connaissance de Tracy. Cela va le faire différent de sa classe. Il a un esprit qui aime le savoir, ce qui n'est pas très fréquent chez les nobles. C'est la première contradiction d'Octave. Contradiction qu'il ne pourra résoudre.

> « Octave de Malivert est à la fois noble et polytechnicien ; la rencontre entre l'ultracisme catholique de son milieu d'origine et le libéralisme rationaliste de l'Ecole le place à distance de chaque système[55]. »

294

« Le héros a gardé de son passage à Polytechnique le goût de la science et du travail. Il se voudrait utile aux autres. Il avait de cette ambition de grands exemples, tous connus de Stendhal, La Fayette à la Grange, La Rochefoucauld-Liancourt, en Italie, les nobles libéraux du genre de Confalonieri ou de Porro qui s'occupaient d'enseignement mutuel, de filatures, de batellerie[56]. »

Comme nous venons de voir, beaucoup de critiques ont signalé cette contradiction d'Octave. Cela façonnera son caractère. Il s'agit d'un homme solitaire. Octave aime la solitude par dessus tout. En même temps il est aux prises avec une espèce de misanthropie. Le héros de Molière, Alceste, bien connu de Stendhal, n'est pas étranger à cette qualité du caractère du vicomte de Malivert qui revient à plusieurs reprises sous la plume de l'écrivain.

« Octave semblait misanthrope avant l'âge[57]. »

« Il était devenu misanthrope et chagrin ; chagrin, comme Alceste, sur l'article des filles à marier[58]. »

Il est sans doute significatif que la misanthropie d'Octave s'effarouche surtout quand il pense à la possibilité du mariage. Nous savons bien que ses propos à Armance sur le mariage ne sont pas une boutade. Octave a de très bonnes raisons pour ne pas désirer le mariage. De trop désirer Armance il ne pourra l'avoir. Cette impuissance sexuelle que nous connaissons a posteriori par la lettre de Stendhal à Mérimée est issue de la manière d'être d'Octave. Pour ne pas souffrir il préfère renoncer à l'amour ou bien au bonheur qui amènerait avec lui sans doute quelque souffrance.

Cependant malgré ce désir de se maintenir en marge, de ne pas se mêler aux sentiments et aux conflits du monde aussi bien sur le terrain sentimental que sur le terrain politique, Octave va subir plusieurs tentations mondaines, ou tentations d'ambition, même s'il s'efforce de les nier. Nous pouvons trouver d'abord la tentation de l'armée.

« Il renonça au projet d'entrer dans l'artillerie. Il aurait voulu passer quelques années dans un régiment, et ensuite donner sa démission jusqu'à la première guerre qu'il lui était assez égal de faire comme lieutenant ou avec le grade de colonel[59]. »

295

Octave désire entrer dans l'armée pour se perdre dans la collectivité, pour oublier son nom. Il ne veut pas la gloire. Son ambition consiste à passer inaperçu. Nous verrons qu'Octave veut tout au long du roman ne pas attirer l'attention des autres, sombrer dans l'anonymat de l'armée, du travail bourgeois, de la solitude. Mais, par contre, toutes ces attitudes ne font qu'accentuer sa singularité par rapport aux autres, ne font que montrer la grande différence qui existe entre lui et les autres.

> « C'est un exemple des singularités qui le rendaient odieux aux hommes vulgaires[60]. »

Il pensera de nouveau à cette tentation de l'armée quand il veut s'éloigner d'Armance, lorsqu'il découvre son amour pour la jeune fille et pour fuir la vérité décide d'aller lutter en Grèce.

Son amour pour la solitude, son secret vont amener la deuxième tentation : l'entrée dans la vie religieuse.

> « Il regrettait vivement sa petite cellule de l'école polytechnique. Le séjour de cette école lui avait été cher, parce qu'il lui offrait l'image de la retraite et de la tranquillité d'un monastère. Pendant longtemps Octave avait pensé à se retirer du monde et à se consacrer à Dieu[61]. »

L'ambition d'Octave ne se centre pas là où tout le monde pourrait penser la trouver, bien au contraire. Il ne désire pas les honneurs en entrant en religion. Les gens du monde ne vont pas arriver à comprendre non plus ce dessein.

> « Il est évident que ce garçon-là nourrit la secrète ambition de se faire évêque ou cardinal, dit le commandeur aussitôt qu'Octave fut sorti ; sa naissance et sa doctrine le porteront au chapeau[62]. »

Pour le Commandeur Octave doit utiliser le noir comme un moyen d'arriver. Il ne comprend pas le véritable souhait de son neveu et pour cela il échoue toujours quand il essaye de connaître la manière de s'y prendre avec lui.

Octave est sollicité aussi par la tentation de devenir un bourgeois, un sans nom, un homme qui gagnera son pain avec son travail.

> « Ah ! si le ciel m'avait fait le fils d'un fabricant de draps, j'aurais travaillé au comptoir dès l'âge de seize ans ; au lieu que toutes mes occupations

n'ont été que de luxe ; j'aurais moins d'orgueil et plus de bonheur[63] ... »

Il exprime ce désir très tôt, mais il ne peut pas changer sa naissance. Il est né dans la noblesse. Il lui reste une seule solution : s'il n'est pas né bourgeois, il peut le devenir.

> « Le premier est de me faire appeler M. Lenoir ; sous ce beau nom, j'irais en province donner des leçons d'arithmétique, de géométrie appliquée aux arts...(...). Je prendrais le nom de Pierre Gerlat, j'irais débuter à Genève ou à Lyon et je me ferais le valet de chambre de quelque jeune homme[64]. »

Toutes ces manifestations du même désir peuvent se résumer parfaitement dans la phrase « J'ai soif *d'incognito* » prononcée par Octave en s'adressant à sa cousine Armance[65].

Ce désir le mène aussi à vouloir l'« égalité » qu'il ne peut pas trouver dans un salon, entouré des gens de sa classe[66]. Cela l'amènera même à envisager la possibilité de renoncer à son titre pour échapper à l'emprise de sa classe. Dans sa conversation à propos de la politique des bourgeois, où il exprime à Armance les doutes que nous venons d'énoncer, il existe une certaine admiration envers le monde bourgeois, envers le pouvoir détenu par les bourgeois. Armance trouve les femmes des banquiers jolies. Chez Octave il y a la sensation que devant les bourgeois il se trouve devant un véritable pouvoir, un pouvoir capable de changer la société, de la manipuler, de la faire évoluer, tandis que face à sa classe Octave a des crises d'identité. Il sent qu'elle ne possède pas un pouvoir authentique, mais une image de ce pouvoir ancien qui a été le sien et qui a désormais disparu. L'âme exigeante d'Octave recherche le véritable pouvoir qui est placé dans le monde bourgeois. Armance exprime très bien leurs sentiments face au monde qui les entoure.

> « Et il est triste à notre âge, reprit Armance, de se résoudre à être toute sa vie du parti battu[67]. »

En réalité cette phrase résume tout ce qu'elle et Octave regrettent dans le monde aristocratique.

Il existe une dernière tentation : celle de s'intégrer au monde de la noblesse et de jouer un rôle politique en faisant partie du parti des nobles. C'est la tentation la plus faible et à laquelle Octave s'adonne le moins. Elle commence avec la réception des deux millions de la loi d'indemnité. Il voit les gens changer autour de lui. La fortune vient s'ajouter au charme qui se dégage de sa personne.

Nous avons déjà vu que le père d'Octave fondait ses projets d'avancement sur la loi d'indemnité. Octave ne la trouve pas juste, il ne veut pas en entendre parler. Il pense en plus que l'indemnité fera naître chez son père le désir d'un beau mariage.

Grâce à cette loi, Octave peut constater le pouvoir de l'argent :

> « Je suis donc si peu aimé, se disait-il, que deux millions changent tous les sentiments qu'on avait pour moi ; au lieu de chercher à mériter d'être aimé, j'aurais dû chercher à m'enrichir par quelque commerce[68]. »

Les gens lui témoignent un intérêt et une attention qu'ils avaient oublié de lui montrer auparavant.

> « C'est apparemment depuis la loi d'indemnité que je suis devenu digne que l'on s'occupe de mon salut et de l'influence que je puis avoir un jour[69]. »

A cause de cette loi d'indemnité Octave va être invité par un « fort grand seigneur » qui fréquente l'hôtel de Bonnivet. Tout le monde voit en cela une occasion pour Octave. C'est le moment de montrer ce dont il est capable. Cette invitation doit être décisive pour son avenir. Par ce fait, la famille compte sur l'avancement d'Octave.

> « Il fut décidé, dans la famille d'Octave, parfaitement au fait des allures et du caractère du vieux duc de X ... que s'il réussissait pendant sa visite au château de Ranville, on le verrait un jour duc et pair[70]. »

Mais ces rêves n'auront pas de suite. Octave abandonnera très tôt la maison du duc et tous les songes qu'on avait pu tisser autour de lui disparaissent.

Il y a tout au long du roman d'autres signes qui font d'Octave un homme influent sur le terrain politique. Malheureusement ces présages n'arriveront pas à se matérialiser.

« Monsieur votre fils me semble appelé à jouer un rôle singulier. Il aura justement le mérite le plus rare parmi ses contemporains : c'est l'homme le plus substantiel et le plus clairement substantiel que je connaisse. Je voudrais qu'il parvînt de bonne heure à la pairie ou que vous le fissiez maître des requêtes[71]. »

Ces hommes qui promettent un destin magnifique à Octave se trompent. Il n'en a jamais été la dupe et il n'a pas voulu jouer le jeu. Ce que sa classe pouvait lui offrir, ce qu'elle pouvait lui donner ne l'intéressait pas beaucoup. Cette dernière tentation est désirée, envisagée par les gens qui entourent Octave mais ne répond pas à ses propres désirs. Ce sont les autres qui désirent l'intégrer à la classe nobiliaire ; Octave, tout en y restant, se montre différent et l'intégration devient chaque fois plus difficile.

En ce qui concerne les autres trois tentations : celle du cloître, celle de l'armée et celle de la fusion dans le monde bourgeois, Octave les envisage comme des solutions à son problème. En réalité le héros est en train de vouloir fuir une réalité avec laquelle il n'est pas d'accord. Ce qu'il étudie ce sont des moyens de fuite, des moyens de disparaître, d'abandonner un monde où il faut être du parti des vaincus et aller se confondre dans un autre monde où sa singularité n'attirera pas les regards des autres. Voilà le désir d'Octave. Mais il est incapable de réaliser ce désir, il ne peut pas renoncer à sa classe, trop de choses l'y attachent. Armance répète plusieurs fois qu'ils pourraient aller vivre ensemble en solitude dans un endroit quelconque. Il s'agit d'une solution qu'on ne va jamais choisir. C'est la solution de tout abandonner, de tout laisser qui appartient au domaine de l'idéal. Dans le réel trop de choses nous lient à la terre. Les héros d'*Armance* sont trop extraordinaires pour se résigner à vivre dans le monde ; en même temps ils sont incapables d'y échapper pour suivre le chemin du bonheur. Il est paradoxal de constater que les fuites se feront d'une manière différente, chacun pour soi, et qu'elles ne rendront pas le bonheur aux protagonistes, elles seront leur solution individuelle devant une situation limite. Peut-être ne pouvait-il en être d'une autre manière pour des êtres qui possédaient des sentiments extraordinaires, pour des êtres qui sont le reflet de l'ambition de Stendhal dans sa jeunesse. Pour eux l'ambition n'a pas la même signification que pour le commun des mortels. Malgré tout, ils vont être obligés de vivre parmi des êtres brûlés par l'ambition et le désir de pouvoir le plus banal et le plus vulgaire. Y échapper marque la fin : la fin de toute possibilité de bonheur ensemble. La mort les attend pour les délivrer.

NOTES

1. Stendhal, Lettre à Métilde Dembowski du 7 juin 1819, Varèse, in *Correspondance*, tome I, Bibliothèque de la Pléiade, Gallimard, Paris, 1968, p. 966.

2. Stendhal, *Journal* dans *Oeuvres intimes*, I, Bibliothèque de la Pléiade, Gallimard, Paris, p. 52.

3. *Ibidem*, p. 329.

4. *Ibidem*, p. 127.

5. Avec des variantes nous trouvons cette idée chez Michel Crouzet, Françoise Gaillard, Henri-François Imbert et Geneviève Mouillaud pour n'en citer que quelques-uns.

6. Stendhal, *Journal, op. cit.*, p. 113, 179, 208 et 365.

7. *Ibidem*, p. 408.

8. *Ibidem*, p. 363.

9. *Ibidem*, p. 219.

10. *Ibidem*, p. 189.

11. Stendhal, *Vie de Henry Brulard* in *Oeuvres intimes*, Bibliothèque de la Pléiade, Gallimard, Paris, 1955, p. 13.

12. Stendhal, *Journal, op. cit.* p. 371.

13. *Ibidem*, p. 397.

14. Stendhal, *Armance* in *Romans et Nouvelles*, tome 1, Bibliothèque de la Pléiade, Gallimard, Paris, 1952, p. 63.

15. Jean Prévost, *La création chez Stendhal*, Mercure de France, Paris, 1951, p. 207.

16. Jean-Pierre Richard, *Littérature et Sensation*, Seuil, Paris, 1954, p. 78.

17. Stendhal, *Journal, op. cit.* p. 248.

18. Stendhal, *Armance, op. cit.*, p. 149.

19. « J'avais et j'ai encore les goûts les plus aristocrates, je ferais tout pour le bonheur du peuple mais j'aimerais mieux, je crois, passer quinze jours de chaque mois en prison que de vivre avec les habitants des boutiques » in *Vie de Henry Brulard, op. cit.*, p. 224. Aussi pp. 132 et 139.

20. « La connaissance des hommes m'a fait mépriser le jugement de l'immense majorité, qui est composé de sots, mais Rousseau lui-même a dit que dans les choses indifférentes et à portée de son esprit, le sot même jugeait ordinairement bien », in *Journal, op. cit.*, p. 155.

21. Geneviève Mouillaud, *Le Rouge et le Noir de Stendhal, le roman possible*, Larousse Université, Paris, 1973, p. 78-79.

22. Stendhal, *Armance, op. cit.*, p. 43.

23. Geneviève Mouillaud, *op. cit.*, p. 113.

24. Henri-François Imbert, *Les métamorphoses de la liberté*, José Corti, Paris, 1967, p. 388.

25. Stendhal, *Armance, op. cit.*, p. 39.

26. *Ibidem*, p. 33.

27. *Ibidem*, p. 16⁹.

28. *Ibidem*, p. 169.

29. *Ibidem*, pp. 49 et 171.

30. *Ibidem*, p. 181.

31. François Michel, « Armance de Zohiloff » in *Etudes stendhaliennes*, Mercure de France, Paris, 1972, p. 128.

32. H.F. Imbert, *op. cit.*, pp. 393-394.

33. Stendhal, *Armance, op. cit.*, p. 85.

34. *Ibidem*, p. 85.

35. *Ibidem*, p. 38.

36. *Ibidem*, p. 146.

37. *Ibidem*, pp. 153 et 156.

38. Stendhal, *De l'amour*, Garnier-Flammarion, Paris, 1965, p. 262.

39. *Ibidem*, p. 259.

40. Stendhal, *Souvenirs d'égotisme* in *Oeuvres Intimes*, Bibliothèque de la Pléiade, Gallimard, Paris, 1955, p. 1466.

41. H.F. Imbert, *op. cit.*, p. 420.

42. Stendhal, *Armance, op. cit.*, p. 156.

43. H.F. Imbert, *op. cit.*, p. 419.

44. Stendhal, *Armance, op. cit.*, p. 41.

45. *Ibidem*, p. 53.

46. *Ibidem*, p. 75.

47. *Ibidem*, p. 80.

48. *Ibidem*, p. 92.

49. *Ibidem*, p. 94.

50. *Ibidem*, p. 97.

51. *Ibidem*, p. 158.

52. *Ibidem*, p. 160.

53. *Ibidem*, p. 29.

54. *Ibidem*, p. 29.

55. Geneviève Mouillaud, *op. cit.*, p. 74.

56. H.F. Imbert, *op. cit.*, p. 409.

57. Stendhal, *Armance, op. cit.*, p. 30. Et aussi pp. 36, 49 et 59.

58. *Ibidem*, p. 73. Et aussi pp. 80, 98-99 et 152.

59. *Ibidem*, p. 29.

60. *Ibidem*, p. 29.

61. *Ibidem*, p. 32.

62. *Ibidem*, p. 51.

63. *Ibidem*, p. 48.

64. *Ibidem*, p. 107.

65. *Ibidem*, p. 107.

66. *Ibidem*, p. 101.

67. *Ibidem*, p. 103.

68. *Ibidem*, p. 39.

69. *Ibidem*, p. 50.

70. *Ibidem*, p. 67.

71. *Ibidem*, p. 148.

"CHRONIQUE VALSERRA" ET "COMMEDIA DELL'ARTE" DANS « LA CHARTREUSE DE PARME »

Kurt Ringger

Dans les *Buddenbrooks*, roman qui se donne à lire comme la *saga* de la haute bourgeoisie allemande dont la décadence est soigneusement enregistrée à travers quatre générations, Thomas Mann nous fait assister, au septième chapitre de la huitième partie, à une scène révélatrice. Une après-midi, le petit Hanno, enfant délicat dont la veine musicale et le tempérament rêveur sont en contradiction flagrante avec les activités multiples de l'homme d'affaires qu'est son père, tombe sur un classeur relié en maroquin traînant sur le bureau de sa mère ; ce classeur contient des documents de famille et tout particulièrement un arbre généalogique où le garçon découvre avec étonnement son propre nom. Irrité par le blanc de la page entourant cette dernière inscription, Hanno se saisit d'une plume et d'une règle pour tracer un trait à travers tout l'espace vierge de la feuille. Interrogé par son père qui lui demande ce qui lui a pris, Hanno répond en balbutiant qu'il a cru qu'il n'y aurait plus rien, après. De toute évidence, cet épisode est signifiant : en tant que figure anticipatrice la barre tracée par le cadet de la famille marque la perspective d'une césure irrémédiable sapant une lignée dont l'arbre généalogique représente l'épanouissement.

Or tout lecteur de Stendhal est conscient de l'importance qui revient dans son univers aux fantasmes généalogiques, producteurs, on le sait, de généalogies fabulatoires tout aussi bien au niveau du propre vécu de l'écrivain qu'à l'échelle de sa création romanesque, en l'occurrence de *la Chartreuse de Parme*. Quoique rien ne permette de considérer ce roman sous les espèces de la fresque familiale, le thème de la généalogie qui s'y trouve modulé dans plusieurs registres y apparaît aussi sous la forme qu'on vient de relever dans les *Buddenbrooks*. Il s'agit, bien sûr, de ce magnifique volume orné de plus de cent gravures, chef-d'oeuvre des artistes du XVIIe siècle ; c'était la *généalogie latine des Valserra*, marquis del Dongo, publiée en 1650 par Fabrice del Dongo, archevêque de Parme[1].

A y regarder de près, ce « livre [qui — à en croire une annotation de l'auteur —] décide du caractère du jeune Fabrice » se révèle investi de caractéristiques lesquelles, au fil de la narration, en font véritablement un objet privilégié. C'est d'abord en feuilletant cet ouvrage que Fabrice, fasciné surtout par les gravures « représentant force batailles[2] », devrait apprendre à lire. C'est ensuite dans l'optique de « l'estampe relative à ce fait, placée dans la généalogie de la famille[3] » que le rescapé de Waterloo se souvient d'un de ses aïeux héros, ayant eu « l'honneur d'avoir la tête tranchée par les ennemis du duc » de Milan[4]. C'est aussi pour convaincre Fabrice à renoncer à son projet « d'aller à New York, de se faire citoyen et soldat républicain en Amérique[5] » que la Sanseverina exhorte son neveu à relire « dans le supplément à la généalogie[6] » les notices sur la vie de ses oncles, les archevêques de Parme. C'est en outre devant le « tombeau de l'archevêque Ascagne del Dongo, son arrière-grand-oncle, l'auteur de la *Généalogie latine*[7] », que le nouveau *monsignore* va se recueillir lors de son entrée à Parme. De même, c'est à une astuce « lu [e] dans la généalogie des del Dongo[8] » que pense instinctivement Fabrice lorsque Mosca, préoccupé de la carrière du futur évêque, l'invite à lui expliquer « quelle sera [sa] politique[9] ». Ajoutons que c'est immédiatement après que Fabrice a été nommé coadjuteur avec future succession que le comte Mosca fait publier une traduction italienne de la *Généalogie Valserra* ornée d'un « beau portrait de Fabrice [...] placé vis-à-vis celui de l'ancien archevêque », en la donnant pour « l'ouvrage de Fabrice pendant sa première détention[10] », ouvrage que les dévotes de Parme liront « comme un livre d'édification[11] ». Et c'est enfin Borso Valserra, « un des généraux du premier Sforce », qui surgit à l'esprit de Fabrice se demandant s'il ne va pas poignarder le marquis Crescenzi lorsque celui-ci, accompagné de Clélia, se fait annoncer dans les salons de la princesse de Parme[12].

Est-il donc besoin d'insister sur le fait que la *Chronique Valserra* jalonne à proprement parler la biographie de Fabrice del Dongo ? Cela étant, il en résulte tout d'abord que ce livre illustré de gravures (il s'agit là d'un détail très important), comparable en ceci aux volumes qui forment la bibliothèque de Julien Sorel, représente pour Fabrice un point de repère lui suggérant de façonner son comportement, malgré les impératifs imposés par la société de son temps, d'après des modèles qui appartiennent à un passé aristocratique et héroïque. C'est, bien sûr, un passé considéré comme un « idéal » en contradiction avec l'époque présente ; époque « prosaïque » exigeant le « respect [...] pour les artisans de la rue » et dominée par « le culte du dieu dollar[13] ». Dans cette perspective bien stendhalienne visant à évacuer l'histoire au profit du mythe, Fabrice del Dongo, ce « primitif », apparaît comme un parent proche de Mathilde de La Mole, caractère tout aussi « romanesque », dans la mesure où chaque année elle commémore le souvenir du sombre drame de son aïeul Boniface, amant passionné de la reine Marguerite de Navarre mort sur l'échafaud. A plusieurs égards, il y a donc analogie entre le trépas de Sandrino et le décès du petit Hanno Buddenbrook : le siècle n'en est plus à de tels enfants « poétiques ». A la limite, on arrive à imaginer ce que pourrait devenir le fils de Julien Sorel et de Mathilde ; quant à celui de Fabrice et de Clélia, que lui reste-t-il à faire, sinon à s'éclipser ?

Si le marquis del Dongo, en réactionnaire acharné, avait exigé qu'on montre le latin à son fils cadet

> non point d'après ces vieux auteurs qui parlent toujours de républiques, mais sur un magnifique volume orné de plus de cent gravures[14],

la *Chronique Valserra* précisément, c'est qu'il avait négligé de tenir compte de l'esprit prodigieusement imaginatif de Fabrice. En effet, ce n'est point le texte de la chronique qui fascine le futur élève de l'abbé Blanès, ce sont plutôt les images où « toujours on voyait quelque héros [...] donnant de grands coups d'épée[15] ». Rappelons à ce propos un détail qui maintenant prend tout son sens : Fabrice a eu du mal à apprendre à lire. Alors que le père se fie au texte, le fils s'en tient aux images. Mais loin d'être des véhicules d'évasion, ces gravures généalogiques (apparentées aux « estampes des batailles gagnées par Napoléon » dont le jeune Fabrice déchiffre les légendes dans l'appartement de sa tante[16]) prennent tout leur sens en tant que figures d'une destinée qui verra le guerrier se doubler du prêtre. D'ailleurs le portrait de Louis XIV décorant le cabinet de

Ranuce-Ernest IV ne joue-t-il pas pour le prince un rôle analogue, mais dans le registre comique ? En définitive, pour Fabrice le récit déchiffrable dans la *Chronique Valserra* n'est que le versant opposé des événements décryptables dans les présages. Histoire et astrologie, passé remémoré grâce aux images d'une chronique et avenir pressenti à l'aide de « signes » déchiffrés dans la nature ambiante : voilà les coordonnées de la grille où Stendhal inscrit la trajectoire d'un personnage qui, comme Julien Sorel, se veut « poétique »[17] et qui, à l'instar de Mina de Vanghel est doué d'« une âme trop ardente pour se contenter du réel de la vie[18] ».

Cependant Fabrice n'est évidemment point la seule « âme ardente » aux « mouvements du XVIe siècle » peuplant l'univers imaginaire de *la Chartreuse de Parme*. Il y a aussi une des plus « sublimes folles » créées par Stendhal[19] : la Sanseverina. Or, c'est en guise de conclusion des démarches entreprises par Gina auprès du prince afin qu'il renonce à signer la sentence prononcée contre son neveu que Stendhal nous présente la duchesse sous un éclairage absolument emblématique. A peine a-t-elle annoncé à ses domestiques rassemblés dans la salle d'attente qu'en vertu de la promesse du souverain elle suspend son départ, qu'après

> un petit silence, les domestiques se mirent à crier : « Vive Mme la duchesse ! » et applaudirent avec fureur. La duchesse, qui était déjà dans la pièce voisine, *reparut comme une actrice applaudie*, fit une petite révérence pleine de grâce à ses gens et leur dit :
> — « Mes amis, je vous remercie[20]. »

Si d'une part la *Chronique Valserra* s'est révélée le point de repère privilégié de Fabrice, c'est d'autre part le théâtre, et précisément la comédie, qui s'avère être la référence existentielle de la duchesse :

> *j'ai joué une heure la comédie*, sur le théâtre, et cinq heures dans le cabinet[21].

Voilà ce qu'elle fait remarquer à Mosca après avoir enfin réussi à brûler le compromettant dossier établi par Rassi à propos de l'affaire de Fabrice.

Or l'on se souviendra, bien entendu, que sur les traces de Valéry d'aucuns ont identifié « dans la *Chartreuse* des parties entières d'opéra-bouffe[22] » ; et ceci en fonction, probablement, de scènes comme celle où l'on voit le ministre de la police visiter par excès de prudence tous les coins des appartements du prince « jusque dans les étuis des contre-basses[23] ». Cependant on n'a peut-être pas assez insisté sur la valeur indicielle de la comédie ; c'est d'ailleurs Mosca lui-même qui y fait allusion en confiant à la duchesse qu'à Parme il s'« habille comme un personnage de comédie pour gagner [...] quelques milliers de francs[24] ». Effectivement dans *la Chartreuse de Parme* on ne joue pas seulement au whist (jeu dont les règles sont aux yeux de Gina analogues à celles qui régissent la vie de cour[25]) ; on y joue aussi très souvent la comédie, en l'occurrence la comédie *dell'arte*, c'est-à-dire, à en croire le romancier même, un genre de pièce

> où chaque personnage invente le dialogue à mesure qu'il le dit, le plan seul de la comédie est affiché dans la coulisse[26].

A y bien réfléchir, la *commedia dell'arte*, forme de spectacle sujet à l'« imprévu » et par conséquent soustrait à l'emprise de la répétititon, est bel et bien le cadre dans lequel l'auteur aime présenter la Sanseverina. Non seulement elle organise de véritables spectacles improvisés à la cour d'Ernest V « qui se réservait toujours les rôles d'amoureux à jouer avec la duchesse[27] », mais on ne saurait nier que quand cette femme passionnée prend en main une situation délicate celle-ci risque inévitablement d'évoluer dans le sens de la *commedia dell'arte*. Qu'on pense à cet égard à des épisodes comme celui de la calèche perquisitionnée par trois gendarmes déguisés ; la scène aboutit au « rire fou » déclenché par la boutade de Gina qui s'adresse aux gendarmes en leur montrant son neveu âgé de seize ans : « Voyez mon père[28] ». Qu'on n'oublie pas non plus le commentaire de Mosca apprenant la nouvelle de la conversation que la duchesse a eue avec le prince arrivé à l'improviste dans son salon au cours d'une de ses fastueuses soirées :

> Ce que vous avez fait est bien hardi [...] ; c'est peut-être *la dernière représentation que nous donnons* en cette ville[29].

Et finalement, lorsque la duchesse en tant que caractère naturellement porté à « agi[r] au hasard[30] » explique au prince que, pour le distraire, elle « ferai[t] *arranger le plan d'une comédie*[31] », cette affirmation trahit une ambiguïté évidente, car les comédies qu'elle « arrange » se jouent

307

tout aussi bien sur la scène que dans la vie. De là leur caractère subversif : alors que le prince et ses courtisans ne se rendent pas compte qu'ils jouent des rôles qu'on leur attribue, la duchesse, elle, les invente et les assume consciemment.

Dans l'imagination de Stendhal, tout ce qui appartient au registre positif de la « folie » relève du domaine de l'improvisation (dans ce contexte pensons aussi aux sermons de Fabrice et à cette phrase que sa tante lui écrit de Naples : « Tu improvises si bien en vers[32] ! ») ainsi que de « cette *gaieté* italienne, pleine de *brio* et d'*imprévu*[33] ». En outre pour « un abonné de l'*opera buffa* » tel Stendhal, toutes les manifestations de la civilisation italienne en tant qu'expression de folie créatrice représentent le contraire même du « genre bourgeois », dont le « bon sens »[34] est l'apanage de ce que Lucien Leuwen qualifie amèrement d'« âpre démocratie »[35] où ce qui compte n'est ni l'élan héroïque ni la gracieuse désinvolture mais l'argent et le calcul[36]. Si bien que grâce à sa charge subversive la *commedia dell'arte* signifie pour la duchesse ce que la *Chronique Valserra* représente pour Fabrice. Ce sont là deux mondes médiatisés dont la réalité poétique, indépendante de tout « texte », parallèle à celle du vécu banal et prosaïque (« tout ce qui est bas et plat dans le genre bourgeois[37] »), finit fatalement par l'emporter sur toute « Chronique du XIXe siècle ». Quant à Henri Beyle dont on sait qu'il aurait plutôt voulu « être un Arabe du Ve siècle qu'un Français du XIXe[38] », personne n'ignore combien son vécu risque d'être résorbé par le « romanesque » imaginé. Situation précaire s'il en est ; le comte Mosca d'ailleurs, comme l'abbé Blanès, en sait quelque chose :

> ce n'est que tous les dix ans que l'on a l'*occasion amusante de faire des choses piquantes* [il s'agit du coup joué jadis par Vespasien del Dongo à Galéas Sforza, aventure relatée dans la *Chronique Valserra*]. Un être à demi stupide, mais attentif, mais prudent tous les jours, goûte très souvent le plaisir de triompher des *hommes à imagination*. C'est par une *folie d'imagination* que Napoléon s'est rendu au prudent John Bull, au lieu de chercher à gagner l'Amérique. John Bull, dans son comptoir, a bien ri de sa lettre où il cite Thémistocle. De tous temps les *vils Sancho Pança* l'emporteront à la longue sur les *sublimes don Quichotte*[39].

Chronique Valserra et *commedia dell'arte* : ce sont là deux univers « frivoles » (selon Richard N. Coe) où triomphe précisément (comme dans l'opéra[40]) la « folie d'imagination ». Leur rapprochement en tant que figures n'est d'ailleurs peut-être pas si arbitraire qu'on ne pourrait penser. En effet, lorsque Fabrice demande le nom de l'actrice qu'il vient de voir jouer dans *la Jeune Hôtesse* de Goldoni (et l'on sait quelle a été malgré son propre programme dramaturgique l'influence de la comédie *dell'arte* sur le théâtre du Vénitien), on lui apprend qu'elle s'appelle Marietta *Valserra*. « Ah! pensa-t-il, elle a pris mon nom, c'est singulier[41]. » Pas si singulier que cela, se dira désormais le lecteur, omniprésent en tant que narrataire dans le discours stendhalien, et désormais assurément conscient de l'intrusion d'auteur implicite à cette réflexion perplexe que fait son double romanesque.

NOTES

1. *La Chartreuse de Parme*, t. 24, I, ch. 1, p. 29-30, éd. « Cercle du Bibliophile », Genève, 1969. - Sauf mention contraire, on cite toujours les oeuvres de Stendhal d'après cette édition.
2. *La Chartreuse de Parme*, t. 24, I, ch. 1, p. 30.
3. *La Chartreuse de Parme*, t. 24, I, ch. 5, p. 148.
4. *La Chartreuse de Parme*, t. 24, I, ch. 5, p. 147.
5. *La Chartreuse de Parme*, t. 24, I, ch. 6, p. 222.
6. *La Chartreuse de Parme*, t. 24, I, ch. 6, p. 222.
7. *La Chartreuse de Parme*, t. 24, I, ch. 7, p. 241.
8. *La Chartreuse de Parme*, t. 24, I, ch. 10, p. 305.
9. *La Chartreuse de Parme*, t. 24, I, ch. 10, p. 304.
10. *La Chartreuse de Parme*, t. 25, II, ch. 25, p. 303-304.
11. *La Chartreuse de Parme*, t. 25, II, ch. 26, p. 315.
12. *La Chartreuse de Parme*, t. 25, II, ch. 26, p. 321.
13. *La Chartreuse de Parme*, t. 24, I, ch. 6, p. 222.
14. *La Chartreuse de Parme*, t. 24, I, ch. 1, p. 29.
15. *La Chartreuse de Parme*, t. 24, I, ch. 1, p. 30. - Cf. Bernard Guyon, *Balzac et Stendhal romanciers de l'évasion*, « Stendhal Club », 29, 1965, p. 25-31.
16. *La Chartreuse de Parme*, t. 24, I, ch. 5, p. 167.
17. *Le Rouge et le Noir*, t. 2, II, ch. 45, p. 482.
18. *Mina de Vanghel*, dans *Romans et Nouvelles*, t. 38, p. 212. - Cf. à ce propos J.D. Hubert, *Notes sur la dévaluation du réel dans « la Chartreuse de Parme »*, « Stendhal Club », 5, 1959, p. 47-53.
19. Cf. Shoshana Felman, *La « folie » dans l'oeuvre romanesque de Stendhal*, Paris, Corti, 1971.
20. *La Chartreuse de Parme*, t. 25, II, ch. 14, p. 18.
21. *La Chartreuse de Parme*, t. 25, II, ch. 24, p. 271.

22. Cf. Georges Blin, *Stendhal et les problèmes du roman*, Paris, Corti, 1954, p. 247 et F.W.J. Hemmings, *Stendhal : A Study of his Novels*, Oxford, 1964, p. 190.

23. *La Chartreuse de Parme*, t. 24, I, ch. 6, p. 183.

24. *La Chartreuse de Parme*, t. 24, I, ch. 6, p. 179.

25. Cf. *la Chartreuse de Parme*, t. 24, I, ch. 6, p. 193 et p. 225.

26. *La Chartreuse de Parme*, t. 25, II, ch. 24, p. 256.

27. *La Chartreuse de Parme*, t. 25, II, ch. 25, p. 288.

28. *La Chartreuse de Parme*, t. 24, I, ch. 5, p. 154.

29. *La Chartreuse de Parme*, t. 24, I, ch. 6, p. 236.

30. *La Chartreuse de Parme*, t. 25, II, ch. 14, p. 17.

31. *La Chartreuse de Parme*, t. 25, II, ch. 24, p. 259.

32. *La Chartreuse de Parme*, t. 25, II, ch. 27, p. 341.

33. *La Chartreuse de Parme*, t. 24, I, ch. 2, p. 53. - Cf. aussi Michel Crouzet, *Stendhal et l'italianité*, Paris, Corti, 1982.

34. Cf. *Racine et Shakespeare*, t. 37, p. 239.

35. *Lucien Leuwen*, t. 9, I, ch. 6, p. 109.

36. Cf. à cet égard Philippe Berthier, *Stendhal et la « civilisation » américaine*, dans *Stendhal, le Saint-Simonisme et les industriels - Stendhal et la Belgique (Actes du XIIe Congrès international stendhalien)*, Ed. de l'Université de Bruxelles, 1979, p. 129-146.

37. *Vie de Henry Brulard*, t. 20, I, ch. 9, p. 140.

38. *De l'Amour*, « Fragments divers », 103, p. 189.

39. *La Chartreuse de Parme*, t. 24, I, ch. 10, p. 305-306.

40. Cf. Philippe Berthier, *Stendhal et la voix de Giuditta*, dans *Stendhal e Milano (Atti del 14º Congresso internazionale stendhaliano)*, Firenze, Olschki, 1982, t. 2, p. 531-554.

41. *La Chartreuse de Parme*, t. 24, I, ch. 8, p. 269.

« LA CHARTREUSE » EST-ELLE « LE PRINCE MODERNE » ?
SUR L'UNITÉ RETROUVÉE DU TEXTE STENDHALIEN

Michaël Nerlich

I

Rarement livre aussi important a été aussi lourdement hypothéqué que *La Chartreuse de Parme*. Inutile de rappeler ici l'histoire de sa parution, du compte rendu de Balzac, de la tentative de ré-écriture de certaines pages de la part de Stendhal et l'abandon de cette tentative. Disons simplement que depuis le compte rendu de Balzac, depuis qu'il a constaté que Parme était en réalité Modène, Ranuccio Ernesto IV par conséquent son potentat, Mosca Metternich et — passons sur les détails — *La Chartreuse de Parme* « Le Prince moderne, le roman que Machiavel écrirait, s'il vivait banni de l'Italie au dix-neuvième siècle[1] », il y a eu pour la plupart des interprètes du roman une certitude inébranlable : *La Chartreuse* est un roman politique et réaliste. Le nombre d'études consacrées à définir les idées politiques exposées dans ce texte et plus encore à établir des relations plus ou moins probantes entre faits et personnages historiques et faits et personnages du roman n'a cessé d'augmenter, et quand on commença à tourner en rond, à se répéter, la psychanalyse est venue se greffer dessus nous révélant l'avers obligatoire de la médaille réaliste : la psyché de l'auteur. Bref, *La Chartreuse de Parme* a été pressée dans l'étau réaliste-psychanalyste comme un citron, ou plutôt comme une orange.

Dès qu'il entrait dans ce jeu, l'interprète se heurtait cependant à de nombreuses improbabilités, contradictions, invraisemblances, de manière que ce que disait l'un pouvait être facilement réfuté par l'autre. Et cette mutuelle annulation exégétique tenait moins de la polysémie indéniable de l'oeuvre[2] que de l'arbitraire de certaines interprétations. Cet arbitraire à son tour provenait du fait qu'on ne parvenait pas à donner une explication à ce qui semblait être contradictions internes de l'oeuvre elle-même (à ce point qu'on s'est même complu à compulser des listes d'erreurs prétendument commises par l'auteur). Autrement dit : malgré de nombreuses tentatives on ne parvenait pas à saisir la structure interne et nécessairement essentielle du roman, son unité artistique. Etait-ce surprenant ? Peut-être pas tellement : pourquoi ne pas suivre Balzac dans ce domaine aussi aveuglément que dans ceux du politique et du réalisme ? Car c'est évidemment lui qui dans son compte-rendu constata : « Ce livre manque de méthode... (je) ... ne transigerai point devant cette belle oeuvre sur les vrais principes de l'Art. La loi dominatrice est l'Unité dans la composition ; que vous placiez cette unité, soit dans l'idée mère, soit dans le plan, sans elle il n'y a que confusion. » Puisque Balzac ne peut pas voir cette unité, il se croit autorisé à statuer du véritable début et de la véritable fin du roman comme bon lui semble et en désaccord manifeste avec le texte.

Disons-le donc d'emblée : la manière d'aborder *La Chartreuse de Parme* par le réalisme (y compris la psyché de l'auteur) est la manière la plus sûre, voire infaillible de ne pas saisir la structure du roman (avec tout ce que cela implique pour l'interprétation du texte). Je m'explique : un roman réaliste et politique dans l'esprit balzacien aurait besoin de protagonistes situables dans un contexte historique et social également situable, voire bien déterminé. Notamment le personnage principal — si personnage principal il y a — devrait remplir cette condition requise ou —autrement dit — un roman politique et réaliste dont le personnage principal serait politiquement et réalistement nul ne serait pas viable, serait raté, n'aurait pas de sens, n'aurait pas de méthode, pas d'unité, parce que la nullité du personnage principal nierait le sérieux du réalisme des autres éléments. C'est exactement ce que constate Balzac : « Si vous vouliez peindre toute la vie de Fabrice, vous deviez ... appeler votre livre *Fabrice, ou l'Italie au dix-neuvième siècle...* Fabrice aurait dû représenter le jeune italien de ce temps-ci. En faisant de ce jeune homme la principale figure du drame, l'auteur eût été obligé de lui donner une grande pensée, de le douer d'un sentiment qui le rendît supérieur aux gens de génie qui l'entouraient et qui lui manque[3]. »

II

Dans sa perspective, Balzac a parfaitement raison. Si *La Chartreuse* est un roman réaliste dont Fabrice est le personnage principal, place qu'il occupe de fait, la nullité intellectuelle, politique, sociale de ce personnage n'invalide pas seulement la force du roman, elle le désaxe, le déséquilibre, le détruit dans son unité artistique. Aussi la presque totalité des interprètes de *La Chartreuse* s'est-elle efforcée d'étayer le jugement positif de *La Chartreuse* par Balzac en réfutant en même temps son jugement négatif sur le personnage de Fabrice. Elle s'applique surtout à rehausser Fabrice au niveau politique d'un *Prince moderne* (selon toute évidence le seul jugé suffisamment important), et comme cela relève de la quadrature du cercle, nous avons droit à un Fabrice réactionnaire ici et à un Fabrice virtuellement ou effectivement révolutionnaire ailleurs. A vrai dire, ce procédé d'harmonisation du jugement de Balzac permet un peu de dire n'importe quoi. Ainsi Lukacs par exemple, en s'évertuant à intégrer Stendhal dans le même bataillon que Balzac, celui du réalisme bourgeois précurseur du réalisme socialiste, prétend tout bonnement que Fabrice « malgré tous les accomodements de sa conduite de vie extérieure à la réalité, représente pourtant ce dernier refus de compromis par rapport à la bassesse du temps dont l'expression était l'intention poétique essentielle de Stendhal[4] ».

Est-il nécessaire de dire que tout cela relève du domaine de la pure fabulation ? Car si nous nous mettons sur ce plan politico-moralisateur et si — ce faisant — nous jugeons sans complaisance le personnage de Fabrice, force est de reconnaître que le seul qui n'ait pas vu les habits de l'empereur, le seul qui ait osé dire l'évidence, c'est Sainte-Beuve. Stendhal, écrit-il, « a fait de Fabrice un Italien de pur sang, tel qu'il le conçoit, destiné sans vocation à devenir archevêque, bientôt coadjuteur, médiocrement et mollement spirituel, libertin, faible (lâche, on peut dire), courant chaque matin à la chasse du bonheur ou du plaisir... ce que Fabrice est et paraît dans presque tout le roman, malgré son visage et sa jolie tournure, est fort laid, fort plat, fort vulgaire ; il ne se conduit nulle part comme un homme, mais comme un animal livré à ses appétits, ou un enfant libertin qui suit ses caprices. Aucune morale, aucun principe d'honneur... Les jolies descriptions de paysage, les vues si bien présentées du lac de Côme et de ses environs, ne sauraient par leur cadre et leur reflet ennoblir un personnage si peu digne d'intérêt...[5] ».

Répétons-le pour qu'il n'y ait pas de malentendu : si nous acceptons la perspective de Sainte-Beuve qui dans ses principes est aussi celle de Balzac, si nous réclamons un personnage principal d'intérêt politique, social, historique, moral, si nous réclamons par exemple ce fameux rebelle qu'exigent de voir en lui Lukacs et bien d'autres interprètes, et si en même temps nous laissons tomber toute complaisance due au jugement général positif du roman par Balzac, nous devons reconnaître l'absolue exactitude du jugement de Sainte-Beuve qui par-dessus le marché a également raison d'affirmer que le roman manque totalement de vraisemblance.

Y aurait-il réalisme sans vraisemblance ? Bien entendu, je ne veux pas dire que réalisme et politique soient absents de *La Chartreuse de Parme* : il y a quantité d'éléments réalistes, politiques, historiques avec lesquels joue Stendhal, dans lesquels il constitue l'essentiel de son roman, essentiel qui lui n'est pas la surface des éléments réalistes. Autrement dit : prendre Fabrice del Dongo pour un personnage réaliste dans un roman réaliste (ajoutons : à la Balzac), cela reviendrait à prendre le film *Le mécano de la Générale* pour un film sur le développement du chemin de fer aux Etats-Unis et le personnage principal de Buster Keaton pour une étude sociologique du soldat américain de l'époque. Pire encore : pour une étude sociologique ratée parce que le personnage principal joué par le magnifique Buster ne représente pas les qualités exemplaires dudit soldat. Bref : si nous acceptons la perspective aussi traditionnelle que naïve qui de Balzac à Lukacs et après a fait fortune (non seulement dans la recherche stendhalienne), c'est Sainte-Beuve — finissant sa diatribe en disant que pour lui, ce roman « n'est guère d'un bout à l'autre ... qu'une spirituelle mascarade italienne » — qui a raison avec son jugement négatif.

III

Heureusement cette perspective est fausse, voire plate et absurde. Nous sommes obligés de reconnaître cependant qu'une grande part de la recherche stendhalienne a pris l'absurde pour du logique et la platitude pour du sublime. Ce n'est qu'en 1946 qu'un génial dilettante, François Michel, montra de manière négative le chemin qu'aurait dû suivre la recherche. Quelles sont, demanda-t-il, les significations du « signe de l'aigle », du « signe de l'arbre », du « signe du hussard », de la « prédiction

314

de l'abbé », du « bon augure », du « signe sept » ou « soixante-dix », et il essaie de définir une « sorte de continuité logique... dans la série ... (des) réactions superstitieuses » de Fabrice : « que l'on rejette ou non cette continuité » ajouta-t-il, « la fréquence au moins de ces réactions n'est pas niable... Il faut bien se demander ... pourquoi ... Stendhal les a ainsi multipliées. Il est bien insuffisant et trop facile d'affirmer que ces crédulités superstitieuses sont inséparables du caractère italien tel que Stendhal a voulu le peindre dans Fabrice. »[6]

En effet, et je suis convaincu que François Michel à qui il soit permis de rendre hommage ici aurait lui-même trouvé les réponses à ses questions si la mort précoce — conséquence sans doute des souffrances barbares qui lui furent infligées — n'avait pas arrêté une des plumes les plus subtiles de la recherche stendhalienne. Essayons donc de répondre à sa place et de le faire — à cause du manque de temps — d'une manière involontairement provocante :

— *pourquoi le signe de l'aigle ?* parce que évidemment, l'aigle est l'oiseau de Napoléon, mais surtout parce que l'aigle est l'oiseau de Zeus ;

— *pourquoi le signe de l'arbre ?* parce que cet arbre a été planté des mains de la Marquise del Dongo qui n'est autre que Déméter/Perséphone, déesse du printemps, de la semence, vivant alternativement dans l'Hadès (Grianta) et le monde des vivants (la Suisse, les bords du lac de Côme, Milan) ;

— *pourquoi le signe du hussard ?* parce que ce hussard s'appelle *Boulot*, parce que en France, Fabrice del Dongo est pour la première fois jeté en prison, est pour la première fois de ce fait coupé du monde des vivants, se trouve pour la première fois face à la mort, parce que Fabrice reçoit de la belle geôlière une nouvelle identité : « Rappelle-toi toujours », lui dit-elle, « que je t'ai sauvé la vie ; ton cas était net, tu aurais été fusillé ; mais ne le dis à personne .... surtout ne répète jamais ton mauvais conte d'un gentilhomme de Milan déguisé en marchand de baromètres, c'est trop bête[7]. » « Me voici, se dit ... Fabrice ... , avec l'habit et la feuille de route d'un hussard mort en prison... j'ai pour ainsi dire succédé à son être... et cela sans le vouloir ni le prévoir en aucune manière ! Gare la prison !... Le présage est clair, j'aurai beaucoup à souffrir de la prison[8]. »

Effectivement, le présage était clair, mais ici comme à beaucoup d'autres endroits du roman, Stendhal se méfie du lecteur, et c'est pour cela qu'il revient de manière plus explicite à l'affaire : « Je m'appelle Vasi, répondit Fabrice ..., c'est-à-dire *Boulot*, ajouta-t-il se reprenant vivement. Boulot avait été le nom du propriétaire de la feuille de route que la geôlière de B... lui avait remise ; l'avant-veille il l'avait étudiée avec soin, tout en marchant, car il commençait à réfléchir quelque peu et n'était plus si étonné des choses[9]. » Faisons comme Fabrice : réfléchissons. Fabrice est jeté dans la prison de laquelle il ne sortirait plus vivant si la belle geôlière ne lui donnait pas une nouvelle existence-identité sous le nom de Boulot. Avec d'autres mots : Déméter Bulaia, déesse du monde souterrain, donneuse de « bons conseils », met Fabrice sous sa protection en le nommant βουλή , admis au conseil des vrais nobles, comme il est dit chez Homère ou plus probablement : protégé par Zeus Eubuleus ou Euboulos. Ajoutons encore que cet épisode n'est qu'un élément dans tout ce long rituel orphique d'initiation qu'est la bataille de Waterloo, rituel sur lequel on peut se renseigner entre autres dans l'*Hyppolitos* d'Euripide, tragédie du chasseur orphique qui ne peut manger que du pain. A-t-on jamais remarqué que le chasseur Fabrice — présenté comme tel pendant la bataille — ne mange que du pain, ne boit que du vin ou de l'eau-de-vie ? A Waterloo et ailleurs !

Mais c'est un autre chapitre que je ne puis aborder car je risquerais fort de me perdre dans l'infini du monde mythologique que révèle chaque phrase de cette partition que Stendhal appela *La Chartreuse de Parme*. Je pense cependant qu'on aura compris que ce que j'entends sous mythologie est autre chose que la mythologie dont parle Gilbert Durand dans son livre *Le décor mythique de la « Chartreuse de Parme »*. Sans contester les convictions de Durand, je déclare seulement que ne m'intéressent ni les archétypes ni la psychanalyse. Mon propos est beaucoup plus banal, voire beaucoup plus pédant : ce qui m'intéresse c'est l'usage *conscient* qu'a fait Stendhal de la mythologie et que l'exégèse a laissé de côté.

Pédantesquement je pourrais donc continuer à répondre aux questions posées par François Michel et dire que la « prédiction de l'abbé » ne pose plus d'énigme à qui aura étudié *Les vers dorés de Pythagore* de Fabre d'Olivet, ou que pour résoudre enfin le fameux problème de l'alphabet « à la monaca » il suffit de changer un peu les lettres de place pour arriver à l'alphabet à la (fra-) massona (sur quoi on peut également se renseigner auprès de Fabre d'Olivet[10]), mais je préfère abréger pour arriver enfin à cette unité d'idée (« the idea » du 3 septembre 1838), à cette unité de forme considérées comme inexistantes par Balzac, en réalité constituées dans l'essence mythologique du texte. Constituées dans la structure mythologique de *La Chartreuse de Parme* sur laquelle Stendhal n'arrête pas d'attirer ouvertement l'attention du lecteur.

IV

L'exemple le plus impressionnant des efforts que Stendhal déploie pour guider le lecteur dans le décryptage du texte, c'est le personnage du lieutenant Robert, personnage qui ouvre littéralement le roman tout comme une clef ouvre une maison ou une partition. Bien sûr, je ne discuterai plus le problème de savoir si Fabrice n'est pas trop italien pour que son père puisse être Français, ou si Stendhal a fait don de l'esprit français à la nation italienne en créant ce personnage[11].

Je me contenterai donc de parler des chaussures du lieutenant, et je m'y sens d'autant plus autorisé que Stendhal qui d'habitude ne s'arrête pas à la description de vêtements s'est permis lui-même de mettre une description minutieuse de ces tatanes sous les yeux du lecteur. On s'en souvient sans doute : c'est un « jeune réquisitionnaire assez leste[12] », officier de cette armée qui rend la vie à l'Italie, qui lui donne cette « masse de bonheur et de plaisir[13] » dont parle Stendhal : « Après le passage du pont de Lodi, il prit à un bel officier autrichien tué par un boulet un magnifique pantalon de nankin tout neuf, et jamais vêtement ne vint plus à propos. Ses épaulettes d'officier étaient en laine, et le drap de son habit était cousu à la doublure des manches pour que les morceaux tinssent ensemble ; mais il y avait une circonstance plus triste : les semelles de ses souliers étaient en morceaux de chapeau également pris sur le champ de bataille, au delà du pont de Lodi. Ces semelles tenaient au-dessus des souliers par des ficelles fort visibles, de façon que lorsque le majordome de la maison se présenta dans la chambre du lieutenant Robert pour l'inviter à dîner avec madame la marquise, celui-ci fut plongé dans un mortel embarras. Son voltigeur et lui passèrent les deux heures qui les séparaient de ce fatal dîner à tâcher de recoudre un peu l'habit et à teindre en noir avec de l'encre les malheureuses ficelles des souliers. Enfin le moment terrible arriva. "De la vie je ne fus plus mal à mon aise, me disait le lieutenant Robert ; ces dames pensaient que j'allais leur faire peur, et moi j'étais plus tremblant qu'elles. Je regardais mes souliers et ne savais comment marcher avec grâce"[14] . »

Il faut se rendre à l'évidence : ces souliers en morceaux de chapeau et en ficelles ont de l'effet — un lieutenant de l'armée napoléonienne tremble d'horreur à l'idée de ne plus pouvoir marcher « avec grâce » à cause d'eux. Mais le jeune homme « leste » retrouve vite sa « grâce » car « Dieu voulut » qu'il fût « tellement saisi » de la « beauté surnaturelle[15] » de la marquise del Dongo qu'il en oublia son accoutrement. Par combe de chance, « une idée descendue du ciel vint m'illuminer », l'entendons-nous dire : « Je me suis mis à raconter à ces dames ma misère, et ce que nous avions souffert depuis deux ans...[16] » Récapitulons : un jeune homme « leste », chaussé de sandales dont les semelles ont été découpées dans un chapeau enlevé à un mort, attachées aux pieds par des « ficelles fort visibles », a peur de ne pas pouvoir « marcher avec grâce ». Aidé par le ciel, il retrouve cependant son équilibre et par cela son don de la parole et sa fonction de messager d'un autre monde. Pouvait-on ne pas reconnaître ce personnage ?

Grâce à Balzac, on l'a pu, et cela pendant cent quarante ans. Stendhal certes ne l'aurait pas jugé possible car il avait vraiment tout fait pour que même les « gens du peuple » le comprennent. Souvenons-nous encore. Fabrice, fils illégitime du lieutenant Robert, rencontre son père de lui inconnu sur le champ de bataille, et son père lui vole son cheval de par-dessous ses fesses. « Ladri, ladri », s'écrie Fabrice au beau milieu de la bataille, et plus tard — encore bouleversé de l'événement — il raconte son aventure au caporal Aubry et à la cantinière : « Avec une curiosité de femme, la cantinière revenait sans cesse sur la façon dont on l'avait dépossédé du bon cheval qu'elle lui avait fait acheter. "Tu t'es senti saisir par les pieds, on t'a fait passer doucement par-dessus la queue de ton cheval, et l'on t'a assis par terre !" Pourquoi répéter si souvent, se disait Fabrice, ce que nous connaissons tous trois parfaitement bien ? Il ne savait pas encore que c'est ainsi qu'en France les gens du peuple vont à la recherche des idées[17] . »

Les « gens du peuple » peut-être, mais les interprètes érudits de

La Chartreuse ne sont pas partis à la recherche de cette idée pourtant lourde de conséquences. Car quel jeune homme « leste », chaussé de sandales ayant rapport à un chapeau, marchant « avec grâce » et doué de la parole serait en plus capable de voler un cheval sous son cavalier sinon Hermès, messager ailé de Zeus et dieu des voleurs ?

V

Tout cela est évident, et il est également évident que Stendhal ne s'est pas amusé à doter un seul personnage de son roman de qualités ou d'attributs mythologiques (car pour quoi faire ?) mais que ces qualités mythologiques ne constituent qu'un élément dans un texte à essence mythologique, dans un texte où chaque personnage possède une fonction mythologique constitutive pour l'ensemble de ce texte, pour sa structure, pour son unité artistique. Impossible cependant d'indiquer toutes les dimensions mythologiques dans le peu de temps dont nous disposons. Essayons de cerner la structure principale et pour ce faire, retournons encore une fois au texte de Balzac pour constater qu'il a littéralement châtré *La Chartreuse*. Non content de raconter contre toute vérité que Gina échappe à la tentative de fornication de Ranuccio Ernesto V, Balzac déclare tout bonnement que « la *Chartreuse de Parme* est plus chaste que le plus puritain des romans de Walter Scott[18] ». A d'autres de décider si le comportement de Balzac devant *La Chartreuse* n'est pas digne d'intéresser la psychanalyse, mais je pense qu'il est plus que temps pour constater que de toutes les absurdités dites au sujet de *La Chartreuse*, celle-là est la plus énorme et la plus inconcevable. Le sujet central de *La Chartreuse* n'est rien d'autre que la jouissance sexuelle. Pas étonnant dans ces conditions que Fabrice ne réponde pas aux idées balzaciennes du jeune italien représentant de son époque, pas étonnant que la qualité essentielle du personnage lui échappe totalement.

Pour le dire avec André Gide : « Vers tout ce que Pan, Zeus ou Thétis lui présente de charmant, Fabrice bande. » Fabrice se trouve pour ainsi dire dans un état d'érection permanent : il peut – à son propre étonnement – pratiquer le coït à n'importe quel moment. Avec plaisir d'ailleurs, mais sans plus. Sauf dans le cas de Gina avec qui il aimerait coucher mais n'ose pas, comme Gina elle-même dont la seule tragédie consiste dans le renoncement à coucher avec Fabrice. Sauf aussi dans le cas de Clélia avec qui au contraire il couche dès que — pour ce faire — il y a la moindre possibilité, transporté au paroxysme du bonheur sensuel sans que pour autant il y ait la moindre communication intellectuelle entre ces deux êtres.

Faut-il être plus explicite ? Pourtant Stendhal l'a été sans que personne y ait attaché grande importance. Par exemple : les moineaux. Serait-ce insignifiant que Fabrice les ait apprivoisés[19] ? Pas du tout : le moineau n'est pas n'importe quel oiseau. C'est l'animal héraldique par excellence d'Eros, et c'est parce que Fabrice est Eros que Mosca peut le qualifier de « primitif »[20] (car Eros est un des dieux les plus archaïques) ; c'est parce que Fabrice est Eros que Mosca ne cesse pas de l'appeler « enfant » ; c'est parce que Fabrice est Eros qu'il ne couche pas avec sa tante Gina car celui-ci étant Eros et fils d'Hermès, Gina ne peut être qu'Aphrodite, son complément féminin inséparable et distinct ; c'est parce que Fabrice est Eros et son père Hermès que la Marquise del Dongo doit être Perséphone/Déméter et le Marquis del Dongo, le seigneur des grottes de Cattaro et de Grianta, Hadès ; c'est parce que c'est ainsi que les soeurs de Fabrice sont les Euménides et son frère Ascagne Ascanius Iulus, fils de Jupiter, Dionysos Zagreus ; c'est parce que Fabrice est Eros que Mosca peut l'appeler « mon neveu » longtemps avant son mariage avec Angelina[21], car Mosca est Apollon/Arès ; c'est parce que Fabrice est Eros et Angelina est Aphrodite qu'ils se rencontrent de préférence au bord de l'eau ou dans l'eau, voire qu'ils sont plus heureux étant ensemble dans l'eau que faisant l'amour avec d'autres hommes ou femmes, car l'eau étant leur élément originel[22], le séjour dans l'eau réunit ce qui fut séparé par la suite : les deux sexes.

Pas étonnant alors que Stendhal — après avoir lu chez Balzac qu'on pouvait ou voulait prendre *La Chartreuse* pour un texte d'un puritanisme achevé — rédigea cette longue addition dans l'exemplaire Chaper dont le sens ne peut plus faire de doute : « Ce qui n'était pas une illusion, c'est l'effet magique que produisait sur elle la conversation de Fabrice. Cet effet allait jusqu'au délire. Il faut dire que cet effet était réciproque. Fabrice respirait en lui parlant, et depuis leur séparation à Milan, il lui semblait n'avoir pas vécu. Tous ses prétendus plaisirs n'avaient été que des ressources contre l'ennui, et à aucune époque de la durée de ces prétendus plaisirs auprès de la dame noble et dévote de Romagnan, ou galopant à outrance sur les chevaux de l'homme d'affaires de sa mère, il n'avait perdu de vue les plaisirs divins touchant ce sentiment si vainement depuis oublié, par exemple, promener sur le lac en tête à tête avec la Gina. "Le comte de Mosca a du génie, tout le monde le dit et je le crois ; de plus il est mon amant. Mais quand je suis avec Fabrice et que rien ne le contrarie, qu'il peut me dire tout ce qu'il pense, je n'ai plus de jugement, je n'ai plus la conscience des mots humains pour porter un jugement de son mérite ; je suis dans le ciel avec lui et quand il me quitte, je suis morte de fatigue et incapable de tout excepté de me dire : c'est un dieu pour moi et il n'est qu'ami"[23]. »

VI

En effet, c'est un dieu. Mais il n'est pas le seul. Il n'est même pas le seul enfant-dieu car il y a (abstraction faite de son propre enfant Sandrino) un deuxième enfant dans ce roman, appelé constamment « cet enfant » comme Fabrice lui-même, représentant de la fraction blême, pâle, poudrée : Dionysos Zagreus sous la forme de son frère Ascagne à Grianta, sous celle de Ranuccio Ernesto V, le minéralogue, à Parme. Mais laissons de côté ici Dionysos Zagreus ainsi que Kronos-Blanès. Retenons l'essentiel seul : à la fraction du jour, de la lumière, de la vie, Fabrice-Eros, Angelina-Aphrodite et Mosca dans sa fonction d'Apollon, s'oppose la fraction de la nuit, de l'obscurité souterraine, de la mort : Ranuccio Ernesto IV/Marquis del Dongo-Hadès, Ascagne/Ranuccio Ernesto V-Dionysos Zagreus, et toute la cour y compris Mosca dans sa fonction d'Arès : Mosca dit « le Cruel[24]. »

Et Clélia Conti ? En effet, quelques interprètes de *La Chartreuse* ont remarqué que la fin des amours de Clélia et de Fabrice ressemble au mythe de Psyché. Mais à rebours car si dans la fable d'Apulée c'est Psyché qui agit contre l'interdiction de regarder son amant, dans *La Chartreuse* c'est Fabrice qui s'en rend coupable. Mais ce n'est qu'un détail du mythe sans grande importance en lui-même. Ce qui est important c'est de savoir que *tout le roman* de Stendhal est une variation du mythe de Psyché et d'Eros dans toute sa longueur ce qui veut dire entre autres que Fabrice n'est pas libre dans ses rapports avec Gina et Clélia : jusque dans les détails de la jalousie de Gina, Stendhal respecte le mythe des amours de Vénus et d'Apollon, de Psyché et de Cupidon.

Sans aucun doute, Stendhal connaissait Apulée à fond. Mais ce n'est pas tant Apulée que deux autres artistes qui l'ont inspiré pour *La Chartreuse de Parme*. De l'un, du sculpteur Bengt Erland Fogelberg qui termine ses Vénus et Apollon et Psyché et Cupidon au moment où Stendhal « had the idea », disons seulement qu'il est l'« ami intime » de Stendhal et qu'il a entre autres le privilège de décorer le palais de Clélia Conti, épouse Crescenzi. De l'autre cependant deux mots ne suffisent pas car c'est son texte que Stendhal a repris selon son habitude pour lui faire subir la métamorphose en *La Chartreuse de Parme*.

J'ai parlé de l'orange au début de cette conférence, de ce fruit dont le parfum rassérène Clélia craignant de perdre son amant à jamais. D'où vient-elle cette orange ? Que signifient-ils, ces orangers à Grianta et à Parme ? Qu'ils aient une fonction symbolique ne semble pas faire de doute pour la recherche stendhalienne. Mais laquelle ? L'exégèse psychanalyste nous a assuré qu'il s'agit du phallus du père ; plus exactement que les oranges « travaillent » comme ce phallus paternel[25]. Admettons qu'il en soit ainsi et passons outre, passons au texte et contentons-nous d'une action aussi rétrograde que la découverte d'un pré-texte à ce texte. Car ce n'est pas Stendhal qui a planté ces orangers ; il les a trouvés tout plantés dans ce chef-d'oeuvre de la littérature française que sont *Les amours de Psyché et de Cupidon* de Jean de La Fontaine. Que dans ce texte se trouve le mythe d'Eros et de la création chaotique, la fusion du mythe d'Orphée et du mythe de Psyché, le motif des diamants cousus dans des vêtements, l'histoire de l'homme (chez Stendhal Ferrante Palla qui se cache avec ses enfants dans des bois, le paysage au bord du lac etc.) soit remarqué en passant. Plus important dans notre contexte : le roman de La Fontaine commence dans l'Orangerie de Versailles où l'un des quatre amis, Acante (La Fontaine) récite un poème dans lequel est dit entre autres :

> Orangers, arbres que j'adore,
> Que vos parfums me semblent doux !
> Est-il dans l'empire de Flore
> Rien d'agréable comme vous ?

Vos fruits aux écorces solides
Sont un véritable trésor ;
Et le jardin des Hespérides
N'avait point d'autres pommes d'or.

Lorsque votre automne s'avance,
On voit encore votre printemps ;
L'espoir avec la jouissance
Logent chez vous en même temps[26].

Stendhal est taquin et honnête : il ne rend pas seulement hommage à Fogelberg en lui confiant l'exécution des sculptures pour le palais Crescenzi, il rend aussi hommage à La Fontaine dont Angelina del Dongo récite toute une fable au plus profond de la lutte entre les forces du jour et les forces de la nuit. Mais ces forces ne sont pas bêtement hostiles les unes contre les autres : elles se contredisent et complètent en même temps dans la lutte éternelle entre la mort et la vie car c'est de la mort, de la nuit, de la terre que sort la vie. C'est pour cela que la jouissance, que les orangers se trouvent au centre de *La Chartreuse de Parme* car la jouissance ne signale pas la fin du désir, ni la petite mort ni la grande, mais la renaissance dans l'accomplissement du désir. Tout comme dans l'oranger de qui la vie, le printemps, la floraison sort au moment où mûrissent ses fruits, où l'automne se prépare, s'avance vers la mort, la nouvelle vie humaine, le nouveau désir, la nouvelle jouissance sort de l'accomplissement de la vie humaine, du désir, de la jouissance, de l'automne, de la mort. C'est dans cette certitude que réside l'espoir dont témoigne Fabrice. Il a été en enfer trois fois, trois fois en prison. Il en est sorti trois fois. Celui qui naît trois fois dit le mythe, est éternel comme Eros.

VII

Quelle importance a tout cela pour le lecteur de *La Chartreuse de Parme* ? Qu'il soit permis de répondre avec Stendhal : « Dès le lendemain de l'évasion de Fabrice, plusieurs personnes avaient reçu un sonnet assez médiocre qui célébrait cette fuite comme une des belles actions du siècle, et comparait Fabrice à un ange arrivant sur la terre les ailes étendues. Le surlendemain soir, tout Parme répétait un sonnet sublime. C'était le monologue de Fabrice se laissant glisser le long de la corde, et jugeant les divers incidents de sa vie[27]. » Que Fabrice soit présenté dans le premier sonnet sous sa figure d'Eros est important. Plus important cependant que Stendhal qualifie cette présentation de « médiocre ». Pour comprendre ce passage absolument décisif pour la lecture, le décryptage de *La Chartreuse* rappelons que pour les contemporains de La Fontaine (surtout pour Boileau que Stendhal admirait jusqu'à la fin de ses jours), mais encore pour les poètes romantiques la poétisation du monde consistait surtout ou en partie en la dénomination de ce monde réel avec des mots et des noms mythologiques. Stendhal tourne le dos à ce procédé artistique et exorcise la rhétorique avec le Code civil. Donner des noms mythologiques aux personnages, décorer le monde réel d'accessoires mythologiques, c'est médiocre. Mais voir et saisir l'essence éternellement mythologique dans le monde réel, c'est sublime.

Est-ce que les partisans de *La Chartreuse de Parme* réaliste ne rentreraient pas ici dans leur droit ? Non, car si la présentation de l'essence mythologique dans les formes du monde réel est sublime, que dire d'une exégèse qui ne verrait pas l'essence mythologique dans la forme réaliste ? qui ne verrait qu'un jeune homme qui se laisse « glisser le long de la corde » sans apercevoir justement cette essence mythologique, « the idea », dont était parti Stendhal ? Sans aucun doute, elle serait « médiocre ». C'est la médiocrité du regard réaliste sur *La Chartreuse de Parme*, inaugurée pour le plus grand malheur de ce roman par le génial auteur de la *Comédie Humaine*, façonnant ainsi le jugement quasiment unanime jusqu'à nos jours, qu'il faut abandonner une fois pour toutes.

Et ce n'est pas seulement une question exclusivement littéraire (comme on a l'habitude de dire comme si l'esthétique n'était pas une question politique et sociale). La propagation du modèle d'écriture de Balzac comme procédé le plus avancé, le plus progressiste dans l'art, son élévation (ou rabaissement) au rang de norme (ou de dogme) par les théoriciens du réalisme bourgeois et du réalisme socialiste constitue une impasse, constitue l'étouffement et la sclérose de l'art mutilé de ses millions de possibilités d'être différent. Et dans cet acte d'étranglement des forces vives de l'art, *La Chartreuse de Parme* joue un rôle néfaste, non seulement non voulu par son auteur, mais absolument contraire à toutes ses intentions et convictions esthétiques et politiques. C'est le jugement médiocre, voire erroné et absurde de Balzac qui en est responsable et qui a préparé le terrain pour les dogmatiques de toute couleur. Sa critique qui est en grande partie une ré-écriture à sa manière de *La Chartreuse*[28], un effort pour plier ce roman à sa méthode et pour ranger Stendhal ainsi sous la domination de Balzac lui-même, permit à Lukacs par exemple de décréter que les deux romanciers étaient réalistes, l'un (Balzac) de manière géniale, l'autre (Stendhal) de manière intéressante. Avec quoi l'exécution de Stendhal était chose faite car à quoi bon suivre un modèle de moindre importance ?

En vérité rien de commun entre Balzac et Stendhal : leurs procédés artistiques se trouvent aux antipodes l'un de l'autre. Si géniaux que soient les romans de Balzac, ils n'exigent du lecteur que patience, étonnement, admiration et digestion. Les textes de Stendhal cependant, en particulier *La Chartreuse de Parme*, exigent un lecteur actif, un lecteur qui dans la rencontre avec le texte stendhalien, avec les signes du texte, déploie sa propre fantaisie, dise le non-dit, comble les blancs, les trous dans le canevas, noue les liens, découvre la structure, la fonction des choses et des personnages dans des textes-montages, dans des textes-puzzles, bref : un lecteur qui cherche, joue, jouit. « Dès qu'une figure est signe, elle ne tend plus à se rapprocher de la réalité, mais de la clarté comme signe », écrit Stendhal dans son *Histoire de la peinture en Italie*, et nous lisons dans ce même texte : « L'art est d'inspirer l'attention. Quand le spectateur a une certaine attention, si un auteur, dans un temps donné, dit trois mots, et un autre vingt, celui de trois mots aura l'avantage. Par lui le spectateur est créateur ; mais aussi le spectateur impuissant trouve du froid[29]. » Le signe, l'abstraction, la provocation du rôle de créateur chez le lecteur, ce n'est certes pas le fort de Balzac qui reconnaît cette différence fondamentale entre lui et Stendhal dans sa fameuse lettre du 5 avril 1839 : « Je fais une fresque et vous avez fait des statues italiennes[30]. » L'art de Stendhal, en effet, se trouve en opposition à l'art de Balzac, et si l'art de Balzac est l'art réaliste par excellence, celui de Stendhal ne l'est point. L'art de Stendhal se situe dans la trajectoire des textes d'avant-garde, et sa *Chartreuse de Parme* prélude aux textes de mythologie moderne, du *Paysan de Paris* d'Aragon aux *Souvenirs du triangle d'or* d'Alain Robbe-Grillet.

Est-ce dire que *La Chartreuse* soit un roman apolitique ? Méfions-nous ! La morale (quelle qu'elle soit) ne fait-elle pas partie de tous les systèmes politiques ? Or, le roman de Stendhal est absolument amoral : *La Chartreuse* est la fête impudique de la jouissance sexuelle, mâle et féminine. Démocratiquement sans discrimination de sexe. Quel système politique, quel état serait — cent quarante ans après la parution du roman — théoriquement et pratiquement prêt à admettre la réalisation de cette fête de la jouissance sexuelle ? Et autre chose troublante : à y regarder de près, ce plaidoyer pour la jouissance sexuelle de Stendhal qui mettait tout son espoir de progrès social dans la femme, rejoint étrangement l'exigence des mouvements de femmes (voir par exemple : *Parole de femme* d'Annie Leclerc) concernant une nouvelle conception de la vie sociale fondée sur la jouissance sexuelle non répressive. Les exigences de mouvements féministes ne seraient-elles pas politiques ? *La Chartreuse de Parme* est effectivement un roman politique, voire subversif, et on pourrait se demander si en cela ne réside pas une grande partie de son succès auprès des « gens du peuple »[31].

NOTES

1. Etudes sur M. Beyle (Frédéric Stendalh), in Balzac : *Oeuvres diverses*, éd. Bouteron/Longnon, Paris 1940, vol. III, p. 374.

2. Pour la polysémie cf. surtout Gérald Rannaud : « "La Chartreuse de Parme" roman de l'ambiguité », in : *Stendhal e Bologna*. Atti del IXº Congresso Internazionale Stendhaliano, in : *L'Archiginnasio* LXVI-LXVIII, 1976, pp. 426-466.

3. Etudes sur M. Beyle (Frédéric Stendalh), éd. cit., p. 401 ; pp. 401-402.

4. Georg Lukacs : *Balzac als Kritiker Stendhals*, in Georg Lukacs : *Werke*, Neuwied-Berlin 1965, vol. III, p. 498.

5. Charles Augustin Sainte-Beuve : *M. de Stendhal. Ses Oeuvres complètes*, in : *Causeries du Lundi*, 15 vols, Paris 1851-1862, t. IX, pp. 267-268.

6. « Les superstitions de Fabrice del Dongo ou l'humiliation de l'esprit », in François Michel : *Etudes stendhaliennes*, éd. Henri Martineau/Jean Fabre, Paris 1958, p. 241.

7. *La Chartreuse de Parme*, éd. Henri Martineau, Paris, Garnier, 1961, p. 32.

8. *Ib.*, p. 33.

9. *Ib.*, p. 57.

10. Cf. Fabre d'Olivet : *La vraie maçonnerie et la céleste culture*. Texte inédit avec introduction et notes critiques par Léon Cellier, Paris 1952.

11. La thèse de Béatrice Didier « *La Chartreuse de Parme* ou l'ombre du père », in *Europe*, Nº L, 1972, pp. 149-150) qui veut voir dans le vol du cheval une castration du fils par son père ne me semble pas bien concluante non plus.

12. *La Chartreuse*, éd. cit. p. 6.

13. *Ib.*, p. 5.

14. *Ib.*, p. 6.

15. *Ib.*, p. 6.

16. *Ib.*, p. 7.

17. *Ib.*, p. 59.

18. Etudes sur M. Beyle (Frédéric Stendalh), éd. cit., p. 382.

19. *La Chartreuse*, éd. cit., p. 155.

20. *Ib.*, p. 167.

21. *Ib.*

22. Béatrice Didier a parfaitement raison quand elle écrit (1. c., 154-155) « Le lac... représente le domaine féminin, parce qu'aquatique. Gina est essentiellement liée au lac. » Mais je pense que la « promenade qui risque de tourner au drame » évoque moins « la tempête que Julie et Saint-Preux ont connue sur le lac de Genève » que le mythe de la naissance d'Aphrodite : c'est pour cela que Gina fera des cadeaux bien particuliers à l'abbé Blanès : un « quart de cercle » et des « pelisses » (*La Chartreuse*, éd.cit., p.153) - la faucille et la fourrure, les insignes de Kronos.

23. *La Chartreuse*, éd. cit., p. 605.

24. *Ib.*, p. 391.

25. Cf. Gilbert Durand : *Le décor mythique de la "Chartreuse de Parme". Contribution à l'esthétique du romanesque*, Paris 1961 ; Jean Bellemin-Noël : *Le motif des orangers de "La Chartreuse de Parme"*, in : Littérature, n° 5, 1972, 26-33.

26. Jean de La Fontaine : *Les amours de Psyché et de Cupidon*, in : *Oeuvres complètes*, éd. E. Pilon, R. Groos, J. Schiffrin, P. Clarac, Bibliothèque de la Pléiade, Paris 1954-1958, t. II, pp. 128-129.

27. *La Chartreuse*, éd. cit., p. 381.

28. Cf. Ernest Abravanel : « Balzac correcteur de *La Chartreuse de Parme* » in : *Stendhal et Balzac*. Actes du VIIe Congrès International Stendhalien, éd. V. Del Litto, Aran 1972, pp. 67-74 ; V.Del Litto : « L'article de Balzac sur *La Chartreuse de Parme* ». I. « La réponse de Stendhal » II. « Comment Stendhal a "corrigé" son roman », in Victor Del Litto : *Essais Stendhaliens*, Genève-Paris 1981, pp. 399-435.

29. Stendhal : *Histoire de la peinture en Italie*, éd. Paul Arbelet, V. Del Litto, Ernest Abravanel, Paris-Genève, t. II, p. 19.

30. *Correspondance*. Editée par Henri Martineau et Victor Del Litto, Bibliothèque de la Pléiade, Paris 1962-1968, 3 vol., III, 557.

31. Pour plus d'informations sur la structure mythologique de la Chartreuse de Parme, je renvoie à ma postface « Die *Kartause von Parma* - ein erotisch-orphischer Avantgarde-Roman », in : *Die Kartause von Parma*, Goldmann, München 1982, pp. 589-694.

LE CRIME DANS « LA CHARTREUSE DE PARME »

François Landry

Nous prendrons ici le mot crime dans le sens autorisé par cette phrase de Stendhal :

> « Ne tombe jamais dans le crime avec quelque violence que tu sois tenté ; je crois voir qu'il sera question de tuer un innocent (...)[1] »

Le crime reçoit dans *La Chartreuse de Parme* un statut particulier dû au fait qu'il se déroule sur des plans distincts. Si l'on répartit, en effet, les crimes de ce roman selon la gravité des châtiments qu'ils reçoivent, on aboutit à la classification suivante :

1.— Le meurtre de Giletti, amplifié par les puissances politiques, correspond à la peine la plus grave (qui elle-même, on le sait, se mue en la jouissance la plus haute) : l'emprisonnement de Fabrice, qui pourrait, dans les faits, tourner à son assassinat, signe des compromissions du pouvoir. Le châtiment du meurtre commis par Fabrice va donc presque jusqu'à l'application de la loi du talion.

2.— L'assassinat de Ranuce-Ernest IV, de nature politique mais d'origine passionnelle, reste, grâce à la présence d'esprit de la Sanseverina, qui est toute-puissante à ce moment-là, impuni ; cela suppose que le meurtre, selon sa représentation stendhalienne, n'entraîne pas nécessairement un châtiment. On analysera l'importance de cette donnée par la comparaison des victimes et des moyens du meurtre. La victime du premier est un histrion dont l'existence n'a aucune conséquence ; le moyen en est (admissible à peu de choses près) la légitime défense. La victime du second meurtre est la plus haute autorité politique de Parme ; le moyen en est la conspiration (séduction de Ferrante Palla). La gravité du châtiment dans le premier cas, son absence totale dans le second, nous invitent à penser que Stendhal *retourne* les données du jeu qu'il présente pour se conformer aux lois de la politique, qui seule *décide* de la gravité des actes — et des forfaits — humains.

3.— On est cependant poussé à relativiser ce point de vue lorsqu'on s'approche du troisième crime, qui est symbolique. Nous désignons par *meurtre symbolique* l'enlèvement de Sandrino à sa mère, suivi comme bien l'on sait, de leur mort et de celle des héros de *La Chartreuse*. Dans cette analyse, la fin du roman doit être comprise comme l'effet sur le récit des décès évoqués par l'histoire. C'est à ce meurtre symbolique et à ses conséquences que cette communication voudra s'attacher. Comparé aux catégories que nous venons d'utiliser, il donne ceci :
Il n'y a pas cette fois de meurtre littéral et la gravité du « châtiment » symbolique est extrême puisqu'il s'agit de la « peine de mort » pour le « meurtrier » et pour les deux femmes qui l'ont le plus aimé. Indiquons brièvement, et quitte à y revenir, que l'instance de comparution est ici l'imaginaire stendhalien. Et dégageons la loi que ces considérations semblent désigner : moins le crime est littéralement grave et plus le châtiment est lourd. On situera d'emblée l'avertissement de l'abbé Blanès dans l'ordre du symbole parce qu'on ne sait pas vraiment à quoi il s'adresse dans le roman, et c'est ce que nous essaierons aussi de dire :

> « Ne tombe jamais dans le crime [dit l'abbé à Fabrice] avec quelque violence que tu sois tenté [...] ; si tu résistes à la violente tentation qui semblera justifiée par les lois de l'honneur, ta vie sera très heureuse aux yeux des hommes..., et raisonnablement heureuse aux yeux du sage[2]. »

Le plan de la vie, qui inclut le social et le politique, et le plan de la sagesse, qui est de nature religieuse si l'on considère à la fois ici la fonction du locuteur et l'avenir de Fabrice, sont donc d'entrée de jeu dissociés par rapport au *bonheur* si important pour Stendhal. D'autre part ce texte bref décrit sans ambiguïté le plan mondain par lequel Fabrice sera « violemment tenté » : c'est à la loi de l'honneur — et c'est donc à l'aliénation la plus communément en vigueur à Parme et dans le monde en général — qu'il s'agit d'opposer une résistance intérieure. Ajoutons que cette « résistance » conseillée par l'abbé ne semble pas loin de correspondre à la valeur amoureuse trouvée en prison en dépit de toutes les lois du bons sens, de la « lo-gique » cette fois-ci ; elle n'en est pas loin si l'on veut bien nous accorder la permission d'interpréter ce texte de l'abbé comme une prédiction, ce qu'il est au demeurant, avec son indétermination dans ses domaines d'application.

Comme nous pensons arriver au plan symbolique par une dérivation du plan littéral, nous nous intéresserons d'abord à celui-ci, c'est-à-dire aux crimes commis sur la personne de Giletti et sur celle du prince.

1. Le meurtre de Giletti

On sera d'abord attentif aux nombreux signes discrets qui, dans la scène du meurtre, marquent l'innocence puis la légitime défense. Fabrice distrait (comme à Waterloo) par les fouilles et le tir au alouettes, se heurte à un Giletti d'emblée furieux et délirant :

> « Giletti s'imagina que Fabrice s'était placé ainsi au milieu de la meute, et un fusil à la main, [...] pour lui enlever la petite Marietta[3]. »

L'imaginaire – et avec lui, tout de suite, le romanesque de l'histoire imaginée ou son aspect théâtral, c'est tout un pour Giletti affublé d'une épée, indice du « rôle de marquis » que parfois on lui confie – sont responsables, à l'origine, de la querelle et du meurtre. Ce qui nous indique aussi le peu de sérieux, de réalité (mais elle va en acquérir) ou de vraisemblance tout à la fois que revêt cette querelle, née de la confrontation d'un distrait et d'un jaloux fabulant.

L'agression de Fabrice, ou le moment où l'« épée du marquis » dépouillée de son fourreau devient l'instrument d'une menace réelle, c'est-à-dire mortelle, le trouve singulièrement démuni puisque c'est Marietta qui l'avertissant : « Prends garde à toi ; il te tuera. Tiens[4] ! » et le pourvoyant d'un « couteau de chasse » défensif, le porte à la hauteur – ou à la bassesse – de la situation. Les indices de la légitime défense (« en ce moment il fut sur le point d'être tué[5] » ; etc) abondent dans le paragraphe ainsi introduit, à la fin duquel la situation est enfin égale, c'est-à-dire celle de « deux adversaires se trouv[ant] à une juste distance du combat[6] ».

Pour Fabrice la situation ne se départit pas de son aspect théâtral : « il lui semblait vaguement être à un assaut public[7] », tandis que Giletti,

331

« jur[ant] comme un damné », est toujours responsable du degré de violence – et donc aussi de réalité – de la scène. On sait ce qui détermine Fabrice à passer dans la réalité et à l'acte : c'est une blessure que l'on peut appeler ici symbolique :

> « Fabrice se dit : à la douleur que je ressens au visage, il faut qu'il [Giletti] m'ait défiguré[8]. »

C'est donc la blessure narcissique, ou la faille introduite dans la perception imaginaire (ou supputée) du moi qui transforme l'innocent Fabrice en un violent, et ses gestes d'opérette en un coup de « pointe » fort précis ; l'autre trouve ici une mort due au soupçon qu'il a *atteint* le visage dans son intégrité et par conséquent, à la fois le moi et le pour autrui. Dans la rage de se voir *défiguré*, Fabrice trouve un point d'appui pour se venger, se battre, et tuer. L'autre ou moi, c'est bien la loi du meurtre, que Fabrice, malgré la légitime défense, n'a pas su éviter et qu'il souligne en accaparant pour passer la frontière l'identité de sa victime[9]. « Les lois de l'honneur » de l'abbé Blanès auraient-elles partie liée avec la voix impérieuse du narcissisme ? Mais celle-ci vient de beaucoup plus profond dans l'homme, et situe le contraire de l'aliénation.

L'autre, d'ailleurs, ici, qui est-il ? L'idée d'une canaille d'histrion tué par un aristocrate, attaqué de surcroît, rend invraisemblable d'abord l'entrée de Fabrice en prison. Accordons encore un souvenir aux mânes de Giletti :

> « Qu'importe, après tout [pense la Sanseverina], qu'un homme de la naissance de Fabrice soit plus ou moins accusé d'avoir tué lui-même, et l'épée au poing, un histrion tel que Giletti[10] ! »

On voit que « les lois de l'honneur » (qui veulent ici qu'un couteau de chasse soit anobli en « épée ») dessinent toujours sur le meurtre un point de vue conciliant et banalisant qui se révèlera finalement suspect.

2. L'assassinat du prince

Entre Fabrice et Ranuce-Ernest IV, c'est une femme, la Sanseverina, qui choisit celui qui doit mourir. Femme de pouvoir s'il en est, introduisant dans le crime tous les replis et les détours des influences politiques, de sorte que le modèle décrit précédemment et fondé sur la rivalité « amoureuse » doit beaucoup se diversifier pour être explicatif.

Le pouvoir de Mosca n'ayant pas suffi à sauver Fabrice, c'est sans le premier que sa maîtresse décide de passer à l'action ; accomplissant ainsi une transgression qui va au-delà des lois sociales, tandis que le crime de Fabrice transgressait une loi énoncée d'un point de vue religieux, celui de l'abbé Blanès. (Cette différence est peut-être plus importante que toutes les autres, car c'est elle qui semble décider de la gravité du crime et ainsi de la lourdeur du châtiment). On découvre alors qu'au-delà des lois sociales il n'y a rien ; autrement dit, c'est la pesanteur de l'habitude qui, empêchant Mosca, par exemple, de renier sa fidélité de courtisan, fait la cohésion de la société et même du corps politique ; c'est en particulier la force d'une représentation, celle du Prince, imitateur rusé de Louis XIV, qui maintient dans une cohérence certes agitée et problématique une *cour* dont la vie est exprimée le plus souvent par la métaphore du jeu :

> « Je serais plus libre sans doute à Rome ou à Naples, mais y trouverais-je un jeu aussi attachant[11] ? »

déclare la Sanseverina à Mosca, sans être à même, dans son « bonheur » actuel, de deviner l'envers du jeu, qu'elle reconnaît plus tard :

> « Quelle funeste étourderie ! venir habiter la cour d'un prince absolu ! un tyran qui connaît toutes ses victimes[12] ! »

Or s'il arrive au courtisan Mosca de souligner lui-même, sous le nouveau Prince, son manque d'atouts dans le jeu du pouvoir (« Je suis forcé d'être un intrigant. Me voici le rival de la dernière femmelette du château, et rival fort inférieur[13] »), c'est parce que l'adversaire décide par son absolutisme ou son inconsistance de la *tension* du jeu et du degré de fermeté et de ruse que chaque partenaire devra y apporter. Compliment est fait, en somme, à Ranuce-Ernest IV de la difficulté qu'il a su apporter au jeu qu'il déterminait dans sa cour : « On trouvait en lui l'étoffe d'un prince[14] », remarquera Mosca, mais ce jeu se dénature peut-être dès lors que s'y mêle la trop passionnante question de la vie et de la mort. Gardons encore de cette image la signification suivante : c'est modifier la nature du jeu, c'est donc transgresser, que d'y introduire la suppression d'une vie humaine et cette modification peut entraîner, en retour, jusqu'à la suppression d'un partenaire. Quelle loi, dira-t-on, peut transgresser un souverain absolu ? Mais s'il trouve en face de lui un adversaire qui sache aussi prendre ses droits, c'est-à-dire inventer en dehors du jeu routinier (voilà son aspect négatif) du *respect*, le prince risque de redevenir un partenaire et, détrôné de son absolutisme avec lequel il confond sa vie, de perdre à la fois l'un et l'autre.

La possibilité de l'assassinat politique présuppose donc l'égalité des adversaires, obtenue par la Sanseverina grâce à l'appui et aussi à l'amour de Ferrante Palla. Ferrante Palla, le « jacobin » placé à l'extrême gauche de la palette politique s'oppose symétriquement au prince, qui occupe l'extrême droite. C'est en fait la politisation du crime qui permet à celui-ci d'avoir lieu et Stendhal confus d'avoir à évoquer des choses malodorantes, dont on peut si justement parler en son nom après lui, ne se place volontairement qu'à demi dans le vrai, dans sa célèbre excuse : « Nous sommes forcés d'en venir à des événements qui sont de notre domaine, puisqu'ils ont pour théâtre le coeur des personnages[15]. » Or le coeur de Ferrante Palla est mi-parti d'amour et de révolution et il trouve aussi bien que la duchesse son « compte » dans une action qui a pour chacun d'eux un sens :

> « — Il s'agit d'empoisonner le meurtrier de Fabrice [...],
> — Je l'avais deviné, et [...] j'ai souvent songé à une pareille action pour mon compte[16]. »

Or son compte est ici clairement politique et c'est pourquoi il sera le plus nettement inquiété parmi les suspects de l'assassinat[17]. Quant aux mobiles de la duchesse, qui « abhorre les jacobins » de son propre aveu, et dont Ferrante sait qu'« elle n'aime pas la république[18] », nous les appellerons sentimentaux en indiquant ceci : c'est en fonction de son caractère italien et amoral (deux aspects liés selon l'avertissement de *La Chartreuse* et que M. Crouzet exprime ainsi dans *Stendhal et l'Italianité*[19] :

> « L'Italie offre l'image d'un *autre* droit (le premier, le droit immédiat), qui ne met en relation que des êtres absolus et forts, parce que leurs relations sont naturelles et non sociales »,

c'est en fonction de ces deux caractères que la Sanseverina comprend la passion de Ferrante Palla et trouve une attitude faite d'austérité et de générosité qui lui permettent de l'utiliser. S'agissant d'un homme fou d'amour et d'une femme qui lutte pour sa raison de vivre, on admettra qu'une collusion puisse se faire entre eux, chacun poursuivant, en fait, son propre intérêt communément représenté par la mort du prince, tandis que l'inspiration de l'assassinat dévie entièrement les retombées de l'acte à la faveur d'un jeu de courtisane qui, débouchant sur son impunité, retiendra notre analyse.

Le crime commis sur la personne du prince est signalé au lecteur par des éléments textuels distants les uns des autres et plus ou moins explicites. La « rupture du grand réservoir d'eau du palais Sanseverina (...) passé(e) à peu près inaperçue[20] » est relayée par « l'attente d'un événement affreux[21] » dans laquelle vit la duchesse, puis c'est grâce à une rupture du tissu narratif que la nouvelle « Le prince de Parme est mort[22] ! » surgit dans le texte par le biais d'un personnage épisodique « fort au courant des nouvelles ». Stendhal fait alors intervenir un narrateur, Bruno, qui racontant « l'accident »[23] a bien soin de préciser ce fait :

> « Mais on ne parle déjà plus de cette mort du prince : au fait, c'était un homme cruel[24]. »

Alors deux lettres, celles de Mosca et du fils de la victime, deux narrateurs eux aussi, mais seulement potentiels, de la mort du prince, intègrent et réalisent un silence bien effectif en nous persuadant que l'important est, dans cette affaire, la révolte qui a suivi. Il faut distinguer dans cette séquence un ordre du lecteur et un ordre des personnages ; pour le premier, le récit a une valeur allusive mais il permet de reconstituer l'ensemble des faits, tandis que pour le second, les éléments discrets du texte déguisent et tronquent la vérité. Il y a donc bien, chez Stendhal, un ordre du lecteur qui ne s'impose pas seulement par l'appel aux *happy few*, mais par l'établissement d'un point de vue partagé par l'auteur, le lecteur et la Sanseverina, seul personnage conscient de tout le processus. Cette remarque technique doit se doubler d'une remarque psychologique : le lecteur, invité à rejoindre le point de vue et, de là, la position de la Sanseverina, sympathise, dans cette construction, avec la criminelle. Il ne peut qu'espérer son salut, et ce sentiment, que Stendhal provoque et utilise, n'est pas pour peu de chose dans la facilité du dénouement. (Il peut être question, à ce propos, de l'immoralité de *La Chartreuse* déjà soulignée).

Lequel dénouement a lieu entre théâtre et fable, portant à leur sommet et la métaphore du jeu et le jeu réel de la Sanseverina. L'événement grave de l'aveu au comte a lieu lors d'un entr'acte de la « comédie *dell'arte* et de plus « au milieu de vingt gardes du corps[25] » pour lesquels rien, sans doute, n'est vrai, la qualité de jeu théâtral envahissant à leurs yeux tout le comportement de la duchesse. Mais le mot d'*innocence* est aussi prononcé dans un discours qui, disant trop de choses à la fois, mélange, peut-être à dessein, l'innocence envers Mosca — ne pas aimer Fabrice — à l'innocence générale : « Où est le mal[26] ? » « Voici un crime véritable[27] », reconnaît-elle pourtant, en ayant soin de déguiser la victime par une périphrase. L'aveu de fait se termine sur un sentiment subjectif d'innocence qui, cherchant à être reconnu par Mosca d'abord, s'imposera graduellement dans la réalité. C'est le comte qui fixe la tactique à adopter : « Je vous dirai tout de suite qu'il faut inspirer de l'amour au prince...[28] » Cette stratégie se concrétise sur une scène de théâtre où le prince, improvisant d'après ses sentiments réels mais applaudi pour ses dons d'acteur, accède par la théâtralité et dans la confusion d'esprit à l'expression non reçue — puisque feinte selon l'ordre du jeu — de son amour pour la duchesse dont celle-ci profitera à son tour pour sauver Fabrice ; mais elle n'en profitera *pas si bien*, on le sait, qu'elle ne doive un jour payer de sa personne auprès de lui. On aura relevé jusqu'ici le mélange constant que Stendhal opère entre l'amour et la mort ; il confond chez la duchesse le langage qui décrit les sentiments pour Fabrice et la crainte de la mort ; il amalgame chez Ferrante Palla la motivation politique à l'assassinat et la motivation amoureuse ; il recourt enfin, sur le mode mineur, aux sentiments (feints) pour éloigner de la duchesse le soupçon mortel. Plus profondément encore, la mort de Ranuce-Ernest IV a été rendue nécessaire par l'amour ressenti pour Fabrice. Tous ces éléments présents aux niveaux de la lettre du texte et de son sens devront être utilisés dans l'approche du crime symbolique.

L'épisode au cours duquel la Sanseverina gagne son « procès »[29] commence et se déroule sous le signe du théâtre : « Je suis excédée de fatigue, j'ai joué une heure la comédie sur le théâtre, et cinq heures dans le cabinet[30]. » La Sanseverina a introduit un risque et de la diversité dans la « scène ennuyeuse »[31] que jouaient le prince et la princesse de Parme. On songe ici aux « concepts équivalents de *roman* et de *drame* » distingués par Kurt Ringger[32] : ce qui s'avoue comme proprement romanesque c'est le jeu de la duchesse, tandis que l'ennui est redevable à la partie politique de la scène. Mais le jeu consiste aussi à transformer la scène en une leçon de politique dont le sens est d'inspirer au prince la peur de Rassi. Enfin, rappelons que la réponse de la duchesse sommée de donner son avis est exprimée par le biais d'une *fable* qui représente le sort du prince et de sa mère déjà contenu dans la littérature. Leur situation appelle un avertissement apparu au siècle de Louis XIV. Il faut laisser le lièvre du crime « troubler » leur « félicité » de peur de voir le pouvoir — ici la justice — dévaster leur jardin. De sorte que tout se joue ici pour persuader leurs altesses d'un sens préétabli, pour les amener à choisir le calme bourgeois plutôt que la justice seigneuriale. Dans le domaine de la politique on ne fait que se répéter et les intérêts des princes bien entendus reviennent à ignorer le crime : « La fable de La Fontaine l'emporte, dans mon esprit, sur le juste désir de venger un époux », dit la princesse[33] et comment ne pas voir que c'est ici « la fable » qui « l'emporte » sur le réel dont elle réduit les impératifs et les preuves — le *texte* des « papiers » de Rassi à néant. Le jeu consiste à faire lutter la fable contre les papiers juridiques et à obtenir que la première l'emporte. C'est donc un texte donnant la clé d'une situation — celle du prince et de sa mère — qui est préféré à un texte donnant peut-être la clé de la mort de Ranuce-Ernest IV. Comme le comportement du prince défunt s'inspirait de l'imitation de Louis XIV, celui de son épouse et de son fils est déjà décrit dans les textes, la princesse calquant en outre sa peur actuelle sur « l'excellente Histoire de Louis XIII de M. Bazin[34] » que la duchesse lui a fait lire tous les jours. Il faut chercher la raison de la réussite de la duchesse dans l'invasion du réel par le romanesque — qu'il s'agisse d'une fable ou d'une « histoire » on est toujours également dans la fiction, c'est-à-dire dans la vue de la situation propre à travers celle des autres. La duchesse, gouvernant avec compétence le choix des textes et les assimilations de ses partenaires à des personnages fictifs, les persuade de ne pas pousser la ressemblance jusqu'au point où elle leur serait funeste. Ce n'est donc pas sans raison que la destruction des portefeuilles de Rassi est introduite par une scène de « comédie *dell'arte*, c'est-à-dire où chaque personnage invente le dialogue à mesure qu'il le dit[35] », comédie qui s'interrompt par une défaillance du prince et reprend dans le cabinet de sa mère : le rôle de la Sanseverina consistant à se faire arracher la parole indicatrice si vivement attendue sans laquelle le jeu ne continue pas et à persuader ses partenaires que leur rôle à eux est avouable. Personnage indispensable parce qu'elle alimente l'imaginaire de la cour (« Ernest V comprit tout l'ennui qui le menaçait si la duchesse quittait la cour[36] »), la duchesse n'aura abusé, pour cette fois, que de sentiments préexistants dans l'esprit de ses partenaires et de sa facilité à les leur représenter comme déjà attestés par l'histoire et la littérature : ce par quoi c'est la conduite tout entière d'Ernest V et de sa mère qui a reçu la qualité de représentation ; ce par quoi aussi l'assassinat a été évacué (non sans qu'un retour de flammes du réel détermine l'incendie du château). Si une scène pareille mérite bien le nom de « comédie judiciaire » qu'emploie Michel Crouzet[37], cette qualité ne s'étend cependant pas, à notre avis, au roman tout entier, qui fait équivaloir finalement la mort et le tragique.

3. La mort de Sandrino

Dès le moment où Clélia permet de nouveau à Fabrice de la voir, elle fait appel à son obéissance :

> « C'est moi [...] qui suis venue ici pour te dire que je t'aime, et pour te demander si tu veux m'obéir[38]. »

L'amour et l'obéissance restent étroitement liés et c'est le premier vœu prononcé par Clélia qui reprend ici toute sa vigueur et marque l'incomplétude de la relation sur laquelle s'étend un interdit. Celui-ci rappelons-le, provient de la peur que Clélia a ressentie de trop aimer Fabrice, de le préférer, en fait, à son père, et de risquer la mort de ce dernier. C'est donc le respect du père en tant que représentant de la loi, et particulièrement de la loi familiale, qui porte son ombre sur toute la relation de Clélia et de Fabrice. Et c'est Fabrice qui, amant libéré de l'emprise que ses parents symboliques, Mosca et la Sanseverina, exerçaient sur lui, imagine de subvertir le lien familial en enlevant Sandrino à sa mère. Il garde donc en cela un rôle conforme à l'indépendance qu'il s'est difficilement acquise, mais il pousse aussi trop loin la « désobéissance » à Clélia qui a été la règle de sa relation avec elle, grâce à laquelle cette relation a eu lieu : Clélia assume le rôle de la soumission, Fabrice celui de la séduction et de la tentation, et l'intérêt que Clélia porte à Fabrice est initialement associé au devoir qu'elle accepte pour un être menacé de mort. Complice d'une évasion tout en respectant son voeu, Clélia compense toujours sa passion par un sacrifice à condition de ne jamais annuler l'un par l'autre ; elle maintient ainsi le fragile équilibre de son amour dans des conditions fort strictes, grâce à ces conditions puisque l'amour seul l'emporte trop loin d'elle-même et l'effraie par les actions dont elle serait alors capable : le meurtre du père en étant le prototype. C'est pourquoi elle est tout à fait cohérente en juxtaposant pour Fabrice qu'elle s'accorde enfin de retrouver l'amour et l'obéissance. Fabrice indique aussitôt qu'il n'y a pour lui de relation que totale : « Je n'ai prêché que dans l'espoir qu'un jour je te verrais[39]. » « Trois années de bonheur divin[40] » s'ensuivent qui ne marquant pas un terme suffisant pour l'imaginaire stendhalien, rendent nécessaire une « reprise du récit » ; mais, obtenue grâce à la présence d'un enfant apparu dans le texte pour y mourir, celle-ci correspond selon Kurt Ringger à un « *épuisement* du *potentiel romanesque*[41] ». La relation des deux amants est allée, fait unique chez Stendhal, jusqu'au lien de père et mère certes imparfait puisque « Fabrice [...] ne le [Sandrino] voyait presque jamais[42] ». Le défaut qui le séparait de Clélia s'est reporté sur l'enfant et il se voit écarté des « joies » familiales et redoute que sa paternité ne corresponde à rien pour son fils : « il ne voulut pas qu'il s'accoutumât à chérir un autre père[43]. » La limite imposée autrefois de l'intérieur à la relation par Clélia resurgit donc dans la non-possession de l'enfant, pour qui le sentiment de Fabrice est justement de la possessivité, le besoin de l'avoir à lui. Or il se trouve que l'enfant joue le même rôle pour chacun de ses parents :

Clélia :   « Dans les longues heures de chaque journée où la marquise ne pouvait voir son ami, la présence de Sandrino la consolait[44]. »

Fabrice :   « Je veux du moins avoir auprès de moi un être qui te rappelle à mon coeur[45]. »

L'enfant par sa présence lutte contre la séparation partielle mais envahissante dont souffre chacun de ses parents ; il accuse aussi la séparation puisqu'il ne peut appartenir aux deux à la fois. C'est donc dans l'idée vaine de combattre l'imperfection de la relation qui est, pour Stendhal, inhérente à chaque couple qu'il représente (rappelons ici le sort de la comtesse Mosca et de son mari, séparés par une frontière en vertu d'un voeu mondain, tandis que Clélia et Fabrice sont séparés par un voeu religieux qui ne s'atteste pas sur le plan du paraître et reste secret) c'est dans cette idée que Fabrice rapproche violemment de lui l'enfant pour posséder enfin sa mère. L'amour l'emporte sur l'obéissance, cédant à ce que Shoshana Felman qualifie de « délire possessif », de « vertige narcissique du désir[46] ». Dès lors la convention respectée jusqu'alors par Fabrice vole en éclats, et la loi qui garantissait l'équilibre du couple est transgressée. C'est à cette donnée nouvelle que l'imagination stendhalienne s'alimente pour trouver de nouveaux développements qui s'articulent autour de la faute secrète de Fabrice, le crime contre lequel l'abbé Blanès l'avait mis en garde.

Après la première mention, dans le texte, de l'intention que nourrit Fabrice d'enlever Sandrino, Stendhal en revient à la fidélité de Clélia à son voeu : « malgré ses erreurs, elle était restée fidèle à son voeu[47]. » C'est donc que l'enlèvement entretient une relation avec le respect du voeu, et avoir Sandrino près de soi devient vite l'équivalent de voir sa mère :

> « Le petit nombre de fois que je le vois, je songe à sa mère, dont il me rappelle la beauté céleste et que je ne puis regarder, et il doit me trouver une figure sérieuse[48]. »

L'enfant est le moyen de lutter contre la séparation, mais non de l'effacer tout à fait. « Un être qui te rappelle à mon coeur, qui te remplace en quelque sorte[49] » : c'est ce qu'exige Fabrice en spécifiant que l'être indéfini qu'est Sandrino ne tire son identité que de sa ressemblance avec sa mère ; il n'est pas aimé pour lui-même ; il est une image, une présence invoquée pour une autre, un substitut. C'est à la faveur d'une diminution d'être − une maladie − qu'il deviendra la propriété de son père. La double transgression dans laquelle s'engage avec répugnance, puis « terreur », Clélia s'élève donc d'abord contre son voeu puis contre la mort feinte avec quels scrupules pour favoriser l'enlèvement. Mais Fabrice qui se dit obligé « à une solitude éternelle »[50] obtient en insistant la complicité de Clélia. C'est par la culpabilité de chacun des amants vis-à-vis de l'autre que cette étrange action devient possible : Clélia est attentive au bonheur de « cette âme tendre qu'elle connaissait si bien, et dont son voeu singulier compromettait si étrangement la tranquillité[51] », tandis que « Fabrice [...] ne pouvait ni se pardonner la violence qu'il exerçait sur le coeur de son amie, ni renoncer à son projet[52] ». Projet qui, par son accomplissement, plonge chaque personnage dans une solitude accrue, loin d'être le moyen d'un hypothétique rapprochement, en les confrontant chacun à sa faute, celle de Clélia étant à ses yeux la plus grande, puisqu'elle la fait agir contre la volonté de Dieu, celle de Fabrice étant inévitable à la manière du mouvement négateur de la séparation qui ne fait que l'amplifier.

> « J'ai fait la *Chart*[reuse] ayant en vue la mort de Sandrino [déclarait Stendhal à Balzac], fait qui m'avait vivement touché dans la nature[53] »,

fait qui doit s'interpréter comme la mort d'un enfant qui ne peut appartenir à ses deux parents. Le parent ravisseur, celui qui perturbe l'ordre des choses établi peut apparaître comme un meurtrier. C'est à cette situation vécue par Fabrice que s'apparente le plus l'avertissement lancé par l'abbé Blanès :

> « Je crois voir qu'il sera question de tuer un innocent, qui, sans le savoir, usurpe tes droits[54]. »

L'incertitude (« je crois voir ») propre à toute prédiction confond la victime réelle avec son père, seul « innocent » à usurper les « droits » paternels de Fabrice « sans le savoir » alors que l'« innocent » est, par excellence, l'enfant, victime du goût manifesté par Fabrice pour « les lois de l'honneur ». Désigné dans un texte qu'il faut interpréter — et peut-être solliciter — pour obtenir sa relative coïncidence avec les faits, le crime de Fabrice est symbolique puisqu'il n'est pas commis directement par lui mais amené par un comportement qui rendait la mort prévisible. Ce crime n'est pas dirigé contre la victime dont la mort est l'un de ses effets.

Selon l'énoncé de l'abbé Blanès, il consiste à vouloir jouir de tous ses droits en oubliant, peut-on compléter, le devoir d'obéissance rappelé par Clélia. Le crime est donc bien dirigé contre l'intégrité de la personne (Clélia et Sandrino), contre les scrupules religieux de la première selon la lettre du texte et donc contre le respect de son père. C'est dans une double violation de la loi de la paternité, selon la religion d'une part et selon la société de l'autre, que réside le crime de Fabrice, et il est précisément frappé dans sa propre paternité et dans son amour. Admirons que Stendhal ait pu aller jusque-là dans la représentation d'un lien qui lui posait les problèmes que l'on sait, et ne nous étonnons pas qu'il ait privilégié la paternité éloignée, celle du marquis Crescenzi, en voyant en elle une condition de l'existence de Sandrino. De cet épisode final il reste à Fabrice la culpabilité : « Il avait trop d'esprit pour ne pas sentir qu'il avait beaucoup à réparer[55] » ; autrement dit sa faute, dont il ne s'est pas avisé en la commettant, lui apparaît grâce à son « esprit » aveuglé précédemment par la passion qui a organisé toute son existence et lui a fait exiger de celle-ci toujours plus, y compris l'impossible auquel il s'est heurté.

Sans qu'il y ait de relation explicite entre ces morts, on sent bien que celles de Clélia, de Fabrice et de la Sanseverina surviennent parce que l'autre, si intensément recherché et si rarement ou imparfaitement atteint, manque maintenant tout à fait. C'est donc le geste possessif de Fabrice qui inaugure pour chacun la radicalisation de la séparation, et qui marque, pour l'auteur, la fin d'un processus imaginaire pour lequel, la transgression étant accomplie, on ne peut ni revenir en-deçà — l'ignorer, interrompre ses effets ou la faire pardonner — ni poursuivre l'histoire qui l'a faite surgir comme son terme.

*
* *

Le crime commis par Fabrice contre Giletti est à l'origine d'une fiction — l'épisode de la prison — qui représente la situation privilégiée du héros. Cet épisode a deux aspects : l'un politique, dont s'occupent Mosca et la Sanseverina, l'autre sentimental que vit Fabrice avec Clélia. Deux couples, dès lors, dont l'un semble voué à l'exploration de l'extériorité, et l'autre à celle de l'intériorité. Sur le premier plan la Sanseverina est conduite à accomplir un nouveau crime, tandis que sur le deuxième Fabrice est confronté au drame de la séparation, qui le conduit à un meurtre symbolique.

On voit donc que la gravité du crime est tributaire, pour Stendhal, non de sa nature, mais de la loi qu'il transgresse. Là où il n'y a pas de loi, c'est-à-dire dans le monde redevenu sauvage du despotisme, il n'y a pas, comme le montre Michel Crouzet[56], de crime non plus. Au contraire, le simple fait de passer outre à une loi non plus politique, mais morale, et inhérente à l'existence elle-même, entraîne un châtiment qui ne peut jamais non plus être clairement lu comme tel, une suite d'événements graves qui sont cependant sous la dépendance de l'acte commis. En ce sens, le champ politique est celui auquel manque le sentiment de la faute, où le seul critère d'un acte est son efficacité, tandis que le champ existentiel pour lequel compte la relation à autrui, est celui de la gravité et du sérieux, celui où les actes ont une résonance qui peut aller jusqu'au tragique. Rendons grâce à Stendhal de n'avoir pas fait dépendre de cette opposition une moralisation plate de son roman, mais une représentation telle du lien qui unit le crime et le remords que l'on doive toujours voir en elle un sens implicite, toujours à dégager, toujours en-deçà de l'effet poétique de *La Chartreuse de Parme*.

NOTES

1. *La Chartreuse de Parme*, p. 171 ; plus loin *Chartreuse*. Ed. Gallimard, Pléiade, Paris, 1952.
2. *Chartreuse*, p. 171-172.
3. *Chartreuse*, p. 194.
4. *Chartreuse*, p. 195.
5. *Ibid.*, p. 195.
6. *Ibid.*, p. 195.
7. *Ibid.*, p. 195.
8. *Ibid.*, p. 195.
9. *Chartreuse*, p. 199 et 208.
10. *Ibid.*, p. 432.
11. *Ibid.*, p. 143.
12. *Ibid.*, p. 282.
13. *Ibid.*, p. 412.
14. *Ibid.*, p. 412.
15. *Ibid.*, p. 405.
16. *Ibid.*, p. 370.

17. cf. *Chartreuse*, p. 419 et 422.

18. *Ibid.*, p. 419.

19. p. 217. Corti, 1982.

20. *Chartreuse*, p. 397.

21. *Ibid.*, p. 400.

22. *Ibid.*, p. 403.

23. *Chartreuse*, p. 405.

24. *Ibid.* p. 405.

25. *Ibid.*, p. 418.

26. *Chartreuse*, p. 418.

27. *Ibid.*, p. 418.

28. *Ibid.*, p. 419.

29. *Ibid.*, p. 427.

30. *Ibid.*, p. 429.

31. *Ibid.*, p. 423.

32. *L'Ame et la page*, éd. du Grand-Chêne, 1982, p. 35. Sur le romanesque, cf. aussi notre *Imaginaire chez Stendhal*, l'Age d'Homme, 1982.

33. *Chartreuse*, p. 427.

34. *Ibid.*, p. 426.

35. *Chartreuse*, p. 418.

36. *Ibid.*, p. 420.

37. *Stendhal et l'italianité*, p. 231.

38. *Chartreuse*, p. 488.

39. *Ibid.*, p. 488.

40. *Ibid.*, p. 488.

41. Cf. *L'Ame et la page*, p. 16-17.

42. *Chartreuse*, p. 488.

43. *Ibid.*, p. 488.

44. *Ibid.*, p. 489.

45. *Ibid.*, p. 490.

46. «*La Chartreuse de Parme* ou le chant de Dionysos », p. 23. *Stendhal Club* 53.

47. *Chartreuse*, p. 489.

48. *Ibid.*, p. 490.

49. *Ibid.*, p. 490.

50. *Ibid.*, p. 491.

51. *Chartreuse*, p. 490.

52. *Ibid.*, p. 491.

53. *Correspondance*, Gallimard, Pléiade, 1968, vol. III, p. 396.

54. *Chartreuse*, p. 171.

55. *Chartreuse*, p. 493.

56. *Stendhal et l'italianité*, p. 216-218.

EXILÉS ET PROSCRITS CHEZ STENDHAL

René Rémond

Qu'il me soit permis, au seuil de cette conférence, et sans sacrifier au rite académique de la précaution oratoire, de souligner l'étrangeté de ma participation à ce colloque et d'en avancer quelque justification. Ainsi préviendrai-je peut-être de possibles malentendus. Rien apparemment ne me qualifiait pour intervenir au côté de tant de spécialistes de Stendhal : je n'ai consacré ni mon existence, ni mes recherches à l'auteur de la *Chartreuse*. A la différence de ceux dont les noms sont inscrits sur le programme, je ne me suis pas signalé par quelque contribution à une meilleure connaissance de l'homme ou de l'oeuvre ni illustré par quelque trouvaille sur l'emploi du temps d'Henri Beyle. A peine puis-je prétendre à une connaissance à peu près intégrale de son oeuvre : assurément pas de tout ce qu'on a pu écrire sur lui. Je ne puis même pas me prévaloir de la qualité d'historien de la littérature ; je ne suis qu'historien tout court, c'est-à-dire davantage de la société ou de la politique que de la création artistique. Il ne suffirait pas pour justifier ma présence ici que je prenne à lire Stendhal un plaisir qui se renouvelle et va s'enrichissant à chaque relecture, car à ce compte innombrables seraient les prétendants possibles.

Dans ces conditions comment donc me trouvé-je ici et de surcroît investi de la responsabilité d'une conférence publique à laquelle les organisateurs ont fait le grand honneur d'être comme le point d'orgue des travaux de la journée ? On ne s'étonnera pas que pour l'expliquer je recourre à l'histoire, la petite s'entend. Sollicité par les organisateurs pour présenter une contribution, je n'ai pas décliné leur invitation. Si je ne me suis pas récusé, c'est d'abord parce que la circonstance me donnait une occasion de m'acquitter publiquement de la dette contractée à l'égard de Stendhal ; l'historien de la société politique française du XIXème siècle a beaucoup appris à le fréquenter. J'en donnerai trois exemples.

Entreprenant de décrire le légitimisme dans lequel je voyais une tradition spécifique, la description des milieux henriquinquistes de Nancy dans *Lucien Leuwen* m'a été précieuse : pour entrer dans l'intelligence d'une mentalité et d'une sensibilité. Engagé dans une vaste recherche pour ma thèse de doctorat sur les Etats-Unis devant l'opinion française entre les débuts de la Restauration et la fin de la Seconde République, j'ai pris un vif intérêt à assembler les indications éparses à travers toute l'oeuvre sur les sentiments mêlés qu'inspire à Stendhal la démocratie américaine : elles révèlent son déchirement entre une sympathie de principe pour des institutions qui garantissent la liberté qui lui est si chère et sa crainte de la dépendance qu'elles imposent à l'égard de l'opinion, le nivellement qui en est la contrepartie, et l'ennui qu'il craindrait de connaître dans cette société. Ce balancement entre la connivence intellectuelle et la répugnance de la vie quotidienne, cet écartèlement entre la tête et la sensibilité éclairent admirablement la position des libéraux de la Restauration et de la Monarchie de Juillet à l'égard des Etats-Unis et préfigurent leur glissement progressif de l'admiration éperdue au désenchantement généralisé. Troisième exemple : la minutieuse description dans *Lucien Leuwen* des pratiques électorales sous la Monarchie de Juillet est pour l'historien des formes de la vie politique un document qui vaut toutes les études des constitutionnalistes.

Le parti que j'ai tiré ainsi d'une lecture assidue de Stendhal illustre la réponse à une question de portée plus générale qui intéresse l'épistémologie historique : quel cas convient-il dans l'effort de reconstitution du passé de faire des écrits d'imagination ? L'historien est-il fondé à considérer la fiction comme une source recevable ? C'est bien ma conviction ancienne, confirmée récemment par l'expérience d'un séminaire sur *Les hommes de bonne volonté*, que le roman peut être un apport propre et irremplaçable. Il y a place, à côté du matériel principalement quantitatif puisé dans les documents d'archives, d'un matériau d'une autre nature pour une information plus qualitative qui est un guide pour introduire à l'intelligence des mentalités et à la compréhension des conduites. L'occasion m'a paru bonne de proclamer cette vérité. Voilà pourquoi j'ai été tenté d'accepter l'invitation.

Je m'y suis cru d'autant plus autorisé que l'intitulé de ce colloque portait en sous-titre Le pouvoir et la société. L'étude de l'un et de l'autre n'est-elle pas l'objet de l'histoire et de la science politique ? Dès lors qu'il devenait licite d'entreprendre une lecture de l'oeuvre à partir de la connaissance générale de la période et de prendre appui sur une perception globale de la société du temps pour tenter d'y retrouver un reflet de ses préoccupations ou de ses aspirations, mon absence de compétence cessait d'être rédhibitoire. Qu'on m'entende bien ! Loi de moi l'idée qu'on puisse expliquer une oeuvre par les conditions socio-économiques du temps où elle a été écrite : toutes les tentatives inspirées de ce postulat réductionniste se sont soldées par des échecs complets ou ont abouti à des résultats dérisoires : elles laissent échapper l'essentiel. Mais leur faillite ne vaut pas contre la croyance à de mystérieuses correspondances entre une oeuvre et ce qu'on peut appeler l'esprit du temps.

La recherche de ces harmonies peut s'exercer à propos d'une multiplicité de thèmes ; je viens moi-même d'en mentionner plusieurs. Mais j'avais envie d'explorer des directions neuves et de partir des personnages plutôt que des idées. Cette attention aux êtres n'est-elle pas plus accordée à l'essence de la création romanesque ? D'emblée un personnage de *La Chartreuse de Parme* s'est présenté à moi qui depuis longtemps s'était imposé à mon attention : Ferrante Palla. Les quelques indications éparses dessinent une figure attachante : son génie poétique, que Stendhal nous convie à admirer de confiance, une générosité un peu folle, le dévouement chevaleresque, l'idéalisme, la passion. Palla n'est pas seulement un caractère, c'est aussi un personnage symbolique qu'il m'est souvent arrivé de citer à mes étudiants pour illustrer la nature subversive, voire révolutionnaire, du libéralisme dans l'Europe de la Restauration. L'amour de la liberté a été une des passions fortes du premier XIXème siècle. Le rapprochement s'est fait dans mon esprit avec un autre personnage, qui traverse fugitivement *le Rouge et le Noir* : le comte Altamira ; Julien Sorel le rencontre au bal du duc de Retz et a avec lui un entretien. Ce fut un trait de lumière : j'ai alors conçu tout ensemble le projet de les comparer, de rechercher à travers l'oeuvre d'autres traces de l'intérêt que Stendhal portait à ce type du proscrit, de les rapprocher de l'histoire de ce temps pour éclairer la relation de la création stendhalienne avec l'Europe des années 1815-1840. Depuis j'ai pris la mesure de ma présomption à croire que je tenais là une idée originale puisque j'ai découvert, en prenant connaissance du programme, que la figure de Ferrante Palla avait également tenté Jacques Seebacher. Il était trop tard pour reculer : il ne l'est pas pour solliciter votre sympathie indulgente à l'égard de ma tentative imprudente.

*
* *

Je commencerai par une lecture naïve, au premier degré, qui partira de ce que Stendhal nous apprend des deux personnages précités. Par l'analyse des ressemblances et des différencess le parallèle, comme dans un jeu de miroirs, enrichira la lecture et révèlera peut-être des correspondances cachées.

Leur situation les apparente : l'un et l'autre ne sont-ils pas sous le coup d'une condamnation à mort ? C'est elle qui concourt à les rendre intéressants au regard des âmes fortes qui prisent l'énergie. « Je ne vois que la condamnation à mort qui distingue un homme », se dit Mathilde de la Môle et Gina ne raisonne pas différemment pour Palla. L'un et l'autre sont des opposants irréductibles au pouvoir établi, engagés dans un combat mortel contre le gouvernement qui opprime leur patrie : Ferrante Palla complote la mort du prince Ernest Ranuce et Altamira a échoué à la tête d'une conspiration à Naples. Mais leur position n'est pas identique : Altamira a dû s'enfuir et vit en exil : il est ce que nous appellerions aujourd'hui un réfugié politique. Il est l'objet de la part du gouvernement de son pays d'une demande d'extradition : le matin même du bal, l'ambassadeur a fait une démarche auprès du gouvernement du Roi de France et il ne doit qu'à ses relations de ne pas être livré. Palla n'a pas quitté la principauté, mais il a pris le maquis et vit en bandit d'honneur dans les bois.

La condition sociale établit une autre différence entre les deux hommes : il y a entre eux toute l'étendue des distinctions que codifient les sociétés d'Ancien Régime. Altamira descend d'une des plus illustres familles du royaume de Naples : ce qui lui vaut d'être admis dans la haute société parisienne et reçu dans les salons les plus fermés du « noble faubourg » : ses ancêtres répondent pour lui. Ferrante Palla est de modeste origine : c'est un médecin en un temps où l'exercice de la médecine ne confère pas la considération.

348

Opposants irréductibles l'un et l'autre, leurs convictions politiques sont cependant loin d'être semblables : Altamira « veut donner à son pays le gouvernement des deux Chambres ». Il admire le régime britannique et entend instituer un gouvernement représentatif. Dans le langage du temps c'est un « constitutionnel » : son ambition est de doter son pays d'un régime semblable à celui que la France connaît avec la Charte. Ferrante Palla a des opinions beaucoup plus radicales : il ambitionne de fonder le gouvernement du peuple : il est républicain et démocrate : les souvenirs de l'Antiquité l'inspirent, de la lutte contre les tyrans. Il est proche de Mazzini, il annonce la République romaine de 1848 et préfigure le personnage de Garibaldi. Les deux hommes ont néanmoins des opinions en commun et partant les mêmes aversions : ils combattent l'absolutisme, la restauration de l'Ancien Régime, le despotisme, la réaction cléricale. Ferrante Palla n'a-t-il pas abonné le duc Sanseverina au *Constitutionnel*, le grand journal libéral ?

Palla et Altamira divergent aussi sur les méthodes à mettre en oeuvre pour instaurer le gouvernement de leurs voeux. Altamira est une belle âme qui se refuse à employer des moyens qu'il tient pour indignes de la noblesse de ses objectifs. Si la tentative de révolution a échoué, c'est précisément parce qu'il s'est interdit de recourir à des procédés qui en auraient peut-être permis la réussite : par honnêteté et par humanité, il a écarté le recours à la terreur et n'a pas fait exécuter ses ennemis ; il n'a pas non plus voulu user de la corruption et acheter des concours en distribuant les faveurs et les places. Julien Sorel lui dit qu'il ne savait pas le jeu, qu'il n'en connaissait pas les règles. C'est l'éternel débat de la fin et des moyens. Comment faire la révolution ? Ferrante Palla n'est pas moins scrupuleux personnellement ; c'est, lui aussi, une conscience : il refuse l'argent que lui propose la duchesse, se contentant de ce qui lui est indispensable pour vivre et pour agir. Mais il n'exclut pas de recourir à la violence ; il envisage de sang-froid d'assassiner le tyran ; il prononce des arrêts de mort.

Jusque dans ses nuances ce parallèle involontaire est juste et éclairant. Il met en évidence le caractère antagoniste de la division politique de l'Europe au lendemain de la défaite de Napoléon, qui dresse l'un contre l'autre deux camps : la Sainte Alliance regroupe les souverains restaurés, l'Eglise, la police. L'opposition libérale confond diverses composantes :

349

on ne distingue guère encore entre les courants qu'elle conjugue : libéraux constitutionnels, démocrates, républicains, jacobins, bonapartistes... Enfin la division ne correspond pas aux distinctions sociales : elle n'a pas de caractère de classe et l'explication par la sociologie ne rend pas compte du partage et des choix : c'est ainsi que l'opposition au despotisme coalise des aristocrates, des membres des professions libérales et des hommes du peuple : les Altamira et les Palla y voisinent en bonne intelligence.

Ces deux caractères sont les plus fermement dessinés, ceux dont la description est la plus riche pour notre propos. Ce ne sont pas les seuls. On en découvre d'autres à travers l'oeuvre, en particulier dans les *Chroniques italiennes*. Les uns sont contemporains du temps où écrit Stendhal : c'est le cas de *Vanina Vanini* qui met en scène les carbonari en lutte contre le gouvernement pontifical. D'autres se situent au temps de la Renaissance, mais transposent des situations contemporaines. Entre les uns et les autres il y a échange et réciprocité. Certaines figures des romans contemporains empruntent des traits à des récits ou à des légendes du XVIème siècle ; comme pour Ferrante Palla dont le nom s'inspire de Pallavicino. La démarche inverse s'observe dans l'*Abbesse de Castro* : elle s'ouvre sur une remarque incidente qui pourrait passer inaperçue mais qui est d'une vérité pénétrante sur l'Italie des années 1820. « Les brigands italiens du XVIème siècle furent l'opposition contre les gouvernements ». Rien n'est plus exact : le brigandage fut effectivement la forme prise par l'opposition aux gouvernements dans l'Europe méridionale sous l'Ancien régime. Stendhal a développé cette interprétation dans un chapitre qui s'intitule précisément ''Du brigandage'' dans *Promenades dans Rome*. Depuis, Fernand Braudel ou Hobsbawn l'ont lumineusement démontré. La chose est plus vraie encore au début du XIXème siècle. Le brigandage est un fait endémique dans les Etats de l'Eglise et le Royaume de Naples où il exprime la contestation de la légitimité du pouvoir.

Jusqu'à présent les personnages que nous avons passés en revue ont un trait commun : ce sont tous des Italiens. Cette commune appartenance s'explique sans doute par la prédilection que la péninsule a toujours inspirée à l'auteur de la *Chartreuse* et les circonstances de sa biographie. Elle exprime aussi sa conviction, souvent énoncée que le Midi est favorable aux grandes passions, que l'Italie est le dernier pays où survit la vertu, le seul encore où l'on puisse voir de grands crimes et de nobles actions.

Mais il y a aussi que l'Italie est alors la terre des conspirations : la conquête napoléonienne, l'aventure de Murat ont provoqué un grand ébranlement. Morcelée, placée de force sous le joug étranger, assujettie à des dominations despotiques, elle est parcourue par des aspirations qui suscitent presque chaque année des complots qui échouent généralement. C'est la Jeune Italie de Mazzini qui a donné naissance à la Jeune Europe.

Cependant le reste du continent n'est pas totalement absent de l'oeuvre de Stendhal. La nouvelle *Le coffre et le revenant*, qui a l'Espagne pour cadre, comporte d'assez nombreuses allusions aux Cortes de Cadix, à la Constitution libérale de 1812 dont la remise en vigueur était l'objectif des libéraux, au personnage de Riego, l'animateur de la révolution de 1820, qui fut écrasée par l'intervention en 1823 de l'armée française, et à l'impitoyable répression qui suivit. Dans *Armance* la Grèce est évoquée ainsi que Byron combattant pour l'indépendance hellénique. Il n'est pas jusqu'à la lointaine Russie qui n'inspire une allusion, dans *Armance* aussi, aux officiers décabristes : la mort de l'un de ceux qui avaient participé à ce mouvement libéral survient à point pour permettre à Armance d'hériter d'une grande fortune. Par contre — et la lacune surprend — l'Allemagne, qui est à l'époque une autre terre d'agitation révolutionnaire est, à notre connaissance, absente. Le cercle s'élargit au-delà de l'Europe : Altamira fonde des espérances sur l'Amérique latine : il quitte brusquement son interlocuteur au cours du bal pour aborder un général péruvien. Echo assourdi de l'épopée de Bolivar ? Quant aux Etats-Unis, on sait quelle place leur revient dans la pensée et l'oeuvre de Stendhal ; ils ne sont pas absents des préoccupations ou des songes de nos proscrits : ils apparaissent comme la terre d'accueil, le refuge des émigrés politiques : Ferrante Palla annonce à la duchesse que dans six mois il parcourra les rues d'une petite ville des Etats-Unis. Il n'est pas le seul à y penser.

Sans constituer une population foisonnante, proscrits et condamnés à mort occupent bien dans l'oeuvre, on le voit, une place qui mérite de retenir l'attention et qui justifie une étude distincte.

*
* *

La relative fréquence de ces allusions révèle chez Stendhal une tournure d'esprit et éclaire un aspect de sa personnalité et des ses préoccupations : l'attirance pour les grands caractères. Elle fait justice de sa prétendue indifférence politique. Elle met à nu les contradictions qui définissent ses sentiments à l'égard de ces combattants de l'ombre. Il n'est pas moins divisé à leur endroit que sur la démocratie américaine. Il estime, il admire même le courage de ces hommes qui courent délibérément de grands risques pour la cause qu'ils ont librement embrassée, qui ne craignent pas de s'exposer à des périls majeurs, qui ne reculent pas devant le sacrifice de leur vie : leur générosité, leur dévouement forcent son respect. Mais celui-ci ne tempère pas sa sévérité pour leur imprudence : ils se jettent à corps perdu et à la légère dans l'aventure. Ce sont « des héros et des étourdis » : leur héroïsme mérite l'admiration, leur étourderie appelle le reproche. La politique, surtout si elle s'exerce dans la clandestinité, est un jeu sérieux, qui a ses règles qu'il faut respecter : les méconnaître conduit immanquablement à l'échec et compromet la vie d'autrui. C'est le langage que Julien Sorel tient à Altamira au bal du duc de Retz.

Laissons maintenant Stendhal pour tenter d'évaluer la portée du témoignage que son oeuvre porte indirectement sur ce temps. Dans le tableau dont les indications que nous avons relevées dessinent quelques lignes l'historien reconnaît des traits caractéristiques de ce premier XIXe siècle, qui s'inscrit entre 1815 — la Restauration de l'ordre de choses ancien — et 1848 — le printemps des peuples et l'avènement de la démocratie. Explicitons quelques-unes de ces concordances.

Ce temps a été, entre autres caractéristiques, l'ère des conspirations. La réaction et le libéralisme se livrent une guerre inexpiable et sans trêve dont l'Italie est le principal théâtre. Contre un pouvoir qui dispose de la force et ne tolère aucune critique, ni ne ménage aucune possibilité de discussion, à défaut de la parole qui leur est refusée, les adeptes de la liberté recourent à la conspiration. La liste des tentatives de la sorte dans les Etats de la péninsule entre 1815 et 1830 est interminable et je vous en épargnerai la fastidieuse nomenclature : c'est chaque année ou presque qu'à Naples ou à Bologne, à Modène ou à Parme, des conspirateurs tentent de renverser les gouvernements. Stendhal a bien connu tous ces épisodes. L'histoire intérieure de ces petits Etats s'ordonne dans le contraste entre un pouvoir qui s'affirme à ciel ouvert et une opposition acculée à agir dans l'ombre. Mais gardons-nous de pousser trop loin ce contraste entre ombre et lumière : la frontière entre eux n'épouse pas celle qui sépare les détenteurs du pouvoir de leurs adversaires : le pouvoir aussi recourt à l'intrigue, aux moyens obliques et agit dans l'ombre, comme si la conspiration appelait en retour le recours à l'occulte. L'historien est frappé par la place qu'occupent dans cette période les moyens détournés : rien que pour la France de la Restauration quelques-uns des épisodes qui jalonnent ces années s'appellent gouvernement occulte, note secrète. La crainte de la provocation est constante : on redoute à tout instant d'être trahi même par les siens, le soupçon règne en maître. Souvenez-vous du moment où Julien Sorel s'apprête à répondre à l'invitation de Mathilde : il craint de tomber dans un piège et est résolu à défendre chèrement sa vie. Cet état d'esprit affecte aussi la vie publique.

Second trait par lequel l'oeuvre Stendhalienne est accordée à son temps : le thème de la prison. On sait la place qu'elle y occupe : Julien comme Fabrice connaissent l'emprisonnement. Stendhal n'obéit pas seulement à l'attirance qu'exerce sur l'imagination cet univers clos sur lui-même qui isole du reste du monde, comme une île. C'est aussi une composante de l'univers politique. Que de personnalités ont connu la prison ! Un La Mennais ou un Chateaubriand en France. Pour l'Italie *Mes prisons* de Silvio Pellico ont connu un succès européen et fait pleurer des milliers de lecteurs qui se sont apitoyés sur le prisonnier du Spielberg. H. F. Imbert écrit : « On pourrait dresser, à partir des oeuvres de Stendhal, le catalogue des condamnés politiques de son temps ». (*Les métamorphoses de la liberté* p. 611). Sur un registre différent mais voisin, celui de l'opéra, évoquons *Fidélio* et l'admirable choeur des prisonniers qui émergent à la lumière.

Tous les opposants ne sont pas incarcérés ; il en est qui échappent à la prison ou se soustraient à la mort par l'éloignement : ceux qui cherchent le refuge dans l'exil. Le personnage du proscrit est un autre type caractéristique de ce temps dont le destin pathétique émeut la sensibilité. L'exil contraint ceux qui le choisissent à dissocier les deux causes qu'ils unissent dans leur coeur et leur combat. Missirelli s'écrie dans *Vanina Vanini* : « J'aime la patrie et la liberté ». En s'expatriant ils choisiront de sauver leur tête et préserver leur liberté personnelle à quitter leur patrie : à moins qu'ils n'y aient été condamnés par la peine du bannissement. Proscription, exil, bannissement, autant de termes et de notions familières aux contemporains de Stendhal et qui appelleraient l'établissement d'une typologie précise.

L'émigration pour motif politique est un grand fait historique de cette première moitié du siècle. Il n'y a encore que peu d'émigrants pour raisons économiques. Mais l'Europe a connu entre 1815 et 1850 de grandes vagues successives d'émigrés politiques fuyant leur patrie envahie par les armées étrangères, Polonais ou Hongrois en 1831 ou 1848, ou tombée au pouvoir d'adversaires politiques : écartelés entre l'attachement au sol natal et la fidélité à leurs convictions politiques, ils ont choisi l'exil. L'exemple avait été donné par l'émigration de la contre Révolution : Stendhal n'en parle que rarement : dans *Armance* le père d'Octave, marquis de Malivert, rentre d'émigration en 1814 après plus de vingt années d'absence. Il y eut ensuite les soldats de l'Empire, la malheureuse entreprise du Champ d'asile que Balzac évoque dans *La Rabouilleuse*, leur dispersion à travers l'Europe où ils proposent leurs services : en Grèce, en Espagne. Après 1830 affluent en France ou en Grande-Bretagne les réfugiés d'Italie et d'Allemagne : certains vont beaucoup plus loin, sans exclure de revenir un jour prendre leur place dans le combat pour l'indépendance de leur patrie ; tel Garibaldi qui passe en Amérique du Sud.

Fait de société, le proscrit, l'exilé sont aussi des types littéraires qui exercent sur l'imagination une fascination véritable. Le hors la loi qui personnifie à la fois le malheur et l'injustice du monde et la volonté de justice fait partie de l'univers romantique : le Robin Hood de Walter Scott ou le Hernani de Victor Hugo en sont des figures exemplaires. Le proscrit n'a plus d'identité : il vit sous un nom d'emprunt ; « force qui va », il est l'instrument du destin. C'est un trait par lequel Stendhal participe bien à l'univers du romantisme ; si la question a un sens, du classicisme ou du romantisme de l'auteur du *Rouge et le Noir*, un Ferrante Palla, un Altamira sont bien des héros romantiques et Stendhal a enrichi la galerie de ces personnages.

Prolongeons notre lecture au-delà de Stendhal et de son temps. Ces types romanesques correspondent, nous l'avons vu, à un âge de l'Europe : ils sont les enfants du libéralisme et du mouvement des nationalités, sublimés par le romantisme. Liés à un temps, le transcendent-ils ? Certains mots ont vieilli, des notions ont pris de l'âge ; proscrit, bannissement. Ces personnages ont cependant une postérité : les héros de Malraux sont les frères cadets de ceux de Stendhal. Le terroriste de la *Condition humaine* ne serait-il pas un émule au XXème siècle de Ferrante Palla ? Le réfugié politique, le dissident, le guerillero même ne sont-ils pas la descendance de ces héros romantiques ? Il y a continuité de Stendhal à Soljenitsyne. Tant il est vrai qu'histoire et roman se compénètrent dans l'oeuvre de Stendhal : l'historicité de ces créatures n'exclut pas leur pérennité.

Jacques Seebacher

On pardonnera peut-être à un soutier de Victor Hugo de s'aventurer dans les gréments de *La Chartreuse*. Si Hugo marque sa distance à l'égard de Beyle[1], c'est sans doute qu'ils n'avaient nullement la même forme de désinvolture et d'ironie, et que l'athéisme politique, littéraire et religieux de l'un ne devait guère satisfaire chez l'autre un sens de l'histoire qui compose d'un geste la compromission et l'exil. Pourtant *Les Misérables* offrent d'évidence la reprise majeure de *La Chartreuse* : les deux Waterloo se font face dans nos écoles comme les morts de Jean Valjean et du Père Goriot. Une épopée intelligible, sinistre, fait excursus à l'intrigue mais non au roman, efface Napoléon pour ouvrir aux misères du siècle, se donne massivement à lire à tous, visiblement pour répondre à ce picaresque de contrebande que Stendhal ne destine qu'à chacun. Outre cette apostrophe vengeresse, *Les Misérables* trahissent peut-être aussi de ces petits faits vrais de l'imaginaire, qui sont un peu partout, mais aussi déjà dans *La Chartreuse* : un vol de couverts d'argent (assortis il est vrai d'une vache), un novice qui s'en va comme Gavroche ramasser les gibernes des soldats bien morts, un caporal qui comme Gavroche encore divise le pain d'un air magistral, un ressort de montre qui sert de scie, un grand égout par quoi briser l'encerclement, et au dessus de tout cela, de Mgr. Myriel à Jean Valjean, le rêve de la sagesse et de la tendresse, que dit Blanès en un vers italien traduit par Stendhal et repris par Hugo : mourir « comme la lampe quand l'huile vient à manquer ». On serait alors tenté de mesurer la redistribution des figures élémentaires de l'action, la refonte de Blanès et de Landriani en Myriel, la division de la Sanseverina en Fantine et Gillenormand, l'inégale superposition de Fabrice et de Marius, de Clélia et de Cosette, de Rassi et de Javert, d'observer la multiplication des évasions, l'amplification de l'émeute, le débat de la liberté et du destin, de la société et de la parenté, de l'inceste et du bonheur, et le travail permanent de la jalousie. Alors ces deux romans du conflit de tant de pouvoirs, si radicalement étrangers l'un à l'autre, s'éclaireraient peut-être de leur étrangeté même. Cessons d'imaginer, pour ne pas dire que le groupe de révolutionnaires qui se nomment « amis de l'ABC », c'est-à-dire du peuple abaissé, tient dans l'épopée sociale de la misère la place de Ferrante Palla dans la chartreuse parmesane.

Mon propos était de chercher pourquoi, ou plutôt comment, Stendhal s'est amusé à offrir aux Pallavicini qu'il connaissait, et dont l'un vécut à Paris après de longues années de Spielberg[2], l'hommage ironique de ce Ferrante Pallavicino[3], décapité en 1644 par les soins de la Papauté. Lucas Dubreton avait signalé le rapprochement. Mon enquête n'apporte rien de plus, faute d'avoir réussi à mettre la main sur une édition illustrée, et en français, de *La Rhétorique des putains, ou la fameuse maquerelle...*[4], faute aussi d'avoir pu examiner en détail comment ce héros imprudent de tous les libertinages fait affront à l'assagissement jésuite de Silvio Pellico[5], qui inonda le monde de ses prisons pour mieux prêcher la résignation. Sans renoncer à cette enquête sur la manière dont Stendhal fustige les libéraux qui s'accommodent forcément de tous les pouvoirs, de même que les monarques qui bradent la souveraineté pour une ou deux chambres ou un budget[6], j'ai donc été forcé de me rabattre sur le texte du roman. Mais s'il est vrai que Stendhal adhère en 1834 au mot de Courier sur l'origine putanesque de toutes les grandes familles[7], et si l'on ose rapprocher Gina de la chronique des Valserra comme de l'essor des Farnèse, on ne peut pas quitter le poète assassiné au XVIIème siècle en Avignon sans citer ce que nous en livre Lucas-Dubreton.

La maquerelle fait l'éloge du métier de courtisane : « Je m'offre à vous en donner la véritable rhétorique, mais la rhétorique seulement, car approfondir la science est dangereux. Voyez : j'allais autrefois superbement vêtue, j'avais un palais précieusement orné et repoussais les attaques du mépris ; mais de la rhétorique, j'ai voulu passer à la philosophie, à l'étude des principes. Je n'ai pu vaincre ma nature, et pour l'amour d'un débauché, je me suis perdue dans le ciel métaphysique, si bien qu'après avoir dépensé tout mon bien, j'en suis réduite à la théologie : je fréquente les églises... », où elle mendie.

Avec un peu d'excès, mais sans trop d'effort, on pourrait lire ici comme un équivalent de l'histoire de la Sanseverina. C'est l'amour de

Fabrice, la volonté de vengeance et de défi qui lui font donner l'ordre fatal à Ferrante Palla, tout compromettre, y compris son intégrité propre de del Dongo[8], déclencher l'ennui de Fabrice, la prolifération tragi-comique des intrigues et cette majestueuse tristesse dont parle Racine, qui arrive ici à chanter dans l'*allegria*.

Pour m'excuser encore d'une lecture toute nue du poète-bandit-tribun du peuple, je voudrais indiquer que la *Revue britannique* fournit une possible référence de Palla. A partir de 1829, elle publie en treize articles des « Souvenirs de l'Italie » provenant du *New Monthly Magazine*[9]. Le septième fait un portrait idyllique de la reine d'Etrurie, princesse héréditaire de Parme, dont le précaire royaume était devenu grand duché de Toscane. L'auteur oppose à cette meilleure des monarchies[10] « la violence arbitraire, l'inquisition humiliante, la rapacité basse et implacable » dans le duché de Modène, dont le tyran, François IV, a très vite été reconnu sous les traits d'Ernest-Ranuce IV. Une note indique qu'un opposant, fameux improvisateur, a consacré à ce despotisme un poème inédit, *l'Esule*, qui doit bientôt être publié à Paris. Comme Palla, ce poète politique, Giannone, porte le nom d'un auteur italien plus ancien, et comme lui incarcéré après avoir été appréhendé aux confins des pays de despotisme et des pays de tolérance[11]. Peut-être faut-il voir dans ce rapprochement un signe, une sorte de présage à l'envers : celui de la régression à quoi nous forcent après Waterloo les cinquante années prévisibles du despotisme de la sottise et de l'argent, des conservateurs et des libéraux, des Autrichiens et des nationaux. Cette régression qui épouse la prudence provocatrice de La Fontaine, sa paresse de paravent, ne s'enferme dans une Parme de rêve, d'utopie ironique, que pour remonter de siècle en siècle à l'énergie du XVIème, à la vigueur des grands crimes, à la promesse ténue mais têtue de la liberté aussi bien populaire qu'aristocratique. Le troisième article des « Souvenirs » insiste sur l'unité culturelle et morale des classes en Italie, par opposition aux pays que la nature et l'histoire divisent désormais en deux nations étrangères l'une à l'autre, l'Angleterre aussi bien que l'Allemagne[12]. Et le onzième article décrit en France la disparition des moeurs de salon, tandis que « l'Italie en est encore au XVIIIème siècle ». Quant au douzième article, il est tout entier consacré au génie de Canova, qui fit une statue colossale de Napoléon, ce qui nous amène enfin au Ferrante du roman.

C'est en effet dans l'énorme chapitre VI, consacré aux « petits détails de cour insignifiants » que le tribun du peuple fait son apparition, par le biais du duc de Sanseverina-Taxis, suspect de libéralisme pour lui avoir prêté vingt-cinq napoléons, et pour avoir acheté dix mille francs un buste du même Napoléon à Canova. A la page suivante, ce fou, ce génie, ce condamné à mort, « qui a fait deux cents vers en sa vie dont rien n'approche », avait servi d'intermédiaire au vieux duc pour l'abonner au *Constitutionnel*. On sait ce que Stendhal pouvait penser de ce journal, fondé par d'anciens révolutionnaires plus ou moins robespierristes, organe au fond très conservateur du libéralisme français. Fabrice, qui suit pour l'essentiel, et de la manière la plus scrupuleuse, les recommandations d'hypocrisie sincère du chanoine Borda, les oubliera encore à Bologne, dans ce funeste chapitre XIII qui clôt le premier livre : il va au café pour lire *Le Constitutionnel*[13].

Je ne sais si, comme le dit M. Bardèche, Stendhal ne compose pas, mais j'ai bien l'impression que les choses se composent dans son roman. De part et d'autre de la Sanseverina, sa commodité de mari et son impossibilité de neveu ont à l'organe du libéralisme une relation marquée, dans l'ordre de ce que les retournements pascaliens pourraient nommer une demi-élégance. Et dans l'ordre d'un demi-plébéianisme, de part et d'autre de Fabrice, Palla et Ludovic, le poète et l'ancien cocher, s'équilibrent aussi, communiquant en cette sympathie tout italienne pour la belle dame et le beau monsignore. Mais dès que Palla entre véritablement en scène, au chapitre XXI, par un considérable retour en arrière qui n'est pas dans les habitudes de Stendhal, ce tribun du peuple chimérique, qui appartiendrait à la catégorie du grotesque s'il n'était italien ou s'il avait lu la préface de *Cromwell*, prend une tout autre stature. Le doute l'habite. Son amour pour la duchesse met en péril sa vertu révolutionnaire plus encore que ses rapines ne menaçaient son identité politique et morale. Et ce n'est pas tout à fait en aveugle ni en fou qu'il se livre au destin qui l'entraîne, c'est-à-dire aux ordres de la duchesse. A ce moment fatal du roman, la proximité du réservoir qui doit inonder d'opprobre la lâcheté des Parmesans et de l'étroite cachette concédée à Ferrante a valeur signalétique. Et dans une sorte d'exaltation contagieuse, la Sanseverina se trouve dépassée par sa propre surenchère[14]. Ici comme déjà pour Waterloo, ce sont des diamants qui permettent l'action. Sans doute s'agit-il de sauver Fabrice, ou plutôt de le venger, c'est-à-dire de venger ce qu'il représente indistinctement pour la duchesse. Elle choisit Ferrante Palla non seulement pour un crime et un défi, mais pour l'associer à Fabrice, pour le lui attacher définitivement comme médecin et comme frère. Elle est ainsi dans la théologie de l'ange gardien, et son instrument est celui dont les gens de Sacca disaient : « il aime notre Napoléon ». C'est par cette sorte d'unanimisme où l'histoire, la société, la littérature et les passions se confondent que l'héroïne peut s'écrier : « voilà le seul homme qui m'ait comprise... c'est ainsi qu'en eût agi Fabrice, s'il eût pu m'entendre ».

Hélas, Fabrice ne peut plus entendre. Le fameux bonheur de la prison laisse tout l'avantage au tribun, qui va pouvoir avec les diamants tenter sa révolution, et échouer à son tour. Mais auparavant, il aura été plus qu'un double de Fabrice : l'expérimentateur audacieux et viril de l'évasion, le poète qui supplante le mauvais poème allégorique et religieux de Landriani, de Ludovic ou de n'importe qui[15], d'un éclatant sonnet, dont la gloire tient peut-être moins aux deux vers magnifiques qui réhabilitent provisoirement « le grand coupable », qu'à son thème même : « le monologue de Fabrice se laissant glisser le long de la corde et jugeant les divers incidents de sa vie ». Ferrante devient ainsi l'imitateur suprême, l'énonciateur de la mémoire, la parque du destin individuel.

Une poussière de signes renforcent plus ou moins innocemment cette fonction de vaticination qu'assume le tribun. L'un d'entre eux me laisse perplexe. Pourquoi Ferrante, ou Stendhal, tient-il à chiffrer à vingt-sept mois la durée de sa « vie errante et abominable » ? La chronologie de l'action n'impose pas cette précision à ce moment. Sans doute vingt-sept est-ce trois au cube, figure hyperbolique du sacré[16]. Dans le doute, la mémoire s'éveille obscurément, et un autre 27 remonte du clocher de l'abbé Blanès. C'est à sept heures vingt-sept que se couchait le soleil lors de la visite de Fabrice, que l'abbé ne pouvait pas plus voir « de jour » que Clélia plus tard. Mais là non plus, nulle nécessité de régie ; si ces deux 27 ont quelque rapport, il ne me déplairait pas de faire apparaître Palla comme un autre Blanès, et d'interroger tant soit peu l'organisation des présages dans le roman.

Il y a du clair et de l'obscur dans les prédictions du vieux curé.

L'empoisonnement du duc, évidemment, pour lequel Palla est l'instrument de « cette duchesse toujours si jolie »[17]. Mais aussi cette affaire de meurtre d'un innocent. S'il s'agit bien, comme on pourrait le détailler, de la mort de Sandrino, il n'est pas impossible de trouver le mode d'emploi de l'oracle à la page suivante. Blanès se croyait promis à la riche cure de Brescia – qui l'aurait envoyé au Spielberg dans le procès de 1821 – ; il n'a eu la charge que d'un tout petit San Giovita, et peut mourir l'âme en paix. De même, l'innocent qui usurpe sans le savoir les droits de Fabrice (de contempler Clélia) et que l'honneur (d'être père) fera sacrifier, est un tout petit innocent. En régime de restauration ou de libéralisme, c'est toujours, de « pique de vanité » en « caprice de tendresse »[18], au massacre des innocents que l'on va fatalement, si l'on s'appelle Fabrice et qu'on n'est pas un saint.

Cette réduction au tout petit, cette attention minutieuse que la fameuse improvisation stendhalienne ajuste sans cesse, et qui provient sans doute du tempérament égotiste comme de la tradition méthodique de Montaigne[19], pourraient bien mettre en perspective les délicatesses d'intrigue, les surcharges de détail, les bonheurs d'invention qui se font en la prison romanesque. A Bologne, Fabrice était passé de ses interrogations sur l'astrologie à des leçons d'astronomie, et ses lunettes valaient sans doute mieux que l'instrument galiléen de l'abbé. Nouvelle erreur. Pour l'avenir, l'optique à utiliser, quand on a quelque confiance dans les progrès de la médecine sociale, n'est pas celle-là. C'est muni d'un microscope tout métaphorique sans cesser d'être métonymique que le fameux poète tribun du peuple et fou Palla s'en ira en Amérique regarder à pied dans les petites villes – et non pas à New-York – si la vertu et la démocratie ont encore quelque chance de l'arracher à la fascination de la duchesse.

Fabrice ne mourra pas de blanc vêtu[20], ni de probité candide. Et si Palla gagnait son Amérique, son nouveau monde amoureux, ce ne serait ni comme le libéral qui l'a dénoncé, ni comme le Thénardier des *Misérables*. La composition romanesque de *La Chartreuse* laisse en suspens toute divination, et fait ainsi époque, vers 1839 plutôt qu'avant 1830. Mais du fantoche chimérique, le grotesque ne manque ni de sens ni d'espoir très savant. On peut au moins dire de lui ce qu'en conclut la duchesse : « il ne parlera pas ... c'est un homme d'honneur celui-là ».

1. Voir dans *William Shakespeare*, II, vi, 5, « le beau serviteur du vrai », ce texte où Hugo, contre Goethe, s'approche assez de Stendhal pour s'y refuser : « Il existe en littérature et en philosophie des Jean-qui-pleure et Jean-qui-rit, des Héraclites masqués d'un Démocrite, hommes souvent très grands, comme Voltaire. Ce sont des ironies qui gardent leur sérieux, quelquefois tragique.

« Ces hommes-là, sous la pression des pouvoirs et des préjugés de leur temps, parlent à double sens. Un des plus profonds, c'est Bayle, l'homme de Rotterdam, le puissant penseur. (Ne pas écrire *Beyle*.) Quand Bayle émet avec sang-froid cette maxime : "Il vaut mieux affaiblir la grâce d'une pensée que d'irriter un tyran", je souris, je connais l'homme ; je songe au persécuté presque proscrit, et je sens bien qu'il s'est laissé aller à la tentation d'affirmer, uniquement pour me donner la démangeaison de contester. »

2. Parmi d'autres, Fabio Pallavicini (1794-1872, cf. *Correspondance*, I, p. 1378) et le marquis Gian Andrea Pallavicini, de Gênes (1737-1821, *ibid.*, p. 785-787) pour un charmant séjour de septembre 1814, qui a peut-être quelque rapport avec les activités de Ferrante « sur la route de Plaisance à Gênes ». C'est le marquis Georges Pallavicino-Trivulzio (1785-1878) qui se fit l'émissaire des carbonari auprès de Charles-Albert, et connut le Spielberg et Gradisca.

3. Voir Lucas-Dubreton, « Une figure stendhalienne... », *Revue critique des idées et des livres*, août 1922, et « Ferrante Palla ou l'Arétin manqué », stendhaliennement dédié à François Porché, 1923. Cette critique de plaisir n'apporte aucun élément de preuve. Dans la Biographie Michaud, l'article consacré à F. Pallavicino est de J.J. Weiss.

4. « ... ouvrage imité de l'italien, sur la copie imprimée à Rome, aux dépens du Saint-Père, 1794, xii-124 p., 8 figures fort libres ». Le *Catalogue des livres condamnés* de Drujon, p. 351, signale deux autres éditions, dont une de 1836 ; la Bibliothèque nationale et l'Arsenal ignorent cette version française de la *Rettorica delle putane*.

5. Pellico était lié à Georges Pallavicino. Libéré en 1830 après huit ans de Spielberg (il avait été condamné à mort, peine ramenée à quinze années de *carcere duro* ; il publie *Le mie prigioni* en 1833. L'un de ses premiers traducteurs est Antoine de Latour, précepteur du duc de Montpensier.

6. Le titre du libelle (*La ... aura-t-elle jamais une chambre et un budget ?*) qui permet à la Sanseverina de reconnaître F. Palla (alors qu'il s'était dûment présenté) fait énigme. Ce ne peut être, comme souvent ailleurs, *l'Italia*. Est-ce la république ? L'auteur que *La Chartreuse* cite pour son *Histoire de Louis XIII*, A. Bazin, avait publié en 1833 *L'Époque sans nom* : la Monarchie de Juillet en son début, ni république, ni monarchie, est innommable de toutes parts.

7. « Courier avait bien raison. C'est par une ou plusieurs catins que la plupart des grandes familles de la noblesse ont fait fortune. Cela est impossible à New-York, mais on baille... à New-York. »

8. Au chapitre XXII : « ... je n'ai plus que la seconde place dans son cœur. Avilie, atterrée par ce plus grand des chagrins possibles, la duchesse se disait quelquefois : si le ciel voulait que Ferrante fût devenu tout à fait fou ou manquât de courage, il me semble que je serais moins malheureuse. Dès ce moment ce demi-remords empoisonna l'estime que la duchesse avait pour son propre caractère. Ainsi se disait-elle avec amertume, je me repens d'une résolution prise : je ne suis plus une del Dongo. »

9. N°s 24 à 27, 30, 32, 37, 40, 42, 44, 47 à 49 (1833 ?). Tous ces articles sont essentiellement romains, sous la plume d'un anglais. Ils ont été réunis en recueil factice par un amateur du XIXe siècle.

10. L'épigraphe du livre second, reprise anticipée – et modifiée – d'un mot de Mosca au ch. XXIII (« les fous nous empêcheraient... ») renvoie sans doute à une autre parole du ministre (« Nous allons retomber dans la monarchie ordinaire au dix-huitième siècle : le confesseur et la maîtresse ») qui suit immédiatement la revendication de son mérite : « Sans moi, Parme eût été république pendant deux mois, avec le poète Ferrante Palla pour dictateur. » Mais ce chassé-croisé des folies ne doit pas nous faire oublier le mot attribué à Lafayette en 1830 sur Louis-Philippe : « Ce roi est la meilleure des républiques », contre lequel le vieux héros de l'Amérique

a protesté de toutes ses dernières forces. Le Beyle de *La Chartreuse* n'est peut-être pas si éloigné du Bayle que Hugo le croyait. Dans un scepticisme plus ou moins cynique (l'envers vaut l'endroit) il n'est pas impossible de distinguer l'obstination critique (l'envers vaut pour l'endroit).

11. Pallavicino avait été conduit par traîtrise à la limite des Etats du Pape ; Pierre Giannone (1676-1748), auteur d'une *Histoire civile du royaume de Naples* (1723) violemment anticléricale, qui lui valut l'excommunication et le contraignit à l'exil, finit par se réfugier à Genève mais fut saisi sur la frontière des états sardes et mourut en prison malgré sa rétractation. La principale édition de ses oeuvres est celle de Milan, 1823-1824.

12. « Dans le Nord, il y a deux classes d'hommes distinctes ; deux nations partout différentes, si ce n'est ennemies, que nulle alliance et nul point de contact ne rapprochent jamais, l'aristocratie et le peuple : entre l'une et l'autre, il n'est pas de territoire neutre où elles puissent se réunir... Dans les pays libres, ces anomalies sont plus frappantes. Les fonctions attachées aux divers ordres de l'état, les privilèges qui les accompagnent, rendent plus nécessaire une séparation exacte, minutieuse et graduée de tous les rangs des citoyens... En Italie, et surtout à Rome, une situation des esprits et des choses, absolument opposée à celle que je viens de décrire, produit nécessairement d'autres résultats. Là le commerce est nul, ou se rapporte exclusivement aux arts, dont il augmente l'influence... La conversation des grands et du peuple roule sur les mêmes sujets... joignez une parfaite indolence, un grand amour du repos, et l'indifférence la plus complète pour ces principes de politique et de morale qui en Angleterre sont ... l'âme et la vie de la société même. »

13. Le début du ch. XIII ne manque pas de conséquences pour la suite. Cette « disposition naïve à se trouver heureux » avec le paysage et Marietta suscite de l'humeur chez la duchesse ; d'où les « signes abrégés sur le cadran de sa montre », dont on sait à quoi servira le ressort pour le « bonheur dans la prison ». Mais l'allusion à la « vie de café » et aux chevaux renvoie d'autre part à l'économie du ch. VI. Fabrice, à la fin du ch. V, suit à la lettre les recommandations du chanoine Borda pour ne pas avoir « le génie sombre et mécontent d'un conspirateur en herbe », sauf qu'il se sauve pour lire le *Constitutionnel* « qu'il trouvait sublime... aussi beau qu'Alfieri et le Dante » (comme les deux cents vers de Palla). Au ch. VI, les deux plans de Mosca opposent le petit bonheur de Milan (dont les cafés ont droit à une mention spéciale, apparemment sans lien avec l'action et sans trop de nécessité pittoresque), ou plutôt de Naples ou de Florence, à la grande situation du mariage blanc à Parme. Peu après la conclusion de ce mariage, il s'agit de retourner Fabrice de militaire en homme d'Eglise, et c'est par la médiation complexe de la vie de café et de l'Amérique que la duchesse réussit cette conversion : « Il refusa absolument de mener la vie de café dans une des grandes villes d'Italie... Il parlait d'aller à New-York, de se faire citoyen et soldat républicain. – Quelle erreur est la tienne ! Tu n'auras pas la guerre et tu retombes dans la vie de café, seulement sans élégance, sans musique, sans amour... Elle lui expliqua le culte du dieu *dollar*. On revint au parti de l'Eglise. » Et c'est là dessus que Fabrice avoue son incapacité à aimer. A Bologne, Fabrice dans son vrai faux bonheur « oubliait qu'il n'allait jamais au café que pour lire le *Constitutionnel*». La qualité musicale de cette composition par thèmes récurrents, savamment et librement ironiques, ne doit pas faire négliger leur qualité de contrepoint. C'est par oppositions et ricochets que se déroule la critique « naïve » du libéralisme, objet d'enthousiasme et de répulsion à la fois, réalité folle de pantins comme le duc de Sanseverina-Taxis ou Ferrante Palla (ou même comme le prince de Parme), ou de Fabrice qui sert de prisme à l'irisation de ce spectre. Mais entre le vieux duc petit-fils d'un fermier général et le dernier maillon brisé de la noble famille des Valserra, c'est Ferrante qui met en abîme, de poésie et de médecine, d'amour et de vertu, la nostalgie progressive de cette impossible constitutionnalité de la liberté, dans une comédie romanesque qui se souvient peut-être, lointainement, autant de *Kabale und Liebe* que des *Brigands*.

14. Le jeu de l'argent, de l'amour et de la mort est bien complexe dans le ch. XXI. De l'offre d'une avance de 600 F, la Sanseverina passe à une fausse reconnaissance de dette qui fournirait 1 500 F de rente à la femme de Ferrante, puis autant à ses enfants. Enfin, des cendres de cette donation brûlée sous les yeux de Ferrante, surgissent les diamants, qui valent 50 000 F, et l'étreinte qui n'a pas de prix. Un système analogue vaudra à Ludovic la Ricciarda, pour acquit d'une reconnaissance antidatée de 80 000 F. L'extrême pointe de ces générosités tragicomiques peut être cherchée, au moment où cesse la jalousie de Mosca, du côté de « l'ancienne maison de Pétrarque »,

qu'il propose à Fabrice. Des topoi d'intrigue aux « luoghi ameni », l'argent dans *La Chartreuse* a fonction romanesque, ce qui ne devrait pas interdire l'étude de ses autres aspects.

15. Au chapitre XXIII, la contiguïté sans lien du premier au second paragraphe peut faire soupçonner l'archevêque. On remarquera que l'épisode des sonnets, 1° constitue un retour en arrière, 2° fait du style de Ferrante ce qui « donne rang » à Fabrice dans l'opinion publique. La fausse allure d'improvisation de Stendhal, ce style dicté, pourrait bien être le comble de l'écriture, la forme-sens d'une imitation rusée du destin.

16. Autre 27 dans le roman : l'âge du général en chef de l'armée d'Italie, dont les soldats avaient moins de vingt-cinq ans. Au moment de la « maison de Pétrarque » — et du jour de naissance de la princesse — Fabrice a vingt-cinq ans. Malgré son « petit habit noir râpé », « chef d'oeuvre de la plus fine politique », Fabrice passera la trentaine sans devenir un autre Bonaparte.

17. A laquelle « d'ailleurs il y avait des choses dures à dire » pour Blanès (fin du ch. VIII).

18. La « misérable pique de vanité » dans l'épisode de la Fausta relie d'ironie tragique la fin du ch. XIII (et du premier livre) au « caprice de tendresse pour (ou contre ?) Sandrino, qui précipite la catastrophe. La résistance de Fabrice à Paris, à l'Opéra, au succès dessine en creux les lieux que dit le titre du roman, et qui ont la couleur liturgique du deuil de la passion.

19. Pierre Moreau avait déjà fait de Montaigne un « stendhalien avant Stendhal ». La fin de l'essai *de la Vanité*, tremplin vers l'essai *De l'Expérience*, peut être considérée comme l'une des prémisses dont sortira le calcul différentiel, par un paradoxe qui fonde à la fois la science du mouvement et la connaissance de soi : « c'est toujours vanité pour toi, dedans et dehors, mais elle est moins vanité quand elle est moins étendue ». De « rebrousser vers nous notre course », de s'obstiner à cette microscopie du moi, on fait certes diversion au divertissement. Cela ne veut pas dire, bien au contraire, que l'on renonce à la quête de la vérité, à la connaissance de ce dieu de connaissance sous l'invocation duquel s'achèvent les *Essais* : Apollon, « protecteur de santé, mais gaie et sociale ».

20. Il y a en effet toutes raisons d'imaginer Fabrice autrement qu'en chartreux : en archevêque retiré dans l'un des couvents de son diocèse, mais qui « n'eût pas manqué un jour » de faire visite à sa tante, en territoire autrichien. Si l'on a remarqué, comme G. Genette, que toute cette fin est en ellipse et éclipse, c'est sans doute que l'énigme n'est pas seulement un bel effet de l'art, ni les abrègements une capitulation devant l'éditeur. Elle fait du roman un rébus à relire. L'évanouissement d'une grande famille est ici principe en suspens de recommencement.

TABLE DES MATIERES

Achevé d'imprimer par l'Imprimerie Ch. Corlet — 14110 Condé-sur-Noireau
N° d'Imprimeur : 4071 — Dépôt légal : juin 1984 — *Imprimé en France*